アドバイスが変える資産運用ビジネス

編／Olivia S. Mitchell, Kent Smetters
訳／楽天投信投資顧問株式会社
監訳／森祐司　奥山英司

THE MARKET FOR RETIREMENT FINANCIAL ADVICE

幻冬舎MC

アドバイスが変える資産運用ビジネス

序 文

　従来型の確定給付型年金制度（DBプラン、またはDB型年金）から確定拠出型年金制度（DCプラン）へと長期的に移行していく過程で、退職後の生活に備えたいとする消費者は、これまで以上に豊富な金融知識を身につけなければならなくなった。新たな規制や法令がファイナンシャル・アドバイザーという職業の性質を変容させるとともに、ファイナンシャル・アドバイスをめぐる情勢は変化しつつある。本書は、消費者、プラン・スポンサー、規制当局者に有益となるよう、市場や規制への課題を明らかにすべく、退職に関するファイナンシャル・アドバイス市場への新たな識見を提供するものである。また、われわれは、ファイナンシャル・アドバイザーが何をするのか、どのように報酬を得るのか、彼らのパフォーマンスや影響力はどのように評価されているのか、そしてどのように顧客を不適切なアドバイスから守り、有益なアドバイスへと導くか、という検証から得られた考察を紹介している。

　本書は、Oxford University Pressで出版されたPension Research Councilシリーズに加わる貴重な1冊であり、より良い退職年金プランの策定を求める消費者、研究者、雇用主、そして金融システムの監督と強化を行う政策立案者といった、幅広い読者の関心を引き寄せる内容となっている。

　本書の執筆過程では、実に多くの関係者や関連各機関が重要な役割を果たしてくれた。共著者であり、Wharton Schoolでの同僚でもあるケント・スメッターズは、貴重なアイデアと示唆を与えてくれた。彼は、われわれの諮問委員会、上級パートナー、そしてPension Research Councilの委員とともに、理知的な助言や財政的な支援を提供してくれたことにも謝意を表明したい。さらに、われわれは、Pension Research Council、the Boettner Center for Pensions and Retirement Research、そしてWharton School of the University of Pennsylvaniaのラルフ H. ブランチャード寄付基金から追加的な援助を受けることができた。また、Pension Research Councilシリーズの出版を引き受けていただいたOxford University Press

にも感謝を申し上げたい。本原稿は、アンドリュー・ギャラガーとドナ・セントルイスによって専門的かつ入念に編集が行われた。

　The Wharton School of the University of Pennsylvania Pension Research Council、およびthe Boettner Center for Pensions and Retirement Research におけるわれわれの研究は、半世紀以上にわたり、年金と退職者の福利厚生に焦点を当てたものである。本書は、退職年金や退職後保障に影響を与える政策問題への調査研究や政策議論を誘起するという、私たちの使命の遂行に寄与するものと考える。

オリヴィア・S・ミッチェル

Executive Director, Pension Research Council Director,
Boettner Center for Pensions and Retirement Research
The Wharton School, University of Pennsylvania

監 訳 者 序 文

　本書は、Olivia S. Mitchell and Kent Smetter eds. "The Market for Retirement Financial Advice", Oxford University Press, 2013の翻訳書である。本書を手に取った人なら現在のわが国個人の資産運用動向、あるいはパーソナル・ファイナンスの状況は、直観的にも理解されよう。「貯蓄から投資へ」そして「貯蓄から資産形成へ」とスローガンが掲げられてしばらく経つが、少子高齢化がさらに進展し、国民の退職後資金の将来的不足が当然視されていく中でも、個人（特に現役世代）は所得で得た貯蓄資金の多くを預貯金で積み上げていくだけで、退職後に向けた資産形成をほとんど意識することはなかった。その状態はバブル経済崩壊後の低成長経済移行という大きく経済構造が変化していく中でも、変わらなかったのである。もちろん、政府も手をこまねいていたばかりではなく、様々な施策を投入してきた。従来型の確定給付型年金制度（DBプラン、またはDB型年金）に確定拠出型年金制度（DCプラン）を加えて個人の年金資産形成を後押しする仕組みを導入するほか、預金商品しか提供していなかった金融機関に投資信託の窓口販売を認めた（もちろん、その実態については様々な多くの問題があったのも事実であるが）。さらに長期運用のための証券投資支援を意識したNISA（Nippon Individual Savings Account）やつみたてNISAなど個人投資家のための税制優遇や、個人型確定拠出年金（iDeCo；イデコ）の拡充などの諸政策を実施してきたのである。そういった政策の成果は、つみたてNISAの資産残高の積み上がり等という形で最近になって徐々に現れてきたとはいえ、国民全体での退職後の必要資産額からすればまだまだ道は遠い、というのが現状であろう。

　そういった中、監訳者の森祐司はかねてより楽天投信投資顧問株式会社（以下、楽天投信）執行役員の藤田大輔氏とわが国の個人向け投資信託ビジネスやファイナンシャル・アドバイスといったことをテーマに私的な議論を重ねてきていた。そして、わが国におけるIFA（Independent Financial Advisors）ビジネスの立ち上がりを観察するようになったこと

をよい機会だととらえ、同氏に2020年8月に原書の翻訳まで見据えた「楽天投信FA研究会」の企画と運営を持ち込んだのがきっかけだったのである。楽天投信社長の東眞之氏は、このような学者からの提案の意義を認め、研究会の設置を快諾してくださり、楽天投信FA研究会はコロナ禍の最中に立ち上がることになった。研究会は楽天投信の優秀なスタッフを中心に構成され、さらに学術的研究者からの示唆と議論の深耕と助言、監訳者としての役割を共同で果たすことに適任の中央大学の奥山英司も参加し、2020年11月から十数回にわたり開催されたのである。

　原書の"The Market for Retirement Financial Advice"（2013）は（研究会開始時点から）7年も前に刊行されたものであったが、あえてそれを研究会で取り上げたのは、上記のようなわが国の個人向け資産運用アドバイス・ビジネスの現状や研究動向を鑑みると、原書の内容は全く時代の古さを感じさせなかったからである。また、先進的なアメリカのファイナンシャル・アドバイスの状況、あるいはそこまで発展するまでの紆余曲折の動向、今も抱える業界間の駆け引き、ITを利用した新しいファイナンシャル・プラン、フィデューシャリー・デューティに関する諸問題など、その歴史的経緯まで含めて考察していくことは、学術的研究者にとっても、これからファイナンシャル・アドバイスに携わるわが国の実務家にとっても非常に有益だと判断したからである。

　原書の編著者であるミッチェル氏とスメッターズ氏が所属するWharton School of the University of Pennsylvaniaの附属組織Pension Research Councilは、半世紀以上にわたって年金と退職者の福祉などについて研究と政策提言を行ってきた。監訳者の森が客員研究員として赴任した20年ほど前から、研究対象は年金資産運用や年金制度研究に留まらず、ファイナンシャル・アドバイス、金融リテラシー、高齢者の投資意思決定など隣接する分野にまで拡がり、そして近年はFinTechについての学術的研究までも行われている。このようなPension Research Councilでの研究対象の様変わりは、まさに、アメリカや世界の退職資金・年金資産運用に関する課題が大きく変貌していったことを反映している。原書はその中でもファイナンシャル・アドバイス・ビジネスに焦点をしぼり、関係する実務家や学術研究者にとっても、専門性の高い非常に有益な知見を提供するものになっている。その内容を伝える本翻訳

書は、日本語で読む読者に類書にはない大きな貢献があると自負している。

　研究会運営そして翻訳作成の段階で、多くの関係者、各機関には大きな助力をいただいた。ここで感謝を申し上げたい。楽天投信の東社長は研究会の報告者、一家言を持つコメンテーター、若く経験の浅い研究会メンバーに対する自身の経験から啓蒙してくれるメンター、またいくつかの章での翻訳者など何役もの役割で貢献していただいた。藤田執行役員は報告者、翻訳者以外にも、研究会運営のファシリテーター、そして日本および海外の出版社との交渉から翻訳プロジェクトのリーダーなど、彼女なしには本書の出版は成し遂げられなかった。松村智広営業・マーケティング部長、山本康人氏、ベラミー万里衣氏、三原大輝氏は、原書と一所懸命に格闘しながらアメリカのファイナンシャル・アドバイスの現状と発展について多くの知識を吸収しながら、貴重な意見を提供するなど研究会の闊達な議論に大いに貢献してくれた。コロナ禍によって研究会の大半がZOOMによる遠隔会議方式であったため、直接的な交流は数少なかったが、その内容の濃密度は高く、その成果はこの翻訳の中に十分に生かされている。

　本研究会の開催時期、そして翻訳が行われてきた時期はアメリカ大統領選とジョー・バイデン大統領が就任した時期と重なる。史上初の女性副大統領になったカマラ・ハリス氏の言葉になぞらえて本書が望む位置づけを譬えれば、「本書は、個人向けのファイナンシャル・アドバイス研究の『最初の』本格的な翻訳書になるかもしれませんが、最後ではありません」ということである。本書を踏まえ、実務家、学術研究者の間で活発な議論の契機になり、さらに専門的な研究書・翻訳書の発表が続いていく一助になれば幸いである。

東京オリンピック2020開会式の日に
高崎経済大学　経済学部　教授　森　　祐司
中央大学　商学部　教授　奥山　英司

原著者序文

　世界の金融市場はここ10年間、急速に変化し続けており、個人、金融機関、および金融市場全般に前例のない、多くのリスクをもたらしています。

　例えば、市場のボラティリティの上昇によって、定年後の積立を計画的に行うことも、積み立てた老後の資産を予測可能な方法で使いきることも、難しくなっています。また、昨今大きな変化として、モバイル・バンキング、個人の予算管理や株式取引ができる金融アプリケーション（「アプリ」）が多くの場合無料、もしくは低コストで利用できるようになりました。これらの発展や変化とともに、個人投資家が買える「オルタナティブ」資産（例、暗号通貨）の急速な台頭が相まって、まったく新しい一連のリスクを引き起こしています。

　金融市場におけるイノベーションは、金融リテラシーが低い個人投資家にとって、トラブルに繋がる可能性があります。金融アプリの人気がますます高まっている中ではありますが、個人投資家は金融機関と同レベルの監視下に置かれているわけではありません。その結果、何か問題が発生した場合、個人投資家が保護されないケースが出てくるでしょう。日常的に我々は、個人情報をオンライン・プロバイダーに提供していますが、これらが第三者に無許可でアクセスされているかもしれません。また、金融アプリは、誤解を招くようなこともあれば、欺瞞的な情報を提示したり、個人投資家にとって不利益な金融商品やサービスを宣伝したりするケースが増えています。

　金融市場における大規模なイノベーションにより、個人投資家は定年後の資産運用や管理に役立つ金融アドバイスを今まで以上に求めています。政策立案者、雇用主、およびアドバイザー等が、イノベーションによるリスクを把握し、個人投資家を保護する必要があります。それに

よって、次世代の就労者、預金者および退職者が定年後を幸せに暮らせるようになります。

オリビア・S・ミッチェル

Executive Director, Pension Research Council

Director, Boettner Center for Pensions and Retirement Research

The Wharton School, University of Pennsylvania

2022年12月

目次

第 1 部
ファイナンシャル・アドバイザーは何をするのか？

第**1**章

退職者向け
ファイナンシャル・アドバイス市場：序論

オリヴィア・S・ミッチェル、
ケント・スメッターズ

退職者向けファイナンシャル・アドバイス市場は、かつてないほど重要性を増し、いっそう流動的になっている。従来型の確定給付型年金（以下、DBプラン、またはDB型年金）から、確定拠出型年金（以下、DCプラン）へと長期的に移行していく過程で、われわれにはこれまで以上に、豊富な金融知識や行動が求められるようになった。しかし、ファイナンシャル・アドバイスをめぐる情勢は、新たな規制や法令が、金融市場の機能やファイナンシャル・アドバイザーという職業の性質を変容させ、それとともに変化しつつある。現在、米国では4,600万人以上の団塊世代が引退期に差し掛かっているが、その多くは、以下に示すような、退職に係る一連の問題への準備ができていない。

- いつ退職するか
- 社会保障年金やDBプランの受給をいつから開始するか
- 退職後の貯蓄やDCプランからどの程度引き出すか
- 退職者医療保険の支出をどのように管理するか
- 資産の年金化を（するかどうか、あるいはいつから開始するか）

また、若年層は、自身の資産額とは相対する、複数の金融上の目標への取り組みにおいて、さらなる決定事項に直面している。

- 住宅購入や退職後の貯蓄を念頭に置いたローン返済
- 最適な預貯金水準の設定
- 生命保険への加入

- 遺産贈与の有無
- リスク選好に適った資産投資

　このような選択に伴う複雑さは計り知れず、その多くは非常に面倒な作業であるため、専門のファイナンシャル・アドバイザーのサポート無くして、十分な情報に基づいた投資判断を行うことはできないだろう。また、金融に係る意思決定というものは、個人に特化した事象であることから、多くは自身の置かれた状況について、オンライン・ツールや一般向けのセミナーではなく、信頼のおける専門家との対面相談を望んでいる（Charles Schwab, 2010; Doyle et al., 2010）。しかしながら、ここでいう専門家とは一体誰であり、そのような専門家はどのような規制に準拠すべきなのか？　彼らの報酬形態やインセンティブとはどのようなものなのか？　不適切な助言から身を守るにはどうしたらよいか、そして、適切な助言とはそもそも何か？　さらに、専門家の助言は、個人の投資行動に影響を与えるのであろうか？

　このような疑問への答えは、新たなテクノロジーとともに助言の提供コストが低減し、より多くの人々が十分な情報に基づいたファイナンシャル・アドバイスを受けられるようになることである。これは、革新的な役割と言えるであろう。しかし、それは大がかりな作業である。現在、米国だけでも、1,500〜3,200万世帯が進んで有料のファイナンシャル・アドバイスを利用しているが、ほとんどの人はそうではなく、アドバイザーというものが金額的にも手が届きにくく、利害が矛盾し、不明瞭な提案を行うものだと見なしている。（Doyle et al., 2007; Janowski, 2012）。その一例として、Mangla（2010: n.p.）は次のように指摘している：

　　残念なことに、客観性があって、手頃な手数料で助言が受けられる独立系のアドバイザーを見つけるのは困難であろう。多くの「ファイナンシャル・アドバイザー」は、単に金融商品を押し付けるだけのブローカーである。また手数料のみを徴求し、報酬は取らないファイナンシャル・プランナーは、利益相反が少ない代わりに、既に十分な資産を有する個人と契約を結び、年間数千ドルもの手数

料を程よく徴求しているのが常である。

　また、Leiber（2011）はニューヨーク・タイムスの記事で、次のように述べている：

　　職域の退職年金プラン加入時には、対人による助言が全く足りておらず、富裕層向けではなく、適度な料金水準で顧客の利益を優先するアドバイザーの不足が深刻である。

　この件に関しては、規制当局も手をこまねいているわけではない。このような問題に対処すべく新たな規則の制定を見据えた「規則のルネサンス」とともに、退職者向けファイナンシャル・アドバイス市場をどのように構築するかについて、世界中で闊達な議論が行われている。英国とオーストラリアでは、利益相反の観点から販売委託手数料型の投資アドバイスを原則禁止する法律を最近成立させた。ドイツもこれらの国々と同様の方向で進んでいる。米国では、利害の矛盾が少ない助言の提供に向けた、いくつかの活動分野の最前線があるものの、このような改革の動きは、欧州と比べ少々遅れている。これは、規制の分散化、業界の抵抗、投資家の理解不足が要因となっているためである。

　米国における繰延型退職年金プランは、1974年従業員退職所得保障法（以下、ERISA）の下、米国労働省（DOL）によって監督されている。その後の判決とともに、従来この法律は、職場での投資アドバイスを「禁止取引」とみなしてきた。この制度は、投資ガイダンスを行う場合は、年金プランのスポンサーがフィデューシャリー（受託者）として責任を負うという事を意味している[1]。

　しかし、2006年の米国年金保護法（以下、PPA）と2007年の細則は、プラン加入者（従業員）と投資アドバイザー（助言を提供する側）における利益相反の低減を目標とした規則の下、職域における投資アドバイスへの突破口を開いた。米国労働省は、一般的な「投資教育」（見逃されがちなテーマ）が、規制を受ける「助言」に相当するかどうかを含め、関連する一連の課題について引き続き検討を行っている。

　ERISAの退職年金プラン口座以外における米国の投資アドバイスは、

4

多くの異なる行政機関によって規制を受けている。大手の登録投資顧問会社（以下、RIA）は、通常、1億ドル、もしくはそれ以上の運用資産（以下、AUM）を保有し、米国証券取引委員会（以下、SEC）の監視下に置かれている。中規模のRIAは、通常、米国統一証券法の下、それぞれの州政府が監督している[2]。RIAで業務を行う全ての対人アドバイザー（投資アドバイザリー外務員）は、顧客の利益を第一とするフィデューシャリー（受託者）としての責務を果たさなければならない。そのため、一般的にRIAは、顧客から直接手数料を徴求し、ファイナンシャル・プランの策定やAUMに比例した手数料をその対価として受け取っている。対称的に、全米大手の証券ディーラー外務員は、顧客の利益を第一とする必要はなく、むしろ、投資アドバイスが顧客にとって「適合する」ということを確認することだけが求められている。通常、証券ディーラーというものは、投信会社から受け取る販売手数料から報酬を得ており、この点は顧客がよく理解できていない部分である。また、証券ディーラーは、米国金融業規制機構（以下、FINRA）として知られる「自主規制機関」（以下、SRO）の規制対象となっている。

　このような特徴の違いが多分に分かりにくいことから、多くのファイナンシャル・アドバイザリー企業は「二重登録」、すなわち、RIAとFINRAの両方に登録をして業務を行っている。このような状況は、米国会計検査院（以下、GAO）が指摘する「帽子の交換」（視点操作）問題を生み出している。これは、アドバイザーというものが、フィデューシャリー（受託者）として投資アドバイスを与える役割と、利益が相反する営業員という役割を自在に入れ替えるというもので、通常、顧客はこの二つの役割の違いを理解していない[3]（GAO, 2011）。

　近年、2008年の金融危機に対応すべく成立したドッド＝フランク・ウォール街改革・消費者保護法（以下、ドッド・フランク法）は、一貫性と統一性を兼ね備えたフィデューシャリー・デューティ[*1]に関する調査と提言を行うことをSECに義務付けている。これに対する明らかな報復として、アメリカ連邦議会における数名の国会議員が少し前に提出した法案は、SECにおける投資アドバイス業の実務管理をFINRAに移行しようとするものであった。しかしながら、この対抗案は、FINRAは真の意味においてフィデューシャリー・デューティを遂行できず、コン

プライアンス費用を増加させるのではという懸念を抱くアドバイザーからの激しい抵抗に見舞われた。これを受けてFINRAは、フィデューシャリー・デューティの要素を織り込んだ「適合性」の原則を再定義することによって、より高度なアドバイス基準に適したものとなるよう、自ら再構築を図ったのである。しかし、FINRAがSECよりもさらに完全な規制当局の役割を獲得した場合、この基準が廃止されるかどうかについては、議論の余地がある。

規制当局、政策立案者、業界関係者、消費者団体がこの重要な法環境の変革において、長く激しい論争を続けている一方で、多くの人々は実用的な助言を求めている。団塊世代は待った無しの状況であり、その子や孫においても、絶えず変化する金融市場で助言を必要としている。年金プランを策定するプラン・スポンサーは、それを指南するコンサルタントと共に、実用的観点から何ができるかを見極め、前進しなければならない。本書は、ファイナンシャル・アドバイス市場がどのように機能するのか、落とし穴は何か、そして、消費者、プラン・スポンサー、規制当局が、望ましいリスク管理を行うためには何ができるのかについて、より理解を深める事を目的としている。

ファイナンシャル・アドバイザーはどのような業務を行っているのか？

以下において、われわれは、ファイナンシャル・アドバイザーがどのように実務を行い、助言を提供するのか、その実質的な行動の解説から始めることとする。各章は、学術研究者と、現場経験が豊富で顧客に実質的な助言を行っている専門家という、興味深い組み合わせから考察を行ったものである。第2章では、Turner and Muir（2013）が、ファイナンシャル・アドバイザーの業務領域を検証し、「ファイナンシャル・アドバイザー」という用語が何を意味するのかという課題に取り組んでいる。しかし驚くことに、様々な人々が、自身をファイナンシャル・アドバイザーと称しており、これに対する明確な答えはないとしている。Hogan and Miller（2013）は第3章で、独立系ファイナンシャル・アドバイザーが、顧客のニーズを精査し、リスクの説明を行う場合、全体論的視点を用いるとする実用的観点を示し、顧客にリスクを説明する際に共通する、いくつかの潜在的な危険性について検証し、リスクに対する説

明方法が異なれば、顧客の理解や選択を変えてしまう可能性があると述べている。

　第4章では、Greenwald et al.（2013）が、社会保障給付の受給において、助言がどのように役立つかについて解説している。多くは、社会保障給付がどのように機能するかについて、落胆するほど理解しておらず、ほとんどの労働者は62歳から給付を開始しているが、これは専門家の大多数が最適だと考える年齢よりもはるかに早い。著者らは、調査や詳細なインタビューに基づき、アドバイザーと年金プラン・スポンサーは、顧客やプラン加入者に対して、どのように社会保障給付の助言を行うのかについて検証している。彼らの結論は、社会保障とその受給に関する教育や助言を効果的にするための、いくつかの方法を示している。

　第5章は、Munnel et al.（2013）による検証で、年金資産配分が、退職後の経済的安定への影響にどの程度役立つかに焦点を当てている。米国では、多くの労働者の貯蓄額が少ないことから、アドバイザーは資産配分ではなく、毎月の貯蓄額を引き上げることに注力すべきだと結論づけている。Jones and Scott（2013）は第6章において、Financial Engines社が、プラン・スポンサーに提供する職場向け資産管理プログラムに、従業員を加入させるよう推奨する要因として、同社は、プラン加入者に代わってDCプラン口座の資産運用を行い、そのほとんどの収益を挙げていると説明している。

　個人投資家は、貯蓄や投資に加え、退職後に資金が枯渇しないための資産管理に関する助言も必要としている。第7章では、Hueler and Rappaport（2013）が、資産の一部を年金化する際、従業員の意思決定にはファイナンシャル・アドバイスが深く関与している可能性を示している。Hueler社の革新的な終身年金プラットフォームは、退職者が生涯にわたって収入を守る手段を提供している。現在、終身年金は、個人年金保険売上のごく一部に過ぎないが、本章では、ファイナンシャル・アドバイスが提供される際、それがどのように重要な役割を果たしているかについて検証している。

ファイナンシャル・アドバイスのパフォーマンスと影響についての計測

　次に、本書はファイナンシャル・アドバイザーの影響について、より

詳細な検証に取り掛かることとする。果たして、彼らの存在は重要か、よい仕事をしているか、金融商品の選択や投資行動に影響を与えているか？　第8章は、多くの先行研究が科学的なランダム化分析を行わなかったために、投資家の行動に変化をもたらすファイナンシャル・アドバイザーの明確な影響を特定できなかったということを、Zick and Mayer（2013）の入念な分析結果が示している。さらに、それを行ったいくつかの研究によれば、ファイナンシャル・アドバイスが与える影響には限界があるとしている。そこで著者らは、アドバイザーが投資家のパフォーマンスに与える影響を明確に特定すべく、本格的な評価作業を行うための有用なロードマップを示している。

　注目を集める実証実験という意味では、Hung and Yoong（2013）が第9章で、実際の投資アドバイスが投資行動の改善の要因になるかについて、RAND社American Life Panel（以下、ALP）調査データを用いて検証したところ、2つの興味深い結果が得られた。一つ目は、一方的な助言が投資行動に与える影響は限定的であるということ。二つ目は、積極的に助言を受ける投資家のパフォーマンスは明らかに向上しているが、彼らは無作為に選ばれた投資家グループではないということである。この結果は、一般的な助言は「特効薬」にはならないということを明示している。すなわち、プラン・スポンサーや政策立案者は、（どのようにして、より個人に特化した助言を行うかを含めた）さらなる仕組みを検討し、助言を実際に実行する際には、プラン加入者がより多くの支援を受けられるようにすることが求められている。

　Hackethal and Inderst（2013）の第10章では、ファイナンシャル・アドバイスは、金融知識や取引の利便性に対する格差を補うという意味では顧客に有益であるが、実際には、彼らの金融リテラシーの欠如や経験不足を悪用していると言及している。このような問題の改善に向け、規制当局は、金融商品や利益相反に関するさらなる開示を義務付けるべく、法律の制定に努めてきた。しかしこれらには、透明性を高める手法や政策が、おおよそ欠如していると著者らは指摘している。たとえば、金融商品がよりシンプルで統一性のあるものになれば、商品の比較が容易になるはずである。さらに、法律においては、アドバイザーに、さらなる高度な資格認定基準を求め、情報収集や公平な助言の提供に見合った適

切な報酬を与えることで、助言の質の向上を徹底するよう努めることができるだろう。

第11章でFinke（2013）は、投資アドバイザーのサービスについて、ファイナンシャル・アドバイザーは、個人や社会にとっては効率的とは言えない、金融関連の人的資本に対する割高な投資の代替的役割を担うことができると提案している。しかし、ファイナンシャル・アドバイザーが顧客のパフォーマンスを向上させ、アドバイザーと顧客の利益が一致していたとしても、利益相反が、高額なエージェンシー・コストを創出する限り、専門家の助言は、依然として顧客に損害を与える可能性があると言う。残高比例ベースの報酬は、ポートフォリオの回転売買を増やすためのインセンティブや、パフォーマンスが低い投資商品の推奨から得られるエージェンシー・コストを低減させる可能性がある。個人が支払うその報酬は、アドバイザーとの長期的な関係を築くことで、短期的なアドバイス・サービスへの集中を回避することができる。エージェンシー・コストを削減するための一つの方策は、販売手数料を廃止し、ファイナンシャル・アドバイザーに一律のフィデューシャリー・デューティを適用するというものである。

第12章では、Holden（2013）がいくつかの異なる調査結果を用いて、ミューチュアルファンドの投資家が、いつ、なぜ、どのように、アドバイザーを利用するのかについて検証している。その中でも、特定の出来事を契機に、ミューチュアルファンドの投資家が専門の投資アドバイスを求めるかどうか、そして、彼らは他の投資家よりも積極的にアドバイザーを利用するかどうかについても分析を行っている。継続的な助言を受けていないミューチュアルファンド保有世帯における世帯資産の中央値が85,000ドルであるのに対し、継続的に助言を受けている保有世帯のファンド資産中央値は170,000ドルとなっていることから、資産レベルが重要な指標となっていることがうかがえる。

市場と規制に関する考察

本書第3部では、市場と規制について考察している。第13章では、Laby（2013）が、ブローカーとアドバイザーの役割は類似しているが、米国の法律を大恐慌時代にまで遡ると、その規制はそれぞれ異なってい

るという点に注目している。ファイナンシャル・サービス・プロバイダーが用いる肩書は、投資家を困惑させている。連邦証券取引法では、ブローカーとアドバイザーには、それぞれ別の規制方針があり、義務や責任もそれぞれ異なっている。現在、規制当局は、これらの規制をどのように調和させるかに腐心しているが、その一連の取り組みは、困難を伴うものとなっている。さらに、ブローカーとアドバイザーは、従来異なるサービスを提供してきたが、今日における彼らの役割はほぼ類似しているか、あるいはほとんど同一のものとなっている。規制が業界の変化に付いて行けず、ブローカーとアドバイザーは、未だに異なる規制方針の対象となったままである。現在、SECは、証券ディーラーと投資アドバイザーの規制を調和させ、顧客に助言を行うブローカーには、より高度なフィデューシャリー（受託者）としての注意義務を負わせるべきかどうかを検討している。

　Bromberg and Cackley（2013）が示しているように、GAOもまた、規制の隙間について検証を行っている。現在は、ファイナンシャル・プランニング・サービスを管轄する法律は一つもない。多くの投資家は、注意義務に混乱し、投資アドバイザーと証券ディーラーの相違や、彼らに適用される注意義務についても理解していないように見受けられる。一般的に消費者は、適合性基準についての注意義務と、フィデューシャリー（受託者）としての注意義務との区別ができておらず、アドバイザーには自己の利益よりも顧客の利益を優先することが要求されているか（否か）も定かではない。第14章では、より統一された手法を生み出すべく、著者らが、いくつかの異なるアプローチについて概要を述べている。

今後の展望

　金融危機以降、多くのアナリストや政策立案者は、消費者における金融知識の欠如の範囲やその結末について強い懸念を示してきた。例えば、金融リテラシーに関する大統領諮問委員会は、「あまりにも多くのアメリカ人が、予算の策定や維持、与信枠、投資手法、そしてバンキング・システムの有効な活用法といった、基本的な金融スキルを身につけていない」ということを危惧しており、「人々が先のような金融危機を乗り

越えられるよう、基本的な金融教育を提供することは不可欠である」と述べている（PACFL, 2008）。同様に、米国連邦準備制度理事会（以下、FRB）のバーナンキ議長（2011: 2）は、「我々が置かれるダイナミックで複雑な金融市場において、金融に対する教育というものは、生涯にわたって継続されるべきものであり、それは、消費者の年齢や経済的地位にかかわらず、資金ニーズや経済環境の変化に合わせて、自身の目的に最もふさわしい金融商品や金融サービスを上手く利用できるよう導くものである。十分な金融知識を備えた消費者は、自らの擁護者となり、不適切で、不必要に割高で悪意のある金融商品や金融サービスの蔓延に対する最高の防衛線として、一翼を担うものである」と主張している。そして、米国労働省は、年金プラン加入者が、ファイナンシャル・アドバイスに関してもっと精通していれば、年間数十億ドルの貯蓄が可能であると推定している（Turner and Muir,2013）。

　われわれは、退職後の資産を貯蓄し、投資し、給付を受けるという流れがうまく機能する市場の構築に焦点を当てているが、ここでは詳細には取り上げていないものの、長期的に個別で取り組むべき課題が一つ存在している。それは、退職者医療の支出計画をどのように策定、管理するかというものである。この費用は、長寿化や医療費の高騰によって、将来的に上昇することは避けられないであろう。さらに米国では、多くの雇用者が過去十年間で、退職者向け医療保険プログラムを終了しており、まだ提供を継続している企業であっても、高い拠出率を課し、自己負担を増加させ、高額な控除額を負わせているものもある[4]。患者保護並びに医療費負担適正化法（通称；オバマケア）は、老齢者医療保障制度（以下、メディケア）が直面するソルベンシー問題を抱えており、将来の退職者は、以前の退職者よりも確実により多くの医療費を払う必要があることを意味している[5]。しかし、雇用主による退職者向け医療保険の提供や、メディケアによってどのような給付を受けられるかについて精通する従業員はほとんどいない[6]。これは、ファイナンシャル・アドバイスが、この分野においてもますます重要な役割を担うことを意味している。

　将来を見据え、退職後の安全な生活を支える投資アドバイスが、その質、量ともに向上することを期待しつつ、金融情報の提供問題に対処し、

フィデューシャリー・デューティの適用を実用化させるべく、多くの国々で規制への真摯な取り組みが行われている。しかし、長期的にみれば、より高水準の教育を受け、十分な金融知識を備えた投資家は、退職金を蓄積し、投資し、給付を受けるという一連の流れを自身で管理するという大きな役割を念頭に置く必要があるだろう。そのため、退職アドバイス市場におけるプラン参加者が、退職後のリスクをより良く管理するためには、市場で適正な金融商品が提供され、より良い説明がなされ、公正価格が形成される以外に選択肢はないように思われる。このテーマは、次に取り上げていくべき課題である。

▶ **第1章** 章末注

1　いくつかの例外が存在するが、注目すべきは、米国労働省が2001年12月14日、SunAmerica社Retirement Marketsに行った勧告的意見で、ERISAの年金プランの加入者に対する、特定の資産配分サービスを許可したものである。https://www.dol.gov/agencies/ebsa/about-ebsa/our-activities/resource-center/advisory-opinions/2001-09aを参照

2　多くの州ではRIAへの法的な登録が必要であり、各アドバイザーは、Series 65（投資相談員資格試験）[*2]、あるいは、それに類似する資格試験（一部の州では、認定ファイナンシャル・プランナー資格の保有者は免除される）に合格し、フォームU4（Uniform Application for Securities Industry Registration or Transfer）と呼ばれる登録フォームへの申請が義務付けられている。フロリダ州を含むいくつかの州では、アドバイザーに指紋登録も求めている。

3　これは、医師が患者に処方する薬を製造している医薬品会社に、金銭的な利害関係を持っているのと類似しているかもしれない。

4　Fronstin（2010）が指摘しているように、1990年の米国財務会計基準審議会基準書第106号（FAS106）は、民間部門の雇用者に、被雇用者の退職後医療保険に関する負債の計上を義務付けるとともに、多くの企業にこれらの医療保険プランを削減し、さらには終了するよう促した。

5　米国従業員福祉研究所（2009）は、平均的な二者一組（カップル）の自己負担支出（雇用主の補助金を除く）の割引現在価値は、合計268,000ドルと推計した。90パーセンタイルの推定費用は414,000ドルで、Medigap/Part D premium[*3]を含めると、807,000ドルであった。

6　一例として、Schur et al.（2004）、Kaiser Public Opinion（2011）を参照。

▶ **第1章** 参考文献

Bernanke, B. S. (2011). Statement of the Chairman of the Board of Governors of the Federal Reserve System at a Hearing conducted by the Subcommittee on Oversight of Government Management, the Federal Workforce, and the District of Columbia of the Committee on Homeland Security and Governmental Affairs, U.S. Senate, Washington, DC (April 12).

Bromberg, J., and A. P. Cackley (2013). 'Regulating Financial Planners: Assessing the Current System and Some Alternatives,' in O. S. Mitchell and K. Smetters, eds., *The*

Market for Retirement Financial Advice. Oxford, UK: Oxford University Press, pp. 305–20.

Charles Schwab (2010). *The New Rules of Engagement for 401 (k) Plans.* San Francisco, CA: The Charles Schwab Corporation. <http://www.aboutschwab.com/images/uploads/schwab_engagement_study_slides.pdf>
（翻訳時点で該当ページ無し）

Doyle, B., E. Dolan, B. Tesch, and C. Johnson (2007). *Who's Willing to Pay the Most for a Financial Plan?* Cambridge, MA: Forrester Research, Inc.

——P. Wannemacher, B. McGowan, and B. Ensor (2010). *Segmenting US Investors.* Cambridge, MA: Forrester Research, Inc. Employee Benefit Research Institute (EBRI) (2009). *EBRI Note.* Washington, DC: EBRI (June).

Finke, M. (2013). 'Financial Advice: Does It Make a Difference?' in O. S. Mitchell and K. Smetters, eds., *The Market for Retirement Financial Advice.* Oxford, UK: Oxford University Press, pp. 229–48.

Fronstin, P. (2010). 'Implications of Health Reform for Retiree Health Benefits.' Employee Benefit Research Institute Issue Brief No. 338 (January).

Greenwald, M., L. Schneider, and A. G. Biggs (2013). 'How Financial Advisers and Defined Contribution Plan Providers Educate Clients and Participants about Social Security,' in O. S. Mitchell and K. Smetters, eds., *The Market for Retirement Financial Advice.* Oxford, UK: Oxford University Press, pp. 70–88.

Hackethal, A., and R. Inderst (2013). 'How to Make the Market for Financial Advice Work,' in O. S. Mitchell and K. Smetters, eds., *The Market for Retirement Financial Advice.* Oxford, UK: Oxford University Press, pp. 213–28.

Hogan, P. H., and F. H. Miller (2013). 'Explaining Risk to Clients: The View from Two Advisers,' in O. S. Mitchell and K. Smetters, eds., *The Market for Retirement Financial Advice.* Oxford, UK: Oxford University Press, pp. 46–69.

Holden, S. A. (2013). 'When, Why, and How Do Mutual Fund Investors Use Financial Advisers?' in O. S. Mitchell and K. Smetters, eds., *The Market for Retirement Financial Advice.* Oxford, UK: Oxford University Press, pp. 249–72.

Hueler, K., and A. Rappaport (2013). 'The Role of Guidance in the Annuity Decision-making Process,' in O. S. Mitchell and K. Smetters, eds., *The Market for Retirement Financial Advice.* Oxford, UK: Oxford University Press, pp. 125–49.

Hung, A. A., and J. K. Yoong (2013). 'Asking for Help: Survey and Experimental Evidence on Financial Advice and Behavior Change,' in O. S. Mitchell and K. Smetters, eds., *The Market for Retirement Financial Advice.* Oxford, UK: Oxford University Press, pp. 182–212.

Janowski, D. (2012). 'Behind LPL's Acquisition of Veritat,' *InvestmentNews* (July 10).

Jones, C., and J. Scott (2013). 'Choice and Defined Contribution Retirement Income,' in O. S. Mitchell and K. Smetters, eds., *The Market for Retirement Financial Advice.* Oxford, UK: Oxford University Press, pp. 107–24.

Kaiser Public Opinion (2011). 'Pop Quiz: Assessing Americans' Familiarity with the Health Care Law.' Kaiser Family Foundation Data Note (February).

Laby, A. B. (2013). 'Harmonizing the Regulation of Financial Advisers,' in O. S. Mitchell and K. Smetters, eds., *The Market for Retirement Financial Advice.* Oxford, UK: Oxford University Press, pp. 275–304.

Lieber, R. (2011). 'Investment Advice for Small Fry,' *New York Times*, May 27.

Mangla, I. S. (2010). 'Good Financial Advice on a Budget,' *Money Magazine*, 39 (1).

Munnell, A. H., N. Orlova, and A. Webb (2013). 'How Important is Asset Allocation to Financial Security in Retirement?' in O. S. Mitchell and K. Smetters, eds., *The Market for Retirement Financial Advice*. Oxford, UK: Oxford University Press, pp. 89–108.

President's Advisory Committee on Financial Literacy (PACFL) (2008). *Annual Report to the President: Executive Summary*. Washington, DC: PACFL.

Schur, C. L., M. L. Berk, G. R. Wilensky, and J. P. Gagnon (2004). 'Paying For HealthCare in Retirement: Workers' Knowledge Of Benefits And Expenses,' *Health Affairs* 4: 385–95.

Turner, J. A., and D. M. Muir (2013). 'The Market for Financial Advisers,' in O. S. Mitchell and K. Smetters, eds., *The Market for Retirement Financial Advice*. Oxford, UK: Oxford University Press, pp. 13–45.

United States Department of Labor (DOL) (2001). *Advisory Opinion*. 2001-09A. Washington, DC: DOL.

United States Government Accountability Office (GAO) (2011). *Improved Regulation Could Better Protect Participants from Conflicts of Interest*. GAO-11-119. Washington, DC: GAO.

Zick, C. D., and R. N. Mayer (2013). 'Evaluating the Impact of Financial Planners,' in O. S. Mitchell and K. Smetters, eds., *The Market for Retirement Financial Advice*. Oxford, UK: Oxford University Press, pp. 153–81.

▶第1章 訳者注

*1
金融庁は2017年、「顧客本位の業務運営に関する原則」を公表し、顧客本位の業務運営（フィデューシャリー・デューティ）への取組方針や取組成果（自主的あるいは共通のKPI）を公表している。本章で述べられている、フィデューシャリー・デューティとは、受託者（Fiduciary）と責任（duty）を組合せた言葉で、日本語では「受託者が、委託者および受益者に果たすべき義務」と訳されている。金融庁は、各金融機関に対して「金融機関が金融商品購入者に果たすべき義務」として、これを徹底するよう指示している。金融庁ウェブサイト（https://www.fsa.go.jp/news/28/20170330-1.html）を参照。

*2
Series 65は、北米証券監督者協会（North American Securities Administrators Association, NASAA）によって設計され、FINRAによって管理される個人が米国で投資アドバイザーとして行動するために必要な試験、および証券ライセンスである。正式名称はUniform Investment Adviser Law Examination（通称Series 65）で、法律、規制、倫理、およびファイナンシャル・アドバイザーの役割にとって重要となる、さまざまな項目を網羅した試験内容となっている。

*3
Medigapは、Medicareでは不足する医療費や医薬品費の「ギャップ」を埋めるためMedicareを補足する保険であり、民間保険会社によって販売されている。MedigapのPart Dでは、メディケアの加入者が服用する処方薬の費用を幅広くカバーするプログラムで、それに要する保険料（Premium）を指すものである。

ファイナンシャル・アドバイザーは
何をするのか?

第2章
ファイナンシャル・アドバイザーの市場

ジョン A. ターナー、
ダナ M. ミューア

　多くの個人投資家は基本的な金融の知識を十分に持ち合わせていないため（McCarthy and Turner, 2000; Lusardi and Mitchell, 2006等）、ファイナンシャル・アドバイスを活用したいと考えている。年金プランのスポンサーも、加入者に提示するプランの選択、年金プランの設立、401（k）プラン（さし当たって、事業主に提示されるプランとしては最も一般的なタイプ）での投資銘柄の選定、DB型年金の運用、経営層向けの年金プランの設立、サービス・プロバイダーの採用において、ファイナンシャル・アドバイスを必要としている。この章では、退職年金運用に関わるファイナンシャル・アドバイスに焦点を当て、個人及びプラン・スポンサーに提供されるアドバイスについて検討する。

　まず、第一に、ファイナンシャル・アドバイザーと顧客との関わり合い方や、その範囲について説明する。第二に、アドバイスを提供する企業の業種やファイナンシャル・アドバイザーが用いる専門資格の必要性について論じる。このような専門資格は、個人投資家やプラン・スポンサーに、ファイナンシャル・アドバイザーとしての資質を評価するポイントを示してくれる。さらに第三に、ファイナンシャル・アドバイザーが徴求する助言料の水準と開示手法に関わる問題を検討する。続いて、アドバイスに関わる費用の仕組みと水準が利益相反を引き起こし、提案内容の品質に影響を与える可能性について説明する。そして、幾つかの研究事例において問題視されている、管理監督基準についての個人投資家の混乱と利益相反の問題に対応すべく、米国における法規制環境がいかなる進化を遂げているかについての概要を示す。章の最後では結論を述べる[1]。

個人投資家に対するファイナンシャル・アドバイス

　第一に、ファイナンシャル・アドバイスがどのように行われるのかという点と、ファインナンシャル・アドバイスにおけるいくつかのテーマについて論じる。

投資におけるファイナンシャル・アドバイスはどのように提供されるか

　ファイナンシャル・アドバイザーは、個人投資家に対して、投資教育、投資判断支援、アドバイス、マーケティング情報の提供を行い、彼らの投資を管理している。投資判断支援は、顧客の意思決定支援を目的とした教育といえる。マーケティング情報は、顧客にとって、一見、公平なアドバイスのように見えるが、金融商品を販売することを目的に設計されているのである。

　多くの投資アドバイザーは、アドバイスを行って顧客を支援している。顧客に資産運用サービスを提供する場合、投資アドバイザーは、個人投資家の関与を待たずして、自身で投資判断を行い、その決定に従って業務を遂行することもできる。一部の401（k）プランにおいては、マネージド・アカウントを従業員に提供し、投資のプロによる個人資産の運用が受けられるよう便宜を図るケースもある。このようなサービスの選択肢は、年金プラン以外の運用口座にもある。サービス・プロバイダーのアドバイスやマーケティング資料の中には、投資のプロによる運用が受けられる事を推奨しているが、このようなサービスは、一般的により高い手数料を継続的に発生させる傾向を持っている。本章においては、このような資産運用サービスではなく、投資アドバイスに焦点を当てる。

　ファイナンシャル・アドバイザーに代わる代替的手段には、ファイナンシャル・プランニング・ソフトウエアによって生成されるアドバイスがある。これらの中には、インターネット上で利用可能な無料サービスがある（Turner & White, 2009）。ファイナンシャル・アドバイザーに代わる更なる手段として、ターゲット・デート・ファンド（または、ライフサイクル・ファンド）がある。このファンドにおいては、顧客の予定退職期日が近づくにつれて、自動的に投資期間が短くなることが考慮され、資産配分を調整するポートフォリオ運用が行われるのである。

　ここでは、ファイナンシャル・アドバイザーと顧客とのやり取りにお

いての、アドバイスという点に注目する。ファイナンシャル・アドバイザーは、投資判断に関わるアドバイスを提供し、個人投資家は、それに従うか否かを自ら判断する。投資アドバイザーは、インターネット、電話、コールセンターやヘルプデスク、職場、グループ・セミナー、対面による相談といった多様な方法を通じ、アドバイスを提供している。

対象とするトピックと見過ごされがちなトピック

個人投資家がファイナンシャル・アドバイスを求めると思われる退職関連のテーマは、投資の領域をはるかに超え、広範に及ぶ。これらには、最適な退職時期の選択、社会保障年金の申請時期、また、年金資産や個人預金資産を保有する個人の場合には、401（k）プランを個人退職勘定（以下、IRA）に移管すべきか否か、退職期における資産の現金化の方法、さらには個人向け年金保険の購入の是非等まで含まれている。

投資アドバイザリー企業の中には、個人投資家の退職において不可欠となる、様々な投資判断に係るアドバイスを行なわず、投資のポイントにのみ注力し、税務や法務に関わるアドバイスを提供しない場合もある（T. Rowe Price, 2011 a, 2011 b）。ただし、法的な理由から免責条項があるにもかかわらず、投資選択と退職時の投資資産売却の順序決定について、税効果を議論する投資アドバイザリー企業も存在している。

インターネット上で無料なファイナンシャル・プランニング・ソフトウエアに関する調査によると、年金型保険の購入が望ましいとされたシナリオに遭遇した場合でも、多くのソフトウエアが年金型保険を購入するようなアドバイスを行わないよう設定されていたことが分かった（Turner , 2010）。筆者らが接触したある投資信託会社は、顧客が年金資産からの引き出しに関するアドバイスを求めることはほとんどないとの意見であった。年金型保険の購入を推奨しないという会社側の理由としては、少なくとも部分的には需要がないからだということなのであろう。同社が取り上げるもう一つの理由は、顧客となる個人投資家の年金資産を、どの程度まで年金型保険にするかについて判断するための標準的な方法を、金融の専門家ですら持ち合わせていないというものであった。これとは対照的に、生命保険会社は年金型保険の購入に関わるアドバイスを提供することが期待されている。

　過去にファイナンシャル・アドバイザーの一部が、年金型保険を推奨してこなかった理由の一つは、引き出しを伴う年金型保険で、そのAUMが減少し、それに基づく投資アドバイス報酬が減少することが挙げられている。例えば、一部の変額年金の場合には、口座資産は一般的には累積投資期間を通じて、顧客が選択したミューチュアルファンドに投資されている。これに続く資産引き出し期間において、通常顧客は、固定金額での引き出しか、投資対象資産の投資実績に応じた金額での支払いを選択しているのである。

ファイナンシャル・アドバイザーの事業主と資格情報
　ファイナンシャル・アドバイザーは、勤務する企業の属性と保有する資格で分類することができる。

ファイナンス・アドバイス提供企業
　ファイナンス・アドバイス提供企業には、銀行及び信託会社（UBS社等）、投資信託会社（Vanguard社等）、投資アドバイザリー（Veritat社等）、証券会社（TD Ameritrade社等）そして保険会社（MetLife社等）などがあり、会計事務所や法律事務所もこれに含まれる。金融機関が相互に買収を繰り広げる中において、緩やかな規制も後押しし、投資アドバイザリー企業の性質に関する区別は、一層曖昧なものとなっている（Bank of America Merrill Lynch, 2011）。2010年時点において、19％の投資アドバイザリー企業が、ファイナンシャル・プランニング・サービスと証券売買サービスの両方を行い、同じく27％が保険販売を行っている（GAO, 2011 b）。
　投資アドバイスのみを提供する企業がある一方、投資運用管理サービスだけを提供するところもある。投資アドバイザーの中には、アドバイスのみのサービスと投資運用管理も含めてのサービスを選択可能とする場合もある（TD Ameritrade, 2011）。Financial Engines社は、401（k）プランを採用するプラン・スポンサー企業を通じて、加入者に対してファイナンシャル・アドバイスを提供している。同社はその創業期に、顧客である投資家が必要な手順に従わないことが多いということに気づいた。その結果、現在は主に、フィデューシャリー・デューティを受け入れた

401（k）プランでの個人口座を運用管理するようになっている（Financial Engines, 2011）。対照的に、ファイナンシャル・アドバイスを提供する多くの企業は、フィデューシャリー・デューティにおける責任に準拠していない（Simon, 2004）。GuidedChoice社（2011）及びBank of America Merrill Lynch社（2011）は、401（k）プランのプラン・スポンサーによって採用され、同プランの加入者に対してアドバイザリー・サービスを提供している。また、Smart 401（k）（2011）は、それらとは異なるビジネス・モデルを採用し、401（k）プランに加入する個人投資家を対象に、投資アドバイスを直接提供している。しかし、これら3社のウェブサイトにおいて、フィデューシャリー・デューティに準拠する意思表示は何ら行われていない。

保険会社もまた、変額年金保険や他の支払年金型商品を含む、多様な保険商品のマーケティングに係るファイナンシャル・アドバイスを提供している。保険会社が提供するアドバイスは、以下のような従来型のアドバイス領域を超える場合もある。例えば、MetLife社（Metropolitan Life Insurance Company社の持株会社）の子会社であるMetLife Securities社は、資産残高に連動した報酬体系による、従来型のファイナンシャル・プランニング・サービスを提供している（MetLife, 2011）。保険会社の代理人として営業を行う保険代理業者は、「専属エージェント」とみなされる。また、複数の会社の保険商品を販売する独立したエージェントは、保険ブローカーと呼ばれている。どちらの場合でも、エージェントの報酬は委託手数料の形態をとることが多い（Kolakowski, 2011）。

一般的な手続きとして、投資アドバイザリー企業は、連邦政府機関であるSECか、州政府に投資アドバイザリー企業として登録しなくてはならない。どちらの登録で継続的かつ規則的な管理・監督を受けるのかは、投資管理するAUMによって決まってくる。SECへの登録が必要とされるAUMの額は、2011年現在において1億ドルである（Sec, 2011d）。AUMが1億ドルを下回る企業は、州政府監督当局への登録が義務づけられている。

SECの最小AUMを満たしていない投資アドバイザリー企業に加え、最低資産価値による従業員年金プラン、および年金プラン受給者に対する投資アドバイスを行う「年金コンサルタント」は、州政府監督当局で

はなく、SEC登録となる場合がある。この最小AUMは2011年に2億ドルに増加した。また、巨額の年金資産において多様なサービスを提供する年金コンサルタントが、実際にはAUMを保有していなくても、国内市場に影響を及ぼす場合があるとSECは説明している（SEC, 2011e. 42,959）。

ファイナンシャル・アドバイザーの専門資格

　BrightScope, Inc.（2011）は2009年に設立し、401（k）プランの分析を手掛けている。同社によれば、401（k）のプラン・スポンサーは、現状よりもさらに投資アドバイスに関わる情報を必要としているようだという。同社のウェブサイトでは、業務経験や職務経験についての情報を含む約45万人の投資アドバイザーの情報を提供している。同社のデータベースでは、各州における延べ登録人数を含めると、100万人以上の投資アドバイザーが記録されている（Bliman, 2011）。

　加えて、FINRAは、同機構に登録のある130万人の現旧証券ブローカー、ならびに17,000人の現旧証券会社に関するデータベースを管理している（FINRA, 2011 b）。FINRAは、証券ブローカーのためのSROである。これは、他国においては通常見られず、一般的には規制に関わる全ての責任は政府にある。

「ファイナンシャル・アドバイザー」という言葉は法律で規制されていない。それは多様な職業上の経歴を持つ専門家が有する肩書なのである。会計士、法律家、不動産プランナー、保険代理業者、証券ブローカー、および投資アドバイザー等がその職業上のステータスとして称している（Certified Financial Planner Board, 2011c）。FINRA（2011 a）は、消費者に対し以下のように警告を発している。すなわち、「ファイナンシャル・アナリスト、ファイナンシャル・アドバイザー、ファイナンシャル・コンサルタント、ファイナンシャル・プランナー、投資コンサルタント、およびウェルス・マネージャー」は職業上の一般的な肩書であり、通常、法制度で規制される資格ではなく、このような肩書は、何らかの専門性や資格要件を必ずしも示すものではない。

　ファイナンシャル・アドバイザーが用いる資格に対する要件は、想像以上に多様になっている。FINRA（2011 a）は、ファイナンシャル・ア

ドバイザーに対する100以上の職業上の肩書を列挙している。試験や継続的学習を必要とするものもあれば、単に会員費用を払えば認定されるものもある（GAO, 2011 b）[2]。ファイナンシャル・アドバイザーが用いる専門資格の代表的なものには、認定ファイナンシャル・プランナー、米国公認証券アナリスト、チャータード・インベストメント・カウンセラー、個人金融スペシャリスト、チャータード・ファイナンシャル・コンサルタント、認定生命保険士、さらには認定福利厚生専門士などが含まれる。ファイナンシャル・プランナーの中には、このような専門資格を何ら保有せず、代わりに、法律家、会計士及びMBA等の教育を受けた経歴を用いるものもいる[*1]。

認定ファイナンシャル・プランナー

認定ファイナンシャル・プランナー（以下、CFP）の資格は民間部門の組織であるCFP委員会によって管理されている。顧客対応にあたり、CFPは、秘密厳守、清廉、客観性、適正、公平、プロフェッショナリズム、および勤勉の原則に従うことを誓約している（Certified Financial Planner Board, 2011 a）。CFPは、最低でも学士号を有し、CFP資格試験科目を履修できる米国CFPボード公認の学術機関、あるいは専門コースにおける特定の教育課程を修了しなくてはならない。経済学博士号を保有していれば、自動的に学歴上の要件は満たされるが、受験に際しては、一般に十分な条件が満たされているとは言えない。2012年に始まった履修要件には、米国CFPボード公認のファイナンシャル・プラン開発コースの修了が課せられている。

一旦、履修要件が満たされれば、候補者はCFP資格取得の試験に臨むことができる。この試験は2日間にわたり、合計10時間を要する。ちなみに、受験料は595ドルである。出題範囲は、保険プランニング、所得税プランニング、退職プランニング、および不動産プランニング等が科目として含まれている。試験に合格した場合、候補者は過去の不法行為に関わる倫理的な要件を充足する必要があり、将来においても倫理規範を遵守することに同意しなくてはならない。また、候補者は最低3年間の適正な実務経験を有していなくてはならない。認定後、CFPは2年ごとに、30時間の継続講習の受講が必須となり、その中には2時間の職業

規範に関する講習が含まれる。

米国公認証券アナリスト

米国公認証券アナリスト協会は、世界全体で10万人以上の会員を有し、投資のプロフェッショナル組織としては世界最大となっている（Chartered Financial Analyst Institute, 2011）。米国公認証券アナリスト（以下、CFA）の教育プログラムは、3段階の試験を課す。候補者は各段階での試験準備に平均300時間程度を費やしている。また、研修プログラムは18カ月で修了できるが、平均的には4年間を要している。研修プログラムを開始するに当たり、学士号の保有、あるいは学士号取得の最終年次であるか、4年間の適正な実務経験が必要である。

CFA研修プログラムは、企業ファイナンスと証券投資に焦点を当てるが、デリバティブ商品、不動産、コモディティー、ヘッジファンド等の代替的投資も対象とする。対比的にみると、CFPの研修プログラムは同様の内容を対象としつつ、ファイナンシャル・プランニングに関わる問題についても、より広範に及んでいる。例えば、CFA研修プログラムでは対象とされない、社会保障年金に関するセクションも用意されている（Certified Financial Planner Board, 2011 b）。同様に、CFPプログラムでは、年金保険も科目として対象であるが、CFAの研修プログラムではカバーされていない。

チャータード・インベストメント・カウンセラー

米国投資顧問業協会（以下、IAA）はチャータード・インベストメント・カウンセラー（以下、CIC）の研修プログラムを創設している（IAA, 2011）。CICにはCFA資格が必要で、さらにIAAにより定められた要件を満たさなくてはならない。その要件の中には、IAA会員によって経営される企業での採用や、5年間の適正な業務経験も含まれている。

個人金融スペシャリスト

個人金融スペシャリスト（以下、PFS）は、米国公認会計士（以下、CPA）が、個人向けファイナンシャル・プランニングの分野においても専門家であることを認めている（American Institute of CPAs, 2011）。

CPAは会計士試験に合格し、会計士養成と会計実務経験に関して、政府の要件を満たした会計士が持つ称号である。PFSは、全米公認会士協会（以下、AICPA）の会員でなくてはならない。3,000名以上のAICPA会員がPFS資格を保有しており、これはAICPA会員の1%程度にあたるという（Drucker, 2005）。

PFS試験は7時間以上を要し、ファイナンシャル・プランニングに関わる最低2年間のフルタイムの業務経験、あるいは教育経験を有してなくてはならない。また、最低80時間の個人投資研修を修了しなければならないとされている。PFSとなるには、当試験での合格が必要で、当該試験費用は、AICPA会員は400ドルとなっている。

チャータード・ファイナンシャル・コンサルタント

ここまで紹介した専門資格は、業界あるいは専門家団体によるものであったが、中には、学術機関によって与えられるものもある。その一例がこのチャータード・ファイナンシャル・コンサルタント（以下、ChFC）で、アメリカン・カレッジ（米国高度保険金融サービス専門職養成機関）において、米国ペンシルベニア州ブリンマーでの研修プログラムを修めることで授与される（The American College, 2011 a）。ChFCは、ファイナンシャル・プランニングに対して、個人投資家、機関投資家、中小企業経営者が求めるニーズに応えられるよう、教育を受ける。ChFCは、7つの必修課程と2つの選択課程からなる9つの課程の修了が課せられている。必修課程には、保険プランニングの基礎と不動産プランニングが科目として含まれている。入学金は135ドルで、一課当たりの受講料は599ドルである。アメリカン・カレッジによれば、ChFCは、他のファイナンシャル・プランニングの資格に比べて、より広範な教育要件を有しているという。受講の形態は、リアルタイムのオンライン授業か自習かの何れかを選ぶことができる。

認定生命保険士

認定生命保険士（以下、CLU）も、アメリカン・カレッジから授与される（The American College, 2011 b）。CLUプログラムの参加者は、5つの必修課程と3つの選択課程の履修が義務付けられている。この中には、

ChFCの課程と重複するものもある。各課程の受講料は約600ドル程度である。履修内容には、生命保険法、保険・不動産プランニング、自営業や専門職向けの保険、退職プランニング等が科目として含まれている。ChFC及びCLUのプログラムは、過去5年以内に3年以上の常勤での実務経験を必要とし、両者共に倫理規定の順守が求められている。

その他の専門資格の名称としては、認定ファンド・スペシャリスト（CFS）、公認投資運用アナリスト（CIMA）、および米国アクチャリー会正会員（FSA）のような年金保険数理に関わるものがある。

ファイナンシャル・アドバイスに対する費用

本節においては、手数料の種類、個人投資家が負担する費用の明瞭性や、開示の有用性への問題、個人投資家や年金スポンサーに対する手数料、およびファイナンシャル・アドバイザーが受け取る報酬などについて述べる。

手数料の種類

ファイナンシャル・アドバイザーは多様な方法で手数料を徴求する（Anspach, 2011 a; Maxey, 2011）。

1. 顧客の口座残高、あるいはAUM残高に対する一定の比率に従って費用を請求する。規模の経済性により、口座の最低残高および口座残高が大きいほど料率は低くなる。これは従来型かつ最も一般的な方法であり、投資アドバイザリー企業の85％もの収益源となっている（Maxey, 2011）。

  この方法は、顧客の資産規模を拡大すべく、投資アドバイザーを駆り立て、過大な危険負担を助長する可能性を備えているだけではなく、投資アドバイザーには、年金型保険や保険商品の購入、住宅ローンの返済、また社会保障年金の受給を遅延させるような年金資産の取り崩しを行うことで、顧客の運用対象資産からの資金流出を避けようとする可能性も生じる（Maxey, 2011）。また、投資アドバイザーは、401（k）プランの資産をIRAに移し替えることで、顧客資産の拡大を図る可能性もある。

　　最後に、AUMに基づく手数料体系では、いわゆる「リバース・チャーニング」が発生する可能性がある。リバース・チャーニングとは、売買仲介業者がサービス形態を移行することで、顧客への手数料の負担を強いる状況を指している。これは、投資アドバイザーの報酬がAUMに基づいているため、投資内容に対する適正な監視あるいは投資変更を怠ることにより、義務を全うしなかったとされる場合に生じる問題である。

2.　　投資アドバイザーは、顧客に対して販売する保険や金融商品について、取引委託手数料を受け取る場合がある。この報酬は、完全なる販売手数料ベースの場合もあれば、第三者が支払う顧客紹介料ベースの場合もある。顧客にとってはアドバイスが無料のように認識されているが、実態においては、投資運用サービスや取引等において、第三者に課される対価を顧客が払っているのである。この方法は、取引に応じて手数料を獲得できる場合、投資アドバイザーに売買取引を助長させるきっかけを与えてしまうという問題がある（Maxey, 2011）。

3.　　多くは、単独報酬型あるいは手数料ベース型の投資アドバイザーとして業務を行うことで、運用アドバイス報酬と取引委託手数料の両方を受領している。顧客である個人投資家から受け取る運用アドバイス報酬と第三者からの委託手数料の両方を受領する投資アドバイザーは、運用アドバイス報酬の削減を通じて、受領した取引手数料の全て、あるいはその一部を顧客に還元する場合もある。このような手法は、手数料相殺と呼ばれる。

4.　　投資アドバイザーは、顧客へのアドバイス業務に費やした時間に対する時間給や、特定の事案に対して固定費用を請求する場合もある。

5.　　顧客が継続してアドバイスを求める場合、投資アドバイザーは四半期または年間毎に定額コンサルタント料か、年間固定手数料を徴求する場合もある。

6.　　投資アドバイザーは、顧客の所得あるいは顧客の純資産（単にAUMに限らず）に基づいて課金する場合もある。

　SECは、ファイナンシャル・アドバイザーが手数料を徴求する方法として、次の二つを示している。すなわち、（a）ニュースレターや定期刊行物に対する購読料と（b）顧客が投資から得た投資リターンの金額に応じて定められる成功報酬である。成功報酬は、富裕層の顧客に対してのみ適用される。

　顧客の口座残高に基づいて手数料を徴求する投資アドバイザーは、一般的に顧客の口座残高の最低投資金額を定めることで、最低ラインを設定している。このような口座残高の最小AUMは、2万ドルから50万ドルの範囲である。例えば、Merrill Lynch社の場合、ある水準での運用アドバイスを得るための最低投資産額は25万ドルであるが、傘下のMerrill Edge Advisory Center社では2万ドルから25万ドルで、より低クラスのサービスを提供している（Merrill Edge, 2011）。Vanguard社のファイナンシャル・アドバイザーは最小AUMを50万ドルと定めている（Vanguard, 2011 a）。多くの投資アドバイザリー企業の顧客における最小AUMは、平均世帯の株式保有額に比べて高い水準にある。2007年の45歳から54歳世帯における退職年金プラン以外の株式保有額の平均は、4万5,000ドル程度となっている（Bucks et al., 2009）。

　個人投資家のタイプによっては上述とは異なる価格構造が好まれる場合もある。例えば、投資アドバイザーが設定した最低AUMに満たない場合は、従量型費用または定額費用が選好されることが想定される（Maxey, 2011）。

個人投資家に対する費用の開示

　ファイナンシャル・アドバイザーが課金する費用水準は、個々によって大きく異なるが、金融商品販売を行う場合に、手数料で競合することはほとんどない。ファイナンシャル・アドバイザーは、低価格の業者であったとしても、そのウェブサイトで費用情報を売りにするようなことはない。一般的に、ウェブサイトに費用情報は含まれておらず、仮にそのような案内があったとしても、情報を得るには相当の苦労を要する。例えば、Vanguard社（2011 b）のファイナンシャル・アドバイスのウェブサイトの主要ページでは、資産運用についての情報を掲載していない。この情報は、多岐にわたるリンクを地道に辿ることによってようやく得

られるが、費用は開示されていない（Vanguard社は同社のウェブサイトの冒頭で、低コストによるサービスを提供するとしている）。GuidedChoice社（2011）は、同社ウェブサイトにおいて、費用については透明性を重視することを示しているが、その情報を公開していない。Merrill Lynch（2010）では、Global Wealth & Investment Management社のウェブサイトにおいて、費用に関する言及は全くない。TD Ameritrade社は、ウェブサイトの脚注の第三パラグラフにおいて、小さな書体で口座管理費用体系を開示しているのである（TD Ameritrade, 2011）。

　個人投資家は、SECのウェブサイトで、フォームADVと呼ばれる開示書類によって、各投資アドバイザー会社の費用に関する情報を得ることができる。しかしながら、このような情報源を認識し、利用する個人投資家は非常に少ない。フォームADVの届け出義務の一環として、SECはRIAが、顧客及び見込み客に対して（ブローシャーと称する）書面による開示報告書の提出を義務付けており、この開示資料には、費用に関わる情報も含まれている。同時にSECは、フィデューシャリーである投資アドバイザー[*2]としての業務関係や利益相反に関わる重要な事実を開示するよう求めているのである。

　個人投資家への投資アドバイスに係る費用は、課税控除の対象となるが、投資運用サービス費用はその比ではない。税控除の対象となる助言料は、暦年終了後に投資アドバイザリー企業から提供される米国国税庁（税務当局）のIRSフォーム1099に開示されており、管理手数料や取引手数料は含まれていない。投資に関わる取引コストは、アクティブ運用を含むファイナンシャル・アドバイスに基づいて発生し、個人投資家が負担するものであるが、いまだに顧客に対して開示されることは稀なのである（Turner and Witte, 2008）。証券ブローカーである投資アドバイザーは、商品販売時点において、取引委託手数料を開示する必要はない（Maxey, 2011）。その情報は、個人投資家が取引完了する段階で通知される。

　費用の開示に関わる問題の一つは、このような開示が年金プランの加入者に適用されているか否か、さらに開示に伴う追加費用が年金受給者の便益を損なわないかという点である。情報開示の効果は、個人投資家

における開示様式によって異なる。Hastings and Mitchell（2011）は、金融リテラシーの高い人は、その様式にかかわらず比較的内容をよく理解できるのに対し、そうでない人は開示される様式によって、費用に関わる情報の理解に影響を受けることを示している。

個人投資家に課せられる助言料の水準

実際の業務において、助言料の水準は様々である。例えば、T. Rowe Price（2011 a）は、2011年に年間250ドルの定額費用でファイナンシャル・アドバイスを行い、投資額が50万ドル以上の顧客や、一度で10万ドル以上の投資を行った顧客には、この費用を無料としている。

The Motley Fool（2011）は、顧客を集めるために、これまでの常識を凌ぐような低コストの革新的なファイナンシャル・アドバイス・サービスの手法を提供している。このサービス・プログラムは、TMF Money Advisorと呼ばれ、2011年における年間費用は195ドルの定額となっている。個人向けファイナンシャル・アドバイスの提供においてコストがかかるのは、個々の個人顧客から情報を収集して、その情報をコンピューター上のモデルに入力する作業が発生するからである。Motley Fool社の場合、顧客は1時間程度をかけて、自身の財務状況に関する個人情報を、同社のコンピューター・モデルに、オンラインで自ら入力するのである（情報収集の時間は含まれない）。このデータに基づいて、コールセンターのファイナンシャル・アドバイザーは、オンライン経由で入力された情報を確認し、コンピューターが生成するファイナンシャル・プランについて、顧客と協議することができるのである。

ある投資アドバイザー会社は、顧客個人の調整後総所得の1％と、総資産の0.5％（非公開会社を除く）を乗じた金額を課金する。この料率は総資産の増加に伴い0.25％に低下し、その後は増分に対し0.1％の料率を課金する（Maxey, 2011）。

2011年において、時間当たり平均費用は175ドル程度が下限で（Motley Fool, 2011）、様々である（Anspach, 2011 a）。実際、投資アドバイザリー企業が時間制費用についてウェブサイトで公開している事例は少ないが、その代わりに、電話による問い合わせで対応するとしている。

New Means Financial Planning（2011）はニューハンプシャー州の単独

報酬型サービスで、費用に関する詳細な情報を提供している。20歳代から30歳代前半の顧客に対するファイナンシャル・コンサルティング・サービスの内容は、800ドルから1,000ドルで行うとしている。生命保険や他の保険商品についての必要額の調査費用は、一般的には600ドルから1,000ドルの範囲であるという。401（k）プランでの投資アドバイスは、1プラン当たり400ドルから800ドルの範囲である。顧客の資産ポートフォリオ全般についての調査は、1,000ドルから2,200ドルの範囲となっている。退職に関するプランニングへのアドバイスは、1,000ドルから2,000ドルの範囲で、包括的なファイナンシャル・プラン作成は、2,200ドルから4,400ドルとなる。その一方（2011年の価格では）顧客は、定額1時間当たり200ドルでアドバイスを受けることもできる。

　AUMの割合に応じて手数料を徴求する単独報酬型投資アドバイザーは、いくつかの要素を考慮した計算式を用いている。例えば、投資アドバイザーは対象資産の総額に加え、顧客の投資戦略の複雑さ、ミーティングや投資成果評価の頻度、トレーディング戦略の程度等も考慮している。

　ファイナンシャル・アドバイザーは年金型保険の購入を推奨することに対し、保険会社から徴求する場合もある。例えば、Schwab社（2011a）では、同社が年金型保険商品の購入を推奨する場合、同社に年金保険契約の販売に関わるサービスの代理人として、報酬を支払う保険会社の商品購入がその場合にあたる。一般的に、このような場合のSchwab社の報酬は、資産を年金型保険に移されるAUMの額と年金型保険の種類に基づいて決定される。2011年において、定額年金の場合、1.50％の販売委託手数料が購入時に支払われ、継続販売手数料は0.65％となっている。この継続販売手数料が存在することで、年金型保険に顧客資産を移そうとする（AUMの算定基礎となる額からSchwab社がアドバイスによって資産を減少させる）ことによる負の動因を相殺する働きを持つ。定額即時年金保険の場合、販売委託手数料は3.50％で購入時に支払われる。このようなコストは、保険会社への負担として追加され、最終的には顧客に転嫁されるのである。

プラン・スポンサーに課せられる手数料の水準

　プラン・スポンサーは、運営する年金プランの投資判断を支援するファイナンシャル・アドバイザーを頻繁に採用している。401（k）プランにおいては、加入者に提示する投資銘柄の選定、また、プラン加入者向けの投資教育や投資アドバイスが関係している。DB型年金の場合、投資判断は、年金資産運用のための投資選定に関するものが多い。

　プラン・スポンサーに要求される手数料を検討した独自の情報源は存在しない。Edelman Financial Services社は一度手数料を徴求するだけで、401（k）プラン設立のためのサービスを提供している。ただし、その手数料情報も同社ウェブサイトでは開示されておらず、プラン設立後、年間固定手数料を徴求し、加入者への投資アドバイスを含む運営サービスを行っている（ただし、これもウェブサイトでは公開していない；Edelman Financial Services, 2011）。プラン・スポンサーが、これらに関する情報を得るには、企業に直接問合せをしなければならず、比較を行うための時間と労力には、大きな負担が伴う作業と言える。

ファイナンシャル・アドバイザーが受け取る報酬

　ファイナンシャル・アドバイスの利用者は、自身の投資アドバイザー、あるいはその企業主へ支払う手数料について理解する必要があるが、同時にファイナンシャル・アドバイザーが第三者から受け取る報酬といった間接的な効果も含め、どのように報酬が支払われているかを知る必要がある。第三者からの報酬は、投資アドバイザーが提供するサービス内容にも影響を与える。米国労働省（2011）は、ファイナンシャル・アドバイザーが受領する報酬には、手数料に加え、「販売委託手数料、給与、賞与、賞金、昇進、およびそれ以外のものがもたらす価値」も含まれていると詳細な指摘を行っており、「それ以外のもの」には旅行や贈答品が含まれると位置づけている。また、金融商品販売への販売委託手数料を受け取っている場合は、投資アドバイザーが受領する報酬について、正確な水準を計ることは困難である。

　独立系の投資アドバイザーは、長期の介護保険の販売を含む、金融販売商品に対する委託手数料を通じて報酬か、手数料か、あるいはその両方を受け取るかをしている。企業に所属する投資アドバイザーに関して

は、ほとんどの企業は報酬について説明をしておらず、第三者から受け取る報酬が、その企業で雇用されるファイナンシャル・アドバイザーの報酬にどのように影響を与えるのかについての情報を得ることも難しい。例えば、Benjamin F. Edwards & Co.社は、同社は第三者から報酬を受領しているが、同社のファイナンシャル・コンサルタントとして勤務する従業員の報酬には、この第三者からの報酬が直接的な影響を及ぼさないとしている。ただし、同社は「多様な報酬形態を通じ、当社のファイナンシャル・コンサルタントが、間接的な便益を受けることはあり得る」との開示もしている（Benjamin F. Edwards & Co., 2011）。しかし、同社のウェブサイトでは、第三者からの報酬が、ファイナンシャル・コンサルタントの報酬にどのような影響を与えるかについては、正確には開示していないのである。

　ファイナンシャル・サービス企業の中には、雇用や報酬の形態によるファイナンシャル・アドバイザーの選択肢を顧客に提示する企業も存在する。ある選択肢では、ファイナンシャル・サービス企業と提携はするもの、自分の事務所を構えて業務展開する投資アドバイザーを提示する場合もある。別の選択肢では、完全に企業に所属し、その企業の営業員として活動する投資アドバイザーの場合もある。いずれも、両方の選択肢において、投資アドバイザーが遂行した業務に応じてその報酬は決められる。ただし、第二の選択肢での投資アドバイザー報酬は、第一の選択肢よりも、手数料や販売委託手数料の比率は小さいものとなっている。

　ファイナンシャル・アドバイザーによっては、CPAや他の専門家に対し、紹介料を支払う場合もある。例えば、ファイナンシャル・アドバイザーに顧客を紹介した場合、CPAはその紹介料を受け取る。その際の手数料の範囲は10～20％、最大で40％程度である（Drucker, 2005）。加えて、Charles Schwab 社によって推奨される独立ファンナンシャル・アドバイザーは同社に対して紹介料を支払っている（Schwab, 2011 a）。これらの経費の少なくとも一部は、顧客に転嫁されているのである。

個人投資家に提供されるファイナンシャル・アドバイスに関わる問題

　個人投資家が求めるニーズに合致し、専門性を備えたファイナンシャル・アドバイザーを見出せたとしても、ファイナンシャル・アドバイス

を受ける顧客は、新たな問題に直面することになる。例えば、高齢者であることから、受け取ったアドバイスや情報が理解できない場合もあり得る（Karp and Wilson, 2011）。加えて、顧客がアドバイザリー・サービスの品質を評価するのが困難な場合、顧客の最善の利益に合致しない偏ったアドバイスを受けている場合もあり得る。投資家保護基金の調査によれば、65歳以上の成人の約20％が「不適切な投資や不当に高い費用の金融サービス、あるいは完全な詐欺行為」について、投資アドバイザーは強い立場にあったと報告している（Infogroup／ORG, 2010）。他の問題としては、運用見通しにおいて、過度に楽観的な投資リターンの想定（Turner and White, 2009）、年金型保険の購入といった、退職資金の年金化におけるアドバイス不足など、不正確な情報提供が挙げられる。

　次に、専門用語が引き起こすアドバイス内容の理解不足に関わる問題、フィデューシャリー・デューティが適用されない金融商品の営業に関するアドバイスの問題、さらには投資アドバイザーが抱える利益相反から生じる、アドバイスの品質に関する問題について解説する。

専門用語

　ファイナンシャル・アドバイスという言葉は、投資アドバイザーが用いる専門用語であるため、理解することが困難な場合がある。例えば、顧客は費用と取引委託手数料の相違が定かではないし、ましてや、ファンド販売手数料の意味も明瞭ではない。費用とは、投資アドバイザーが顧客に行ったアドバイスに対する代金である。また、取引委託手数料とは、金融商品の販売取引に対する対価である。販売手数料は、個人向けのミューチュアルファンドの購入に際し、個人投資家が支払う委託手数料である。他には、「ラップ報酬」や「投資一任型資産対非投資一任型資産」などがある。「ラップ報酬」とは提供する複数のサービスに対して、個々のサービスの対価を分割することなく、一括して支払う報酬体系を指す。投資一任型資産とは、顧客が運用会社に運用責任を委任した資産を指す。ファイナンシャル・アドバイスに関する記述は理解しにくいことがしばしばある。一例を挙げれば、ファンドの目論見書において何ら説明なく12b-1手数料についての記述がある。これはミューチュアルファンドに課される販売・マーケティングに関する対価である。

フィデューシャリー・デューティ適用外の
マーケティングに関するアドバイス

　消費者に金融商品のマーケティングを行う際、ファイナンシャル・サービス・プロバイダーは、顧客の最善の利益に合致するアドバイスを行う義務を負わないことがしばしばある。例えば、多くの保険会社が変額年金保険商品の営業を行っている。この投資商品は、個人投資家が年金保険に転換可能な退職時まで、投資対象資産の投資実績に基づいて支払い額が変化する、変額年金保険に転換することも可能な商品である。変額年金保険は、市場評価額の上昇について、累積課税額と将来所得の税金を繰り延べできるという特徴を持った商品だと指摘する同業者もある。しかしながら、SECは多くの個人投資家が変額年金の購入に先立ち、IRA口座や401（k）プランで最大限可能な投資を行う方が望ましいと指摘している（SEC, 2011f）。

　401（k）プランの投資判断過程において、ファイナンシャル・アドバイザーに利益相反が起きるいくつかの可能性がある。例えば、プラン・スポンサーが投資対象となる投資選択肢についてアドバイスを受ける場合、加入者は利益相反の影響を受けるというもので、これは、加入者が、投資判断の機会を限定的にすることになる。近年、年金プランの投資マネージャーに高額な運用報酬をもたらす投資選択案を提示されたことで、ある401（k）プランの加入者が、全体で数百万ドルもの損失を被ったとする訴訟事例があった。低コストの投資選択肢がない場合、加入者は過大な金額を支払う可能性があるのである（GAO, 2011 a）。

　さらに、ファイナンシャル・アドバイザーは、年金プラン加入者に対して、事業主のマッチング拠出を最大限受けとれる額以上の資金を拠出しないよう働きかけ、代わりに、投資アドバイザーがこのような商品から手数料を受領した場合、そこでの余剰資金を年金プラン以外の金融商品に投じるよう、仕向けることも可能なのである（Pettus and Kesmodel, 2010）。

　年金プラン加入者は、実質的な投資選択肢からファンドを選ぶ際、投資アドバイザーが絡んだ利益相反の影響を受ける場合がある。それは、年金プランのサービス・プロバイダーが、フィデューシャリー・デューティとは関係のない投資教育や、また逆に、それが適用となる投資アド

バイスとの相違を識別してない場合がある。企業が提供する投資教育商品だけを売りにすれば、プラン加入者には混乱が生じるかもしれない（GAO, 2011 a）。

　ファイナンシャル・アドバイザーが、特定のミューチュアルファンド・グループと関係を持ち、低価格のファンドを選択する重要性についての説明を行わなかった場合は、手数料に言及せず、これらと関係するファンドを推薦することもありえよう。このような利益相反の潜在的な影響度は、経費率のデータから査定することができる。2010年、米国投資信託協会（以下、ICI）によれば、401（k）プランで投資されている、株式型ミューチュアルファンドのAUM額加重平均経費率は、71ベーシス・ポイントであった（ICI, 2011 a）。この数値は、プラン・スポンサーが提供するファンドの選択肢と、その中から実際に、プラン加入者がどのファンドを選んだかに対する投資判断への結果であって、機関投資家向けの低コスト株式型インデックス・ファンドの経費率を上回る。401（k）プラン加入者は、個人投資家よりも多くのサービスを享受する（それはコスト上昇を招くが）一方、プラン・スポンサーである企業主は、機関投資家向けの経費率を導入することで、それを引き下げるだけの交渉余地がある。

　401（k）プラン加入者は、同プラン・スポンサーである企業から離職するときに、投資アドバイザーの利益相反により悪影響を被る場合もある。すなわち、401（k）プランをIRAに移管するかどうかを考慮しているとき、偏ったアドバイスを受ける可能性がある。ある調査結果によれば、サービス・プロバイダーは、消費者が401（k）プラン以外で投資を行う場合、より高額な費用を課金するという場合がある（GAO, 2011 a）。ミューチュアルファンド会社や保険会社は、以前の企業主がスポンサーの401（k）プラン口座から、IRA口座に資産を移動するよう個人投資家に働きかける。このような行為は、結果的に、より高額な費用を支払うことになりうるため、その個人にとっての最善の利益につながらない可能性がある。ミューチュアルファンド企業は、そのようなアドバイスについて、TVやメディア等で宣伝を行っているため、個人投資家がアドバイスを求めていない時も、401（k）プラン口座から資産を移動させようとするアドバイスに直面している。米国労働省（2011）によれば、こ

のようなケースは、投資アドバイスとは認められておらず、フィデュー
シャリー・デューティの対象とはなっていない。また、個人投資家は、
そのIRA口座で投資に関わるアドバイスを求める際も、利益相反の影響
を受けうる。

401（k）プランからIRA口座への乗り換えへのアドバイスによって、
発生するコストの潜在的な影響は大きい。1998年から2007年までの期
間で、IRA口座に拠出された資産の80％が、主に401（k）プランを中心
とするDCプランとDB型年金からの移管によるものであった（GAO,
2011 b）。2010年において、IRA口座の資産総額は4.1兆ドルにのぼり、
401（k）プランの総額は2.9兆ドルであった（Investment Company
Institute, 2011 b）。従って、IRA口座への移管は、米国退職年金所得シ
ステムの構造を形成する主要原動力の一つなのである。IRA口座の保有
者は、一般に401（k）プランの加入者より高い料率での費用を払い、そ
の差額はおよそ年率25～30ベーシス・ポイントにもなっている（GAO,
2011 a）。

論理的な事例として、長年の一定の習慣により401（k）プランの加入
者が、退職後も継続して前職の401（k）プランの口座に資産を保有する
傾向がある。この習慣は、従業員が401（k）プランへの貢献という側面
において、多大な影響力を示すものである（Choi et al., 2004）。しかし
ながら、こういった習慣は継続運用という点において、大いに覆されて
きた。この件に関する一説では、個人投資家がミューチュアルファンド
やファイナンシャル・サービス・プロバイダーからアドバイスを受ける
ことによって、401（k）プラン口座の継続加入が助長され、ひいては投
資アドバイザーがより高額な手数料を獲得する手段へとつながっている
というものである。

個人投資家に影響を及ぼす利益相反

税制優遇非適格の投資商品（年金が享受する税制優遇措置のない投資
商品）を保有する個人投資家は、投資選択において潜在的な利益相反が
起きる可能性がある。投資アドバイザーの報酬獲得方法が起因すること
で、ミューチュアルファンドと個別株式の投資選択に偏ったアドバイス
を受ける可能性がある。例えば、顧客が選択するミューチュアルファン

ドから手数料などが支払われている場合には、当該ファンドに有利なように顧客を誘導する可能性がある。他の投資アドバイザーの場合には、低料率のミューチュアルファンドを推奨するよりも、自ら運用するポートフォリオの個別株式を推奨することで、より高い報酬を得るのかもしれない。Schwab社は、個別銘柄株式に投資される場合、投資アドバイザーはAUMの0.0028 ％を手数料として受け取り、ミューチュアルファンドに投資する場合には、0.0350 ％を、Schwab-managed portfolio に投資する場合は、0.0595 ％、そして投資アドバイザーが継続的にサービスを提供するSchwab Private Clientサービスにおいては、0.0770 ％を受け取ることになる（Schwab, 2011 b）。Ameriprise（2011）においては、関連会社のミューチュアルファンドを推奨し販売した場合、同社と関連しないミューチュアルファンドを販売した場合よりも、高い報酬を得ることができる。また、企業が新規公開株式を引受け、同時にアドバイスを行う場合、顧客に当該株式の購入を誘導すれば、利益相反が生じることになる（Loewenstein et al., 2011）。

　継続的に費用を徴求するファイナンシャル・アドバイザーは、証券ブローカーから受けとる委託手数料を増加すべく、パッシブ運用によるインデックス・ファンドではなく、取引コストが高いアクティブ運用の推奨に偏向する可能性がある（GAO, 2011 a）。Schwab社（2011 b）は、顧客の取引量増加に伴い、一部、ファイナンシャル・アドバイザーの報酬を増加させている。

プラン・スポンサーに提供されるファイナンシャル・アドバイスの品質に関する問題

　ミューチュアルファンドの中には、推奨してくれる投資アドバイザーに報酬を与える場合もあるので、アドバイスの品質に影響するような利益相反は、年金スポンサーにも通ずる問題である。もし、投資アドバイザーが直接的、あるいは間接的に、あるファンドの営業活動を通じ、そこから報酬を得ていたとすると、このような報酬の支払いは、利益相反を引き起こす原因となる。さらに言えるのは、低コストファンドはそのような報酬を支払わないのである。例えば、ミューチュアルファンド企業の中には、レベニュー・シェアを適用しない低コストの種類株式を、

レベニュー・シェアが伴う高コストの種類株式と共に提供するファンド
も存在する（Reish and Ashton, 2011）。レベニュー・シェアは、ミュー
チュアルファンドが投資アドバイザーの当該ファンドの推奨に対して、
報酬を支払う場合に適用される方式である（Moon, 2004）。この報酬の
支払いはファンド販売に要した費用をカバーする対価として把握されて
いる。少なくとも、このサービス・プロバイダーであるSecurion社は、
レベニュー・シェアに関わる費用負担を、全て年金プランに帰属させて
いるため、レベニュー・シェアの対象となる各個人投資家の口座が、費
用を負担することになる（Reish and Ashton, 2011）。

　投資アドバイザーが受領するレベニュー・シェアのコストの総額はか
なり異なっている。ある研究では、この支払った総額が、年率5～125
ベーシス・ポイントの範囲にあったと指摘していた（GAO, 2011 b）。
ERISAは、年金スポンサーがサービス・プロバイダーを選定する際は、
利益相反について熟慮することを求めている（GAO, 2011 a）。例えば、
投資アドバイザーは、株式の売買について、プラン加入者に取引コスト
が最下値となるような取引交渉を、意図的に行わない場合もあり、結果
として、証券ディーラーは、投資アドバイザーに高額の報酬を支払って
いるということも考えられる（GAO, 2011 a）。

進化する法と規制に関わる問題

　米国の法制度は、民間のプラン・スポンサーが運営する従業員退職年
金プランに対して、投資アドバイザーが提供するサービスを含め、ファ
イナンシャル・アドバイザーに関わる規制について、近年、激しい闘争
状態にあった。法と規制に関わる問題が継続的に進化するのは、多くの
要因に起因する。401（k）タイプの年金プランやIRA口座に保有される
資産の増加は、ERISAにおける投資選択の重要性について、規制当局の
関心を高めてきている（EBSA, 2011）。行動経済学者は、代替的な投資
機会の拡大によって、個人投資家が便益を受けるかどうかというような
課題を調査し、議論の進展に貢献してきた（Benartzi and Thaler, 2002）。
金融危機後、米国議会の命令で行われた調査の中で、連邦政府の独立機
関であるGAOによる、ファイナンシャル・プランナーに対する規制に
関わる調査や、SEC スタッフ報告書による投資アドバイザーと証券ブ

ローカーの規制についての研究がある（GAO,2011 b, SEC Staff, 2011 b）。SECは、米国資本市場と個人投資家保護のための規制当局である。次節では、ファイナンシャル・アドバイザーに関する法的問題について説明し、これらの問題に関する歴史的な背景を振り返り、規制改革についての最新状況を報告する。

利益相反

　投資アドバイザーに関わる主要な法的問題は、投資アドバイスの提供において存在しうる利益相反を識別し、個人投資家が理解できる形で、このような利益相反を緩和する最善の方法をいかに見出すかという点に帰着する。SECは個人投資家保護という全般的な責務の一環として、同時に、1940年投資顧問業法（以下、投資顧問業法）の理念と実践のため、このような問題に関心を抱き続けてきた。米国労働省の部局である従業員福祉保障局（以下、EBSA）は401（k）プランのような民間部門の従業員年金プランを規制監督する義務があり、そのような年金プランとその加入者に対して、サービスを提供する団体に対する規制監督も行うために、SECと重複するような規制監督上の影響力を有している。以下で述べるように、SECとEBSAの重複する規制監督は、その規制実施における複雑さを増すことになっている。これは、投資アドバイザーも含め、証券ブローカーを規制監督する自主規制団体FINRAや、証券に関わる取引と保険商品の販売に関与する投資アドバイザーの規制監督を行う様々な州政府機関等の関与によって、さらに増大させることになっている。

　米国の法制度は、利益相反を緩和すべく三つの方法、すなわち、（a）情報開示の義務付け、（b）禁止行為の設定、（c）フィデューシャリー・デューティのための行動と責任者の設定を用いており、何れの方法も、投資アドバイスに関して適用される。まず、情報開示については、適正な法的規範によって、投資アドバイザー等の当事者に、利益相反事象の開示を強制することである。そのことによって、顧客は投資アドバイザーの選任やその推奨行為を評価する際、利害の対立の存在を考慮することができる。フィデューシャリーである投資アドバイザーにとって、利益相反に関わる開示は、一般的なフィデューシャリー・デューティの

一部と言える。

　特定の開示義務は、一般的なフィデューシャリー・デューティの範囲を超えている。例えば、SEC登録の投資アドバイザーは、公衆縦覧可能な届出を通じ、利益相反に相当する事案を開示しなくてはならない（SEC Staff, 2011 b: 19,22）。連邦証券取引法は、証券ブローカーのSEC登録を義務付け、不正行為への関与を禁じている。これは、重大な利益相反に関する事案についての開示義務を内包している。FINRAは、証券ブローカーに対して、特定の状況下での利益相反の事案の開示を義務付けているが、同担当者は顧客との関係を樹立し、取引を開始するに当たって、利益相反の事案開示に関する一般的な義務が存在するとは認識していない（GAO, 2011 b）。

　利益相反の影響を緩和する第二の方法、「禁止」行為の設定の具体例は、ERISAの「禁止取引」に基づく禁止令であり、年金資産に関わって提供される一部の投資アドバイスに適用される。ここでいう禁止取引には、年金プランの受託者あるいはその関連会社が、年金プラン加入者に対するアドバイスによって、報酬を得る場合の取引が含まれる（EBSA, 2011: 66,136）。このような禁止行為に対する例外規定は存在し、この条項に合致する場合には、当該行為は許容される。EBSAは、年金プラン資産に対する投資アドバイスの規定に関わる指針と例外事項を、経時的に提供してきた。後述の通り、2006年の法令では、投資アドバイスの提供に関連した特定の取引に対する、法的な禁止取引除外規定が定められたのである（Muir, 2010）。

　投資顧問業法は、投資アドバイスに関わる類型的な禁止規定を定めている。例えば、同法は、SEC登録・非登録にかかわらず、投資アドバイザーによる口座の運用実績に応じた助言料を課金することを禁じている。この禁止規定の例外は、限定的にしか存在せず、富裕層の個人に提供されるものがこれに該当する程度である。

　利益相反に対する第三の法的対応は、対立する投資アドバイザーをフィデューシャリーとして明確に示すことである。フィデューシャリー・デューティや、そのような法的対応によって立証される動機や複雑性について、次節で詳細に説明する。

フィデューシャリーである投資アドバイザー

　本節では、まずフィデューシャリーである投資アドバイザーが従うべき行動規範について考察し、フィデューシャリー・デューティが適用されない投資アドバイザーの行動規範とそれを比較する。次いで、投資アドバイザーがフィデューシャリーである場合と、そうでない場合の現状における法的な境界線について述べる。そして、フィデューシャリーによるアドバイスか否かという側面において、様々な基準や専門的な合法的定義が、個人投資家を混乱させる要因となっている点について説明する。

投資アドバイザーのフィデューシャリー規制の効果

　フィデューシャリーに課される法的な義務は、従来型の契約関係における義務をはるかに凌ぐものである。より高い水準の規範によって、利益相反による損失を和らげるために、フィデューシャリーとして行動させることが目的である。フィデューシャリーの正確な義務内容は、状況や法的条項のような要因によって変化する。しかしながら、全てのフィデューシャリーが共通の基本的な義務を担うことには、一般的な合意が存在する。すなわち、(a) 顧客の最善の利益のために行動することを求める忠実義務、(b) 顧客の代理人として合理的に行動することを求める注意義務等、がこれに該当する（Laby, 2011: 1055）。忠実義務は利益相反によって直接抵触する規範であり、フィデューシャリーは自己の利益を顧客の利益よりも劣後させることが一般的に求められているのである（Laby, 2011: 1055）。

　ERISAでは制定法上の「重要な目的の原則」を定め、フィデューシャリー・デューティの忠実義務の実行を促している。結果として、401(k) プランを含む従業員年金プランのフィデューシャリーは自らの便益のためではなく、プランの給付金の提供とプラン費用を賄うために行為しなくてはならない。例えば、経営者体制の「エントレンチメント」[*3]を確固たるものにすべく、運用を担うフィデューシャリーが、401 (k) プランで自社株投資をする従業員に対し、株式公開買付に応じないようなアドバイスを行ったとしたら、それはフィデューシャリー・デューティという非常に重要な意義に反する行為になるのである（Muir, 2002:

21)。

　同様に、投資顧問業法は、投資アドバイザーが「その顧客の最善の利益のために業務遂行することを義務付けており、それには、顧客利益に対し自己の利益を優越させる行為を禁ずることも含まれてる」（SEC Staff, 2011 b: 22）。投資顧問業法は、さらに投資アドバイザーが利益相反に関する情報を開示することを義務付けているのである（SEC Staff, 2011 b: 22）。

　フィデューシャリー・デューティにおける忠実義務とは対照的に、フィデューシャリーではない者は他者と「アームズ・レングス」（at arm's length対等かつ公正妥当な関係）で接するとして認識される。これは、一般的には関係者がそれぞれの最善の利益のための行動、あるいは交渉する場合の取引に適用される基準である。ブラック米国法辞典では、「アームズ・レングス」とは、「他の公平性あるいは高潔さを信用することなく……個人の影響や制限を超越するもの」と定義している（Black, 1983）。特に、偶発的にファイナンシャル・アドバイスを行い、「特別な報酬」を受け取らない証券ブローカーはフィデューシャリーではなく、そのアドバイスは顧客に適合したものでなくてはならないという、適合性の原則に基づいた規制を受けるのである。これは、顧客の最善の利益に則して行動する義務に次ぐ規範と言える。保険代理業者に要求される注意義務の規範は、該当する州法にもよるが、適合性の規範ということもできる（GAO, 2011 b: 16-17）。

　投資アドバイザーに対するフィデューシャリー・デューティの規制の効果を理解するには、彼らに課せられる義務のみならず、フィデューシャリー・デューティへの違反に対して課せられる罰則についても理解する必要がある。ERISAにおいては、EBSAあるいは個人投資家がフェデューシャリー・デューティにおける違反行為に対する訴訟行為を容認しており、潜在的には厳罰が用意されている。フィデューシャリー・デューティ違反によって被害を受けた人は、その被害を補塡すべく、金銭的補償を受け取ることができる。また、裁判所は、違反した個人または団体が他のERISAの年金プランのフィデューシャリーとして行動することを禁止する場合があるという（Stanley, 2000:701）。

　このような救済条項には、懲罰的損害賠償金、慰謝料、あるいはそれ

に類似した救済命令が適用されないため、不法行為を阻止するには不十分であるとして異議を唱えた評論家達もいた（Schultz, 2011）。一方、投資顧問業法は、個人投資家がフィデューシャリー・デューティに背反する行為だとして訴訟を起こすことを容認しておらず、代わって、SECが行政処分権限を有している（SEC 44）。規制当局は、フィデューシャリー・デューティへの違反行為に対して、SECが罰金または投資アドバイザー登録の取消を含む、様々な処分を行うことを許可しているのである（Sec Staff, 2011 b: 44, A-17）。

　関連法令は、個人投資家を対立する利害から保護すべく、フィデューシャリー・デューティの基準とこれらに対する違反行為への刑罰を定めている。投資アドバイスを提供する団体が、フィデューシャリーの規範に対応する方法は3つある。第一に、投資アドバイザー個々がフィデューシャリー・デューティを遵守することである。この方法は、遵守への労力が多大で、より高コストのアドバイスにつながる（SEC Staff, 2011 b: 146等）。規制に関する典型として、法令順守によって発生するコストの増加は、アドバイスを受ける個人投資家やアドバイス・プロバイダーを採用する年金プランに転嫁され、コストの増加によって投資アドバイザーの利用が低下していくことになる。第二に、フィデューシャリーの規範が、ERISAによって課せられている場合には、投資アドバイザーは年金プラン資産に対するアドバイスの提供を拒否することが可能なのである。この場合もまた、フィデューシャリーの原則を導入することにより、年金プラン並びに当該プランの下で、給付金を得ようとする加入者に対するアドバイスが減少していくこととなる。第三の可能性は、投資アドバイザーが、フィデューシャリーと認定されない手法でアドバイスを行うことで、フィデューシャリーの原則を順守する際のコストを回避するというものである。次節においては、フィデューシャリーの立場を決める境界線、そして投資アドバイザーがこのような状況を回避する手段について議論していく。

フィデューシャリーである投資アドバイザーにおける現在の法的定義

　前出の通り、資産運用に関わる事象についてアドバイスを行う団体や個人を規定すべく、証券業界や投資アドバイザリー業界では様々な用語

が用いられる。これらの用語の大半が、正確な法的定義を持ち合わせていない。しかしながら、フィデューシャリーとしての立場は、重大な義務と規範に違反した場合の相当な刑罰、さらにはその重要性故に、それを回避しようとする動機をもたらすため、投資アドバイザーがフィデューシャリーとなる定義は、投資アドバイザーと顧客の双方にとって重要なことになっている。規制当局は、この定義に関わる問題と格闘を続けてきた。ここでは、投資アドバイザーがフィデューシャリーの場合、各規制当局が異なる定義を有することで、規制が重複してしまっているという複雑な状況が明らかとなっている。

　一般的に、投資顧問業法は「投資アドバイザー」を比較的明瞭な形で定義し、証券投資に関わるアドバイスに対し報酬を受け取る個人、あるいは団体だと位置付けている。フィデューシャリーとしての規範を含むこの投資顧問業法の要件は、この定義に当てはまる全ての団体に適用される。しかしながら、この「投資アドバイザー」という定義には、証券ディーラー業に付帯する投資アドバイスを行い、それに対する「特別な報酬」を受領しないといった例外も多い。このような例外の存在は、様々な業界で使われる用語と組み合わさった場合、個人投資家にさらなる混乱を来す可能性がある。それは、投資アドバイザーがその最善の利益のために働く義務を有する者なのか、あるいは単に適合する投資を推奨する義務を負っているだけなのか、彼らにはその判別が困難であるからである。

　ERISAにおける規範は異なっている。同法の規定では、年金プランやその資産と交渉を持つ法的人格がフィデューシャリーであるとする代替的方法を採用して定義している。投資アドバイザーに対しては、「直接的あるいは間接的に手数料、あるいは他の報酬を対価としたアドバイスを行う場合」、当該個人はフィデューシャリーである、というのが該当する記述である（ERISA, 1974: Sec. 3（21））。しかしながら、この比較的明瞭な表現は、規制当局者によって錯綜したものとなっている。規制上は、投資教育を行うことは、それ自身ではフィデューシャリー・デューティを伴う行為ではないことを、長期にわたって明示してきた（Muir, 2002: 18-19）。従って、投資関連サービスの合理的な提供者は、投資教育のみを提供するか、投資教育よりも高い手数料をとって投資ア

ドバイスを提供する。このようなことは、投資アドバイスと投資教育の境界線に関わる法的な問題を惹起させているのである（Muir, 2002）。

　第二の錯綜状況は、投資アドバイザーが年金プラン資産に関わるフィデューシャリーとなる条件を、5段階という非常に狭い定義で定めた1975年の規制により生じている。要約すれば、本規制により、投資アドバイザーが年金プランかIRAに対しアドバイスを行う際、以下の条件に該当しない限り、フィデューシャリーとはならないのである。すなわち、（a）証券の価格評価に関するアドバイス、あるいは証券の購入または売却についての推奨を、（b）定常的に、（c）年金プラン、あるいは年金プランのフィデューシャリーとの契約に基づき、（d）同年金プランのフィデューシャリーがアドバイスを行い、年金プランの投資判断の主たる基礎を与え、さらに（e）アドバイスが年金プランのニーズに個別に対応している、という条件である（EBSA, 2010）。アドバイスを提供するに際し、この狭い規制の定義に該当するのを回避することで、ファイナンシャル・アドバイザーは目下、年金プラン資産に対し、手数料を徴取してアドバイスを行い、年金プランやIRA口座資産に関わるアドバイスを行う、投資アドバイザーに課せられるフィデューシャリーとしての責任を回避しているのである。

業界の慣行から生じる個人投資家の混乱

　投資アドバイザーがフィデューシャリーとなる条件についての今日の定義における複雑さに、統一性を欠く専門用語、提供サービスの多様性、さらには多くの異なる職業上の肩書が加わることで、投資アドバイザーが行う注意義務が、個人投資家を混乱させているとの懸念が増大している。GAOが実施したファイナンシャル・プランナーに関する調査では、ある個人ないし企業が多様なサービスを提供する場合、様々なサービスにより注意義務が異なってくる可能性が指摘されている。この調査結果は、これに先立ち実施されたRAND社の投資アドバイザーと証券ディーラーに関する調査内容と、さまざまな観点で合致している（Hung et al., 2008）。提供されるサービスのタイプに応じた注意義務の相違は「帽子の交換」（視点操作）問題として知られている。例えば、顧客に対してある証券の購入を行う場合、ファイナンシャル・プラン

ナーは証券ディーラーの帽子を着用するので、適合性の原則の義務のみを負うことになる。一方、典型的な投資顧問業法の定義に則り投資アドバイスを行う場合は、投資顧問業法の帽子を着用し、顧客の最善の利益のために行動しなければならない（GAO, 2011 b）。GAOの調査で検討されなかったもう一つのポイントとしては、ファイナンシャル・プランナーが、年金プランの資産運用に関するアドバイスを行い、ERISAのフィデューシャリーの条件を満たした場合は、ERISAのフィデューシャリーの帽子を着用するという点である。これは前述の通り、投資顧問業法と類似する注意義務が適用となり、これに反した場合は別の改善措置を取るということになる。

　個人投資家が混乱する可能性に対するGAOの分析は、他の調査によっても裏付けられている。フォーカスグループを活用した調査報告では、個人投資家は投資アドバイザーと証券ディーラーの違いを理解しておらず、提供するサービスの違いや法的な義務についても理解していないという（SEC Staff, 2011 b）。さらに広範な調査では、証券業やアドバイザリー業といった様々なサービスを提供する企業が結合した状態であるため、個人投資家がそれぞれをかみ砕いて理解するのが困難な理由の一つであることが判明した。GAOは、個人投資家の金融リテラシーについて、SECが現在行っている調査で用いられる様々な専門資格や、ファイナンシャル・アドバイザーが担う役割によって、彼らが混乱を来していないか、さらにその混乱から生じる投資判断への影響も併せて検討することを促している（GAO, 2011 b）。

フィデューシャリー投資アドバイザーに関する規則制定の現状と報告

　前述の通り、投資アドバイスに対する規制は、長きにわたってSECとEBSAの課題となっている。近年において、これらの機関は研究に取り組み、投資アドバイスに関する規制方法を提案してきた。それらのうちのいくつかは、議会の指導によるものである。2006年、PPAにより、EBSAの関与が投資アドバイスに及ぶよう、新たに定められた。SECとEBSAは、ドッド・フランク法におけるアメリカ連邦議会の指示に従い、金融危機に対応すべく、投資アドバイスに関わる報告書を作成し、規制を設けた（Dodd-Frank, 2010）。この内容を考察すべく、まず、フィ

デューシャリー・デューティの対象となる行為分類の定義的な問題や、これらの機関における対応について検討する。次いで、投資アドバイザーが401（k）プランの加入者やIRA口座の保有者に対して、サービス提供方法の拡大に対応した近年の規制について検証する。最後に、401（k）プランにおける費用に関する開示拡大への取り組みについても解説する。

2011年の初期に、ドッド・フランク法の要請に基づき、SEC スタッフ報告書は、投資アドバイザーと証券ディーラーが行うアドバイスについての規制を評価するレポートを作成した。前述の通り、投資顧問業法は「投資アドバイザー」についての広範な定義をしているが、証券ディーラーのアドバイスが偶発的であり、またアドバイスに対してなんら「特別な報酬」を受けない場合は、規制の対象としていない。同報告書では、このような二分化した規制システムについて、一般顧客にアドバイスを行う際は、投資アドバイザーと証券ディーラーの双方に対し、統一された連邦政府のフィデューシャリー・デューティと規制システムが適用されるべきだと結論づけている（SEC Staff, 2011 b）。もし、統一基準が採択されれば、「帽子の交換」問題の減少につながることになる。この調査報告は、SECの上層部でさえも大きな議論を呼んだ。SECを統括するSEC理事のうち3名が、本調査報告をアメリカ連邦議会に提出すべく賛成票を投じ、他の2名の反対票を押し切る形となった。ドッド・フランク法によって、投資顧問業法の下、証券ディーラーにも投資アドバイザーと同等基準を適用する権限がSECに与えられることとなったのである。2012年の初頭、本件に関する規制をSECが提案するとの通知がなされたものの（Christie, 2011）、SECが費用便益に関するデータを収集する期間中、その取り組みは無期限の延期となった（Zamansky, 2012）。SECとアメリカ連邦議会は、追加的な監視権限を有する自主規制機関を含め、投資アドバイザーに対するコンプライアンス調査の実施方法を変更すべく検討している（SEC Staff, 2011 a）。

フィデューシャリーの定義上の問題については、2010年にEBSAが、年金プランやIRAに関する投資アドバイスを行う場合は、フィデューシャリーと同じ立場になるという、従来からの規制への改正を打ち出した。その結果、年金プランやIRAにおけるフィデューシャリー候補と認

定されるべく、アドバイスが投資判断の主要な根拠となるという合意に基づき、投資アドバイザーが定期的に個別のアドバイスを行う必要は、もはやなくなるであろう。この提案は、年金プランやIRAに投資アドバイスを提供する際、提供する側がフィデューシャリーとなり、ファイナンシャル・アドバイスの領域を劇的に拡大させ得るものであった。提案された規制上の定義は、一般的な法的な定義と整合性があり、具体的には、年金プラン加入者や受給者、あるいはIRAに関わる個人投資家に対し、投資アドバイスや投資銘柄の推奨を行うことは、フィデューシャリーとしての行為であると定めている（EBSA, 2010）。個人投資家や事業体が、フィデューシャリーという立場を回避しようとする動きを弱めることによって、提案された規制は、帽子の交換問題の発生を減少させていくことだろう。2011年9月、EBSAは重大な論争の引き金となった本規制の提案を取り下げた（DOL, 2011）。直近の動向では、SECと継続的に連携しながら、2013年に本規制の改正もしくは再提出を行う予定となっている。

　以上のように、ERISAのフィデューシャリー・デューティと禁止取引ルールの両方が、年金プラン資産の運用に対する投資アドバイスの提供に制約を与えている。今日において、ERISAが定めるフィデューシャリーは、多くの金融機関によって担われ、その金融機関から提供される401（k）プランの口座保有者に対する投資アドバイスは、EBSAのオピニオンレターによって認可された二つのモデルの何れかに適合するよう仕組まれてきた。一つ目は、SunAmerica社モデルで、独立系の第三者により開発管理されたコンピューター・モデルを通じて、金融機関によるアドバイスが可能となる。もう一つは、定額手数料モデルである。これは、アドバイスを通じた投資選択の結果によって、投資アドバイザー、事業主、およびその関係者に対する報酬が変化することを禁じている（Muir, 2009）。

　2006年に、アメリカ連邦議会はPPAを制定し、年金プランへの投資アドバイスに対する規制を定め、建前上は、SunAmerica社や定額手数料モデルといった既存のサービスと比べて、投資アドバイス・プロバイダーにはいっそうの利便性を与えるものとなった。しかしながら、議会は規制プロセスにおいて、多くのPPAの詳細設計をEBSAに委ねること

にしたのである。PPAの条項は、法律で義務付けられているものよりも、明らかに多くの柔軟性を備えていたことが極めて大きな物議を呼び、結果その法案は制定されなかった（Muir, 2009）。大がかりな修正を加えた後、EBSAが最終的に提示した規制は、2011年に発効した。

この新たな規制は、従来の定額手数料やコンピューター・モデル・サービスについては変更が加えられていないが、アドバイス・プロバイダーは提供サービスの代替的な方法を構築しなければならなくなった。新規制における免除要件を利用するには、多くの技術的要件を満たさなければならなかったのである。その要件のうちの一つは、投資アドバイザーによる、年齢、リスク許容度、直近の投資内容、他の資産について、投資家個人に詳細な情報提供を義務付けている点である。もう一つの要件としては、コンピューター・モデル・サービスでは、自社株を含む年金プランにおける、ほぼ全ての投資選択肢を考慮することが義務付けられている点である。定額手数料サービスに関する要件は、投資アドバイザー関係者に拡大適用されることがなくなったことで、彼らが投資金融商品を提供する事業体と提携している場合、投資アドバイスによって生じるアフィリエイト料は、アドバイスを受けた投資内容に応じて変動することが認められている。

上述の通り、情報開示は法律により利益相反を緩和する一般的な仕組みの一つである。EBSAは過去数年にわたり、課金について新たに2つの規制を提示し、投資費用の情報開示を促進すべく行動してきたのである。その一つが、2012年7月発効の条令では、フィデューシャリー、あるいは広範なサービスを提供するサービス・プロバイダーに対し、フィデューシャリーの検討を行う報酬の開示について、少なくとも1,000ドルを受け取ることを要求している。重要と認識される、あるいは利益相反の可能性があるサービスに対しては、たとえサービスとその経費が一塊になっていたとしても、その内容と経費はサービス項目毎に記述されることが義務付けられているのである。第二の規制は、フィデューシャリー・デューティに関わる情報開示の発効日に関連したもので、2012年8月に適用された。この規制において、DCプラン（401（k）プラン等）の受益者と加入者に対し、年金プランの運用状況と代替可能な投資手段について、報酬、費用、実績・データを含む投資関連情報の提供が、年

金プランに義務付けられているのである（EBSA, 2010）。

結論

　アメリカの年金退職金制度では、401（k）プランとIRAが圧倒的な地位を占めており、ファイナンシャル・アドバイザリー市場は、年金制度の運営政策において、著しくその重要性が増している。個人投資家は金融に関する高度な知識が欠如することから、最適な投資判断を下すことができず、投資に無関心になってしまう。研究者はそのようになる多くの要因を挙げている。自ら投資判断を行う個人投資家が直面する課題とは対照的に、米国労働省は、ファイナンシャル・アドバイスによって、金融上の過誤により生じうる150億ドルの損失が防止されたと推計している（EBSA, 2011）。政策立案者とプラン・スポンサーは、投資アドバイザーが提供しうる潜在的な便益を認識しており、IRAや401（k）プランの口座を有する個人投資家向けのファイナンシャル・アドバイスを、質量ともに向上させようとしている。

　筆者らのファイナンシャル・アドバイス市場の調査から、いくつもの特徴が明らかとなり、顧客に対し、多くの利便性と有益な情報を与えることとなった。投資アドバイザーは、個別のアドバイスから資産運用に至るまで、実に多様な方法で関わり、個々の要望に見合ったサービスを提供している。提供サービスの範囲は、顧客の様々な財政状況によって決定される。また、個人投資家が投資アドバイザーのサービスに関心があれば、彼らが提供する広範な宣伝資料に加え、連邦政府の開示請求資料や数々の有望な専門資格など、膨大な情報を活用することも可能である。

　しかしながら、ファイナンシャル・アドバイス市場の柔軟性と変動性がもたらす問題によって、二つの弊害が突き付けられている。第一に、手数料体系の仕組みに内在する利益相反があげられる。これは、アドバイスが必ずしも顧客の最善の利益と一致しないという問題で、投資アドバイスを求める個人投資家や年金プラン加入者には、それが必ずしも、明らかにされるとは限らないのである。第二に、様々な専門資格や、ファイナンシャル・アドバイス市場に参入して、アドバイスを行う様々な業種、開示情報レベル、マーケティング情報が要因となり、投資アド

バイザーとの関係を統制する法的保護の水準について、顧客はそれらを混乱した形で理解するか、あるいは気づかずにいる可能性がある。これは、投資アドバイザーが、異なる注意義務に基づき多様なサービスを提供する上で、「帽子の交換」の問題が生じているケースに極めてよく当てはまる。投資アドバイザーが行う取引に、最善の利益のための行動が義務付けられている場合もあれば、単に顧客の事情に適合したアドバイスをすればよい場合もあることを、顧客は理解できないのである。

規制の枠組みは、利益相反と個人投資家による情報請求の双方に対応したものとなっている。規制システムによって活用される3つの仕組み、すなわち開示請求義務、いくつかの禁止行為、そしてフィデューシャリー・デューティは、加入者を保護し、業界標準を明確に定めるものである。しかしながら、ここにおいても仕組みの複雑性による代償は免れない。例えば、重複する規制の管轄権は、提供されるサービスの種類によってそれぞれ異なる情報開示を求めている。そして、アドバイス・プロバイダーがフィデューシャリーか否かという違いは、アドバイスが税制優遇対象の退職年金プランの口座資産に関わるか否かによって決定されるのである。このような複雑性は、時折個人投資家に混乱を来し、またそのようなやり方を選んだアドバイス・プロバイダーの一部は、自身の顧客やアドバイス業界において、あまり歓迎されているとは言えないだろう。アメリカ合衆国では、情報提供に関わる問題とフィデューシャリー・デューティの基準の適用を、さらに合理化するような規制当局の取組が進行し、老後の所得保障を支援する投資アドバイスの質量の向上が目指されているのである。

本章作成に当たり、アレクサンドラ・カーンとジョナサン・ローゼルにはこの上ない研究上の支援を頂いた。ステファン・ウトクストとロン・ゲプハルツバウアーとの議論は、本章で論じたいくつかの問題において、大変有益であった。また、アーサー・ラビー、オリビア・S・ミッチェル、並びにケント・スメッターズからは、貴重な意見が寄せられた。

▶ 第2章 章末注
1　紙面の制約上、中小企業のオーナー個人に対するファイナンシャル・アドバイ

スがその一例で、提示すべき年金プランのタイプ、税務相談、遺産相続、保険、あるいは住宅ローンの利用に関する、個人向けアドバイスなど、関連する多くの対象に関する考察は実施していない。また、富裕層向けアドバイスについては、該当数も極めて少なく、非富裕層の個人投資家と比べて投資知識が豊富であると想定されることから、対象から除外している。但し、富裕層は必ずしもファイナンシャル・アドバイスに高い満足度を得ていない。富裕層の個人投資家に行った調査結果の一つでは、85％が不満を感じ、ファイナンシャル・アドバイザーの変更を検討していると報告している（Girouard, 2010）。米国証券取引委員会（SEC, 2011 a）は、フォームADVの目的を明確にすべく、一社で運用される金額が少なくとも75万ドルあり、想定資産は、150万ドルを超過する個人投資家であると定義している。個人資産には配偶者と共有する資産も含まれる。

2　ある金融コラムニストは、認定ファイナンシャル・プランナー（CFP）資格を持つファイナンシャル・アドバイザーと、米国公認会計士（CPA）のみが得られる個人金融スペシャリスト（PFS）を推奨している（Anspach, 2011 b）。また、投資アドバイザーとしては、米国公認証券アナリスト（CFA）を推薦している。

▶ 第2章 参考文献

American Institute of Certified Public Accountants (2011). *Personal Financial Planning*. New York, NY: American Institute of CPAs. http://www.aicpa.org/InterestAreas/Personal%20FinancialPlanning/Pages/default.aspx（翻訳時点で該当ページ無し）

Ameriprise (2011). *Purchasing Mutual Funds and 529 Plans through Ameriprise Financial*. Minneapolis, MN: Ameriprise Financial, Inc. http://investment.ameriprise.com/mutual-funds/purchasing-mutual-funds-thru-ameriprise.asp（翻訳時点で該当ページ無し）

Anspach, D. (2011a). *6 Ways Financial Advisors Charge Fees*. New York, NY: About.com. http://moneyover55.about.com/od/findingqualifiedadvisors/a/finadvisorfees.htm

—— (2011b). *Understanding Financial Advisor Credentials*. New York, NY: About.com. http://moneyover55.about.com/od/findingqualifiedadvisors/a/advisorcred.htm

Bank of America Merrill Lynch (2011). *Retirement & Benefit Plan Services*. New York, NY: Bank of America Corporation. http://www.benefitplans.baml.com/IR/ Pages/ts_er.aspx（翻訳時点で該当ページ無し）

Benartzi, S., and R. H. Thaler (2002). 'How Much is Investor Autonomy Worth?' *Journal of Finance*, 57 (4): 1593–616.

Benjamin F. Edwards & Co. (2011). *Mutual Fund Sales Charges and Breakpoints*. St. Louis, MO: Benjamin F. Edwards & Co. www.benjaminfedwards.com/content.php?pageID=mut_fund_discl（翻訳時点で該当ページ無し）

Black, H. C. (1983). *Black's Law Dictionary*. St. Paul, MN: West Publishing Co.

Bliman, N. (2011). 'BrightScope Roles Out Adviser Data Base,' *PlanAdviser*. Stamford, CT: Asset International, Inc. http://www.planadviser.com/NewsArticleProducts.aspx?id=14286&page=1 40 The Market for Retirement Financial Advice（翻訳時点で該当ページ無し）

BrightScope, Inc. (2011). *Advisor Pages*. San Diego, CA: BrightScope, Inc. http:// www.brightscope.com/financial-planning/find/advisor/（翻訳時点で該当ページ無し）

Bucks, B. F., A. B. Kennickel, T. L. Mach, and K. B. Moore (2009). 'Changes in US Family Finances from 2004 to 2007: Evidence from the Survey of Consumer Finances,' *Federal Reserve Bulletin*, February: A1–A56. http://www.federalreserve.gov/

pubs/bulletin/2009/pdf/scf09.pdf（翻訳時点で該当ページ無し）

Certified Financial Planner Board (2011a). *CFP Board Mission.* Washington, DC: Certified Financial Planner Board of Standards, Inc. http://www.cfp.net/

——(2011b). *Topic List for CFP Certification Examination.* Washington, DC: Certified Financial Planner Board of Standards, Inc. http://www.cfp.net/downloads/Financial%20Planning%20Topics%202006.pdf
（翻訳時点で該当ページ無し）

——(2011c). *Types of Financial Advisors.* Washington, DC: Certified Financial Planner Board of Standards, Inc.

https://www.letsmakeaplan.org/Why-You-Need-A-Plan/Types-of-Financial-Advisors.aspx?gclid=CNrpgrKLuKoCFeJ65Qodv%20DYT8A（翻訳時点で該当ページ無し）

Chartered Financial Analyst (CFA) Institute (2011). *What We Stand For.* New York, NY: CFA Institute. http://www.cfainstitute.org/about/strategy/Pages/index.aspx（翻訳時点で該当ページ無し）

Choi, J. J., D. Laibson, and B. Madrian (2004). 'Plan Design and 401 (k) Savings Outcomes,' *National Tax Journal*, 52 (2): 275–98.

Christie, S. (2011). 'IAA's Tittsworth: Fiduciary Ruling Likely in Q1 of 2012: RIS,' *AdvisorOne.* Erlanger, KY: AdvisorOne. http://www.advisorone.com/2011/10/21/iaas-tittsworth-fiduciary-ruling-likely-in-q1-of-2
（翻訳時点で該当ページ無し）

Dodd-Frank Wall Street Reform and Consumer Protection Act (2010). Public Law 111–203.

Drucker, D. J. (2005). 'Accounting for CPA Referrals: Why Are CPAs Selling Client Referrals, and Should You Be Buying?' *Financial Advisor.* Shrewsbury, NJ: Charter Financial Publishing Network, Inc.

http://www.fa-mag.com/component/content/article/1126.html?issue=56&magazineID=1&Itemid=27

Edelman Financial Services (2011). *The Edelman 401 (k)—Ric Edelman.* Fairfax, VA: Edelman Financial Services. http://www.ricedelman.com/galleries/default-file/401k_brochure_0617.pdf（翻訳時点で該当ページ無し）

Employee Retirement Income Security Act (1974). Public Law 93–406.

Financial Engines (2011). *Understanding the Accidental Investor: Baby Boomers on Retirement.* Palo Alto, CA: Financial Engines, Inc. http://corp.financialengines.com/employer/Accidental_Investor_April2011.pdf
（翻訳時点で該当ページ無し）

FINRA (2011a). *Understanding Professional Designations.* Washington, DC: Financial Industry Regulatory Authority, Inc. http://apps.finra.org/DataDirectory/1/prodesignations.aspx（翻訳時点で該当ページ無し）

——(2011b). 'Use FINRA BrokerCheck to Review Your Broker's Record.' *Investor Newsletter.* Washington, DC: FINRA. July. http://www.finra.org/Investors/Subscriptions/InvestorNews/P123886

Girouard, J. E. (2010). 'Why Clients Distrust Advisors,' *Forbes.* New York, NY: Forbes.com. http://www.forbes.com/2010/04/06/client-retention-financialadvisor-network-high-net-worth.html

GuidedChoice (2011). *Pricing and Fees.* San Diego, CA: GuidedChoice, Inc. http://www.guidedchoice.com/index.php?option=com_content&view=article&id=33&Itemid=15
（翻訳時点で該当ページ無し）

Hastings, J. S., and O. S. Mitchell (2011). 'How Financial Literacy and Impatience Shape Retirement Wealth and Investment Behaviors,' National Bureau of Economic Research Paper No. 16740. Cambridge, MA: NBER.

Hung, A. K., N. Clancy, J. Dominitz, E. Talley, C. Berrebi, and F. Suvankulov (2008). 'Investor and Industry Perspectives on Investment Advisers and Broker-Dealers,' RAND Technical Report. Santa Monica, CA: RAND. http://www.rand.org/pubs/technical_reports/TR556.html（翻訳時点で該当ページ無し）

Infogroup/ORC (2010). *Elder Investment Fraud and Financial Exploitation: A Survey Conducted for Investor Protection Trust.* Papillion, NE: Infogroup/ORC.
http://www. investorprotection.org/downloads/EIFFE_Survey_Report.pdf（翻訳時点で該当ページ無し）

Investment Adviser Association (2011). *Chartered Investment Counselor Program and Designation.* Washington, DC: Investment Adviser Association.
https://www. investmentadviser.org/eweb/dynamicpage.aspx?webcode=cic（翻訳時点で該当ページ無し）

Investment Company Institute (2011a). 'The Economics of Providing 401 (k) Plans: Services, Fees, and Expenses, 2010.' *ICI Research Perspective*, 17 (4). Washington, DC: Investment Company Institute.

—— (2011b). *The US Retirement Market: Third Quarter 2010.* Washington, DC: Investment Company Institute. http://www.ici.org/pdf/ppr_11_retire_q3_10.pdf

Karp, N., and R. Wilson (2011). 'Protecting Older Investors: The Challenge of Diminished Capacity,' AARP Public Policy Institute Research Report No. 2011–04. New York, NY: AARP Public Policy Institute.

Kolakowski, M. (2011). *Insurance Sales Agents.* New York, NY: About.com.
http:// financecareers.about.com/od/insurance/a/insuranceagent.htm（翻訳時点で該当ページ無し）

Laby, A. B. (2008). 'The Fiduciary Obligation as the Adoption of Ends,' *Buffalo Law Review*, 56 (1): 100–67.

—— (2011). '*SEC v. Capital Gains Research Bureau* and the Investment Advisers Act of 1940,' *Boston University Law Review*, 91 (3): 1051–104.

Loewenstein, G., M. C. Daylian, M. Cain, and S. Sah (2011). 'The Limits of Transparency: Pitfalls and Potential of Disclosing Conflicts of Interest,' *American Economic Review*, 101 (3): 423–28.

Lusardi, A., and O. S. Mitchell (2006). 'Financial Literacy and Planning: Implications for Retirement Wellbeing,' Pension Research Council Working Paper No. WP 2006-1. Philadelphia, PA: Pension Research Council.

Maxey, D. (2011). 'How to Pay Your Financial Adviser.' *The Wall Street Journal.* December 12.

McCarthy, D. M., and J. A. Turner (2000). 'Pension Education: Does It Help? Does It Matter?' *Benefits Quarterly*, 16: 64–72.

Merrill Edge (2011). *Invest with Advisors.* New York, NY: Bank of America Corporation.
http://www.merrilledge.com/m/pages/merrill-edge-advisory-center.aspx（翻訳時点で該当ページ無し）

Merrill Lynch (2010). *Global Wealth & Investment Management.* New York, NY: Bank of America Corporation. http://www.ml.com/?id=7695_8134_114044

MetLife (2011). *About MetLife Securities, Inc.* New York, NY: Metropolitan Life Insurance Company. http://www.metlife.com/individual/investment-products/mutual-fund/

index.html?WT.ac=GN_individual_investment-products_mutual-fund（翻訳時点で該当ページ無し）

Moon, Kenneth P. (2004). *Mutual Fund Revenue Sharing and the Role of the Fiduciary.* Washington, DC: Financial Planning Association. http://www.fpanet. 42 The Market for Retirement Financial Advice org/journal/BetweentheIssues/LastMonth/Articles/MutualFundRevenueSharin gandtheRoleoftheFiduciary/（翻訳時点で該当ページ無し）

Muir, D. M. (2002). 'The Dichotomy Between Investment Advice and Investment Education: Is No Advice Really the Best Advice?' *Berkeley Journal of Employment and Labor Law*, 23 (1): 1–55.

—— (2009). 'Legislation Pending on Investment Advice to 401 (k) Account Clients,' *Bank Accounting & Finance*, 22 (6): 38–40.

——ed. (2010). *Employee Benefits Law 2010 Cumulative Supplement.* Arlington, VA: BNA Books.

New Means Financial Planning (2011). *Services.* Nashua, NH: New Means Financial Planning. http://www.newmeans.com/services.html（翻訳時点で該当ページ無し）

Pettus, L., and R. H. Kesmodel, Jr. (2010). 'Impact of the Pension Protection Act on Financial Advice: What Works and What Remains to be Done?' in R. L. Clark and O. S. Mitchell, eds., *Reorienting Retirement Risk Management.* Oxford, UK: Oxford University Press, pp. 86–104.

Reish, F., and B. Ashton (2011). 'Fiduciary Issues Related to the Allocation of Revenue Sharing,' White Paper. Washington, DC: Drinker Biddle. http://www.securiannews.com/sites/securian.newshq.businesswire.com/files/white_paper/file/ReishPaperFinal.pdf（翻訳時点で該当ページ無し）

Schultz, E. E. (2011). *Retirement Heist.* New York, NY: Penguin Group.

Schwab (2011a). *Advice Guidelines.* San Francisco, CA: The Charles Schwab Corporation. http://www.schwab.com/public/schwab/nn/legal_compliance/compensation_advice_disclosures/advice_guidelines.html（翻訳時点で該当ページ無し）

—— (2011b). *How We Compensate our Investment Professionals.* San Francisco, CA: The Charles Schwab Corporation. http://www.schwab.com/public/schwab/nn/legal_compliance/compensation_advice_disclosures/investment_professionals_compensation.html（翻訳時点で該当ページ無し）

Simon, W. S. (2004). 'Fiduciary Focus: How to Bring Value to 401 (k) Sponsors,' *Morningstar Advisor.* Chicago, IL: Morningstar, Inc. http://advisors.morningstar.com/advisor/t/54224664/fiduciary-focus-how-to-bring-value-to-401-k-sponsors. htm?&q=how+to+bring+value+to+401%28k%29+sponsors&single=true（翻訳時点で該当ページ無し）

Smart401 (k) (2011). *Stop Guessing. Start Planning. Take Control of Your Retirement and Invest with Confidence.* Overland Park, KS: Smart401 (k). http://www.smart401k.com/Content/Retail/Retail-Landing-Pages/simplify-401k-investing.aspx（翻訳時点で該当ページ無し）

Staff of the United States Securities and Exchange Commission (SEC Staff) (2011a). *Study on Enhancing Investment Adviser Examinations.* Washington, DC: SEC. http://www.sec.gov/news/studies/2011/914studyfinal.pdf

—— (2011b). *Study on Investment Advisers and Broker-Dealers.* Washington, DC: SEC. http://www.sec.gov/news/studies/2011/913studyfinal.pdf

Stanley, J. K., ed. (2000). *Employee Benefits Law.* Arlington, VA: BNA Books.

TD Ameritrade (2011). *Amerivest Guided Portfolios.* Omaha, NE: Ameritrade. http:// www.tdameritrade.com/offer/ad/investmentservices.html

The American College (2011a). *Chartered Financial Consultant.* Bryn Mawr, PA: The American College. http://www.theamericancollege.edu/financial-planning/ chfc-advanced-financial-planning

—— (2011b). *Chartered Life Underwriter.* Bryn Mawr, PA: The American College. http:// www.theamericancollege.edu/insurance-education/clu-insurance-specialty The Market for Financial Advisers 43（翻訳時点で該当ページ無し）

The Motley Fool (2011). *Whom to Hire.* Alexandria, VA: The Motley Fool. http:// www. fool.com/financial-advice/whom-to-hire.aspx?source=famp（翻訳時点で該当ページ無し）

T. Rowe Price (2011a). *Advisory Planning Services.* Baltimore, MD: T. Rowe Price. http:// individual.troweprice.com/public/Retail/Products-&-Services/AdvisoryPlanning-Services/FAQs

—— (2011b). *Benefits of Advisory Planning Services.* Baltimore, MD: T. Rowe Price. http://individual.troweprice.com/public/Retail/Products-&-Services/AdvisoryPlanning-Services/Benefits

Turner, J. A. (2010). 'Why Don't People Annuitize? The Role of Advice Provided by Retirement Planning Software,' Pension Research Council Working Paper No. WP2010-07. Philadelphia, PA: Pension Research Council. http://www.pensionresearchcouncil.org/publications/document.php?file=858（翻訳時点で該当ページ無し）

——H. A. Witte (2008). *Fee Disclosure to Pension Participants: Establishing Minimum Standards.* Toronto, Canada: Rotman International Centre for Pension Management. http://www.rotman.utoronto.ca/userfiles/departments/icpm/File/John %20 Turner_%20Pension%20Fee%20Disclosure_August%202008_FINAL_for %20 webposting.pdf（翻訳時点で該当ページ無し）

—— (2009). 'Retirement Planning Software and Post-retirement Risks,' *Society of Actuaries and Actuarial Foundation.* Schaumburg, IL: Society of Actuaries. http:// www.soa.org/ research/research-projects/pension/retire-planning-software-postretire-risk.aspx（翻訳時点で該当ページ無し）

US Department of Labor (DOL) (2011). *US Labor Department's EBSA to Repropose Rule on Definition of a Fiduciary.* 11-1382-NAT. Washington, DC: DOL.

US Department of Labor, Employee Benefits Security Administration (EBSA) (2010). *Proposed Regulation, Definition of the Term 'Fiduciary.'* 75 Fed. Reg. 65, 263–5, 278. Washington, DC: EBSA.

—— (2011). *Requirements for Fee Disclosure to Plan Fiduciaries and Participants— Applicability Dates.* 76 Fed. Reg. 42,539–42,542. Washington, DC: EBSA.

US Government Accountability Office (GAO) (2011a). *401 (k) Plans: Improved Regulation Could Protect Participants from Conflicts of Interest.* GAO-11-119. Washington, DC: GPO.

—— (2011b). *Regulatory Coverage Generally Exists for Financial Planners, But Consumer Protection Issues Remain.* GAO-11-235. Washington, DC: GPO.

US Securities and Exchange Commission (SEC) (2011a). 'Fees Make a Big Difference.' Washington, DC: SEC. http://www.sec.gov/investor/tools/mfcc/fee-comparison-help. htm（翻訳時点で該当ページ無し）

—— (2011b). *Frequently Asked Questions on Form ADV and IARD.* Washington, DC: SEC.

http://www.sec.gov/divisions/investment/iard/iardfaq.shtml#networth

—— (2011c). *General Information on the Regulation of Investment Advisers.* Washington, DC: SEC. http://www.sec.gov/divisions/investment/iaregulation/memoia.htm

—— (2011d). *Protect Your Money: Check Out Brokers and Investment Advisers.* Washington, DC: SEC. http://www.sec.gov/investor/brokers.htm

—— (2011e). *Rules Implementing Amendments to the Investment Advisers Act of 1940.* 76 Fed. Reg. 42,950. Washington, DC: SEC.

—— (2011f). *Variable Annuities: What You Should Know.* Washington, DC: SEC. http:// www.sec.gov/investor/pubs/varannty.htm

Vanguard (2011a). *The Ongoing Advice You Want from a Partner You Can Trust.* Malvern. PA: The Vanguard Group. https://personal.vanguard.com/us/LiteratureRequest?FW_Activity=ViewOnlineActivity&litID=2210056021&FW_Event=start&view_mode=web&cusage_cat2=&viewLitID=2210056021&formName=Asset+Management+Services+for+Individuals&vendorID=S177&cbdForceDomain=true

—— (2011b). *Guidance and Advice.* Malvern, PA: The Vanguard Group. https://personal. vanguard.com/us/whatweoffer/advice

Veritat (2011). *Finally, Financial Planning for Everyone.* Philadelphia, PA: Veritat. https:// www.veritat.com/

Zamansky, J. (2012). 'SEC Struggles with Investor-Protection Rules,' *Forbes.* New York, NY: Forbes.com. http://www.forbes.com/sites/jakezamansky/2012/01/24/sec-struggles-with-investor-protection-rules/

▶ **第2章** 訳者注
＊1
ファイナンシャル・プランナーに関連する資格や規制当局や規制などについての最新の情報は、巻末に掲載する参考WEBサイトを参照のこと。
＊2
フィデューシャリーである投資アドバイザーとは、責任を伴う職業的な資格や業務範疇を有する専門家を指すものである。「顧客本位の業務運営に関する原則」を参照。
＊3
エントレンチメントとは、特に本事例においては、資質の劣った経営者がその地位を占め続けるという行為で、株式公開買付は、買収者が株式を買いつけることで、そのような経営者の交代を迫るものである。

第**3**章
顧客へのリスクの説明：
アドバイザリー（ビジネス）の視点

ポーラ H. ホーガン、
フレデリック H. ミラー

　ファイナンシャル・プランニングの分野は、モザイクのように複雑に変化する理論モデルを具現化している。それでも、リスク管理はファイナンシャル・プランニングの最も基礎的な要素である。本章では、特にリスク管理に重点を置いて、現在のアドバイザリー業務を検証する。そして、その内容を元に、更なる議論や研究を深めるための議題を設定する。著者の見解は、顧客や同僚[1]らとの継続的な議論から導出された視点に基づいたものであり、本章では、アドバイザリー業界実務者と学界関係者の更なる対話の追及を求めたい。

　以下では、最初に、3つの異なる理論的な枠組みを通じて、ファイナンシャル・プランニングそのものがどう定義され、どのようにサービスとして提供されているのかを概観する。次に、それぞれの枠組みについて、特にリスク許容度、リスク管理能力、及びリスク認識をそれぞれどのように扱うか、について重点を置いて説明する。その結果、それらが、日々の顧客とのアドバイザリー業務にどのように貢献しているか、またそれらを適用することの問題点は何かを明らかにする。そして、4つ目のファイナンシャル・プランニングの枠組みでは、ファイナンシャル・アドバイザーが日々直面する現実の問題を詳しく明らかにするが、それらは既出の3つの枠組みには組み込まれていない。これら未解決の現実的な問題は、顧客が提供すると思われる情報や推定分析単位といった、我々が理論的モデルを詳説するのに用いる多くの要素も加わることによって、日々の業務を混乱させているということが分かっている。最後に、ファイナンシャル・アドバイザーが、ファイナンシャル・プランニング上の3つの共通課題、すなわち、投資リスク管理、長寿リスク管理、

および顧客が十分（または以上、以下）の個人資産を保有している場合の適切なプランニング立案、をどのように扱うかを示唆することによって、それぞれの枠組みにおける実務への適用方法を示す。

　ほとんどの標準的な経済モデルが、顧客が効用関数と自らの属する世界を知りつくしていることを前提としていることは注目すべきことである。それだけではなく、これらのモデルは、個々人が自らに起こりうるリスクを完璧に把握し効率的に管理できるとも仮定している。この世界において、顧客の為すべき事は、単に個人の選択と行動を経済モデルへ入力して、モデルが提供する内容に従うことだけだ。ただし、実際には、ファイナンシャル・アドバイザーが、顧客の戦略的な経済的決定を支援している。それは、どの程度支出すべきか、裏を返せば、どの程度貯蓄に回せるのか、どんな保険をどの程度の金額まで契約すればよいのか、貯蓄（＝投資）額をどう扱うか、増加を続ける人的資本をどうするのか、など広範囲に及ぶ。

　我々ファイナンシャル・アドバイザーは、学界からの洞察を頼りに、理論と実践の格差を縮めるべく、日々奮闘している。本章は、事業当事者と学者の間で現在進められている議論を支持するものである。

ファイナンシャル・プランニングの枠組み

　ファイナンシャル・アドバイザーは、その実践において、従来型、ライフサイクル型、行動型、エキスパート型の4つの主要な枠組みを用いる。この4つについて以降では順に解説する。（**表3.1**参照）

従来型および会計的/予算的/現代ポートフォリオ理論による枠組み

　従来型アプローチは、今日存在するファイナンシャル・プランニングに対する最も顕著かつ支配的なアプローチであり、様々なリソースから情報を収集し、我々事業当事者の顧客に大きな利益をもたらしている。顧客は、退職やその他イベント・目標に向けた貯蓄の重要性、投資ポートフォリオの分散化、投資にかかるコストの管理、所得喪失への保険、に対して敏感になってきている。

　現代のファイナンシャル・プランニング業の多くは、株式売買仲介業と投資顧問業に基づいている。それはおそらく、多くの顧客が自らの金

表3.1 ファイナンシャル・プランニング図表一覧

	従来型アプローチ 会計的な予算制／現代ポートフォリオ理論	ライフサイクル型アプローチ 貯蓄と投資のライフサイクル理論	行動型アプローチ プロスペクト理論とフレーミング効果	エキスパート型アプローチ 人生における様々なステージ
主たる役割	個人のファイナンシャル・プランニングの特定と正当化。	人的資本と生活水準の中心に。	損失回避の傾向を含む意思決定の非合理性と、意思決定におけるフレーミング効果の中心的役割を強調。	定量的な財務分析が、人の心理や顧客全体の幸福な生活環境に重要な意味を与える。
効用曲線（効用関数）	線形（暗黙的には富の関数）	非線形。限界効用は減少的（明示的には消費の関数、おそらくはレジャーと富に関しては間接的な関数）。	プロスペクト理論・リファレンスポイント（参照点）におけるリスク回避度、経験や記憶の有無、「見込誤り」。	経済学は、人々の集団の行動の予測に努め、多くの実証研究では、ある時点（断面）に重点を置く。アドバイザーは長期間にわたり（長期的に）個人と関わる。
分析単位	ポートフォリオ	（経済学的に）合理的な顧客。	人間味のある（しばしば合理的な）顧客。	顧客の多くは二者一組（カップル）であり、個人ではない。その多くは家族の問題に関わらざるを得ないが、それらの問題全てをアドバイザーが理解している訳ではない。
顧客とアドバイザーのゴール	ポートフォリオの最大化。	平準化された・円滑な効用（消費）。	効用と幸福な生活環境を理解して最大化。	個人の価値観を、人的資本・金融資本管理に統合。
リスクへの取り組み	各リスクは個別に扱う。リスク管理は包括的であるが、統合点ではない。主にリスクの論点は、投資か保険か。ひとつのアドバイザーの経歴に依存。	効用関数が、すべてのリスクを統合的に捉えることを可能にする。リスク・インパクトは、個人目標の優先度とリスク管理能力に従って測定される目標固有のもの。	効用関数の解釈や、顧客のリスク認識は直接的あるいは間接的双方においてより重要になる。リスクは十分に理解されておらず、	アドバイザーは、多くのリスクに関する発生確率やコストを知らない。アドバイザーは顧客と同じ非合理的な、行動理論の扱う経験則と

	リスク量は客観的に計量可能。	のこととなる。リスク量は客観的に計量可能。	リスク認識は、トレンド、経済環境、経歴、アドバイザーとの関係によって大きく左右される。	バイアスにさらされている。
リスク許容度	顧客は、測定可能なリスク許容度を持つと想定され、それは、証券市場のベンチマークに基づいた選択肢から、適切なレベルの（投資）リスクを選択する形で現れる。	リスク許容度は、効用関数のパラメータであるリスク回避度から導かれる。	リスク評価とリスク許容度はその枠組みによって決まるもので、内容的には一貫性がないことがある。合理的評価と主観的評価は異なる可能性がある。顧客はどの程度のリスクまでなら許容できるか（アンカリング効果）という様々な手法で損じている。また定義する：市場環境、関連銘柄、「高利益」に対する理解、金銭、場合によっては明確な目標の達成等。	アドバイザーは、自身の専門的な「知識」を、自身のリスク許容度と混同することがある。顧客とアドバイザーの関係性、特に顧客の信頼性は、アドバイザー間のリスクを話し合う際には、強力な影響力を持つ。
リスク管理能力	リスク管理能力という明確な概念はない。しかし、年齢階層に基づくリスク許容度の経験則は、概念の経験的妥当性を示唆している。	リスク管理能力は基本的に重要であり、プランナーにより算出され、最低限の効用レベルは維持し、損失を抑えるよう計算される。	リスク認識が活動的な状況においては、リスク管理能力は危うい概念である。	顧客はリスク許容とリスク管理能力の違いについて考えることには慣れていない。
言語、フレーミング効果の重要性	一該当なし	一該当なし	言語は重要である。フレーミング効果は、顧客のリスクと選択に対する認識を変化させる。アドバイザーは、細心の注意をはらうこと、また恣意的にならないよう、顧客には"丁寧に"説明する。	顧客のコミュニケーションから真意を汲み取る能力は、アドバイザーの経験と共に向上する。そしてアドバイザーは自身のその力量を、効果的にその説得力をいかに、責任をもって駆使するべきかに注力している。

	従来型アプローチ 会計的/予算的/現代ポートフォリオ理論	ライフサイクル型アプローチ 貯蓄と投資のライフサイクル理論	行動型アプローチ プロスペクト理論とフレーミング効果	エキスパート型アプローチ 人生における様々なステージ
顧客に関するモデル仮定	顧客はリスクを十分理解し、リスク許容度を特定することができる。「リスク管理能力」の概念と、「リスク許容度」と融合し、同義的に使用されることもある。	顧客は（リスクに関する）目標と選好を特定できると思い込んでいる。	顧客は自分自身の効用関数やリスクを正確に理解していない。	アドバイザーは、顧客から提供される情報には解釈が必要で、提示された目標や嗜好は時間の経過とともに変化する可能性を学んだ。顧客は自己変革の様々なステージにいる。
顧客へのアドバイザーからの問いかけ	事実は？実際の数字（支出、資産など）は？リスク許容度を、市場変動をどのように定義しているか？	効用関数とは何か？リスク回避度（のメジャー）は何か？個人的な目標や生涯所得の予測値は？どの程度貯蓄を更に創出できるか？	経験、将来、自身の認識における有用性を私たちはどう大規模活用しているか？アドバイザーや（経済的、文化的）環境はどのような枠組みを創出するのか？	アドバイザーは新規顧客に対し、助言に関する成果報告を頻繁に示す必要がある（実際はポートフォリオの実績のみと考えている場合が多い）。顧客は自己変革のステージにとどまってアドバイザーに相談に来る。顧客と最初の関わり合いは、プラン策定前の作成や実行リスクの迅速な分析や実行、さらには緊急救命室（ER）へ駆け込む状況と類似している。
アドバイザーと顧客の関係における重要性	包括的であるが統合されていない投資及び金融商品。	顧客の人的資本とそのリスクとリターンの特徴を合わせて理解し、人的資本に合わせて金融戦略を調整する。ゴールベースの計画を中心とした包括的かつ統合的なリスク管理。	顧客の意思決定能力を理解し、改善し、より良い意思決定に向けて丁寧に説明する。（経済、経験、文化的環境）といった環境を鑑み、適切な時期に助言の立案を行う。	ファイナンシャル・プランの目標設定基盤の前提となる重要なポイントの明確化。

アドバイザーの役割	データとデータの分析プロセス、データ・レーダー、あるいは、投資や経済を中心にアドバイスする権威。	ゴールベースの計画プロセスに基づく計算結果を提供する権威。	意思決定を改善するコーチであり、頼りになる支援者であり、権威。	アドバイザーは、権威／技術専門家から、情報資源、ファシリテーター、コーチ（二者一組［カップル］にとっては時には仲裁者）へと移行する。
アドバイスの成果	アドバイザーは、ポートフォリオの最適化に努める。成果：プロダクト（保有金融資産の最大化）	アドバイザーは、収入・支出を管理し、保有資産の安全性の維持に努める。成果：ポリシー（ゴールベースの生涯消費［効用］平準化）	アドバイザーは、意思決定の明確化に努める。成果：プロセス（価値、目標、リスク管理に関する意思決定の改善）	アドバイザーは、個人に根ざした包括的なゴールベースの計画をサポートし、重要なポイントを明確化し、顧客の準備状況に応じて実行を指導する。成果：信頼関係に基づくプロセス（個人の価値観と包括的なゴールベースの計画の統合）。成果は、明確で測定可能なものでもなく「商品」でもなく、なる。
アドバイザーと顧客の関係における課題	金融商品販売（手数料収入）とアドバイスが絡み合うことで、成果が歪む可能性あり。	プロセスは、顧客からのデータ品質に依存する。	アドバイザーも、顧客と同じくらい人間的である。	顧客は、この関係の目的について不明であり、多くの顧客は、単に投資に関するものであることを期待している。顧客は自己変革の様々な段階にあり、それぞれのステージに対するアドバイスを提供に合致したアドバイスを提供しなければならない。アドバイザーの研修には、目的や意味、変革の動機を探るためのスキルは含まれていない。

出所：著者による作成。本文参照。

融資産形成の支援を望んだからだろう。1970年代、当時最先端の投資アドバイスは、Markowitz, H. M.（1952）. 'Portfolio Selection,' Journal of Finance, 7（1）: 77–91. が 考 案 し、Sharpe, W. F.（1964）. 'Capital Asset Prices—A Theory of Market Equilibrium Under Conditions of Risk,' Journal of Finance, 19（3）: 425–42. 等が発展させ、Ibbotson and R. A. Sinquefield（1977）. Stocks, Bonds, Bills, and Inflation: The Past（1926–1976）and the Future（1977–2000）. Charlottesville, VA: Financial Analysts Research Foundation.[2] が普及させた現代ポートフォリオ理論を採用し、投資アドバイスの基礎として、現在ではほとんどの個人投資アドバイザーがこのアプローチを採用している[3]。例えば、投資アドバイザーの間でシェアを持つモーニングスター社の「プリンシピア・ソフトウエア」は、分散投資の手法として「平均分散分析」を導入している。また、モーニングスター社の株式分類の「スタイル・ボックス」は、Fama, E. F., and K. R. French（1992）. 'The Cross-Section of Expected Stock Returns,' Journal of Finance, 47（2）: 427–65. 等によって発展した、現代ポートフォリオ理論の直系の子孫と言ってもよい。

　一方、従来型アプローチにおいて、投資以外の側面でのファイナンシャル・プランニングの理論的な根拠はあまり明確ではない。この部分を説明するために、我々は「会計的／予算的アプローチ」と名付ける。多くの場合、商用のファイナンシャル・プランニング向けソフトウェアは、①全ての収入源から収入を集計する、②裁量か非裁量かを問わず支出を集計し①から差し引く、③顧客の目標（大学入学とか退職とか）に向けて、②の結果が経年経過で顧客の資産にどう影響するかを追跡するにとどまっている。その結果、顧客の推定死亡時期にプラスポートフォリオ（又は遺産として望ましい額）であるならば、そのプランは成功と評価され、そうでなければ失敗と評価される。

　従来型アプローチでは、ほとんどのアドバイザーが主に投資リスクを扱っており、モンテカルロ法を用いてそのリスクを評価することが多い。成功の尺度は、プラン終了時のポートフォリオの規模と、プラス（または十分に大きな）残高の発生確率である。特定の顧客がどれだけの投資リスクを保持すべきかを判断するにあたり、この枠組みにおけるアドバイザーは顧客のリスクに対する安心感、すなわち「リスク許容度」を評

価しようとする。アドバイザーは、大量のリスクを受け入れる意思のある顧客を「オフェンス型」または「グロース型」投資家とみなし、リスクを受け入れる意思の低い投資家は「ディフェンス型」または「毎月分配型」とみなす。アドバイザーはまた、所得獲得能力を脅かす可能性のある死亡リスクも考慮している。この枠組みでは、アドバイザーは、具体的な費用やゴール、例えば、抵当権付き住宅ローンや大学教育への資金提供を含むものをカバーするのに十分な生命保険を解決策と見なしている。障害保険は、病気やその他の就労不能の原因によって失われた所得を補うものであり、介護保険は、遺産を保存し、介護が必要な場合に望ましい介護の質を確保するために、その費用の全部または一部を負担する。

　重要なことは、従来型アプローチは、リスク管理に対して2つの対照的なアプローチを採用していることである。（通常の保険でカバー可能な）「保険リスク」については、アドバイザーが保険で完全にカバーすることを推奨する可能性が高い。つまり、アドバイザーは、顧客やその環境が「良い」状態だろうが「悪い」状態であろうが実質的に顧客の資産価値と等価になる十分な保険適用範囲を推奨している。しかしながら、投資リスクについては、アドバイザーは、「ゼロ以上」のリスク発生確率を目標とする可能性が高い。例えば、アドバイザーは、5％または10％のリスク発生率を許容可能とみなすこともある。従って、投資が「良く」できていれば、顧客は非常に大きな（未だ手にしていない）資産を持つかもしれないが、逆に「悪く」なると、顧客は亡くなる前（場合によってはその数年も前）に資産を使い果たしてしまうかもしれない（Scott et al., 2008）。言い換えれば、従来型アプローチに基づくアドバイスでは、顧客が（潜在的に非常に大きな）投資リスクを保持することを推奨しつつ、保険（金融）リスクをできるだけ多く移転することを推奨するのは珍しくない。

　従来型アプローチでは、「リスク許容度」という用語で、リスクを受け入れる、あるいは受け入れる「余裕がある」（「リスク管理能力」と呼ばれる）という概念と、資産価格の変動に対する顧客の許容レベルとを結びつけている。これらは、アドバイザーとその顧客にとっては重要で、両者を区別することが不可欠ではあるものの、従来型アプローチでは、

双方の概念を1つの用語で表現しており、両者を区別していない[4]。さらに言えば、少なくともファイナンシャル・アドバイザーのコミュニティでは、どちらの概念も、我々が考える枠組みのいずれによっても明確に定義されていない。

従来型アプローチにおける「リスク管理能力」とは、おおむね、顧客が保持できる最大限のリスク量を指し、悪い結果が起きても許容不可能な損害を与えるまでには至らないないことを確約する。一方、投資に関しては、退職前に資産が底をつけば、許容不可能な損害が生じてしまう。少なくとも概念的には、「リスク管理能力」は計算可能であり、定量化可能であり、顧客のライフサイクルに関連している。この考え方はよく引用される大まかなやり方で、ポートフォリオにおける株式の適切な配分は、100から顧客年齢を差し引いたもので、若い顧客ほど多くのリスクを追うというのが一般的だ。

また、従来型アプローチに基づくアドバイザーは、株式市場の値動きによって生じる顧客の懸念も織り込んだ上で、評価や運用を行うことも求められる。つまり、アドバイザーは顧客の「ふところ・度量」について語ることになる。リスク許容度の高い顧客は、株価の急落に直面しても、株を保有し続けることに心理的にも穏やかだが、逆にリスク許容度の低い顧客は、その比ではない。

さらに、従来型に基づくアドバイザーは、債券よりも株式の長期的な優位性や、株式リターンの平均値への回帰を強く信じている。この見方は、リスク許容度概念の典型的な適用に内在している[5,6]。株式は長期的にはリスクが低いとみなされているため、資産形成のゴールを達成する可能性を向上させるために、顧客の株式投資比率を増加させることは賢明であると見なされ、株価の下落は、主にアドバイザーに「軌道に乗る」アドバイスをする引き金となる。つまり、従来型アプローチでは、リスク認識は、長期的には株式はリスクを伴わないという信念の下で歪められているのだ。

従来型アプローチでは、ファイナンシャル・プランと投資戦略の立案は容易である。アドバイザーは、顧客から、目標、資源、リスク許容度、退職後の必要所得に関するデータを引き出す。次に、全ての目標を達成できそうなプランについて投資ポートフォリオへの影響を計算し、どの

プランを削除するか（例えば、ポートフォリオの枯渇が早すぎるとか、モンテカルロ法で異様に頻度が高すぎるとか）、あるいは追加すべき目標（幸運にも、追加的な資金流入が、高い確率で予想されるとか）などを顧客と議論する。ソフトウェアによる計算過程では暗黙のうちに線形効用関数を想定し、通常、ポートフォリオ全体を通じて1つの総資産配分を導出する。そして、アドバイザーは、顧客のリスク許容度と一致し、目標を達成するために必要な投資収益を生み出す可能性が高いと見なされる資産配分を推奨する。同時に、資産配分に沿った特定の投資銘柄を推奨する。その後、顧客との議論は、適切な保険商品で保険リスクから家族を保護することに移ることとなる。

　金融ポートフォリオで最も重要な点に従って、多くの従来型アプローチに基づくアドバイザーは、優れたポートフォリオ管理を中核的な成果物ではないにせよ、重要なものと考えている。彼らは、顧客も同じ考えでアドバイザーを評価して、投資管理の上で「うまくいった」または「うまくいかなかった」アドバイザーについて話している、と信じている。ただし、実際には、アドバイザーのパフォーマンスを評価するための最も重要な基準は、アドバイザーの注意力とサービスに焦点が当てられている。多くのアドバイザーは、パフォーマンスを上げることができると彼らが期待する運用マネージャーと投資銘柄の選択にかなりの時間を費やしている[7]。

　この結果として、投資管理は従来型アプローチよりも優位に立ち、そこに保険の摘用範囲が追加されている。包括的な個人のファイナンシャル・プランニングは、単に投資・収益アドバイザー別の着目点、さらには規制当局の着目点としては限界的な要素にしか過ぎない。FINRAおよびSECによる審査は、ポートフォリオ管理および関連活動における要因のみに注力しており、主に受託者責任を満たすアドバイザーと、販売適合責任を満たすアドバイザーを分けている。しかし、おそらく、顧客のニーズに応えるためではあるが、これらアドバイザー広告は、顧客の一生涯の夢を実現するための個人的で包括的なアドバイスの約束を強調しすぎている。「ファイナンシャル・アドバイザー」という言葉については、法的に強制力のある定義がまだ存在しないため、アドバイスが行われた時の状況、例えば、主にポートフォリオ・マネジメントに焦点を

当てているのか、包括的なプランニングに焦点を当てているのか、アドバイザーが受託責任適格、あるいは販売適合適格の保有の有無といった情報を示唆できるビジネスモデルはどれなのか、については顧客自らの判断にゆだねられている（Turner and Muir, 2013）。

2つの要素が従来型アプローチへの課題として挙げられる。1つ目は、アドバイザーの報酬とその取り決めに関係してくる。従来型アプローチに属するアドバイザーの報酬は、（大部分が）投資商品の販売、取引手数料（リテール株式ブローカー）、商品販売手数料および収益分配（リテール株式ブローカーおよび一部の投資アドバイザー）、純資産残高に応じた手数料（その他の投資アドバイザー）に依存することが多い。顧客が投資商品を購入した場合、それが、その販売に対して報酬を受けたアドバイザーによって勧められた投資商品である場合、重要な利益相反が生じる可能性がある（Bromberg and Cackley, 2013）。おそらくこれに応える形で、最近では、時間単位または定額のビジネスモデルへの移行が起こっている。

2つ目は、顧客は、アドバイザーに対して、必ずしも自分の資産状況や個人的な好みを的確に提供できているとは限らない、そこで、顧客が金融関連の見識に不慣れであるという点とアドバイザーを信用している点を組み合わせる手法で、アドバイザーは説得力と影響力を兼ね備えた立場に立つことができる、という事が我々の経験から理解されている。特に、顧客は、この枠組みへの投資リスク（リスクの維持）とその他のリスク（全額保険でカバー）に対する一貫性のないアプローチを特定し、疑問を投げかける可能性は低い。

ライフサイクル型アプローチ

ファイナンシャル・プランニングに対するライフサイクル型アプローチとは、経済分析と年金基金管理の視点を顧客の生涯の資産形成に適用するアプローチである（Bodie et al., 2008）[8]。それは、より一貫的で統合性のある包括的ファイナンシャル・プランニングを行うと共に、ゴールベース・アプローチの投資手法とその価値を強調する。これには2つの方法がある（Hogan, 2007, 2012）。第一に、生涯所得と支出に焦点を当て、生涯所得の純現在価値である人的資本を中心的な資産として認識す

る。多額の相続がなければ、人的資本が顧客の生涯生活水準の主要な決定要因となる。

　このように、人的資本に重点を置くことで、投資ポートフォリオから顧客本人へとファイナンシャル・プランニングの焦点が移され、アドバイザーの関心が顧客のキャリアパスの理解と管理に集中することができる。適切な障害保険と生命保険で稼いだ所得を保護し、金融資産を人的資本の期待リスクとリターンに合わせることに重点を置くことができるようになり、アドバイザーが関与する範囲が広がる。

　顧客は、金融資産ポートフォリオの配分が人的資本の期待リスクとリターンに依存することを知って驚くことが多い。例えば、リスクとリスク管理能力に対して同じ選好を持つ友人同士でも、よりリスクの高い人的資本を持っている人は、リスクの少ない資産配分を選択するようにアドバイスされるべきとなる。加えて、人的資本の回復力が低下するにつれて（すなわち、顧客の収益継続への能力や意思が経年で低下するにつれて）、金融資産ポートフォリオにおけるリスク低減の必要性は、通常、相応して増加する[9]。

　ライフサイクル型から得られるもう1つの洞察は、人々が自分の富（資産形成の行為と結果）よりも自分の生涯の生活水準を気にかけているということである。この結果、アドバイスの焦点が投資リターンの管理からリスク管理に移る。つまり、リスク許容度によって制約される最大のポートフォリオを構築することから、有限の生涯所得を前提とした生涯消費を可能な限り安全な方法で調整することに焦点が移る。顧客がアドバイザーに伝える最も一般的な発言の1つは、「私が、安全に支出できる最大額はいくらなのか」というものである。従来型アプローチに基づくアドバイスの場合、この問いに対する回答は、目標リターンとポートフォリオリスクの暗黙のレベルの観点から組み立てられることになる。対照的に、ライフサイクル型アプローチに基づくアドバイスでは、リスク管理の観点から、仕事、貯蓄、保険、これらへのヘッジの推奨レベルを議論することによって、顧客への回答を組み立てる。

　長期的に安定した生活水準を望むということは、消費が平準化することを意味し、購買力が高所得期（勤続中）から低所得期（退職後）に移ることになる。そして、健康リスクをモデルに加えると、このアプロー

チはさらに、購買力を健康状態の良い時期（および高所得期）から健康
状態の悪い時期（および低所得期）に移すことを示唆する。ライフサイ
クル型アプローチでは余暇を考慮することもできて、退職後の可能消費
支出を減少させる[10]。

　アドバイザーがライフサイクル型アプローチへ実際にシステムやモデ
ルを実装するには、実用的なライフサイクルモデルを簡素化する必要が
ある。アドバイザーはリスク回避度を推定するのではなく、持続可能な
消費水準を計算し、さまざまなポートフォリオの選択肢に伴う消費結果
の範囲を顧客に示す。つまり、顧客は、消費結果の範囲から望ましい選
択肢を選択することによって、自己のリスク回避度とリスク許容度を明
らかにすることになる。ゴールベース投資のアプローチでは、それぞれ
の目標にリスク許容度だけでなく、リスク管理能力に基づいた個別の資
産配分を割り当てる必要がある。さらに、最適に設定された場合、ポー
トフォリオに占める人的資本の割合が減少するにつれて、その配分は、
時間の経過とともにリスクが低くなる傾向がある。対照的に、ソフト
ウェアを利用した従来型アプローチでは、時間軸を固定して全ての目標
を達成できるような、グローバルなポートフォリオ配分を割り当てるこ
とが多く、そこでは、リスク管理能力ではなく、主にリスク許容度に基
づいて評価することが多い。

　生涯消費を平準化すべく、従来型アプローチを適用するアドバイザー
と比べて、ライフサイクル型アプローチに基づくアドバイザーは、イン
フレ連動型即時所得年金を退職後の中核的な所得手段として好む傾向が
ある（Hogan, 2007）。加えて、デリバティブ市場の発展は、ライフサイ
クル型アプローチに沿ったゴールベースのプランを実現させるために、
様々な新たな可能性をもたらし、金融商品をより直接的に特定のゴール
に適合させることを可能にしている。派生的金融商品は、各リスクを最
も受容する意思と能力を持った当事者に配分することができ、顧客が特
定のゴールを達成するために余計なリスクを回避することを可能にする。
しかし、それにもかかわらず顧客は、現在の派生的金融商品の構造
（パッケージング）、価格設定、流通に関して懸念を抱いているし、理解
不足でもある。

　その結果、派生的金融商品は、ほとんどのアドバイザーのビジネスモ

デルにはフィットしていない。実際に、仕組化された金融商品をアドバイスとして提供する医療過誤保険を持っているアドバイザーはほとんどいないし、取引手数料型のアドバイザーは派生的金融商品の手数料を受け入れない。

行動型アプローチ

　ライフサイクル型アプローチでは、消費の平準化や貯蓄行動のための人的資源やその導入に重点が置かれるのに対し、行動型アプローチでは、プロスペクト理論と損失回避が加味されている。つまり、行動型アプローチは、顧客の合理性だけでなく、顧客がどのような効用関数を描き、それを最大化すべきなのか、についても疑問を提起する。このアプローチは、顧客が経験則を採用し、所与の効用関数において最適でない決定をするバイアスを持っていること、そして、その効用を増加させる要因を十分に理解していない可能性が高いことに注目している。それ故に、行動型アプローチでは、アドバイザーが、顧客がより合理的な意思決定を行うことを支援するだけでは不十分で、何が実際に充足感を与えるかという答えを、顧客が導き出せるよう助けることもまた重要である。また、行動型アプローチでは、アドバイザーと顧客の間のコミュニケーションの重要性を強調する。つまり、アドバイザーは、正確な分析や説得力のあるプレゼンテーションだけでなく、提示する代替案を比較・対比する手法（フレーミング効果）によっても、顧客の意思決定に影響を与えることができる。さらに、明らかに無関係で無害なコメントでさえも、顧客の視点に影響を与える可能性がある（アンカリング効果）。

　行動ファイナンス理論が示す洞察は、アドバイザーが顧客の思考プロセスや心理学の人間的側面を認識し、それを利用するのに役立てることができる。そしてそれは、顧客にとってもメリットとなる。たとえば、アドバイザーは、特定のゴールをターゲットとした特別な貯蓄口座を推奨し、「買えもしないもの」のためへの「貯蓄」（つまり不必要な支出）を特定するといったように、「メンタル・アカウンティング」のアプローチを利用することができる。一方、自信過剰な顧客は、デイトレードでの成功を「知っている」として、アドバイザーによる分散投資やバイアンドホールド戦略の推奨を困難にすることがある。また、顧客が不

動産について十分な知識を持っていると公言し、不動産価格が「決して下がらない」地域を特定することも珍しくない。

　現代のファイナンシャル・プランニング理論の中でも「ライフプランニング」系は、おそらく行動型アプローチでは最も発達していると言えるだろう[11]。このアプローチの基本理念は、多くが自身の価値や選好とは相反する金融行動に入っていくという点にある。したがって、ライフプランニングに携わる際、アドバイザーは、顧客が人生でやりたいことへの選好と、それをパーソナル・プランニングに織り込んでいくような自己発見プロセスを円滑に進める手助けを行う。ただし一般的に、ライフプランニングアプローチは、ファイナンシャル・プランニングの経済モデルとはリンクしていない。

　経済学的観点から、行動型アプローチを適用しようとするアドバイザーは、根本的な未解決の課題に直面する、すなわち、顧客の効用を最大化する効用関数は何か、である。たとえば、若い顧客にとって、遠い将来は未知の「世界」である。また、「早く」引退したいと思う人もいれば、現在生きている（お金のかかる）「世界」に一生涯留まりたいと思う人もいる。これらの選択はどちらも、代替的なプランも多くの貯蓄と少ない支出を必要とし、その結果、初めて実質的な成果をもたらす。行動型アプローチを採用すると、アドバイザーは、これらの選択が「見誤り」であるのか、あるいは選好の正確な評価であるのかについて判断を強いられることになる。

　さらに、ダウンサイド・リスク回避策をどう取り扱うのかという問題もある。これは一時的な現象なのか、それとも長期的な非合理性なのか。また、損得の分岐となるリファレンスポイント（基準点）の特徴とは何なのか、ある特定の時点日単位、月単位、年、単位、それとも生涯通じてなのか？　行動ファイナンス理論の調査結果では、ギャンブルの期待値がプラスとなる状態が何度も繰り返されると、選好が変化する可能性があることを示唆しており、ダウンサイド・リスク回避は短期的な非合理性であることを示唆している。ただし、このアプローチは顧客が直面する投資の選択にはあまり役に立たない。なぜなら、アドバイザーはゲームを繰り返し複製することができないからである。顧客の状況は年ごとに変化し、市場の状況は、年間隔は言うまでもなく、1日の間隔で

さえも同じことが繰り返されることはない。

　行動型アプローチがリスク許容度（再び投資ポートフォリオに焦点を当てる）の話に至ると、複雑さは急速に増す。特に、顧客の就業人生の早い段階においては、投資ポートフォリオにおける相対的に大きな損失率は、生涯消費の減少率がはるかに小さいことを意味する。合理的には、消費支出を持続可能なレベルかまたは平準化させることが、より適切な尺度となる。また、顧客のリスク評価と許容度は、アドバイザーの状況の枠組みに依存し、内部的に一貫性を欠くこともある（たとえば、投資アドバイザーは、生涯消費の観点からではなく、投資ポートフォリオの観点から潜在的損失を想定することによって、より保守的な意思決定を促すことができる）。理想的には、アドバイザーは、顧客が最善（つまり最も合理的な）判断を下せるようなアドバイスを組み立てる。しかし、顧客が自信過剰（そしてアドバイザーが顧客の自信過剰の度合いを把握している）のであれば、アドバイザーは顧客の過信に対抗するアドバイスを組み立てる戦略を採用すべきであろう。

　さらに言えば、顧客は、どのようなリスクレベルに満足すべきか、という考えをもって、アドバイザリー関係を持つ。最初は、同僚、友人、家族との話し合い、以前のアドバイザーのアドバイス、投資会社のウェブサイトに関する調査、メディアに引用されている「専門家」の意見、または単に現在のリスクの影響度合いに基づいており、これらの考えはある程度、彼らの頭の中に根付いてる。顧客の考えは最初の「べきである」レベルから始まり、アドバイザーが推奨したり、分析が示唆するような方向に調整する。

　従来型アプローチまたはライフサイクル型アプローチとは対照的に、行動型アプローチでは、顧客は、信頼性が低い＝非合理的な主体と見なされている。顧客は、自身の効用関数、彼らの能力、およびリスクに伴う確率分布について、自らが利用できる機会と直面するリスクにどのような影響を与えるかを、完全に理解してはいない可能性がある。このため、行動型アプローチの実践者は、リスク許容度とリスク管理能力を区別するとともに、自身が勧めるアドバイスを提示し、コミュニケーションを取るにあたっては、慎重に事を進める必要がある。なぜならば、それらが全て顧客の意思決定に影響を与える可能性があるからである。

　アドバイザーは、自身が行った最終的な見解や決定を、細心の注意を
はらって、また恣意的にならないよう、顧客に対して"丁寧に"説明す
る[12]。たとえば、顧客は、アドバイザーが投資の潜在的な成果を（リ
ファレンスポイントを変えることで）利益または損失として見せること
で、特定の案を受け入れたり、拒否したりする。また、提示するデータ
によっては、顧客の投資額決定に影響を与える。これは、我々が理解し
始めた、アドバイザーと顧客の会話の性質を変えてしまうことを意味す
る。実際、アドバイザーは、プロセス・ファシリテーターとカウンセ
ラーという新たな役割を担っていることになる。さらに言えば、アドバ
イザーも顧客と同じくらい人間的であるのだ。つまり似たようなあるい
は全く異なる行動バイアスを示すこともありうる。今後は、アドバイ
ザーが専門的な経験から学ぶ際の条件についてさらに研究する必要があ
る。
　手短に言えば、アドバイザーは、具体的なツールよりも行動型アプ
ローチの適用について多くの疑問を抱いている。そして、疑問を持つだ
けでとても役に立つのだ。また、適用することの課題について知ってお
くことで、アドバイザーは顧客とのコミュニケーション、説得、アドバ
イスにもっと慎重になる。そしてまた、アドバイザーと顧客間のプロセ
スと関係の有効性の改善に焦点を当てた行動経済学の研究が非常に生産
的なものとなり得ることも明らかである。

エキスパート型アプローチ
　我々は実務アドバイザーとして、既存の経済モデルがまだ取り組んで
いない多くの問題に取り組み、ひいては、一連のアドバイザー実務に適
合するような新たな枠組みが効果的に追加されるよう提案を行っている。
具体的には、アドバイザーは、ポートフォリオの管理を主とするだけに
とどまらず、顧客の経済的安全性や幸福な生活環境（ウェル・ビーイン
グ）を定義し、支援するようなプロセスを促進する「ファイナンシャ
ル・カウンセラー」の役割に向けて動いている。
　この新たなトレンドに参加するアドバイザーたちは、自らを「包括型
プランナー」、さらには「超包括型プランナー」と表現するようになっ
ている。

　ここでは、顧客の幸福な生活環境に重点を置き、定量的な財務分析よりも心理学が重要性を増す（Anderson and Sharpe, 2008）。価値の明確化と個人的コーチングが経済モデルや方法論へのサプリメントとして求められるのだ。人的資本は、中心的な重要性を持つと同時に、個人的なものでもあると考えられる。したがって、アドバイザーは専門的アドバイスを提供するだけでなく、カウンセラーでもありプロセス・ファシリテーターでもある。

　その結果、経験豊富なアドバイザーの成果物は、プロセスを基軸とし、非定量型で、価値の高いものとなる[13]。

目標設定に先立つ価値の明確化

　エキスパート型アプローチでは、価値の明確化は目標設定の前提条件であり、リスク管理戦略でもある。アドバイザーは、顧客に次のような質問について話し合うように勧める。「あなたにとって大切な価値は何？」「資産形成のあなたにとっての意味と目的は？」「あなたは、資産形成の意味と目的を通常のお金の習慣とどうやって折り合いをつける？」「あなたは、自分が望む個人的な変化をもたらすにはどうすればよいと考える？」「要求と要望の違いは何？」。価値の明確化は、より堅牢な目標設定プロセスにつながるため、経済モデルへの入力データの品質が向上する。さらに、価値の明確化プロセスは、自己発見プロセスであり、前向きな個人的変化の基盤として役割を果たす（Hogan, 2012）。その結果生じる自己知識と自己回復力の向上は、投資リスクに関する意思決定や、個人の収益、貯蓄、支出の習慣を見直すことに影響を与える。このようなプロセスがなければ、顧客は個人的な目標を明確にする準備ができていない可能性がある。例えば、アドバイザーが二者一組（カップル）の顧客に子供の教育資金調達のための2人の目標について尋ねると、パートナー同士がお互いに目を通し、「我々はこれについて話したことがない」とコメントすることは珍しくない。希望する定年退職の典型的な日を顧客に尋ねると、同様に驚くことがある。「もしあなたが介護を必要とした場合、あなたの望ましい生活環境はどのようなもの？」という質問と同様に、混乱を招く。

プランの実施はプランニングプロセスの一部

エキスパート型アプローチでは、経済モデルに従った計画の実施もプランニングプロセスの中核部分であり、価値の明確化プロセスと同様に、個人的なものでもある。顧客が自己の望ましい将来を想定し、経済モデルを想定した後、アドバイザーは顧客の決定を支援し、小さなステップを繰り返しつつ累積的に計画の実施につなげる。その過程で、アドバイザーは、顧客を励まし、情報を提供し、賛同し、動機付けを行い、効果を測定し、そして、説明責任を持つ。この実装プロセスは、従来のリスク管理の延長線上にあり、消費習慣や投資リスクの選択を金銭的価値や安定的な生活と整合させるように設計されている。

顧客エンゲージメントは、小さなステップの繰り返し

それはおそらく、運が左右するようなゲームを繰り返し行えば、人々はより賢明かつ合理的になるという、行動ファイナンス理論の発見に類似しているだろう。または、情報に基づいた意義のある選択を行い、小さなチャンスが繰り返し訪れれば、人生ゲームが得意になるということかもしれない。プランに基づいた小さくとも意義のある一貫性をもった選択を集中して行わなければ、顧客はそれをプランニングプロセスの一部分だとは感じないかもしれない。計画実施が成功するためには、通常、状況に応じリアルタイムで行われる、小規模で管理可能な一連のキャッシュフロー関連の意思決定と、既定のデフォルト決定の微妙な組み合わせが必要である。たとえば、貯蓄を望ましいレベルに増やすために支出を削減するには、微調整されたデフォルトの貯蓄ポリシーを設定することに加えて、プラン変更を習慣的に行うことも求められる。日々のキャッシュフロー管理は価値の明確化プロセスの中心である。

顧客はプランニングプロセスの中心、アドバイザーは信頼できるカウンセラー

エキスパート型アプローチでは、顧客を価値の明確化、目標の明確化、計画の実施の中心に据えるという反復プロセスが、顧客の生活が繰り広げられるにつれて、顧客の個人的な資産管理をより良いものに、より強靭なものになることを前提としている。アドバイザーの成果は、プロセスに大きくシフトし、アドバイザーの役割は、専門知識や技術コンサル

タントに加え、カウンセラー、計画遂行のファシリテーターにシフトしていく。顧客とアドバイザー間の基盤として、顧客からの個人的信頼が重要性を増している。

二者一組（カップル）の顧客

エキスパート型アプローチでは、多くの顧客が二者一組（カップル）であるという事実が組み込まれている。パートナー同士が同じ目標と価値観を持っていることはめったになく、また、その目標実現の時間軸や方向性に関して、必ずしも互いに同調して成長したり変化したりすることもない。したがって、このモデルでは、アドバイザーは、個人のリスク管理に関する意思決定を含む基本的な計画策定の意思決定支援のために、コーチとしてだけではなく、ときには臨時の仲裁者としてカップルと対話を行う。共通の課題は、一方のパートナーが他方よりもリスク許容度が高い場合に発生する。

顧客はしばしば変化を遂げる

我々の経験では、顧客は、伴侶を失ったり、突然発生する資産の喪失や受領など、劇的な人生の変化に対応して、ファイナンシャル・アドバイスを求めることがよくある。このような場合では、アドバイスの始まりは、病院への緊急外来受診のケースに似ている。すなわち、迅速な診断、生命を脅かす状態への対処、状態の安定化、さらに緊急時の行動順位決定やフォローアップすべき内容の特定に焦点を当てる。アドバイザーは、ファイナンシャル・アドバイザリー関係の開始時には顧客を最高の状態で診ることができないことがよくあり、顧客が落ち着いて安全な状態になったことを感じ始めると、リスク認識、目標、および意思決定能力が変化することがわかっている。同じ影響を受けることが多いのは、顧客の年齢に応じて変化する選好や判断の微妙な変化であり、その結果、ファイナンシャル・プランニングにも影響が及ぶ。エキスパート型アプローチでは、顧客がいつ、どのように、どの程度迅速に意思決定を行うかを決定することは、顧客が絶え間ない個人的な変化に直面していることが混乱要因となる。これは日常的・恒常的な課題である。

顧客は、自己の資産状況に関する基礎的事実を
正確に説明できないことが多い

　顧客は通常多忙な人が多く、彼らの経済状況は彼らの生活のほんの一面を表しているにすぎない。実際には、顧客が、総収入、負債額、費用、従業員福利厚生パッケージの詳細、保険の補償範囲、遺産相続の実態、納税額、ポートフォリオのパフォーマンス、要求や要望それぞれへの支出額など、すべての基本的な事実を正確に報告できることは珍しい。また、ほとんどの顧客は、裁量的な支出のために毎年どこにお金がかかるのかを正確に伝えることができない。そして、ほとんどの人は、所得の変化がどの程度生活水準を変えるかわからず、多くの人は、現在自分の所得の範囲内で暮らしているかどうかさえも分からない。顧客は金融資産の価値を正確に報告することができない場合が多く、保有資産リストも不完全な場合がある。顧客との関係の中で「紛失」した資産や忘れ去られていた資産を発見することは珍しくない。

　データ収集は、金融知識の欠如によっても正確さを逸してしまう。ほとんどのアドバイザーは、顧客に借金があるかどうかを尋ねた後、フォローアップの質問をする必要性を学んでいる。「あなたは住宅ローンを持っていますか？」。顧客は住宅ローンを借金として常に認識しているわけではない。

　顧客がファイナンシャル・プランニングに不慣れであることによって、憂慮すべき事項がいくつか生じる。第一に、ファイナンシャル・プランニングは不正確なデータ入力に対して脆弱であるためにアドバイザーはデータの確認に相当の労力を要することがある。第二に、顧客のもつ現在状況に対するこの不慣れさを当初からアドバイザーが把握していない場合、ファイナンシャル・プランニングの結果を顧客が理解することは困難となる。更に、顧客が金融学には不案内なこととアドバイザーへの信頼が相まって、アドバイザーは非常に強力な立場に立ち、医者、弁護士、その他専門知識を持つ専門家と同じようになる。多くの顧客にとって、資金調達を組織化する簡単なプロセスは、アドバイザリー業務の中でも顧客にとって高付加価値の業務で、実際、プラン全体の取り組みが正当なものだと証明してもらうだけで十分という顧客もいる。したがって、顧客から自己資産の状況について事実を示してくれたことに感謝さ

れた、と聞くのは珍しいことではない。

顧客は、アドバイザーを「ヒラー」（治療師）とみなすことがある

　この文脈では、「ヒラー」（「治療師」）とは、社会の構成員が知恵と知識の「頼りになる」情報源として評価する人を意味する。「ヒラー」の価値は、その人が文化の英知を代表し、信頼できる関係を与え、人生の様々なシーンに寄り添う、という感覚からもたらされる。

　顧客はしばしばアドバイザーを「ヒラー」と考えて関係を持っており、アドバイザーたちの価値の大部分は、つながりや肯定といった、すなわち「無条件の肯定的配慮」をひたすら提供することにある。アドバイザーは、医学的、法律的、場合によっては宗教的主体の代わりに、また、今日の大家族のつながりの重要性低下のために、「ヒラー」の役割を担うことがある。

情報格差がリスク測定を混乱させる

　人的資本のリスクを正確に測定することは困難であり、特に顧客が何年にもわたって興味やスキルを身に付け、向上させている場合には困難である。また、身体障害や介護の必要性など、多くのリスクに対して正確な確率を算出することも困難である。そして、離婚や幸福な結婚生活、あるいは配偶者を失い再婚する可能性の経済的価値と費用を確実に予測することもできない。このように知識が不完全な場合、行動ファイナンス理論が示唆するように、アドバイザーは自分自身の経験やリスク許容レベルを実際の専門家としての知識と混同することがある。したがって、アドバイザーは、限られたデータに基づいて、またリファレンスポイントがほとんどない状態で、顧客が生涯にわたって幸福な生活環境を実現できるような最善のアドバイスを提供する。

アドバイザーの為すべき成果は、
アドバイザーの受けるトレーニングよりも変化が速い

　心理学の文献は、特徴的な自己変革のステージに関する洞察や、積極的な自己変革に向けた有効な戦略を与えている。たとえば、プロチャスカの行動変容ステージモデルは、自己変革のステージが認識可能で、信

頼性があり、繰り返されること、そしてカウンセリングとアドバイスは
自己変革におけるそれぞれのステージにおいて固有でなければならない
と強調している（Prochaska et al., 1994）。カウンセラーや医療専門家は、
そのスキルについて特別に訓練され、試験も受けている。対照的に、ほ
とんどのファイナンシャル・アドバイザーは、この分野で正式なトレー
ニングを受けていないが、日常業務の一環として、自己変革について顧
客を定期的に指導している。これは、我々の受けるトレーニングには心
理学的要素が含まれていないにもかかわらず、我々のファイナンシャ
ル・アドバイスが顧客の心理状態に依存しながら、調整し決まっている
ことを意味する。

　一方でプラス面としては、ファイナンシャル・アドバイザー業界は、
ライフプランニングの新しい分野に注目を向け始めていることが挙げら
れる。これは、個人の価値観を明確にし、前向きな自己変革に向けて顧
客を指導するための効果的なプロセスを開発するように設計されている。
それにもかかわらず、ライフプランニングはどの経済モデルにもリンク
されていないため、ファイナンシャル・アドバイスの提供サービスとの
関連が途絶える可能性がある。

　ファイナンス領域では、デリバティブ市場の成長や、派生的金融商品
や保険の新たな可能性などの登場の多くが、アドバイザーの受けるト
レーニングよりもはるかに進んだ分野となっている。これら新商品のト
レーニングを受けているのは、ほんのわずかなアドバイザーであるにも
かかわらず、派生的金融商品の評価を依頼されるアドバイザーが増えて
いる。

アドバイザリー・スタンダードの欠如は混乱を招く

　以上のような変化と同期をとって、アドバイザーにおける優良な実践
事例はますます増え、現在その内容を編集している段階である。その結
果、顧客はアドバイザーのオフィスに行くときに何が期待できるかがわ
からない。ファイナンシャル・アドバイスの成果は、価値の明確化がほ
とんどないポートフォリオ管理から、データに基づいたゴールベース・
アプローチで導出された将来予測、あるいは、ゴールベース（又は以
外）のプランニング導出やポートフォリオ管理を追加した本格的な価値

の明確化プロセスに至るまで、あらゆるものとなりうる。

それぞれの枠組みから見た3つの課題

　次に、3つの非常に典型的なファイナンシャル・プランニングの課題が、それぞれの枠組みによるアプローチによってどう対処されるかを簡単に紹介する。**表3.2**にその概要を示す。

投資リスク管理

　ポートフォリオ戦略を立案する際、従来型アプローチのアドバイザーは、主に分散投資と予備的貯蓄の戦略を中心に、大規模ポートフォリオの構築に重点を置く。金融リスクは認識されたリスク許容度に見合った形で対応する。従来型アプローチのアドバイザーは、長期的に期待される株式のアウトパフォーマンスを強調し、市場が不安定な場合には「コースにとどまる」ようアドバイスを行う傾向があり、投資に関する権威ある見解をアドバイスの中心的な成果とする。一方、ライフサイクル型アプローチを採るアドバイザーは、リスクを最小限に抑えた個人的には最も価値のある目標への資金調達にポートフォリオのゴールを再構成し、ヘッジ商品や保険商品、そして、資産/負債のマッチングを標準的なリスク管理戦略に加えるだろう。また、成功の重要な尺度として生涯支出の安全性を使用して、顧客の金融資本におけるリスクを、顧客の人的資本の期待リスクとリターンに合わせて調整する。行動型アプローチのアドバイザーは、損失回避の可能性に対処するため、ポートフォリオの規模の保証に重点を置く。また、どれだけのポートフォリオリスクをとるべきか、ポートフォリオのパフォーマンスをどう見るべきかについて、正しく意思決定を行えるように努める。最後に、エキスパート型アプローチのアドバイザーは、リスク、期待リターン、ベンチマークに関する顧客の先入観を見極め、必要に応じて顧客が補正するように、最初から努力を傾注する。

長寿リスク管理

　従来型アプローチのアドバイザーは、たとえば、年率4%の単純な引き出しパターンを中心とし、その後はインフレとともに上昇するポート

表3.2 ファイナンシャル・プランニングの実践方法

	従来型アプローチ 会計的/予算的/現代ポートフォリオ理論	ライフサイクル型アプローチ 貯蓄と投資のライフサイクル理論	行動型アプローチ プロスペクト理論とフレーミング効果	エキスパート型アプローチ 人生における様々なステージ
投資リスク管理	多角化。「コースにとどまる」。予防的貯蓄。比較的高い安心感を株式投資にもつ。	ヘッジ商品と保険商品の活用。人的資本を中心的な資産と捉え、それに応じて金融資産を調整する。資産負債マッチング（物価連動米国債の活用）。	保証	顧客が求めるのは、アドバイザーによるポートフォリオ管理のみである。初期の会話では、アドバイザーが助言サービスの本質を明確にしようとするため、混乱を招くことがある。顧客は、景気動向、現在の行動様式、経歴などに影響を受けた投資見解を提示する。
長寿リスク管理	持続可能な引き出しプラン。	年金化	保証付年金と潜在的な上振れ要素。	加齢に関する認識や感情は、否定的で非現実的な期待を生み出す。
十分以上または以下の場合のプランニング戦略	貯蓄や贈与のレベルを変える。リスクのレベルを変える。	貯蓄や贈与のレベルを変える。リスクのレベルを変える。就業時間を短くする・長くする。転職する。	貯蓄や贈与のレベルを変える。就業時間を短くする/長くする。転職する。支出を減らす。自身の幸福を確認する。自身の幸福に本当に満足な生活環境を選択すべきか。どのような経験を選択すべきか：自分、それとも相続財産？	顧客支援：何に関心があってその価値はどの程度か？有意性や目的をどこに見出すか？私の貨幣価値とは？金銭の使い方の意義や目的をどのように調和させるか？

出所：著者による作成。本文参照。

フォリオからの引き出しプログラムを設計するだろう。固定率での引き出し戦略の変動率には、準備可能な現金バッファー、平準化された引き出し率、および、または市場の評価に応じて調整される引き出し率などが含まれる。長期介護保険はポートフォリオの資産価値を補完するものとして提案されるかもしれない。ライフサイクル型アプローチのアドバイザーは、最初に最も価値の高い個人的な目的に資金の割当を優先し、物価連動米国債とインフレ連動型年金を組み合わせて資産と負債をマッチさせることを目指す。より高い目標は、それに見合ったリスクの高い投資戦略が割り当てられる。行動型アプローチのアドバイザーは、顧客とアドバイザーのバイアスを整理した後、下降リスク回避の保証といくつかの上昇可能性を組み合わせた年金化戦略に焦点をあてる傾向がある。また、顧客の周りに老後の管理を必要とする人がいない限り、行動型アプローチのアドバイザー、エキスパート型アプローチのアドバイザー双方共に、適切なファイナンシャル・プランニングを行う上で、顧客の老化に関する否定的あるいは過度の期待が向けられる場合には慎重に取り扱うであろう。

顧客の資産状況が十分もしくは十分ではない場合の プランニング戦略

　経済分析の結果、顧客のあるべき資産状況と比較して、顧客の資産が少なすぎる、または多すぎることが示唆される場合、計画のいくつかの側面を変更する必要がある。従来型アプローチのアドバイザーは、とるべきリスクを高めることを提案し、貯蓄や贈与の変更を勧めるかもしれない。代わりに、ライフサイクル型アプローチのアドバイザーは、資産が少なすぎる場合、どの目標が実現不可能かを説明し、コア戦略として、労働時間の短縮や労働時間の延長、あるいは転職などを提案する場合がある。行動型アプローチのアドバイザーは、貯蓄、リスクテイク、勤務時間のレベルを変更することも提案するが、顧客と協力して、価値の再確認を行い、意思決定改善のための資金の取り扱い方法を再検討する。エキスパート型アプローチを採るアドバイザーの場合も、貯蓄、支出、就労、リスクへの対応レベルの変化に対応した戦略の立案を行うが、成果を伴う有益な話し合いの場を持ち、小さなステップの進捗結果を鑑み

ながら、個人向けの実行計画を構築する。

結論

　アドバイザーは、顧客により良い成果を提供できる統合的なアプローチを模索する。そのためには、さまざまな枠組みから選択し、（アドバイザーの経験から明らかになったように）より現実的に対処し、さらに、ファイナンシャル・アドバイザー業務の課題は、現存するモデルが私たちに与えているもの以上に複雑であることを認識する必要がある。ファイナンシャル・プランニングの課題は、基本的には、時間経過に伴う資源分配の割当と、個人の価値観を金融資産と人的資本の両方の管理に一致させることである。そのためには、アドバイザー、顧客共々、資源の価値、その価値に対するリスク、ある時点から別の時点へと価値を移動できる条件、あるいは時間経過を通じた理想的な資源配分、を理解する必要がある。

　特に行動ファイナンス理論の発見の意味合いを考えると、これらの問題に厳格に対処することは、アドバイザーが顧客に提供するサービスのより効果的な戦略や戦術を開発するのに役立つだろう。それはまた、顧客保護を最優先にする上で不可欠となる、一貫した実務基準制度確立への道を開くことになるだろう。また、分析ソフトのコストが急速に低下していることから、個人個人に合った合理的なアドバイスを安価に行うことができるようになっていることも特筆できる点である。インターネット上にあるソフトウェアやソーシャル・メディアの活用は、パーソナライズされたアドバイスをより安価にすることが可能なはずである。しかし、ファイナンシャル・プランニングの設定における行動ファイナンス理論に基づいて検知されるバイアスへの「答え」が開発されるまで、どんな新技術がプランニングを容易にするかは明らかではない。

　ファイナンシャル・プランニング業務の構成要素のうちどれが、本質的に個人的なものか、またはITを通じて提供できる製品、ポリシー、プロセスなのかについての研究が必要である。

　また、ベビーブーム世代の高齢化に伴い、次世代の顧客が支配的になるにつれて、これらの問いに対する答えも変化する可能性がある。

▶ **第3章 章末注**

1　著者（ミラー）は、2009年のCFP協会基準委員会の職務分析タスクフォースに参加し、当時の認定ファイナンシャル・プランナーの実務を評価した。両方の著者は、ファイナンシャル・プランニングの将来に関する2009年認定ファイナンシャル・プランナー基準委員会タスクフォースに参加した。

2　この独創的な研究は今日でも高く評価されており、毎年更新版が発行されている。

3　今日、個人の金融アドバイザーに関する多くの記述があり利用されている。僅かながら事例を紹介する。
　「ファイナンシャル・プランナー」は、退職またはキャッシュフロー計画、投資、保険、税金、資産計画、および従業員給付を組み込んだ、ファイナンシャル・アドバイスへの全体的なアプローチを採用している（これはCFP理事会の定義）。投資アドバイザーは投資に焦点を当てている。「ウェルス・マネージャー」は、純資産額の高い顧客に全体的アプローチを適用している。「ライフプランナー」は、価値観の明確化を強調している（これについては以下で詳しく説明）。「ファイナンシャル・アドバイザー」は、それほど具体的ではないが、以上のすべてを網羅することができる。我々は、顧客に財政的な問題についてアドバイスする実務家を「アドバイザー」として本論文で使用する。

4　例として、Kiplinger（2012）. Test Your Risk Tolerance. http://www.kiplinger.com/tools/riskfind.htmlを参照。6つの質問には、年齢とホーム・エクイティに関する「量的」な質問と、回答者の戦略維持能力に関する「質的」な質問が含まれている。

5　例として、Siegel, J. J.（1994）. Stocks for the Long Run. New York: McGraw-Hill.を参照。

6　毎年、最新の「イボットソンチャート」（例、Ibbotson and Sinquefield, 2012）が発行され、多くの従来型アプローチのアドバイザーが定期的に「イボットソンチャート」を参照している。

7　モーニングスター・プリンシピアソフトウェア（主に株式、投資信託、変額年金口座の比較に使用）の人気、およびアドバイザー会議でのスポンサーベンダーブースでの投資マネージャーの多さは、いずれもこの見解を支持している。

8　経済学のライフサイクルに関する文献は、少なくともFisher, I.（1930）. The Theory of Interest. London: Macmillan.にまでさかのぼり、Modigliani, F., and R. H. Brumberg（1954）. 'Utility Analysis and the Consumption Function: An Interpretation of Cross-section Data,' in K. K. Kurihara, ed., PostKeynesian Economics. New Brunswick, NJ: Rutgers University Press.、Friedman, M.（1957）. 'The Permanent Income Hypothesis,' in M. Friedman, ed., A Theory of the Consumption Function. Princeton, NJ: Princeton University Press, pp. 20–37.、Heckman, J.（1974）. 'Life Cycle Consumption and Labor Supply: An Explanation of the Relationship between Income and Consumption Over the Life Cycle,' The American Economic Review, 64（1）: 188–94.、Bodie, Z., R. C. Merton, and W. Samuelson（1992）. 'Labor Supply Flexibility and Portfolio Choice in a Life-Cycle Model,' Journal of Economic Dynamics and Control, 16（3–4）: 427–49.、等顕著な貢献がある。

9　将来の潜在所得が低いということは、金融への投資の結果が悪化した場合の回復力が低く、リスク管理能力が低下することを意味する。また、顧客の高齢化は人的資本が減少し、金融資本が増加する傾向であることから、ポートフォリオ全体における人的資本の重要性は低下する。ポートフォリオのリスクレベルを同じに保つためには、顧客は金融資産構成要素からのリスクを減らさなければならない。なぜなら、ほとんどの顧客にとって、人的資本は株式よりもリスクが少ない

86

からである（Taleb, N. N.（2001）. Fooled by Randomness: The Hidden Role of Chance in Life and in the Markets. New York: Random House.、Ibbotson, R. G., P. Chen, M. A. Milevsky, and X. Zhu（2007）. Lifetime Financial Advice: Human Capital, Asset Allocation, and Life Insurance. Charlottesville, VA: The CFA Institute.、Milevsky, M. A.（2008）. Are You a Stock or a Bond? Create Your Own Pension Plan for a Secure Financial Future. Upper Saddle River, NJ: FT Press, pp. 13–45.）。

10 余暇と消費が代替関係にあるならば、余暇が増加するとき、消費が退職後に減少するのは当然であることを示唆している（Chai, J., W. Horneff, R. Maurer, and O. S. Mitchell（2011）. 'Optimal Portfolio Choice over the Life Cycle with Flexible Work, Endogenous Retirement, and Lifetime Payouts,' Review of Finance, 15（4）: 875–907）。

11 ライフプランニングについて紹介している（Anthes, W., and S. A. Lee（2001）. 'Experts Examine Emerging Concept of Life Planning,' Journal of Financial Planning, 14（June）: 90–101.）。

12 人々がどのように選択を下すかについて、新たに台頭しつつある「選択アーキテクチャ」の考え方が最終的に該当の「アーキテクチャ」に属する利用者の選択に意図的に影響を与えることを可能にしているという考えを紹介している（Thaler, R., and C. Sunstein（2008）. Nudge: Improving Decisions About Health, Wealth, and Happiness. New Haven, CT, and London: Yale University Press.）。

13 ライフ・プランニング・プロセスについての著名な情報源（Anderson, C.（2012）. Money Quotient website. http://moneyquotient.org/）。

▶**第3章 参考文献**

Anderson, C.（2012）. Money Quotient website. http://moneyquotient.org/
—— D. L. Sharpe（2008）. 'The Efficacy of Life Planning Communication Tasks in Developing Successful Planner-Client Relationships,' Journal of Financial Planning, 21（June）: 66–77.
Anthes, W., and S. A. Lee（2001）. 'Experts Examine Emerging Concept of Life Planning,' Journal of Financial Planning, 14（June）: 90–101.
Bodie, Z., R. C. Merton, and W. Samuelson（1992）. 'Labor Supply Flexibility and Portfolio Choice in a Life-Cycle Model,' Journal of Economic Dynamics and Control, 16（3–4）: 427–49.
—— L. B. Siegel, and R. N. Sullivan, eds.（2008）. The Future of Life Cycle Saving and Investing, Second Edition. New York, NY: The Research Foundation of CFA Institute. http://www.cfapubs.org/toc/rf/2008/2008/1
Bromberg, J., and A. P. Cackley（2013）. 'Regulating Financial Planners: Assessing the Current System and Some Alternatives,' in O. S. Mitchell and K. Smetters, eds., The Market for Retirement Financial Advice. Oxford, UK: Oxford University Press.
Chai, J., W. Horneff, R. Maurer, and O. S. Mitchell（2011）. 'Optimal Portfolio Choice over the Life Cycle with Flexible Work, Endogenous Retirement, and Lifetime Payouts,' Review of Finance, 15（4）: 875–907.
Fama, E. F., and K. R. French（1992）. 'The Cross-Section of Expected Stock Returns,' Journal of Finance, 47（2）: 427–65.
Fisher, I.（1930）. The Theory of Interest. London: Macmillan.
Friedman, M.（1957）. 'The Permanent Income Hypothesis,' in M. Friedman, ed., A Theory of the Consumption Function. Princeton, NJ: Princeton University Press, pp. 20–37.
Heckman, J.（1974）. 'Life Cycle Consumption and Labor Supply: An Explanation of the

Relationship between Income and Consumption Over the Life Cycle,' *The American Economic Review*, 64（1）: 188–94.

Hogan, P.（2007）. 'Life Cycle Investing Is Rolling Our Way,' *Journal of Financial Planning*, 20（May）: 46–54.

—— (2012). 'Financial Planning: A Look from the Outside In,' *Journal of Financial Planning*, 25（June）: 54–60.

Ibbotson, R. G., P. Chen, M. A. Milevsky, and X. Zhu（2007）. *Lifetime Financial Advice: Human Capital, Asset Allocation, and Life Insurance.* Charlottesville, VA: The CFA Institute.

—— R. A. Sinquefield（1977）. *Stocks, Bonds, Bills, and Inflation: The Past（1926–1976) and the Future (1977–2000).* Charlottesville, VA: Financial Analysts Research Foundation.

—— (2012). *Stocks, Bonds, Bills, and Inflation 1926–2011.* Chicago, IL: Morningstar. http://corporate.morningstar.com/ib/documents/Brochures/2012_ SBBIHandout_ SAMPLE.pdf

Kiplinger (2012). Test Your Risk Tolerance. http://www.kiplinger.com/tools/riskfind.html

Markowitz, H. M. (1952). 'Portfolio Selection,' *Journal of Finance*, 7（1）: 77–91.

Milevsky, M. A. (2008). *Are You a Stock or a Bond? Create Your Own Pension Plan for a Secure Financial Future.* Upper Saddle River, NJ: FT Press, pp. 13–45.

Modigliani, F., and R. H. Brumberg (1954). 'Utility Analysis and the Consumption Function: An Interpretation of Cross-section Data,' in K. K. Kurihara, ed., *PostKeynesian Economics.* New Brunswick, NJ: Rutgers University Press.

PostKeynesian Economics. New Brunswick, NJ: Rutgers University Press. Prochaska, J. O., J. C. Norcross, and C. Diclemente (1994). *Changing for Good.* New York: William Morrow.

Scott, J. S., W. F. Sharpe, and J. G. Watson (2008). 'The 4% Rule—At What Price?' *Journal of Investment Management (JOIM)*, 7（3）: 1–18.

Sharpe, W. F. (1964). 'Capital Asset Prices—A Theory of Market Equilibrium Under Conditions of Risk,' *Journal of Finance*, 19（3）: 425–42.

Siegel, J. J. (1994). *Stocks for the Long Run.* New York: McGraw-Hill.

Taleb, N. N. (2001). *Fooled by Randomness: The Hidden Role of Chance in Life and in the Markets.* New York: Random House.

Thaler, R., and C. Sunstein (2008). *Nudge: Improving Decisions About Health, Wealth, and Happiness.* New Haven, CT, and London: Yale University Press.

Turner, J. A., and D. M. Muir (2013). 'The Market for Financial Advisers,' in O. S. Mitchell and K. Smetters, eds., *The Market for Retirement Financial Advice.* Oxford, UK: Oxford University Press.

第4章

ファイナンシャル・アドバイザーや
DCプラン・プロバイダーは、
顧客や加入者へどのように
社会保障年金の教育をしているのか

マシュー・グリーンウォルド、
アンドリューG・ビグス、
リサ・シュナイダー

　専門家の多くは、高齢の雇用者の大半が、平均余命を超えるような長生きをした場合、老後の生活を維持していけるだけの十分な資金を積み立てられていないと考えている。退職後も経済的に安定した生活を送るための方法の一つは、社会保障年金の受給をいつから開始すべきかをよく理解させ、適切な情報に基づいた選択を行えるようにすることである。Sass（2012）によれば、社会保障年金の受給開始時期を62歳から70歳に遅らせた場合、インフレ調整後で76%増の月額社会保障年金を受けることができると推定しており、66歳から70歳にした場合は、32%増になるとしている。その上、社会保障年金はインフレによって毎年上方修正されていくのである。これら社会保障年金の増加は、数理的にみても妥当な水準と試算されており、平均的な健康状態にある人は、生涯にわたって受け取る社会保障年金が減少することはないと考えられているのである。より長寿の人は、社会保障年金の受給開始時期を遅らせることで、生涯計算では受け取れなかった金額よりも、多くの年金を受け取ることが期待できるのである。もちろん、健康に不安がある人は、米国社会保障局（以下、SSA）に対して、社会保障年金の受給開始を早めるよう申請することもできる。社会保障年金の受給開始時期を遅らせ、受給額を大幅に増加できるということは、労働者にとって、長い人生の中で経済的に最も苦しい老後において、「特別な防護措置」となるのである。そのため、老後資金の積み立てが十分にできていない大多数にとって、

適切な情報に基づいて社会保障年金の受給開始時期を判断することは、後年の経済的に安定した生活を本質的に向上させる上で、よい機会となるであろう。

　現在、多くのアメリカ人は、社会保障年金の受給開始時期についての十分な知識を持っておらず、また、一部の人たちは、最適でないタイミングで受給を開始している可能性がある。そこで、社会保障年金そのものに加え、年金　受給開始の最適な時期を教育すべく、ファイナンシャル・アドバイザー、DCプラン・プロバイダー（DC plan provider[*1]）という2つのチャネルが用いられている。この章では、ファイナンシャル・アドバイザーとプラン加入者が、この点に関してどのように教育しているのかという観点から、現在の取り組みについて検証していく。最後に、われわれはいくつかの課題を指摘し、教育や助言の向上を図る上での提言を行う。

背景

　社会保障年金は、65歳以上のアメリカ人、特に女性の主な収入源となっている。実際、65歳以上の女性の51％は、少なくとも収入の4分の3が社会保障年金からの受給なのである（Employee Benefits Research Institute, 2010）。この社会保障年金支給によって、多くの高齢者は適度な収入になっており、この傾向は85歳以上の高齢者において顕著である。

新たに注目すべき社会保障年金における受給開始のタイミング

　社会保障年金プログラムの対象となる（そして、高度障害給付金をまだ受給していない）労働者の半数以上は、受給開始が可能となる62歳以降に、また、69％が65歳以前から受給を受け始めており（Aaron and Callan., 2011）、多くのエコノミストやファイナンシャル・プランナーは、この受給開始方法は最適ではないと考えている（Tacchino et al., 2012）。女性は、平均的に男性よりも長生きするため、男性と比べ、退職後の社会保障年金により多く依存しており、最終的には、ぎりぎりの生活水準で生涯を終える可能性が高いことから、社会保障年金の受給開始のタイミングは、男性よりも女性への影響が非常に大きいと考えられる。

Coile et al.（2002）は、期待の新実用モデルを活用し、受給開始を遅らせることによる福利厚生の利益を測定し、これが多くの場合、最適であり、また、時に大きな有意差をもたらすことを見出した。

　Sass et al.（2007）は、「健康と退職に関するパネル調査」（米国ミシガン大学社会調査研究所；以下、HRS）のデータに基づき、社会保障年金の受給資格を得る前に退職した夫婦が、将来受け取る額の現在価値と受給を開始する年齢について分析した。通常、この状況においては、妻が62歳、夫が66歳で受給を開始することで、夫婦は社会保障年金（期待される現在価値）の最大化が可能であるとアドバイザーは提案するであろう。しかし、実際の調査においては、90%以上の夫が、妻と同じ62歳から社会保障年金の受給を開始していたのである。このようなケースでは、夫の存命中はほとんど影響はないものの、夫が亡くなったときに（妻が受け取る）社会保障年金（の期待現在価値）が、25%程度減少することとなる。そして、「既婚男性が早期に受給を開始してしまうことがまことしやかに語られる要因としては、配偶者の幸福度に対して無知であるばかりでなく、あろうことか無関心である」と報告している（Sass et al., 2007: 3）。彼らの実証結果は、「早期の受給開始が、既婚男性における、このような恥ずべき資質に起因するという証拠にはならなかったが、経済的な意識によるものであるということの証明にはなった」（Sass et al., 2007: 3）のである。

　また、Munnell et al.（2009）によって、単に受給開始年齢だけではなく、より複雑な受給方法が検証され、その中には、受け取った社会保障年金を一旦返還することで、より高い社会保障年金が受け取れるようリセットする、「無利息ローン」といった方法も含まれていた。この受給方法の活用が増加したことを受け、2011年にSSAは、最初の受給開始から1年以内に、一度受け取った社会保障年金を返還し、また受給を再開できるよう規制を提案した。

　2つ目の受給方法は、ある個人が社会保障年金の受給を開始するが、直ちに一時的に繰り延べる「受給と一時停止」というもので、配偶者給付の受給開始後、配偶者は一時的に受給を停止できるものの、これは社会保障年金制度では認められていない。3つ目の受給方法は、「即時受給開始と受給繰り下げの組み合わせ（Claim Now, Claim More Later）」と

呼ばれるもので、夫婦のうち、まずは、所得が低い方の記録に基づき、社会保障年金の受給を開始する一方、所得が高い方は、受給開始を遅らせることで高額の受給を可能とするというものである。この方法を採用した個人も、また、後に未亡人となった場合も、より高い遺族年金を得ることができるのである。

Shuart et al.（2010）は、寡婦の受給方法を検証している。受給を受けていない遺族は、自身の収入記録に基づいて、受給開始時期にかかわらず、現在価値とほぼ同等の生涯社会保障年金の給付を受けているものの、多くの寡婦は、自身と亡くなった配偶者の両方の収入記録に基づいて、社会保障年金を受給することができるのである。われわれ著者は、ある社会保障年金を開始して、退職後に次の社会保障年金の受給を開始することによって、生涯社会保障年金の受給額を最大化する傾向があることが分かった。しかし、どの社会保障年金を最初にするか、いつ開始するかは、寡婦の受け取る社会保障年金額と、遺族が受け取る額の割合によって決まってくるため、このような効果的な受給方法を活用しているファイナンシャル・アドバイザーもいる。

社会保障年金規則に関する国民の理解

　一般の国民は、社会保障年金制度や、長期にわたる経済的な裕福さに対して多くを理解していない。2010年、Greenwald et al.（2010）は、2,000人を対象に調査を行い、社会保障年金に関する知識レベルが「驚くほど低い」と報告している。社会保障年金受給額がどのように算定されるかという質問に正しく答えられたのは、わずか4分の1程度にとどまり、43%の人たちは、社会保障年金が課税されることも、またインフレに応じて調整されていることも理解していなかった。さらに、退職年齢と受給が受けられる年齢や、社会保障年金受給額の水準といったものが、どのような関係にあるのかを理解している人はほとんどいなかったという。老齢年金の受給資格年齢については、かなりの割合の労働者が「よく知っている」とのことであったが、実際の知識レベルは低いことが分かる。実際、25%の人たちは、社会保障年金の受給が始まるのは退職時からのみであり、繰り延べが可能であることを知らなかった。また、社会保障年金の受給開始年齢の影響がいかに大きいかについて、

「非常に知識がある」と感じているのは、わずか29％しかおらず、さらに約36％の人たちは、受給開始を遅らせれば、受取総額が上昇することを全く知らなかったと回答していたのである。

同様に、全米退職者協会（Brown, 2012）が、52歳から70歳の個人を対象に行った調査では、受給開始を遅らせることで、毎月の社会保障年金額が増えるということは広く知られていたものの、受給開始に影響を与える別の問題についての知識は十分ではないことが分かった。例えば、受給開始が遅れた場合の社会保障年金の増加額（2ポイント以内）を正しく認識できていたのは約3分の1で、同様に、退職金の算定根拠となる勤続年数は、35年の平均月間収入であると正しく認識できたのはわずか7％で、そのほとんどが、5年または10年の勤続年数の中で最も高い所得を基準としていると考えていたのである。さらに、回答者の71％が、早期退職希望者が働き続ければ、生涯の年金受給額が減少する、と誤って認識していたのである。実際のところは、早期退職希望者には、定年退職する時点で社会保障年金が増額されるのである。

ファイナンシャル・アドバイスの重要性

退職者の経済的な安定を高める最も効果的な方法の一つは、退職者に金融教育を行い、社会保障年金受給をいつから開始するかについて、より多くの情報を得た上で決定できるよう助言を行うことである。アメリカ人の社会保障年金に関する知識を深め、受給開始を最適化する方法を身につけさせるには、ファイナンシャル・アドバイザーとDCプラン・プロバイダーによる2つのチャネルがある。これらのチャネルは、いずれもほとんどの米国人が利用しており、顧客の「経済的な安定」を高めることを主な目的として、金融に関する高い知識を活かしながら、顧客との信頼関係を築いている。2010年において、米国のファイナンシャル・アドバイザーは、334,162人で（Cerulli Quantitative Update: Advisor Metrics）、2008年の調査では、アメリカ人の38％がファイナンシャル・アドバイザーを利用しており（Mathew Greenwald & Associates, 2008）、米国労働統計局（2010年）によれば、2010年には、全労働者の37％がDCプランに加入しているとしている。ファイナンシャル・アドバイザーに関する重要な問題の中には、社会保障年金に関して、彼らがどの

程度の助言を行い、その拠り所とする情報源は何か、現在行っている助言や、受給開始に関する助言の質はどうか、さらなる教育や情報提供への関心はあるのか、どのような組織や団体からこれらの情報を得ようとしているか、という点が指摘されている。こうした情報は、ファイナンシャル・アドバイザーのコミュニティ（集団）によって、顧客への教育や情報提供の方法を改善させ、社会保障年金の受給開始時期におけるより効果的な指導、ひいては退職後の顧客の経済的な安定を支援するためのプログラム設計において利用されることだろう。一方、DCプラン・プロバイダーにおける重要な問題は、プラン加入者が社会保障年金に関する教育にどの程度の関心を持っているか、また、彼らが社会保障年金の受給開始時期について、十分な情報を得た上でその時期を判断できるようにするには、どのようなプログラムが最も効果的なのかということである。ファイナンシャル・アドバイザーが、社会保障年金に関する教育を行う上で果たす役割や、受給開始時期の決定をより効果的にするために、どのような能力を向上させるべきかといった知識を取得すべく、Greenwald et.al.（2011）は、406人のファイナンシャル・アドバイザーを対象に、社会保障年金の受給開始に関する助言において、彼らが果たすべき役割に関する調査を行った。その調査には、SSAが行うことに関するアドバイザーの知見、すなわち、社会保障年金に関する情報や助言を行う役割、顧客との幅広い対話、受給方法、問題の捉え方、そして情報の評価と活用方法などが含まれていた。

　この調査はMathew Greenwald & Associates Advisers社がオンラインで実施したもので、先ず、業界で最も包括的なデータベースを運用するFinancial Media Group社が提供するリストの中から、生命保険の資格を有する専門家や、FINRAおよびSECから認定を受けたプロのアドバイザーが無作為に選ばれ、国内の投資会社や、（メリルリンチ社といった）「大手証券会社」、（LPLファイナンシャル社などの）地域金融企業、独立系企業、地元企業、銀行、保険会社など、さまざまな組織で勤務するアドバイザーがその調査対象となった。
　調査対象のファイナンシャル・アドバイザーは、少なくとも3年以上の実務経験があり、アドバイザーとして5万ドルの年収を得ていること

や、自身が抱える顧客の40％が55歳以上で、退職後の貯蓄や資産管理に関する助言を定期的に実施していることを条件としている。これらは電話によるインタビューを通じて行われ、アドバイザーが有資格者の場合は、アンケートのリンクが送信され、オンラインによるアンケートへの回答が求められた。これら調査データの収集は、2011年3月から5月にかけて行われた。

　DCプラン・プロバイダーが果たす役割をより広範に把握すべく、シュナイダー、グリーンウォルドの両氏は、大手DCプラン・プロバイダーの経営者16名と、関連企業の経営者2名の計18名に対し、綿密なインタビューを実施した。ファイナンシャル・アドバイザーの調査に関する議論に続いて、これらの詳細なインタビュー結果と方法論を以下で示す。

主な結果：ファイナンシャル・アドバイザーへの調査

　われわれ筆者らの分析によると、ファイナンシャル・アドバイザーは、顧客と一緒になって社会保障年金の問題に取り組むことは、中心的かつ重要な課題であると考えていることが分かった。10人中9人（88％）のアドバイザーが、社会保障年金と退職後の家計をどのように一致させるかについて、顧客に教育を行う責務があると考えている。特に銀行員（うち約80％）と比較した場合、独立系ファイナンシャル・アドバイザー（うち93％）は、顧客と共に社会保障年金受給について取り組む責任を意識しているようである。さらに、彼らの多くは、顧客が社会保障年金の受給開始のタイミングを決定できるよう支援すべきだと考えている。大手証券会社や地域の証券ディーラーに所属するアドバイザー（それぞれの68％）は、受給開始について助言を行う可能性が最も高く、一方、生命保険代理店の（うち62％）は、最も低い結果となっている（**表4.1**参照）。

社会保障年金に関するアドバイザーの知識

　ファイナンシャル・アドバイザーは、社会保障年金についての知識があり、その利点に関するいくつかの重要なポイントを理解している。ほぼすべてのアドバイザー（93％）が、社会保障年金の仕組みについて知

表4.1 社会保障年金へのアドバイスにおけるファイナンシャル・アドバイザーの役割

(%)

下記の内容について、どの程度同意、あるいは不同意か？

	合計 (n = 406)	証券会社 (n = 90)	地域の証券 ディーラー (n = 91)	銀行員 (n = 44)	生命保険 代理店 (n = 91)	独立系ファイ ナンシャル・ アドバイザー (n = 90)

社会保障年金において、ファイナンシャル・アドバイザーは、自身の顧客が情報に基づいた決定ができるよう支援すべきである。

大いに同意する

5	55	51	57	45	53	63
4	33	38	33	34	31	30
3	10	9	9	14	13	6
2	2	2	1	7	3	1
1	—					

全く同意しない

社会保障年金の受給開始時期をいつにすべきか、また社会保障年金がどのように機能するかについてアドバイスを行うことは、重要とは考えていない。

大いに同意する

5	6	3	5	—	8	8
4	12	12	12	11	12	10
3	20	17	14	25	29	20
2	34	37	37	36	33	29
1	28	31	31	23	19	33

全く同意しない

出所: Greenwald et al.（2011）

識があると回答し、22％が「非常に知識がある」と答え、さらに71％が「やや知識がある」と回答した。6％の人々は社会保障年金について知識がないと答えているのに対し、非常に知識があると感じているのは22％であった。そして、アドバイザーのほとんど（71％）が「やや知識がある」と回答している。したがって、ほとんどのファイナンシャル・アドバイザーは、社会保障年金に関する知識を持っていると考えられるが、一方で、その多くは専門家と言えるほどではなかったのである。興味深いことに、生命保険代理店に所属するアドバイザー（34％）は、自

分たちは社会保障年金について非常に詳しいと考えているようであった。

　全アドバイザーのうち、半数近く（44％）は、退職金が年齢とともに増加していくという仕組みについて、自分は非常に詳しいと考えており、配偶者給付の仕組みについて非常に良く理解していると回答したのは、4分の1（24％）にとどまった。配偶者給付のルールは非常に複雑であるため、従業員にはこの問題について具体的に知らされていないことが多いことからも明らかなように、アドバイザーの知識にも格差がある。そして、彼らの多くは、「退職所得調査」（Retirement Earnings Test[*2]）についても、十分な知識を持ち合わせておらず、「退職所得調査」について非常に詳しいと回答したのは、5人に1人（19％）にとどまった。

顧客教育におけるアドバイザーの役割

　調査対象となったアドバイザーは、顧客が社会保障年金に関する決定を行うための支援は、自分たちの重要な役割であると強く考えている。さらに、多くの顧客において、社会保障年金は退職後の収入のかなりの部分を占めているのである。

社会保障年金に関する対話の浸透

　4分の3（76％）のアドバイザーは、社会保障年金について顧客の大半と話し合っており、事実上すべての顧客（90〜100％）とこの問題について話し合ったとする41％も含まれている。半数程度は、アドバイザーが社会保障年金の話を持ち出す傾向があるものの、多くの場合、その話題を持ち出すのは顧客の方だという。アドバイザーは一般的に、平均55歳前後の顧客に対して社会保障年金の問題を提起している。一方、顧客側からこの問題を提起する場合は、平均60歳以降からである。

　社会保障年金に関して頻繁に取り上げられた話題は、「社会保障システムの支払い能力（system solvency）」であった。アドバイザーは顧客に対して、予定されている社会保障年金の少なくとも一部は受け取ることができると助言する傾向にあったが、すべてを受け取ることができると助言したのは3分の1にしか過ぎなかったのである。この背景として、現行法では、社会保障年金制度の信託基金が枯渇する2037年頃までは、社会保障年金が支払われると予測されていたからで、増税しなかった場

合、それ以降は約23%の社会保障年金を削減しなければならないと考えられている（SSA, 2011）。

　アドバイザーの5人中3人以上（62%）が、ほとんどの顧客に対して、社会保障年金を最大化する方法について話をしている。それと同じ割合の（62%）が、社会保障年金の課税についても取組んでいると答えており、ほぼ同数（57%）が、多くの顧客に対して「退職所得調査」の説明を行っている。また、56%のアドバイザーは、少なくとも顧客の5分の3以上に対して、社会保障年金の見積もりについて支援したが、配偶者給付がどのような役割を果たすかについて助言したのは、そのうちの46%に過ぎなかったのである。

受給開始に関して、アドバイザーはどのような説明をするのか

　4人のファイナンシャル・アドバイザーのうち3人（75%）が、社会保障年金受給に関する助言を行っていると回答している。独立系ファイナンシャル・アドバイザーと地域の証券ディーラーの（それぞれのうち82%）は、このような助言を行う可能性が最も高く、銀行員（うち67%）と生命保険代理店（うち63%）は最も低くなっている。具体的には、3分の2（66%）は、社会保障年金の受給開始に最適な年齢について助言を行っていた。アドバイザーのうち10人中4人（38%）が、ほとんどの顧客は受給開始が早すぎると考えており、半数（52%）は、最適な時期に受給を開始していると感じ、3%が受給の繰り下げが好ましいと考えていたのである。顧客が社会保障年金の受給開始時期について適切な判断であったと強く同意したのは、ファイナンシャル・アドバイザーのわずか8%であり、半数以下（46%）のアドバイザーは、社会保障年金において、顧客は適切な判断であったと考えていたのである（表4.2参照）。

　アドバイザーは、顧客が社会保障年金に関する情報を頻繁に利用し、また入手することを勧めている。最もよく活用され、また推奨される情報源はSSAで、アドバイザーの半数（51%）に利用、あるいは推奨されている。また、10人中3人（29%）のアドバイザーが、顧客に対して、自社のツールを使用したり、照会したりしていたのである。

98

表4.2 社会保障年金の受給開始時期に関するアドバイザーの意見

(%)

退職後の家計における社会保障年金の役割についてアドバイスを行う際にどうするか？

	合計 (n = 402)	大手 証券会社 (n = 90)	地域の証券 ディーラー (n = 91)	銀行員 (n = 43)	生命保険 代理店 (n = 88)	独立系ファイ ナンシャル・ アドバイザー (n = 90)
社会保障年金の受給開始をいつにするかについて、アドバイスを行うか？						
行う	75	78	82	67	63	82
行わない	21	19	14	28	35	13
分からない	3	3	3	5	2	4

社会保障年金に関連する次の特定の問題（受給開始の最適年齢）について、どの程度の割合の顧客と話し合っているか？

90-100%（事実上、全ての顧客）	31	32	40	23	26	31
60-89%	35	33	35	35	32	38
40-59%	20	19	14	26	28	18
10-39%	10	10	9	9	11	11
0-9%（非常にわずかな顧客）	3	6	2	7	2	2

出所：Greenwald et al.（2011）

受給開始の決定と受給開始方法

　ほぼすべてのアドバイザーは、社会保障年金の受給を開始する年齢を決める際には、様々な要因を考慮すべきだとしている。10人中9人は、安定的な収入源があるかどうか（93%）、そして顧客の健康状態を考慮することが重要であり、家計の水準（90%）や老後に望んでいるライフスタイル（91%）も重要だと考えていた。また、7人中6人（86%）のアドバイザーが、顧客における将来の社会保障年金受給額も大切な要素であると回答している。そして、88%のアドバイザーは、顧客が仕事を続けたいかどうかを検討することが重要であると回答し、5人中4人が配偶者の年齢や健康を重視している（80%がそれぞれを重要な検討事項と評価）。さらに、4人中3人（76%）が、現在における顧客の納税状況を考慮することが肝要だと考えている。

受給開始の決定を司るもの

投資判断方法が説明されることで、人々の意思決定は大きく影響される、という有力な証拠がある（Brown et al., 2011）。この「フレーミング効果」が起因し、人々が受給開始を遅らせる可能性について（a）投機的な目的として（b）保険商品購入を目的として（c）貯蓄を目的として、という3つの考え方の中から、自身の見解を最もよく表しているのはどれかとたずねたところ、5人中2人（41％）が（c）貯蓄を目的として、を選択していた。しかし、ほぼ同数の38％は、受給開始時期を決断する最良の方法は、投機的なものだと述べている。この種の「枠組み」によって、人々が早期受給の開始を奨励されているという力強い根拠はあるものの、それはたいてい最適なものではないのである（**表4.3**参照）。

社会保障年金の受給開始をいつにすべきかを判断する一つの方法として、「損益分岐点分析」が用いられる。これは、受給開始を遅らせることで得られる、より多くの社会保障年金が、早期に受給開始することで

表4.3 社会保障年金の受給時期の決定を司るアドバイザー

(%)

顧客に受給開始を遅らせる決定を説く最良の方法は次のうちどれか？					
合計 (n = 406)	大手 証券会社 (n = 90)	地域の証券 ディーラー (n = 91)	銀行員 (n = 44)	生命保険 代理店 (n = 91)	独立系ファイ ナンシャル・ アドバイザー (n = 90)

受給開始時期を遅らせるという判断は貯蓄のようなものである。人生の後半でより多くの月収を受け取れるよう、現在の収入を貯蓄へと回す。

| 41 | 39 | 40 | 41 | 35 | 49 |

受給開始を遅らせるのは投機的な決断である。平均余命より長生きすれば、より多くの社会保障年金を受け取る。

| 38 | 37 | 41 | 41 | 40 | 34 |

受給を遅らせるという決断は保険を購入するようなものである。受給を遅らせることによって、生涯にわたきて保証される月収がより多くなる。これは高齢期に資金が枯渇するのを防ぐ上で、大きな防護策となる。

| 21 | 24 | 20 | 18 | 25 | 17 |

出所：Greenwald et al.（2011）

100

得られる社会保障年金を相殺するのに、どのくらいの時間を要するかを問うものである。実際、Brown（2011）が指摘したように、損益分岐点分析は、早期に社会保障年金の受給を開始することを促している。これは、「損益分岐点」を超えれば得だが、それより前に死ぬと損であることが分かると、人々は損失の可能性を心配するようになるといった、損失回避によるものである。アドバイザーの半数以上（55%）が、「損益分岐点分析」は、顧客が社会保障年金の受給開始をいつにすべきかという判断を行うのに有効かつ優れた方法だと考え、56%のアドバイザーが、少なくとも半数の顧客に対して「損益分岐点分析」を活用していたのであった。Brownが行った調査では、このアプローチによって、ファイナンシャル・アドバイザーの顧客が、早期受給を開始させる可能性を示唆しているのである（**表4.4**参照）。

　また、調査に参加したアドバイザーには、62歳を対象とした5つの想定シナリオを考えてもらい、それぞれの状況において、提案される可能性が最も高いと考えられる3つの受給開始方法の中から1つを選んでもらった。その選択肢は、（a）たとえ働き続けていたとしても、62歳になったらできるだけ早く社会保障年金の受給開始をする、（b）62歳以降のある時点において、フルタイムでの勤務をやめた時に社会保障年金の

表4.4 損益分岐点分析に関するアドバイザーの評価

(%)

社会保障給付時期の判断に役立つ方法として、損益分岐点分析をどう評価するか？

	合計 (n = 406)	大手 証券会社 (n = 90)	地域の証券 ディーラー (n = 91)	銀行員 (n = 44)	生命保険 代理店 (n = 91)	独立系ファイ ナンシャル・ アドバイザー (n = 90)

受給開始時期を遅らせるという判断は貯蓄のようなものである。人生の後半でより多くの月収を受け取れるよう、現在の収入を貯蓄へと回す。

非常に優れている	14	18	18	9	8	16
優れている	41	43	42	34	48	32
良い	34	31	30	45	32	38
普通	9	7	5	9	10	14
良くない	2	1	5	2	2	—

出所：Greenwald et al.（2011）

受給開始をする、（c）仕事をいつ辞めたかにかかわらず、社会保障年金の受給開始をできる限り遅らせる、である。それぞれのシナリオでは、62歳の金融資産は少なくとも70万ドルで、これは明らかに、社会保障年金の受給開始を遅らせるのに十分な流動性をもたらす金額という想定である。

　このような想定状況において推奨された受給開始方法では、アドバイザーが最適な社会保障年金の受給開始年齢を決定する上で、顧客の健康状態が重要な要素となっている（**表4.5**参照）。例えば、顧客の健康状態が優れていると想定する場合、60％のアドバイザーが3番目の受給開始方法（受給開始をできる限り遅らせる）を選んでおり、一方そうではない顧客を想定した場合は、10人中6人（60％）が一番目の選択肢（できるだけ早く社会保障年金の受給を開始する）を提案している。社会保障年金の受給開始に関して、アドバイザーに影響を与える第二の要因は、顧客が希望する退職年齢である。例えば、健康状態が平均的あるいは良好な顧客が、62歳で仕事をやめたい、または「できるだけ早く」やめたいと言う場合に、受給開始をできるだけ遅らせるというアドバイザーははるかに少なく（それぞれ20％、19％）、逆に最も多かったのは、二番目の受給開始方法（仕事をやめて同時に受給を開始する）を提案するアドバイザーであった。平均的な健康状態の顧客が66歳まで働く予定であると回答した場合のシナリオでは、アドバイザーの半数（49％）はできるだけ長く働くことを提案し、44％が退職と老齢年金の受給開始を同時に行うことを提案している。これらを総合すると、社会保障年金の受給開始に関して、顧客の健康状態や仕事を続けたいという意思は、アドバイザーの提案内容に明確な影響を与える。

　これらの調査結果において、注目に値する2つの側面がある。第一に、5つのうち1つのケースだけであるが、二者一組（カップル）または個人が、少なくとも70万ドルの資産を有していたものの、大多数のアドバイザーは、受給の開始を可能な限り遅らせることを提案していた。これには、健康状態が良好な女性の例が含まれており、受給開始時期を62歳以降に遅らせることで、予想される社会保障年金の現在価値がはるかに大きくなる可能性が高くなる。

　第二に、多くの金融専門家が、これらの推奨事項のうち少なくとも2

102

表4.5 さまざまな想定シナリオにおける受給開始時期に関するアドバイザーの推奨

(%)

62歳の人が、社会保障の給付開始をいつにすべきかアドバイスを求めた場合、提案する可能性が最も高い受給方法はどれか？

	合計 (n = 406)	大手 証券会社 (n = 90)	地域の証券 ディーラー (n = 91)	銀行員 (n = 44)	生命保険 代理店 (n = 91)	独立系ファイ ナンシャル・ アドバイザー (n = 90)

健康状態が悪く、年収10万ドルの女性で、退職した夫が社会保障年金から月額2,000ドルを受給、投資可能資産は70万ドル

受給開始方法1	60	53	60	66	62	60
受給開始方法2	34	38	35	30	33	31
受給開始方法3	7	9	4	5	5	9

平均的な健康状態にあり、年間5万ドルの収入があるの男性で、妻には年間4万ドルの収入があり、62歳まで働くことを予定し、投資可能資産は80万ドル

受給開始方法1	32	32	33	36	34	27
受給開始方法2	48	47	49	52	46	46
受給開始方法3	20	21	18	11	20	28

健康状態が良好で、年収8万ドルの未婚の女性で、できるだけ早く退職することを望んでおり、投資可能資産は70万ドル

受給開始方法1	28	27	23	45	32	23
受給開始方法2	52	56	54	36	49	58
受給開始方法3	19	18	23	18	19	19

平均的な健康状態で、年間7万5,000ドルの収入がある女性で、夫は年間6万ドルの収入があり、66歳まで働くことを予定し、投資可能資産は70万ドル

受給開始方法1	8	9	4	14	7	8
受給開始方法2	44	43	47	45	46	38
受給開始方法3	49	48	48	41	47	54

健康状態が良好で、年間7万5,000ドルの収入がある男性で、妻が年間6万ドルの収入があり、66歳まで働くことを予定し、投資可能資産は70万ドル

受給開始方法1	6	10	2	14	5	4
受給開始方法2	33	31	42	32	31	31
受給開始方法3	60	59	56	55	64	64

注記：受給方法1＝出来るだけ早く開始；受給方法2＝退職時に開始；受給方法3＝できるだけ長く延長
出所：Greenwald et al.（2011）

つ、おそらくそれ以上は、次善の策であると考えていたことは明らかである。平均的な健康状態で、妻よりも収入が多く、少なくとも80万ドル以上の資産があり、62歳で退職予定の男性の場合、夫の受給開始を遅らせた方が、妻にとって明らかに有利となる。それにもかかわらず、夫は62歳で受給の開始をすべきだとしたのは32%で、出来るだけ先送りにした方がよいとしたのは20%だけだった。62歳で社会保障年金の受給を開始すると、受給後の期間において、寡婦の遺族社会保障年金額が大幅に減額されてしまうのである。

　逆に専門家は、優れた健康状態にある独身女性の受給開始をできる限り遅らせることを勧める傾向がある。すなわちこれは、この女性における長寿リスクへの最大の防御策となるのである。ある例では、70万ドルを有する62歳の女性が、「できるだけ早く」引退しようとしていたにもかかわらず、アドバイザーの49%が、彼女の受給開始を遅らせることを提案していたのである。言い換えれば、多くのアドバイザーは、配偶者の社会保障年金の仕組みを理解していないということになるのである。これには、受給開始を遅らせることで得られるインフレ調整後の生涯所得の増加価値が含まれており、対象となる受給者が亡くなった後も、自身の社会保障年金が低い配偶者に対して、生涯受給が継続されるということである。

ファイナンシャル・アドバイザーにおける情報の活用

　ファイナンシャル・アドバイザーは、彼ら自身とその顧客に提供される社会保障年金に関する資料に批判的であることが多く、自身の会社から顧客に提供されるものが有用だと感じているのは、わずか26%に過ぎない。さらに、「SSAは、社会保障年金がどのような役割を果たすかについて、金融の専門家教育をしっかり行っている」という意見に同意しているのはわずか13%で、51%は同意していない。アドバイザーの3人中2人（65%）が、SSAのウェブサイトを閲覧したことはあるものの、ファイナンシャル・プランナー向けに情報を提供しているという認識は低いという結果になっている。同ウェブサイトを閲覧した5人中2人が、「非常に良い」または、「良い」と評価し、13%は「普通」または、「良くない」と感じていたと報告している。40歳未満の若いファイナンシャ

104

ル・アドバイザー（74%）は、年配のアドバイザーと比べれば閲覧を行っているものの、その内容については肯定的な意見を持っていない。ファイナンシャル・アドバイザーは、顧客に対して、SSAの情報を活用、あるいは照介する機会は多いが、情報源としては高く評価をしていない傾向がある。アドバイザーがSSAの公式ウェブサイトを閲覧する最も大きな理由は、一般的な情報を収集（28%）と、社会保障年金に関する情報収集（26%）であった。17%のアドバイザーが、社会保障年金の見積もりや配偶者給付の調査に、また10%が、特定の問題や顧客に必要な調査に同ウェブサイトを利用したことがあると回答している。閲覧目的の中で、制度の変更に関する最新情報の収集（7%）問合せ先や行政情報の取得（6%）、高度障害年金やメディケアに関する適用範囲の調査（5%）、税金情報の調査（3%）と回答した人は、10人中1人以下だった。

退職年金プラン・サービス・プロバイダーの視点

　また、退職年金プラン・サービス・プロバイダーの社会保障年金教育とその最適化に関する見解を得るために、国内大手のDCプラン・プロバイダー企業および、関連企業における経営者に詳細なインタビューを実施した。対象となる企業は、大手DCプランのリストからプロバイダーを特定し、照会状とスノーボール・サンプリング法（ある回答者から知人を紹介してもらい、雪だるま式にサンプル数を増やしていく手法）を用いてコンタクト先を募集した。インタビューは、国内最大手のDCプラン・プロバイダー（AUM別）の代表16社と、関連する組織や団体の業界専門家（レコードキーパーと投資アドバイス・サービス・プロバイダー）2社の計18社に対して実施した。回答者は上級役員、取締役、管理職で、その多くはDCプランの運営を直接管理したり、教材の内容や配信を監修したりする責任者で、電話インタビューは、平均して約30分間行った。1つを除くすべてのインタビューは、Mathew Greenwald & Associates社のディレクター・オブ・リサーチであるリサ・シュナイダーによって、2011年7月から9月にかけて行われた（Greenwald and Schneider, 2011）。

貯蓄に関する教育

　DCプラン・プロバイダーは、その役割を次のように定義している；（a）プランへの参加を奨励し、高い拠出額を促進すること、（b）退職後の貯蓄の重要性を従業員に教育すること、（c）退職後の貯蓄として、税制面で有利なDCプランを利用することへの優位性を従業員に理解してもらうこと、などである。彼らは、プラン加入者に対して、貯蓄目標額の設定を奨励し、加入者が退職後、経済的に安定した生活を送るのに必要な金額について情報を提供している。いずれのDCプラン・プロバイダーも、加入者が退職日までにどれだけ積み立てる必要があるかを判断できるよう、オンライン上の計算機やワークシートといった様々なツールを活用できるようにしている。また、計算ツールには、退職後の貯蓄ニーズを算出する際に考慮すべき要素として、社会保障年金が含まれる傾向があった。さらに、加入者は、自身の年齢を入力すれば、社会保障年金の受給を開始できるようになっており、SSAのウェブサイトでその概算額の確認を勧められることも多かった。それにもかかわらず、DCプラン・プロバイダーへのインタビューでは、「われわれの資料の詳細については、SSAのウェブサイト（ssa.gov）を頻繁に参照しているが、サイト内を細かく案内するのは非常に難しい」、といったコメントがあった。また、「我々は、顧客が個人で全体像を理解できるよう支援する必要がある、社会保障年金制度はその一環で、個人が退職後の収入源を集約し、その全体像と、全体像を把握する必要性を理解できるよう取り組むことは、とてつもない効果を発揮する」とのコメントもあった。

　すべてのウェブサイトには、記事、セミナーの内容、SSAのウェブサイトへのリンクなど、これらのトピックに関するコンテンツが掲載されていると報告されている。一部のDCプラン・プロバイダーは、SSAの代表者がウェビナーやセミナーに参加してもらえるよう手配を行っており、SSA代表者からの意見は、価値が高いと考えられよう。このような教育面における取組にもかかわらず、ほとんどのDCプラン・プロバイダーは、社会保障年金に関する仕組みや期待値、また受給を開始するにあたり、最も効果的な時期の評価方法について、加入者がまだ十分に理解していないと考えていたのである。インタビューを受けたDCプラン・プロバイダーは、彼らとSSAがどのように協力していくべきかにつ

いて、いくつかの提案を行った。その中には、以下のものが含まれていたのである。

社会保障年金の最適化プログラム

　ある回答者は、加入者の退職後における社会保障年金の受給開始に最適な年齢を把握する際に、DCプラン・プロバイダーが加入者と協力して作業するのに役立つ、オンラインによる「社会保障年金の最適化プログラム」の必要性を求めた。このツールは、アドバイザーやプラン加入者との情報のやり取りを行い、彼らへの教育を実施するDCプラン・プロバイダーに対して提供される。加入者の中には、SSAの人口統計データ、保険数理、経済の専門知識を利用するには、SSAが斡旋する公のウェブ・プランナーが適していると考えている人もいる。

より効果的なツール

　一部のDCプラン・プロバイダーは、SSAがより使いやすいコンテンツを作成し、現在オンラインで提供されている貴重な情報に関して、その見せ方を改善することができると提案した。それらの中には、定番の質問リストの作成、および、夫婦用を含めた社会保障年金の受給開始方法などがある。

　DCプラン・プロバイダーは、データをSSAの情報と統合したいと考えている。これにより、例えば、DCプラン・プロバイダーは、加入者に退職後の社会保障年金の受取額（および配偶者給付についても）の概算額を示すことが可能になり、加入者が退職後にどのくらいの収入を期待できるのか、より優れた統合的な理解に役立てることができるのである。

DCプラン・プロバイダーの研修

　いくつかのDCプラン・プロバイダーは、SSAが彼らに対して社会保障年金に関するトレーニングプログラムを開発できるのではないかと提案している。例えば、DCプラン・プロバイダーやその他の金融専門家は、社会保障年金の専門家として「認定」され、特に、そのトレーニングが継続教育に含まれることなどが挙げられている。

結論

　退職後の社会保障年金の受給をいつ開始するかは、高齢者が行うべき経済的な決断において、最も重要なものの一つであるにもかかわらず、まだあまり検討されていない。未婚者は、受給開始年齢が現在と将来の給付額のバランスにとのように影響するか、また、老後に十分な収入を確保する必要性を考慮しなければならない。既婚者は、退職後の社会保障年金、配偶者給付金、遺族給付金の計算式の相互作用など、さらに複雑な選択を迫られる。そして、これらの決定を自分自身で分析できる人は、ほとんといない。

　今回の研究が行われるまで、ファイナンシャル・アドバイザーが行う具体的な助言や、それを用いる基準、そしてそれらが社会保障年金や退職に関する学術研究とどのように一致しているかについては、ほとんど知られていなかった。簡単に言えば、ファイナンシャル・アドバイザーが何を話しているのか、なぜそれを話すのか、あるいはそれが正しいかどうかについては、ほとんどわからなかったということになるのである。400人以上のファイナンシャル・アドバイザーを対象としたわれわれの調査では、社会保障年金の受給開始の決定に関するアドバイザー自身の知識レベル、知識を深めるために活用している主な情報源、SSAが提供する教育リソースに関する見解、およびアドバイザーが協力している金融サービス企業に関する情報を収集した。

　この調査によると、ほとんどのファイナンシャル・アドバイザーは、社会保障年金について、少なくともある程度の知識を持っていると考えており、また多くは、社会保障年金について顧客を教育する役割を担っていることが分かったのである。しかし、アドバイザーと顧客に関する議論の多くは、「社会保障年金の支払能力」に焦点を当てたものであった。この問題は、ニュースでもよく取り上げられているが、われわれの見解では、今日、退職を間近に控えた労働者には、比較的影響が少ない問題だと考えている。さらに、アドバイザーは「損益分岐点年齢」や「投機的な目的」といった観点から受給の決定を執り行っているが、それが個人の受給開始をうっかり早めてしまう可能性があるのだ。このような状況は、老後の資金不足のリスクから個人を守り、より高い社会保障年金給付の保険的価値を棄損しているのである。

　ファイナンシャル・アドバイザーは、退職のタイミングが月々の給付額や生涯給付額にどのように影響するかといった現実的な問題について、顧客と話をしていると報告している。一方、配偶者および遺族給付金についてはあまり取り上げられておらず、アドバイザーの中には、顧客の最適な受給開始年齢を決定する際に、配偶者の健康状態や年齢を考慮に入れていない人もいるのである。また、多くのアドバイザーは、いまだに世帯別による決定ではなく、個人の決定として社会保障年金の受給に取り組んでいるようである。しかし、世帯別のアプローチが利用されていれば、顧客はより良いサービスを受けることができるようになると考えられるのである。

　社会保障年金の規則は、多くのアメリカ人が認識しているよりもはるかに複雑であり、ファイナンシャル・プランナーや他のアナリストが、これらの規則を最大限に利用して受給開始方法を立案し始めたのは、ここ数年のことである。今日まで、これらの方法を利用した受給者は、ほんのごく一部に過ぎなかったが、「無利息ローン」への反応が相当大きかったことから、SSAはその適用を制限するように促した。このことは、将来的においても、社会保障年金におけるさまざまな受給開始方法が、より多く用いられる可能性を示唆している。

　ファイナンシャル・アドバイザーは、顧客を支援するツールとして、SSAのウェブサイトやツールを利用していると報告している。彼らの半数以上が、SSAは社会保障年金に関する主要な情報源であるとし、10人中9人のアドバイザーが、彼らの顧客はSSAを追加的情報源としていると回答した。さらに、アドバイザーの91%が、社会保障年金制度について顧客と話し合ったと答え、78%が顧客の社会保障年金制度に関して、自身で確認を行ったと回答しているのである。

　しかし、ファイナンシャル・アドバイザーは、SSAはファイナンシャル・アドバイスを提供する上で、さらに良い成果を上げられると考えているのである。ファイナンシャル・アドバイザーを教育するためのSSAのツールについて、肯定的な評価をしたのはわずか13%であり、SSAは一般の人々の教育に役立っているとしたのは、わずかに24%でしかなかった。アドバイザーのうち、SSAがファイナンシャル・アドバイザー用に特別に作成したウェブページがあることを認識していたのは、わず

か3分の1に過ぎなかったのである。SSAが作成した新しい教育ツールが
あれば、より多くのファイナンシャル・アドバイザーが、彼らのみなら
ずその顧客においても、情報に対する認識を大いに高めることができる
であろう。最近の実証実験の結果から、社会保障年金に関する追加情報
が低コストで提供され、給付金の受給開始や退職後の働き方に大きな影
響をもたらしたということからも分かるように、SSAによる広範な取り
組みは、特に重要であるということが立証されよう（Liebman et al.,
2011）。ファイナンシャル・アドバイザーは、SSAがファイナンシャ
ル・プランニングにおけるコミュニティ（集団）において、より良く関
わり合っていくための多くの方法を提案している。その中には、ファイ
ナンシャル・プランナーにとって有益となるSSAの元情報をより広範に
拡散し、退職後に必要となる総収入を算出するソフトウェアに、オンラ
インによる社会保障年金受給計算書を統合し、ファイナンシャル・アド
バイザーと協議の上で、現行のSSAのウェブサイトの内容や資料を見直
し、充実を図るといった潜在的なステップが含まれている。これらはす
べて、ファイナンシャル・プランナー間において、社会保障年金の受給
開始の問題に関する知識を高めながら、顧客の受給開始の決定タイミン
グを改善し、SSAや納税者にとっては、比較的低コストで済むという可
能性があるのである。

　DCプラン・プロバイダーへのインタビューからは、彼らが加入者に
対して、効果的な退職プラン教育やガイダンスを拡大するには、SSAか
らの支援が必要であることが示された。このような支援の提供には障害
があることは確かであるが、SSAがこのチャネルを活用して、労働者が
社会保障年金の給付について、より多くの情報を得た上で意思決定を行
うことができるようにするにはどうしたらよいかを検討することは、非
常に重要なのである。

▶第4章 参考文献
Aaron, H. J., and J. M. Callan（2011）. 'Who Retires Early?' Center for Retirement
　Research Working Paper No. 2011–10. Chestnut Hill, MA: Center for Retirement
　Research, Boston College.
Brown, J. R., A. Kapteyn, and O. S. Mitchell（2011）. 'Framing Effects and Expected Social
　Security Claiming Behavior,' RAND Working Paper No. WR-854. Santa Monica,
　CA: RAND.

Brown, S. K. (2012). 'The Impact of Claiming Age on Monthly Social Security Retirement Benefits: How Knowledgeable Are Future Beneficiaries?' AARP Report. Washington, DC: AARP.

Bureau of Labor Statistics (BLS) (2010). *National Compensation Survey*. Washington, DC: BLS.

Cerulli Associates (2010). *Cerulli Quantitative Update: Advisor Metrics 2010*. Boston, MA: Cerulli Associates. http://clients.cerulli.com/Files/pdf/2010-Cerulli_Quant _Update-Advisor_Metrics_Info-Packet.pdf（翻訳時点で該当ページ無し）

Coile, C., P. Diamond, J. Gruber, and A. Jousten (2002). 'Delays in Claiming Social Security Benefits,' *Journal of Public Economics*, 84 (3): 357–85.

Employee Benefit Research Institute (2010). 'Estimates Based on U.S. Census Bureau 2011 Current Population Survey.' Personal communication to the authors from Craig Copeland, EBRI.

Greenwald, M., and L. Schneider (2011). 'How to Improve Social Security Education: Retirement Plan Providers' Perspectives,' RAND Working Paper No. WR-898-SSA. Santa Monica, CA: RAND.

—— A. Kapteyn, O. S. Mitchell, and L. Schneider (2010). 'What Do People Know About Social Security?' RAND Working Paper No. WR-792-SSA. Santa Monica,CA: RAND.

—— A. Biggs, and L. Schneider (2011). 'Financial Advisors' Role in Influencing Social Security Claiming,' RAND Working Paper No. WR-894-SSA. Santa Monica, CA: RAND.

Liebman, J. B., and E. F. P. Luttmer (2011). 'Would People Behave Differently If They Better Understood Social Security? Evidence from a Field Experiment,' NBER Working Paper No. 17287. Cambridge, MA: National Bureau of Economic Research.

Mathew Greenwald & Associates (2008). 2008 MoneyTrack *Survey of Consumers*. Washington, DC: Mathew Greenwald & Associates, Inc.

Munnell, A. H., S. A. Sass, A. Golub-Sass, and N. Karamcheva (2009). 'Unusual Social Security Claiming Strategies: Costs and Distributional Effects,' Center for Retirement Research Working Paper No. 2009–17. Chestnut Hill, MA: Center for Retirement Research, Boston College.

Sass, S. A. (2012). 'Should You Buy an Annuity from Social Security?' Center for Retirement Research Working Paper No. 2012–10. Chestnut Hill, MA: Center for Retirement Research, Boston College, pp. 12–60.

—— W. Sun, and A. Webb (2007). 'When Should Married Men Claim Social Security Benefits?' Center for Retirement Research Working Paper No. 2008-04. Chestnut Hill, MA: Center for Retirement Research, Boston College, pp. 8.1–8.8.

Shuart, A. N., D. A. Weaver, and K. Whitman (2010). 'Widowed Before Retirement: Social Security Benefit Claiming Strategies,' *Journal of Financial Planning*, 23 (4):45–53 April.

Social Security Administration (SSA) (2011). *Trustees Summary of the 2011 Social Security and Medicare Trustees Reports*. Washington, DC: Social Security Administration. http://www.ssa.gov/OACT/TRSUM/tr11summary.pdf

Tacchino, K. B., D. Littell, and B. D. Schobel (2012). 'A Decision Framework for Optimizing the Social Security Claiming Age,' *Benefits Quarterly*, Second Quarter 2012: 48.

▶ 第4章 訳者注

＊1

DC Plan providerは、日本の確定拠出年金制度における「運営管理機関」に機能的にはほぼ同様のサービスを提供する組織体である。しかし、その法制度上の位置づけ、規制、ビジネスモデルなどは日本の運営管理機関とは大きく異なるため、本章では運営管理機関とは訳さず、「DCプラン・プロバイダー」との訳語を使っている。

＊2

Work Retirement Test ともいう。基礎年金OA（老齢社会保障年金のこと）の受給に際して行われる「（社会保障）収入調査」である。米国ではOAを受けながら働いている65歳未満の高齢者は、すべてこの収益テスト（earnings test）を受けなくてはならないとされている（生命保険文化センターHP　生命保険用語　英和・和英辞典　参照）。

OAとは、Old-Age Insurance（Program）を指し、米国の老齢年金（制度）を意味する。「1935年社会保障法」により、「拠出制老齢年金OA」が連邦政府直営の制度として創設された。米国の公的年金の拠出は一律所得比例であるが、給付は低所得者に厚い。このOAを「基礎年金」として、その後1939年に「遺族年金」が追加されてOASIに、さらに1956年に「障害年金」が追加されてOASDIとなり、今日の公的年金が完成した（生命保険用語　英和・和英辞典　参照）。

アセット・アロケーションは米国人の退職後収入保障にどれほど重要か?

アリシアH.マネル、
ナタリア・オロヴァ、
アンソニー・ウェッブ

　本章のテーマである、ファイナンシャル・アドバイスは、アセット・アロケーションの決定時に優位となる様々な手段を用いながら、もっぱら金融資産という観点から考える場合が多いものの、実際、多くのアメリカ人の金融資産保有額は少なく、このような個人における退職後の経済的安定によりいっそう影響を与える金融ツールについては、概して語られることはない。これらの手段には、退職時期の繰り下げ、リバース・モーゲージを通じた住宅保有負担の軽減、消費支出の管理が含まれる。そして、潤沢な資産を保有する多くの個人でさえ、このような非金融的手段は、老後の所得保障を実現する上で、アセット・アロケーションと同様に有力なものとなりえるのである。

　われわれの分析は、就労に費やされる時間と投資リターンにおける、トレードオフという定型的な手法を用いた検討作業から始める。続く第二節では、HRSのデータを用いて、51歳から64歳の退職前就労者に関する就労期間の延長、リバース・モーゲージの活用、消費支出の管理、そして、安全な資産移動によって、退職後のニーズと退職後の資金の間に、どの程度のギャップがあるかについて調査を行う。最後に、われわれは動的計画法を用いて、平均的な世帯における一般的かつ保守的なポートフォリオから、最適化ポートフォリオへの変更によって生じるリスク調整後の価値について分析する。

　多くの世帯が老後所得保障の実現に向け、より多くの有力な手段を備えていることから、われわれは、アセット・アロケーションのみに焦点

を当てることは、不十分であると結論づけている。

シンプルなモデル

　まず、貯蓄の開始時期、退職時期、さらには退職後の貯蓄をとのように投資するかに応じて、老後の経済的安定生活には、所得の何パーセントを貯蓄する必要があるのかを見積ることから始めるのが有益である。当然ながら、貯蓄を開始する年齢と退職時の年齢は、必要貯蓄率の決定に極めて重要な要素であり、老後の所得保障が安定するか否かに大きな差異をもたらすものである。

　われわれは、所得代替率、すなわち退職前所得に対する退所後収入の比率を用いて、老齢者が就労を辞めた後、退職前の消費支出レベルを維持できるかを正確に測定する手法を用いる[1]。たいていの場合、退職後における標準的な生活の維持においては、退職前の全所得よりも少ない収入しか必要としないのである。その第一の理由は、納税額がより少なくなることである。退職者はもはや、社会保障とメディケア関連の所得税を支払う必要がなく、さらに連邦所得税も低くなる。これは、社会保障年金のごく一部のみが課税対象になるからである[2]。第二に、老後のための貯蓄は不要となる。そして最後に、多くの世帯は退職前かその直後には、住宅ローンを完済しているからである。

　ジョージア州立大学の「退職検討プロジェクト」では、過去数十年にわたり、必要所得代替率を算定している[3]。同プロジェクトは2008年、所得が5万ドル、あるいはそれ以上の世帯は、退職前と同等の消費水準を維持するために、退職前所得のおよそ80％を必要としていると推計した（**表5.1**）。一方、所得水準の低い世帯は、老後に備えた貯蓄がほとんどなく、就業時の納税額も少ないため、辛うじて必要条件を満たせるレベルに近づくことを一層求めている。

　この所得代替率80％を達成するのに、個人がとのぐらいの貯蓄が必要になるかは、世帯所得を含む多くの要因に依存している。実際、所得が少ないほど、社会保障から提供される比率は大きくなるため、個人として負担すべき貯蓄額は小さくなる。また、投資リターンが高いほど、必要な貯蓄率は低くなる。さらには、貯蓄の開始時期が早ければ、退職

114

表5.1 生活水準を維持するために必要な退職前給与の比率 （2008年）

(%)

退職前の収入	夫婦共働き世帯	片働き世帯
$20,000	94	88
$50,000	81	80
$90,000	78	81

出所：Palmer（2008）

表5.2 現行法での社会保障代替率、2030年以降

(%)

所得水準	年齢	
	65	67
低	49.0	55.3
中	36.3	41.0
高	30.1	34.0
最大	23.9	27.2

出所：SSA（2012：表V.C7）

年齢にかかわらず必要な貯蓄率は低くなり、また、退職時期が繰り下げられるほど、必要貯蓄率は低くなるのである。

　社会保障信託基金（SSA,2012）は、社会保障年金給付に差し変わる65歳時と、最終的な退職年齢となる67歳時において、低額所得者、中位所得者、高額所得者、最高水準所得者別に、それぞれの所得の割合を公表している（**表5.2**参照）[4]。62歳から70歳以外の年齢に関する所得代替率は、早期退職に対する年金数理的な調整、あるいは退職時期の繰り下げに関わる所得効果を考慮して算出している。目標取得代替率の80％から、社会保障の所得代替率を差し引くことにより、個人の貯蓄で代替すべき貯蓄率の水準が推定される。

　最後の問題は、老後の貯蓄からどの程度の収入を引き出せるかを判断することである。われわれの算定は、「4％ルール」、すなわち、65歳で退職した人は、その年の貯蓄の4％相当額を毎年引き出すと想定するものである。さらに、退職時期がこれより早い場合には、幾分少ない額が引き出され、退職時期がこれより遅い場合には、より多く引き出され

る[5]。他の選択肢としては、インフレ連動型年金保険があり、必要貯蓄率については、非常に似通った利回りをもたらす。

　暗黙の貯蓄率としては、蓄積された資産から得られる想定実質リターン、個人の貯蓄開始時期、あるいは個人の退職時期によって異なる[6]。われわれの試算モデルにおいては、実質リターンは1%から7%の範囲とした。さらに、対象とする個人は2010年に25歳とし、貯蓄を開始する年齢は25歳、35歳、あるいは45歳、退職年齢は62歳から70歳と想定した[7]。賃金上昇率については、インフレ率調整後＋1.2%と想定する[8]。

　説明を進めるに当たり、2010年に25歳で、社会保障年金の中間所得において4万3,000ドルを稼ぎ、2052年に67歳で通常退職年齢を迎える個人について検討することとしよう。現在の法律の下では、社会保障年金によってインフレ調整後の最終所得7万1,000ドルの41%が代替される。従って、個人は39%（80%－41%）、約2万7,700ドルをまかなうために、十分な貯蓄をすることが必要である。そして、4%の消費支出ルールの下では、2052年に66万ドルが必要となる[9]。もし、35歳に貯蓄を開始し、4%の実質リターンを獲得できるなら、所得の18%を毎年貯蓄する必要がある。

　4%の投資リターンを想定した場合の中間所得における必要貯蓄率は、**表5.3**に示されている。ここから2つの示唆が浮かび上がってくる。一つ目は、貯蓄の開始時期を45歳ではなく、25歳にすることによって、必要貯蓄率は3分の2まで引き下げることができる。二つ目は、退職時期を62歳から70歳まで繰り下げることによって、こちらも必要貯蓄率を3分の2まで引き下げられる。その結果、25歳で貯蓄を開始し、70歳で退職する個人の場合、退職時の所得代替率80%を実現するのに必要な貯蓄率は7%で済むのに対し、45歳で貯蓄を開始し、62歳で退職する場合の貯蓄率は、その約10分の1、65%という信じがたい値になる[10]。しかし、45歳で貯蓄を開始する個人でも、70歳に退職時期を繰り下げれば、必要貯蓄率は18%となるとの結果も得られている[11]。

　退職時期の繰り下げは、いくつかの理由で非常に有益な手段である。まず、社会保障年金の月額給付額が年金数理的に調整され、70歳においては62歳時の75%以上になる。結果として、退職時期の繰り下げにより、後年の退職前所得の割合よりも、遥かに大きな割合で代替される

表5.3 中所得者がリターン率4％で所得代替率80％を達成するために必要な貯蓄率

(%)

退職年齢	貯蓄開始年齢		
	25	35	45
62	22	35	65
65	15	24	41
67	12	18	31
70	7	11	18

出所：著者による算定、本文参照。

表5.4 中所得者が貯蓄開始年齢35歳で、所得代替率80％の達成に必要な貯蓄率

(%)

退職年齢	実質リターン率		
	2％	4％	6％
62	46	35	26
65	32	24	17
67	26	18	13
70	16	11	7

出所：著者による算定、本文参照。

こととなるのである。この例では、62歳における所得代替率は29％であるのに対し、70歳での退職であれば52％となり、貯蓄からの必要な補充額は減少するのである。第二に、退職時期を繰り下げることにより、追加的に401（k）に拠出する年数が増加し、残高も増加することになる。さらに、退職年齢を繰り下げることで、退職用資産の取り崩しによる自活年数を少なくすることができる。したがって、この分析では、退職時期の繰り下げが、必要な貯蓄率に及ぼす影響の大きさを示している。

　もちろん、これらの結果は、4％の資産に対する想定リターン率によって異なる。**表5.4**は、投資リターンの高低が、35歳で貯蓄を始めた個人に与える影響を示している。2％のリターンというのは、中期国債における長期リターン率をわずかに下回り、6％のリターンは、大型株の長期リターン率を若干下回る程度である[12]。より高い投資リターンを得ることは、目標の達成にわずかながらの貢献はするが、リスクも伴う。このようなリスクは無視するとしても、必要貯蓄額の違いは、貯蓄開始

年齢や退職時期がもたらす違いに比べれば小さいものである。事実、退職時期を62歳から67歳にすることで、6％リターンの代わりに2％リターンの影響を相殺できるのである。

　要約すれば、貯蓄開始時期を早め、退職時期を繰り下げることにより、十分に退職資金を確保する可能性が高まり、それは、投資リターンの向上がもたらす効果よりも大きい。さらに言えば、仕事のキャリアを長く維持できれば、数年でも長く就労するという有用性をますます実感できることであろう。次においては、HRSのデータを用いて、代替的な戦略が実世帯にもたらす効果について検証する。

退職後収入の目標値とその源泉

　HRS[*1]は、米国の高齢者世帯に関する全米規模の代表的なパネル調査である。1992年に、51歳から61歳のおよそ7,600世帯、12,650名とその配偶者（配偶者の年齢は不問）へのインタビューからはじまり、以来、2年毎に対象者の再登録を行っている[13]。そして、時間の経過と共に、新たなメンバーが調査の対象となり、調査サンプルの規模は実質的に拡大している。調査対象は、戦中世代（1942～1947年生まれ）は1998年に、初期の団塊世代（1948～1953年生まれ）は2004年に、さらに団塊世代（1954年～1959年生まれ）は2010年に、それぞれ加わっている。初期の調査サンプル同様、追加されたこれら3つの世代グループは、2年毎にインタビューを受けている。

　われわれの調査サンプルとしては、65歳未満の世帯に焦点を当て、単身者として報告されている全ての個人は、世帯主として定義される。また、二者一組（カップル）の場合は、男性を世帯主とし、同性の二者一組（カップル）の場合には、所得が高い配偶者を（もし、所得が同等である場合には年長者を）世帯主とする。

　完全なデータを取ることができるHRSの調査世帯は、世帯主が64歳に達するまで繰り返し調査の対象となる場合がある。そのため、調査サンプルデータは（HRSの調査期間で言えば、2000年から2008年までの9期中5期分）、65歳未満の世帯主を擁する21,423世帯からスタートした。この調査サンプル全体から、世帯主が就労していない7,203件と、データが不完全、あるいは一貫性を欠く1,604件が除外され、これらの調整

118

を経た後、12,626件からなる最終的な調査サンプルが得られた[14]。全体的に見ると、就労世帯は非就労世帯と比べて、より多くの教育や恵まれた健康状態にあることから、われわれの調査サンプル世帯は、全体の人口と比べて、より高い社会経済状態にある（表5. A1）[15]。

　われわれの目標は、60歳から70歳の各年齢時における目標所得代替率と予想所得代替率を設定することである。これらの所得代替率がひと度導入されれば、冒頭で示した手法を用いて、確実な退職後収入を実現するための相対的な影響力を検証することが可能となるのである。

目標所得代替率

　われわれは、退職前所得と住宅ローン返済の影響も考慮しつつ、60歳から70歳までの各年齢時においても、現在の生活水準を維持しうる所得代替率を算定している。この目標値の出所は「退職検討プロジェクト」であり、補遺にて解説している。

退職時の予想所得代替率

　次の段階において、退職時の所得代替率の予測を行う。これは各世帯が貯蓄率とアセット・アロケーションを維持し、リバース・モーゲージを採用せずに、現在の方法を継続した場合に予測される所得代替率である。われわれの基本シナリオにおける退職後収入は、従って、社会保障年金給付、雇用者年金からの給付金、および金融資産からの利子配当所得から構成される（所得代替率の算出に関する詳細は補遺を参照）。

様々な所得代替手段の適用

　目標所得代替率と退職時の予想所得代替率の差異は、世帯需要に対して資産がどの程度不足するかによって測定される。これは、不足となる部分を充填する4つの手段において、それぞれがもたらす貢献度を計る上での基準値となる。これらは、有用性の最大化をもたらすものとはならないかもしれないが、現在そして老後における消費の低下を受け入れる、もう一つの戦略となりうるであろう。しかし、われわれの目的は、最適な戦略を割り出すことではなく、先に述べた不足分を埋め合わせるそれぞれの手段において、その効果を算定することにある。

リバース・モーゲージによる収入

　われわれの最初の検証では、リバース・モーゲージを取り上げ、次のように算定する。まず、住宅ローンをもたない自宅保有者が、年齢の若い配偶者と住宅評価額に基づいて、利用可能な最大限のローン金額を設定し、生涯所得コースを選択したと仮定する。その場合、この選択コースによる収入は、2012年1月の金利と契約終了時の一般的な諸経費に基づいている。一方、住宅ローンをかかえる自宅所有者は、退職時の住宅ローンの清算に、金融資産を用いると想定する。仮にローン返済に金融資産が不十分な場合は、リバース・モーゲージの一部を一括払いにして、リバース・モーゲージの生涯所得コースにおける支払金額を減額する。このようなリバース・モーゲージの算定方法によって、自宅所有者は新たな予想退職後収入が得られるのである。

退職時期の繰り下げ

　第2の検証は、退職時期と社会保障年金受給の繰り下げである。退職時期の繰り下げは、401（k）への追加的な拠出機会、投資からの追加的な収益、および社会保障年金増額の機会をもたらし、累積投資継続のために必要な資金繰り期間を短縮する。各年齢における目標所得代替率と予想所得代替率が示されたことにより、退職時期を繰り下げた場合とそうでない場合との違いについて、前者における効果に関するデータを取得できたのは、われわれの基本的な成果である。

アセット・アロケーション

　次に、各世帯が全資産を株式に投資し、実質6.5％のリターンで、リスクの増大に付随する費用はないものと仮定する。こういった「無リスク株式」に100％投資することは、退職時点の想定資産額や退職後に消費できる金額の双方に影響を与える。もし、アセット・アロケーションへの投資が「無リスク株式」といった手法よりも優位性がないのであれば、他の手段を凌駕する影響力は皆無に等しいというのがわれわれの考えである。

消費支出管理

　最後に、貯蓄増強を目的として、追加的な資金を用いながら支出管理を行う。この介入策には2つの効果が期待されている。まず、追加的な401（k）プランの拠出により、退職後資産と退職後収入が増加する。次いで、退職後に世帯が維持すべき退職時点の消費レベルを抑制することで、退職後の消費ニーズを低下させることができる。これを行使することで、401（k）への拠出を5％増加させ、目標とする所得代替率と同等の低減が可能となる。

　われわれが実施した各々の検証結果は、**表5.5**に示されている。標準ケースの場合、74％の世帯が62歳時点で目標代替率を達成できていない。社会保障年金が満額支給となる最終退職年齢の67歳まで就労を続けた場合、その割合は45％まで減少する。また、自宅を保有してリバース・モーゲージを実施する世帯の場合、この割合は65歳で45％まで低下する。各世帯が消費を5％削減、すなわち、貯蓄率をその分増加させて目標代替率を引き下げる場合は、66歳における未達成リスクは45％にまで低下する。さらに、全ての世帯が消費支出を5％削減した場合、すなわち、貯蓄を増やし、目標値を下げれば、65歳時点におけるリスクの割合は45％まで下がるだろう。一方、全ての世帯が残りの就労人生において、全資産を「無リスク株式」に投資し続けた場合、標準ケースより6ヶ月早い66.5歳で45％に到達するであろう。言い方を変えれば、66.5歳から67歳まで、6ヶ月長く働くことで、全ての資産を「無リスク株式」に投資するのと同等の効果が得られるのである。次節では、リスクを考慮しつつ、より長く就労できるようバランスを変化させることが示されている。多くの世帯が金融資産をほとんど持たないとすれば、アセット・アロケーションの影響が軽微であるという事実は、驚くにはおよばない（**表5.6**参照）。

　第2の分析結果には、資産分布において十分位数最上位の世帯に焦点を当て、580,000ドル以上の金融資産を保有する世帯が含まれる。これらの世帯はより裕福であるため、標準ケースであっても62歳で目標値に達しない割合は少ない。すなわち、上位の十分位数が39％であるのに対し、サンプル全体では74％となっている（**表5.5**参照）。もし、この十分位数最上位の世帯が67歳まで就労すれば、その割合は16％に低下

表5.5 目標未達世帯比率

(％)

手段	年齢										
	60	61	62	63	64	65	66	67	68	69	70
全調査サンプル 全標準ケース	89.5	88.9	73.6	69.4	64.1	57.4	51.4	45.3	38.8	32.3	26.2
リバース・モーゲージ活用	89.5	88.9	66.7	61.1	54.4	47.0	40.8	34.8	29.1	23.9	19.2
消費支出の抑制	88.7	87.9	70.7	66.0	59.6	52.2	46.4	39.5	33.1	26.8	21.4
100％「無リスク株式」投資	89.2	88.4	72.7	68.3	62.6	55.5	49.3	42.8	36.3	29.7	23.8
資産額上位10％の家計											
十分位数最上位の富裕層世帯	56.3	54.3	38.5	34.4	29.5	23.5	19.1	16.3	12.4	10.4	7.8
リバース・モーゲージ活用	56.3	54.3	37.0	31.6	25.1	19.8	16.8	13.8	9.9	7.8	5.7
消費支出の抑制	54.2	52.0	35.8	30.5	24.7	19.6	16.8	12.8	10.3	7.9	5.6
100％「無リスク株式」投資	55.7	53.5	37.4	32.5	26.2	20.5	17.0	13.0	9.4	6.5	4.0

出所：著者による推定値、本文参照。

表5.6 十分位数別資産水準 （単位ドル・2011年）

十分位数	金融資産	
	最低	最大
1	0	418
2	438	4,168
3	4,179	14,369
4	14,369	33,642
5	33,654	63,393
6	63,438	108,692
7	108,796	176,346
8	176,534	312,415
9	312,589	579,013
10	579,912	—

出所：HRSを基に、著者が作表。

する。また、これらの世帯がリバース・モーゲージを活用した場合は、66歳で16％程度となる。富裕層の場合は、彼らの総資産に占める住宅の割合が非常に小さいため、リバース・モーゲージの相対的なインパクトは小さくなる。また、消費支出を抑制する世帯の場合、66歳時のリスクの割合は16％にまで低下する。最後に、全資産を「無リスク株式」に投資した場合、十分位数最上位の富裕層世帯は、66歳時で16％に

まで低下する。従って、十分位数最上位の富裕層世帯であっても、アセット・アロケーションは、他の手段以上に強力な手段とは言えないのである。

動的計画法を用いたモデル

　最後の分析では、動的計画法を用いて、ポートフォリオのリバランスから得られる、リスク調整後の潜在的利益基準を算定する。前述の異なる2つの分析アプローチとは対照的に、本分析では、最適な貯蓄率、ポートフォリオの算定、ポートフォリオのリスク変容を勘案しつつ、最適化ポートフォリオ配分の採用による有用性の算定も可能となる。まず、退職時期に近づいた一般的な世帯に焦点を当て、次いで資産において十分位数最上位の富裕層世帯に焦点を当てる。

　分析データにおいて、57歳の一般世帯の世帯所得は62,600ドルで、金融資産は60,500ドルである。この世帯のポートフォリオは、課税繰延口座で運用され、ポートフォリオの資産配分は株式36％、債券16％、現金等50％となっている[16]。ここでは、株式投資のリターンが1926年から2010年の期間平均において、平均6.5％、標準偏差20％という独立同分布に従うものとし、債券と短期預金は共に無リスクで、実質リターンはそれぞれ、3％、1％と仮定する[17]。

　Scholz et al.（2006）に続いて、所得は1次の自己回帰過程（AR（1））に従うものとする[18]。退職年齢が66歳で、401（k）プランへの拠出額が給与の9％を占める世帯では、出生コーホートの中位値となる、年間20,800ドルの社会保障年金給付金を受け取ると想定される[19]。退職前の所得は、連邦所得税、および給与税の課税対象であり、課税繰延口座からの資金引き出しと社会保障年金は、退職後に連邦所得税法の対象となる。退職に先立ち、世帯の消費額は、労働所得から税金と401（k）プランへの拠出金を控除した額に等しくなる。

　上記で述べられた一般的なポートフォリオ配分から、退職後の金融資産の最適な引出額を算定すべく、連邦貧困ガイドライン[*2]を超える消費支出については、CRRA効用関数[*3]を適用する。そして、相対的リスク回避度（以下、CRRA）の値を5または2、さらに1950年出生コーホートの国民死亡率を利用し、時間選好率は3％と仮定する[20]。これには、前

出の一般的なポートフォリオから、年齢変動型の最適化ポートフォリオへと切り替える世帯も含まれている。この分析の目的は、一般的なポートフォリオを保有する世帯の資産増加額を算出し、最適化ポートフォリオの資産配分を採用した時と同様の一定効果が得られるようにすることである。これは、前頁で分析したポートフォリオの中身を全て株式投資に変更した世帯の資産価値や費用を表している。

2つのリスク回避レベルを用いて検証した想定世帯の調査結果は、**表5.7**の上段で報告されている。ここから推察できる情報の一つは、一般的には、世帯における総資産の大部分は、将来の社会保障年金受給額を現在価値に割り引いているというものである。社会保障年金資産は債券に類似する資産であり、このような世帯における最適化ポートフォリオ配分は、CRRA効用関数を前提に、株式に投資された金融資産の大部分が含まれているのである（**表5.8**参照）。

相対的リスク回避度の値を5と仮定した場合、最適化ポートフォリオ（株式投資比率51％）に切り替えず、一般的なポートフォリオ（株式投資比率36％）を所有し続ける世帯にかかる負担は5,800ドルで、これは、退職を一か月繰り下げた場合に、世帯が得る概算額に相当するものとなっている。対照的に、一般的なポートフォリオの場合と、株式に100％投資した場合とを比較すると、一般的なポートフォリオを選択すれば、金額的には一か月の給与所得をやや下回る程度であるが、3,800ドル程度の収入改善がみられる。すなわち、一般的なポートフォリオは、通常のものより優れているとは言えないということである。ともあれ、一般的なリスク回避型の世帯にとって、得られる金額が少ないということは、アセット・アロケーションはさほどの重要性をもたないことを意味しているのである。

リスク回避度がより小さい世帯（CRRA値: 2）の場合も結果は同様である。**表5.8**に示されている通り、最適化ポートフォリオは全額を株式に投資した状態にある。最適化ポートフォリオ（100％を株式に投資）に切り替えず、一般的なポートフォリオ（57％を株式に投資）を保有した場合のコストは26,800ドルで、4か月分超の給与金額となる。このモデルにおける最適化ポートフォリオは100％株式投資であるが、一方、

124

表5.7 一般的なポートフォリオ配分の維持に必要な対価（ドル、2011年）

世帯種類と リスク回避度	最適化ポートフォリオに 切り替えず、一般的な ポートフォリオを保有	株式100%投資に 切り替えず、一般的な ポートフォリオを保有
一般的な世帯		
CRRA＝5	$5,800	− $3,800
CRRA＝2	26,800	26,800
十分位数最上位世帯		
CRRA＝5	$91,000	− $316,000
CRRA＝2	21,000	− 11,600

注：CRRA ＝ 相対リスク回避度不変型の効用関数
出所：著者による算定。

表5.8 一般的なポートフォリオと最適化ポートフォリオ配分
(％)

世帯種類とリスク回避度	
一般的な世帯	
一般的な株式配分	36
最適株式配分−CRRA＝5	51％
最適株式配分−CRRA＝2	100％
十分位数最上位世帯	
一般的な株式配分	57
最適株式配分−CRRA＝5	29％
最適株式配分−CRRA＝2	70％

注：最適な株式配分は65歳で算定。
　　CRRA＝相対リスク回避型効用関数。
　　一般的なポートフォリオ配分は、金融資産がゼロでない全世帯を
　　対象に算定。
出所：著者による算定。

一般的なポートフォリオの保有コストも26,800ドルとなっている。要するに、リスク回避度の程度にかかわらず、一般的な世帯にとって、アセット・アロケーションの影響は比較的軽微ということである。

表5.7の下段は、十分位数最上位の金融資産を有する富裕層世帯を対象にした分析結果を示している。このレベルの世帯になると、所得は137,800ドル、金融資産保有額は889,000ドルにも上り、資産の57％は株式、22％は債券、さらに21％は短期預金等となっている。この世帯に占める社会保障資産の割合は非常に少ないため、最適な株式保有比率は

一般世帯よりも低い水準に留まっている（**表5.8**）。CRRA値5の世帯であれば、最適化ポートフォリオ（株式投資比率29％）に切り替えず、一般的なポートフォリオを保有した場合のコストは91,000ドルである。これも上記で触れた通り、十分位数最上位世帯は、100％株式投資に切り替えるよりも、一般的なポートフォリオを保有する方が良好な結果となり、その際のコストは316,000ドルである。同様に比較可能なCRRA値2の世帯のコストは21,000ドルで、11,600ドルの収益を得る。十分位数最上位世帯においては、求められる収益は一般世帯より大きいものの、より長く就労することに比べれば依然として小さいと言える。

結論

　ファイナンシャル・プランナーは、個人投資家が株式と債券についてのアセット・アロケーションを見直すことで、その収益を著しく拡大できることを強調し、アセット・アロケーションの重要性は示唆するものの、退職時期の繰り下げ、消費支出の抑制、リバース・モーゲージの活用等がもたらす便益についてはほとんど語っていないのである。退職を目前に控えた世帯における一般的な401（k）プランやIRAの資産残高は100,000ドルを下回っており、一般世帯のポートフォリオの再配分による純収益は、他の手段に比べると非常に小さいということをわれわれは明らかにした。そして、高所得世帯においては、その効果はわずかしかなかったのである。

　多くのアメリカ人にとって、アセット・アロケーションがさほど重要ではないという点を考慮すると、ファイナンシャル・アドバイザーは、就労期間の延長、消費支出の抑制、リバース・モーゲージの活用といった広汎な手段に着目することで、顧客にとってより役立つ存在となりうると考えられる。

補遺

　ここでは、所得代替率の計算要素に関する算出方法について説明する。

目標所得代替率

　ジョージア州立大学の「退職検討プロジェクト」は、配偶者の有無、

年齢、および就労状況に応じて変化する4つの退職後所得代替率を提供
しており、それぞれの所得代替率は、20,000ドルから90,000ドルまでの
所得を、1万ドル単位で算出する。HRSの調査に参加した世帯には、こ
れらの要素に基づいた所得代替率が割り当てられており、ここでは、過
去10年の所得平均と同等の所得代替率に切り替えることを前提として
いる[21]。

　退職検討プロジェクトの報告では、住宅ローンをはっきりとモデル化
しておらず、調査サンプルの大半部分は、退職時に住宅ローンを返済す
るか、または金融資産を利用して、未払い残高の一部、あるいは全てを
返済するかのいずれかであることから、目標所得代替率は、われわれの
予想を織り込んだ上で調整される必要がある。この調整には、回答者か
ら報告された年間住宅ローンの返済を目標退職所得から控除し、年間住
宅ローンの返済額に、退職時初期の債務に対する残存住宅ローン債務
（住宅ローン債務から金融資産を引いたもの）の比率を乗じて加算する
ことが含まれている。調整後の目標値は、年齢60歳から70歳の各世帯
に対して算出されている。

予想退職時所得代替率

社会保障年金：予想社会保障年金給付額は、資格を有する研究者が制限
付きでHRSの社会保障所得記録を用いて算出できるようになっている。
社会保障所得記録が利用できない場合には、現在の所得、最初にHRS
インタビューを行った時点での所得、および前職での最終所得等を用い
て記録される[22]。調査が行われた世帯主の年齢と退職年齢の間の賃金は、
社会保障平均賃金指数（以下、AWI）を用いて算定される（AWI；SSA,
2011）。全就労期間を通じた賃金はAWIを用い、また、平均標準報酬月
額（以下、AIME）は、35年間で最も高い指数化賃金によって算定され
る。そして、給付額算定式にはAIMEが用いられ、個人の基礎年金給付
額が導出される。

年金給付：年金給付金は、現行職務の雇用者が運営する年金プラン資産
に関する1998年、および2004年のHRS記録データに基づいている[23]。第
7次から第9次（2004年、2006年、および2008年）世帯は、2004年デー
タ・セットから、また、第5次と第6次（2000年と2002年）世帯は、1998

年のデータ・セットから年金が給付されたものと認識する。そして、それぞれのデータには微妙な相違が存在する。2004年データ・セットの年金給付額に含まれた退職年齢は、60歳、62歳、65歳、70歳であるのに対し、1998年のデータ・セットでは、60歳、62歳、65歳のみとなっている。また、2004年データ・セットは、DB型年金プランからの給付額を調査年度まで割り引いて算定しているのに対し、1998年のデータ・セットでは、退職時まで割り引いて算定している。1998年の年金給付額は、2004年データ・セットにおける65歳から70歳の間の老後資産の平均増加額に基づき、70歳と推定されている。双方のデータ・セットにおいて、63歳、64歳、そして66歳から69歳までの年金給付額は、報告された数値をもとに付け加えられている。

　DB型年金資産における資産額は、年金資産算定[24]に組み込まれている金利、およびインフレ率の想定を用いて年金所得に変換される。また、DB型年金の場合、口座残高が計算の開始ポイントとなり、プラン参加者が給与に対する6％、50％の雇用者によるマッチングや、退職時まで4.6％の実質リターンを拠出することによって口座残高は増加し、拠出額は、昇給率を1.2％として算出される。そして、1998年（第5次と第6次）あるいは、2004年（第7、第8、第9次）以後に就労を初めた人は、新しい職場の年金プランから受け取る年金給付額は無いものと想定する。DB型拠出資産を所得へと転換する事象については、次節の金融資産において論じる。

金融資産：インタビュー開始時から退職時までの間、世帯が株式、債券、および短期預金に投資する金融資産は、それぞれ6.5％、3％、1％の投資リターンを得ると仮定する。これらの利率は、3つの資産クラスにおけるそれぞれの長期平均リターン率に近似している。重要な点は、このような仮定は実際の変動を織り込んでいるのではなく、資産収益を予測するために、全体を通して用いられているということである。ここでの目的は、世帯が目標とする所得代替率の達成に正しく向かっているか否かを評価することであり、この目標を実現する上で、実際に成功したか否かを評価することではない。

　世帯は退職時に、401（k）やIRA残高を含む全ての金融資産とともに、連生年金保険や単生年金保険を購入すると想定する。現在の超低水準金

表5.A1 65歳未満全てのHRS世帯と就労世帯の比較

	就労世帯	全世帯
	(我々の調査サンプル)	
年齢	56.9***	57.4
夫婦	0.644***	0.605
民族別		
アフリカ系アメリカン	0.098***	0.120
ヒスパニック	0.078***	0.085
教育		
高校未満	0.094***	0.143
大学	0.602***	0.542
自宅所有者	0.838***	0.796
住宅価値の中央値（自宅所有者のみ）	$189,000***	$179,000
住宅ローン有	0.546***	0.468
住宅ローン残高の中央値	$93,800***	$89,300
（世帯ローン保有世帯のみ）		
年金		
DBまたはその両方	0.286***	0.096
DC	0.277***	0.134
所得		
中央値	$65,400***	$38,000
75パーセンタイル値	$108,500***	$81,000
金融資産		
中央値	$63,400***	$35,700
75パーセンタイル値	$233,200***	$181,800
調査サンプル数	12,626	21,423

注：HRS調査サンプル量
　***は、世帯レベルの集積度で調整した値が、1%のレベルで有意に異なることを示す。
出所：HRSを基に、著者が作表。

利を反映して、年金商品の利回りは極端に低い。本分析の目的は、HRSインタビュー時における回答者らの意見を考慮し、退職準備のための金融資産の状況を計量化することである。従って、想定される年金型商品の利回りは、5.1%の10年物米国国債、SSAコーホート別生命表に基づく死亡率改善予想値、および現在の消費支出[25]によって算定される。現時点における所得代替率の目標値と予想値は、60歳から70歳における各世帯の観測値が用いられている。

▶ **第5章 章末注**

1 　実際のところ、個人は支出消費ではなく、スムーズな限界効用に関心があると経済学者は断言する。余暇を増やし、より少ない消費支出で同様の限界効用を実現できるのであれば、退職後はより少ない消費レベル生活に応じることが最適であると言えるだろう。これは、学術的には「退職消費パズル」と呼ばれているもので、すなわち、退職後に消費が低下するという一つの解釈を示している。Bank et al.（1998）；Bernheim et al.（2001）；Hurd and Rohwedder（2003）を参照。本章では、このアプローチを参考にしている。

2 　社会保障年金に対する課税上の取り扱いは以下のとおりである。まず、世帯は「合算所得」を計算する。合算所得は、通常の課税所得に社会保障年金給付額の50％を加えたものである。社会保障年金給付金の課税額は、少なくとも次の3つについて検証する；（a）第一閾値（単身者世帯は25,000ドル、既婚配偶者世帯は32,000ドル）を超える合算所得の50％、さらに、第2閾値（単身者世帯は34,000ドル、既婚夫婦世帯は44,000ドル）を超える合算所得の35％、（b）受給額の50％に加えて、第二閾値を超える合算所得の85％、または、（c）受給額の85％（Internal Revenue Service, 2012）。

3 　一連の退職前所得水準について、連邦、州、および地方における所得税額と、退職前後の社会保障税額が算定される。所得水準が異なる階層の消費者貯蓄とその支出を推計するために、米国労働統計局の消費者支出調査も用いられる（Plamer, 2008）。

4 　低所得者における生涯平均所得は、全国平均賃金指数（National Average Wage Index；AWI）の45％程度に相当する。中位所得者ではAWIの約100％、高額所得者ではAWIの約160％程度となり、2010年のAWIは43,084ドルで、最大課税所得は106,800ドルであった。従って、低賃金労働者は19,388ドル、高賃金労働者は68,394ドルを獲得していることとなる。AWIについてのさらなる議論については、Mitchell and Philip（2008）、およびMunnell and Soto（2005）を参照。

5 　Bengen（1994）は、この戦略を採用して株式・債券混合のポートフォリオに投資している世帯であれば、資産不足となるリスクは小さいことを示している。最適ではないものの、適当な損失率ならば、累積投資フェイズで創出された実際のリターンには影響を受けないと想定する（すなわち、実質リターンからは、予想リターン分布に関する情報を得ることはできない）。

6 　米国において、多くの貯蓄は雇用主が提供する年金プラン、主に401（k）プランを通じて行われている。従って、必要貯蓄率は、雇用主と被雇用者双方からの拠出による合算拠出率と認識されるべきである。

7 　投資リスクを勘案すれば、現実的に、実質リターン7％を期待するには、相当のリスクを想定してのみ実現できるものである。またそれには、最適な貯蓄の概念も考慮されるべきである。退職後の貯蓄を始めていない中高年世帯における最適な戦略は、退職時期を繰り下げるだけでなく、合わせて、退職後の支出消費目標も引き下げることなのである（Kotlikoff, 2008）。

8 　これは、経済全般における社会保障信託基金（SSA, 2011）を用いた仮定である。個々の労働者は、職場での年功を重ねるにつれ、より急速な賃金上昇を得る可能性もある。他の全ての条件が同じであれば、これによって、必要貯蓄率を増加させることになる。

9 　現行法の下では、社会保障信託基金が消失した場合、支給額は削減されることとなる。

10 　より最新の分析では、目標所得代替率は調整される。すなわち、ある個人が所得の65％を貯蓄した場合、その人は所得の35％で生活することとなる。目標を

130

80%とするのは適正ではない。

11 これらの結果は、Mitchell and Moore（1998）の報告と同様の内容である。

12 Ibbotson（2010）のデータは、1926年から2010年の間、株式の実質リターンは6.5%で、10年物米国国債では2.4%であることを示している。

13 HRSは、ミシガン大学社会調査研究所（ISR）によって運営され、米国国立老化研究所からの資金提供により活動を行っている。詳細は、ISRウェブサイト（http://hrsonline.isr.umich.edu/.）を参照。

14 観測値を分析から排除した主たる理由は、世帯主が就労中と報告されているにもかかわらず、所得がゼロであるためである。世帯主が前回調査同様の職務にあり、前回調査においても所得がある場合は調査サンプルを維持する。

15 富裕水準は、インフレを考慮した後、Moore and Mitchell（2000）によって報告された内容と同様である。

16 課税口座と課税繰延口座の双方を導入し、世帯がこれら口座から引き出す順序を選択可能にすると、追加的な洞察も得られず、複雑さのみ増大する。

17 単一期間モデルでは、株式も債券もそれぞれリスクを伴う。長期においては債券、とりわけ、物価連動米国債は元本リスクが存在しなくなることから、真の無リスク資産であるとCampbell and Viceira（2002）は主張している。長期投資家が自らの消費支出要件を確実に認識していれば、適正な満期償還の債券をポートフォリオに組み入れて切り替えを行うであろう。したがって、社債固定利回りの実質リターンは3%と推定している。短期金利は、最終的にはより正常な水準に戻るだろうという目論見を反映し、実質リターン率は現状のマイナス実質金利を大幅に超過すると想定した。

18 これに代わる考え方としては、世帯が恒久的、および一時的な賃金ショックの双方を経験していると想定することである（Chai et al., 2011）。

19 勤労所得における不確実性を前提とすると、世帯は社会保障年金給付の水準に関しても、ある一定の不確実性に遭遇している。

20 学術研究におけるリスク回避係数は2～10の範囲であり、その推計値はポートフォリオ理論に基づいて算定されたか、保険の購入に関わり推計されたか、経済実験によるものか、宝くじの選好によるものか等の事情によっても影響を受ける（Chetty, 2003）。

21 ここでの10年は、サンプル調査に先立つ10年を指し、退職に先立つ10年を指すのではない。

22 社会保障の所得記録が利用可能でない場合、Gustman and Steinmeier（2001）の手順に従い、Anderson et al.（1999）からの推定在職期間を用いて、前職とその賃金に関するHRSデータから所得履歴を推計する。

23 HRSの参加者は、雇用者運営の年金基金から予想給付額についてたずねられた。また、HRSは同時に、参加者の雇用主からも年金プランのデータを取得している。参加者から得られた年金データは、膨大な数の無回答や年金の種別に関する誤った報告等の問題が付随する。われわれは、HRSが参加者の雇用者から得られた情報の使用を検討したが、これらのデータが網羅するのは、参加者の3分の2であった。

24 年金所得の回答者の推計値から年金資産を算定し、さらに年金資産が生み出す年金所得を再推計するのに同様の仮定を用いる場合は、金利に関する仮定は不適切である。

25 算定を容易にすべく、配偶者は世帯主と同年齢と仮定している。

▶ **第5章** 参考文献

Anderson, P. M., A. L. Gustman and T. L. Steinmeier (1999). 'Trends in Male Labor Force Participation and Retirement: Some Evidence on the Role of Pension and Social Securityin the 1970s and 1980s,' *Journal of Labor Economics*, 17 (4), Part 1: 757–83.

Banks, J., R. Blundell, and S. Tanner (1998). 'Is There a Retirement-Savings Puzzle?' *The American Economic Review*, 88 (4): 769–88.

Bengen, W. (1994). 'Determining Withdrawal Rates Using Historical Data,' *Journal of Financial Planning*, 17 (3): 64–73.

Bernheim, D., J. Skinner, and S. Weinberg (2001). 'What Accounts for the Variation in Retirement Wealth Among U.S. Households?' *The American Economic Review*, 91 (4): 832–57.

Campbell, J. Y., and L. M. Viceira (2002). *Strategic Asset Allocation: Portfolio Choice for Long-Term Investors.* Oxford, UK: Oxford University Press.

Chai, J., W. Horneff, R. Maurer, and O. S. Mitchell (2011). 'Optimal Portfolio Choice Over the Life-Cycle with Flexible Work, Endogenous Retirement, and Lifetime Payouts,' *Review of Finance*, 15 (1): 875–907.

Chetty, R. (2003). 'A New Method of Estimating Risk Aversion,' NBER Working Paper No. 9988. Cambridge, MA: National Bureau of Economic Research.

Gustman, Alan L. and Thomas L. Steinmeier (2001). 'How Effective is Redistribution under the Social Security Benefit Formula?' *Journal of Public Economics*, 82 (1): 1–28.

Hurd, M., and S. Rohwedder (2003). 'The Retirement-Consumption Puzzle: Anticipated and Actual Decline in Spending at Retirement,' NBER Working Paper No. 9586. Cambridge, MA: National Bureau of Economic Research.

Ibbotson Associates (2010). *2010 Ibbotson Stocks, Bonds, Bills, and Inflation* (*SBBI*) *Classic Year-Book.* Chicago, IL: Morningstar, Inc.

Internal Revenue Service (IRS) (2012). *Individual Retirement Arrangements.* Publication 590. Washington, DC: United States Department of the Treasury. http:// www.irs. gov/pub/irs-pdf/p590.pdf(翻訳時点で該当ページ無し)

Kotlikoff, L. J. (2008). 'Economics' Approach to Financial Planning,' *Journal of Financial Planning*, 21 (3): 42–52.

Mitchell, O. S., and J. F. Moore (1998). 'Can Americans Afford to Retire? New Evidence on Retirement Saving Adequacy,' *Journal of Risk and Insurance*, 65 (3): 371–400.

—— J. W. R. Phillips (2008). 'Hypothetical versus Actual Earnings Profiles: Implications for Social Security Reform,' *Journal of Financial Transformation*, 24: 102–4.

Moore, J. F., and O. S. Mitchell (2000). 'Projected Retirement Wealth and Savings Adequacy in the Health and Retirement Study,' in O. S. Mitchell, P. B. Hammond, and A. M. Rappaport, eds., *Forecasting Retirement Needs and Retirement Wealth.* Philadelphia, PA: University of Pennsylvania Press, pp. 68–94.

Munnell, A. H., and M. Soto (2005). 'What Replacement Rates Do Households Actually Experience in Retirement?' Center for Retirement Research at Boston College Working Paper 2005-10. Cambridge, MA: National Bureau of Economic Research.

Palmer, B. A. (2008). 'Aon Consulting's Replacement Ratio Study,' Global Corporate Marketing and Communications.

Scholz, J. K., A. Seshadri, and K. Surachai (2006). 'Are Americans Saving "Optimally" for Retirement?' *Journal of Political Economy*, 114 (4): 607–43.

United States Social Security Administration (SSA) (2011). *The Annual Report of the Board of Trustees of the Federal Old-Age and Survivors Insurance and Federal Disability Insurance*

Trust Funds. SSA-66-327. Washington, DC: GPO.

—— (2012). *The Annual Report of the Board of Trustees of the Federal Old-Age and Survivors Insurance and Federal Disability Insurance Trust Funds.* SSA-66-327. Washington, DC: GPO.

▶ **第5章** 訳者注

＊1

「健康と退職に関するパネル調査」（Health and Retirement Study；HRS）についての最新情報は、巻末のウェブサイト一覧を参照。

＊2

連邦貧困ガイドライン（Federal Poverty Guidelines）とは、米国保健福祉省（Department of Health and Human Services）が行う、毎年更新される収入レベルを決定するためのガイドラインで、貧困ライン（Federal Poverty Level：FPL）はその指標である。これは、米国における貧困層決定の基準となる年収レベルを表したもので、特定のプログラムや様々な給付措置に対して資格があるかどうかの決定に使用される。

＊3

CRRA効用関数とは、相対的リスク回避度一定効用関数（Constant Relative Risk Aversion Utility Function）のことであり、相対的リスク回避度がどのような効用水準（消費水準、あるいは所得水準）においても一定となるような効用関数を示している。

第6章

職場における
ファイナンシャル・アドバイスの進化

クリストファー L. ジョーンズ、
ジェイソン S. スコット

　過去数十年の間に、従業員退職年金制度は、専門的に管理された年金資産から離れ、自身の資産と貯蓄の決定に個人自らが負担を負う制度へと大きく変化した。今日、数千万人の従業員が、将来の生活の質に大きな影響を与えるDCプランにおいて投資と貯蓄の決定に直面している。こうした変化に対応して、雇用主は、従業員に特定の投資アドバイスを提供する機会を増やしている。しかし、実際の職場環境では、投資アドバイスを提供する従来型の手法に、重要な課題がもたらされている。本章では、過去15年間に職場におけるアドバイス業の市場がどのように発展したか、テクノロジーが投資アドバイスの策定と提供をどのように変えたか、そして規制環境がDCプランにおけるアドバイスの利用可能性と利用方法にどのように影響したかを示す。

　米国における職場向けの投資アドバイザリー・サービスの主な特徴は、政府規制当局、プラン・スポンサー（雇用主）、プラン加入者（従業員）という3つの異なる利害関係者グループの要件と選好に対処しなければならないことである。アドバイスが首尾よく受け入れられるには、これら3つの利害関係者の持つフィルターを通過しなければいけないのだ。例えば、規制要件を満たさないアドバイスは、アドバイス市場のスタートラインにも立てない。同様に、規制要件を満たしていてもプラン・スポンサーの懸念に対処できていないものは採用されない。また、投資行動に何らかの影響を与える場合でなければ、個々の加入者はアドバイザリー・サービスを利用したいと考えない。最後に、アドバイザリー・サービスは、広範なプラン加入者のニーズに対して費用対効果のある内容でなければならない。

　職場におけるアドバイザリー・サービスを成功させるには、従業員の退職後の目標を達成するための適切な投資戦略の策定を支援し、多様な従業員のニーズにも対応しなければならない。多くの制度加入者は、従来型のRIAの顧客である富裕層とは異なり、投資の経験がほとんどなく、保有資産も少ない。たとえば、2011年のFinancial Engines社（後のEdelman Financial Engines社）の会員の401（k）口座平均残高は約38,000ドルだった[1]。このように控えめな残高の顧客に対する個人向け投資アドバイスは、アドバイザリー・ビジネスのビジネスモデルにとって、採算の取れる最低資産額という追加要件を課す。さらに、プランの加入者は、知識や関与のレベル、リスク選好、および個々の資産状況の点で異なる。従って、このような加入者のアドバイスニーズに対応するには、顧客への真摯な取り組みとコミュニケーションへの多面的なアプローチが必要である。従業員のゲートキーパーとして、プラン・スポンサーは、プランがどのようなアドバイス・サービスを利用できるかを決定する上で重要な役割を果たす。ERISAに基づく受託者責任は、プラン・スポンサーに対し、職場向けのアドバイザリー・サービス・プロバイダーを採用する際に適切な選考プロセスを経ることを要求する。このデュー・デリジェンス要件のために、プラン・スポンサーは、職場向けアドバイザリー・サービスの開発・提供において重要な役割を担う。最後に、後述するように、政府の規制当局と政策立案者、特に米国労働省と議会の行動は、職場向け投資アドバイスの進化を形作る上で重要な役割を果たしてきた。

職場におけるアドバイス：空白を埋める

　1990年代半ば、DCプラン、特に401（k）プランが、多くの米国労働者にとって中心的な役割を果たし始めた。当初、従来のDB型年金を増額するための追加的な年金制度と見なされていたが、現在では多くの企業が401（k）を従業員に提供する主要な退職年金制度として利用している。この動きは、投資判断や投資リスクの負担を個人投資家（従業員）にシフトさせた。多くのプラン・スポンサーや政策立案者は、典型的なプラン加入者の持つ知識と必要とされる専門知識の間に大きなギャップがあることを認識し始めた。また、これらプラン加入者が退職後の資産

を形作るために、十分な情報に基づいた投資判断が必要であることも認識し始めた。

　1980年代から1990年代にかけて、一般社員向け支援は主に投資の概念に関する一般的な投資教育に限定されていた。プラン加入者に提供されたコミュニケーションの場では、分散投資と資産配分の一般的な概念について語られたが、ほとんどがプランの持つ投資オプションを用いて適切なポートフォリオを構築するといったような具体的なアドバイスは提供されていなかった。さらに、多くの企業は、定期積立貯金とその複利効果の価値を説明するために設計された簡単な退職金計算ツールを提供するのみであった。

　これら単純なモデルの大きな問題は、資産配分を「リスク・リターン」のトレードオフとみなすことによって、リスクテイクを奨励したことである。

　つまり、このようなツールの多くは、将来の退職後資産の見積もりに、投資期間全体で均一に複利適用される仮想収益率を提供することを加入者に求めたのである。しかし、これらツールの計算は純粋に決定論的なもので、最も高い期待リターンを持つ資産に配分して、リターンが下降する時期などは存在しないかのように扱った。つまり、投資リスクを無視したのである。機関投資家、とりわけDB型年金は、長い間、投資リスクの影響を評価し、リスク選好に関する情報に基づいた選択を行うために、高度なシミュレーション手法を用いてきたが、こうしたツールは1990年代半ばまで個人投資家には広く利用されていなかった。このようなモデル・ツールを開発する際の複雑さと割高なコストによって、最も裕福な投資家とそのアドバイザー以外では使われなくなった。

　上記のような経済理論と便利ではないツールだけが、加入者が職場で質の高い投資アドバイスを受けるにあたっての阻害要因だけではなかった。スポンサーの関心もその一因となっていた。プラン・スポンサーは、ERISAのセクション404（c）に基づく受託者責任を侵すリスクに慎重であった[2]。多くのスポンサーは、従業員に直接投資アドバイスを提供するような支援ツールを提供することに懸念を抱いていた。加入者がこのようなアドバイスに従い、その結果損失を被った場合に、自らが訴えられることを恐れていたのである。その一方で、多くのプラン加入者が

401（k）口座で投資がうまく行っていないことがますます明らかになってきた。よくある失敗例として、自社株への過度な投資、過去のパフォーマンスへのこだわり、不適切なリスクレベルの選択、雇用主とのマッチング拠出を含む貯蓄機会の未活用等が挙げられる。雇用主も政府当局も、加入者の意思決定の不適切さを警戒して見始めた。加入者の大半は、退職後に向けた投資について十分な情報を得ておらず、投資の管理を適切に行えていないことが明らかになってきた。

　規制環境もまた、1990年代初頭の職場におけるプラン加入者へのアドバイス不足の重要な要因の一つであった。米国では、401（k）の制度はERISAの対象となっており、適格退職年金加入者にアドバイスを行う事業体に厳格な制限を課している。ERISAは、その中核として、プラン加入者を自己取引やその他の利益相反から保護しようとしている。401（k）プランが米国で導入された初期時点では、大規模なレコードキーパーや資産運用会社など、従来からの投資アドバイス業者は、一般的に、プラン加入者へ投資アドバイスを提供することを禁じられていた。ERISAでは、プランにおけるこのような投資運用会社からのアドバイスを行うと、実施した機関には罰則を課している。ERISAの「禁止取引ルール」では、自己取引に対する経済的インセンティブがある場合、投資運用会社が自社商品についてアドバイスを提供することを禁止している。プラン・スポンサーもプロバイダーも、これら法的およびコンプライアンス上の懸念から、投資アドバイスの提供にあまり関心を示さなかったため、プラン加入者は、取り残され、自分自身だけの判断に任されていた。

　規制当局は、プラン加入者に必要な支援を提供することにスポンサーが消極的であることを認識し、そのような支援を安全に提供する方法を明確にすべく模索した。1996年、米国労働省が、「Interpretive Bulletin（解釈文書）96-1」（1996. Pension and Welfare Benefits Administration. 29 CFR Part 2509. Federal Register, 61（113）: 29586–90. Washington, DC.）を出した。これは、プラン・スポンサーが困っている従業員への支援を強化することを奨励しようとしたものである。この通達は、職場向けアドバイザリー・サービスの市場で1つのマイルストーンとなり、中でも以下の2つが目玉となった。1つ目は、ERISAの下で、プラン・スポン

サーに対する投資教育と投資アドバイスとの間に明確な境界線を定義したことである。2つ目は、米国労働省がプラン加入者にとって役立つ支援策を増やすことへの支持を明確にしたことである。その後一連の関連したやり取りを経て、米国労働省はスポンサーに対し、プラン加入者にアドバイスを与える独立した受託者を採用することによって、法に触れないアドバイスを提供する道筋を示した。こうして、プラン・スポンサーは、慎重な選択とモニタリングのプロセスに従事する限り、提供されたアドバイスに対する責任を回避することができるようになったのである。このことは、退職年金プランの投資判断を行う際に、プラン加入者が「自力のみ」であるという歴史観が変化したことを示しており、多くのスポンサーが、従業員のもつ重要であるが、重い負担を軽減することを支援できるようになったのである。

職場におけるアドバイスの新しいモデル

　米国の職場向けアドバイス市場は、1990年代半ばに、従業員のインターネットへのアクセスが急速に増加したことで始まった。これにより、数百万人の退職年金プラン加入者に低コストでサービスを提供し、投資選択の管理に有効な双方向性のアドバイザリー・サービスを提供することができるようになったのである。1995年と1996年に、2つのベンチャーキャピタルが支援するスタートアップ企業である「401（k）Forum社」（後の「mPower社」、2003年にモーニングスター社が買収）と「Financial Engines社」がカリフォルニアに設立され、401（k）プランの加入者に、独立した費用効果の高い投資アドバイスを提供し始めた。両社は、独立したアドバイザリー・サービスを事業主に販売するビジネスモデルを採用し、事業主はこれをプラン加入者が利用できるようにした。

　この新しいアプローチの主な特徴は、投資商品の組成または販売を回避させることにより、ERISAの下での禁止取引の可能性を回避させることであった。自己取引のインセンティブを防ぐためには、アドバイザリー・サービス収入がアドバイス自体に依存しないビジネスモデルが必要であった。企業をプランのファンドから独立させることによって、ERISAの自己取引規則に違反しないようにするのである。

　Financial Engines社は、1996年に、スタンフォード大学の金融経済学

者でノーベル賞受賞者であるウィリアム・シャープと、スタンフォード大学ロースクールの教授で証券取引委員会（SEC）の元委員であるジョセフ・グランドフェストによって共同設立された。同社の創業時のビジョンは、アカデミックな金融論や機関投資家レベルの資産管理方法から最も良いところを取り入れて、一般投資家のニーズに応えることにあった。インターネットの爆発的な成長に伴い、シャープは、プランの口座残高に関係なく加入者に質の高い個人別投資アドバイスを提供できるテクノロジーを適用する機会をとらえたのである。

　これまでは、現代の金融経済学の技術を多くの個人投資家に個別で提供するにはコストが高すぎた。投資アドバイザーは、従来、富裕層の投資家に焦点を当ててきた。個人的な投資戦略を構築するために、各顧客と個人的に対話するのである。これらのアドバイザーは、金融だけでなくその他の分野も含め、深い専門知識を持つことが期待され、サービスの一環として、各顧客との関係構築に多大な時間を費やさなければならなかった。このモデルにおける投資アドバイスのコストは、昔から変わらず今でもかなり高いものである。たとえば、ほとんどの独立した投資アドバイザーは、顧客の資産に対しての年率でサービスの料金を請求する。投資アドバイザリー・サービスの料金は、提供されるサービスの種類および顧客口座の規模に応じて、一般的に資産の50ベーシスポイント（0.5%）から200ベーシスポイント（2%）を超える。アドバイザーにとって利益を上げるためには、顧客口座がアドバイザーの間接費や報酬を賄うのに十分な手数料を支払わなければならない。このモデルは、401（k）口座に数千ドルしか入っていない顧客相手では、経済的には実現不可能である。401（k）のアドバイス市場をターゲットとしたFinancial Engines社などのアドバイスは、ITを基盤としたものであり、加入者に適度なバランスで個別の投資アドバイスを提供することを大規模にかつ安価で実現可能にした。プランのスポンサーは、富裕層だけでなく、すべての従業員を支援するサービスを求めた。投資分析プロセスの多くを自動化する技術を利用することで、従来よりもはるかに安いコストで質の高いアドバイスを提供することが可能になった。

オンライン・アドバイスの体験

　Financial Engines社は、1998年に401（k）プラン加入者向けの最初の
オンライン投資アドバイザリー・サービスを開始した。オンライン・ア
ドバイス・サービスは、適切な退職年金投資戦略を策定するために、ど
のファンドを売買するかについての具体的な提言をプラン加入者に提供
した。ユーザーはサービスにログインし、投資リスク、貯蓄、退職まで
の期間のさまざまな組み合わせのトレードオフをインタラクティブに探
求することができる。この「成果ベース」型アプローチは、大規模な年
金制度で実施されたALM分析で用いられた技法を模したものであるが、
現在では、何千人もの受給者を抱える大規模なDB型年金制度ではなく、
個々の加入者の規模で実施されている。初めて、プラン加入者は、洗練
されたモンテカルロ・シミュレーションによって退職後の資産の結果に
ついて現実的な見解を得ることができた。さらに、異なる意思決定がど
のように目標達成の確率を変化させるかを探ることもできる。最後に、
最適化エンジンに組み込まれた専門知識を活用することで、401（k）プ
ランで利用可能な投資オプションを最大限活用する方法について、具体
的な提言を受けることができる。そして、このサービスの費用は雇用主
が負担し、加入者は自己負担なしで利用できるようになった。これは、
加入者に前払い金の支払いを求めることが、サービス導入の新たな障壁
となる可能性があったため、プラン加入者にサービスを利用してもらう
上で、考慮すべき重要事項だった。多くのスポンサーは、一般的な教育
が「目立った変化を起こす」ことができず、投資家の行動を変えること
ができなかったことを十分に認識しており、いくつかのスポンサーは、
一部の従業員が高い保有率を持つ自社株に関する潜在的な訴訟リスクを
懸念していた。

　大規模なプラン・スポンサーは、オンライン・アドバイス・プログラ
ムの進化においても重要な役割を果たし、加入者が自分のデータに簡単
にアクセスできるように、またワンクリックで取引を実行できるように、
レコードキーパーが提供するプラットフォームとの緊密な結合が必要で
あった。加えて、様々なプランの持つ複雑さを適切に扱う必要があった。
例えば、あるプランでは、加入者が時間をかけて取引できるようにする
ための取引制限を設けていた。安定したバリューファンドを持つプラン

はしばしば、安定したバリューファンドから他の債券ファンドへの資金流出を制限する「エクイティウォッシュ条項（Equity Wash Provisions）」を持っていた。他のスポンサーは、特定の加入者に対して複数のプランを用意していた。1998年から2011年の間に、Financial Engines社は、これらのニーズに対応し、プラン加入者により便利な体験を提供するために、オンライン・アドバイス・サービスの能力を拡大した。

　にもかかわらず、一部の加入者に個別アドバイスに注意を向けさせることには、依然として課題があった。一般的な教育よりも個別のアドバイスに好意的な反応を示した人が多かったが、専門家のアドバイスを受け入れることはあまり普及しなかった。その中で、オンライン・アドバイス・サービスの採用において、利便性が大きな要因であることが判明した。最も重要で便利な機能の1つは、各プラン加入者が手動で入力しなければならない情報量を最小限に抑えるために、レコードキーパーシステムから加入者データをダウンロードできることであった。また、Financial Engines社はアドバイザリー・サービスをスポンサーが支持することが、導入を促進する上で重要であることに気付いた。加入者は、サービスが自らの将来にどのようなメリットをもたらすかと同様に、サービスそのものの存在を知らされる必要があった。加入者には、雇用主が提供するデュー・デリジェンスを評価する傾向があり、雇用主が支持・承認したアドバイスを信頼する傾向があった。

　Financial Engines社がさまざまなプランの母集団での利用実績を蓄積するにつれて、職業別構成といった人口統計学的な要因がオンライン・アドバイスの採用パターンに影響を及ぼしていることが明らかになった。オンライン・アドバイスの使用法も、プラン・スポンサーによって大きく異なることが観察された。導入初年度には、平均的なプラン・スポンサーは、従業員の約10〜15％がオンライン・アドバイスを利用していた。しかし、ホワイトカラーの労働者、特にテクノロジー関連分野の労働者は、この平均の2倍か3倍の利用率を示すことがあった。対照的に、製造または輸送に従事する工場労働者が加入者の多くを占めるプランにおいては、しばしば利用率が低かった。図6.1は、2011年第4四半期末時点で、Financial Engines社のサービスを利用する450社以上のプラン・スポンサーを対象に、オンライン・アドバイスの利用状況を示している。

図6.1 オンライン・アドバイスの利用

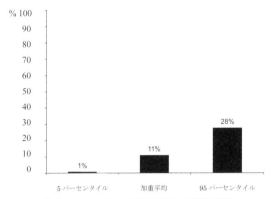

出所：Financial Engines社データベース（2011年12月31日）から著者の計算。

　利用率のばらつきは著しく、95パーセンタイルの28％から5パーセンタイルのわずか1％までさまざまである。加入者の加重平均利用率は11％であった。利用率の上限に位置するプランでは、加入者の職種構成が利用率を上げやすかったことや積極的なコミュニケーションプログラミングの結果であった。一方、利用率の下限に位置するのは、最近アドバイスを採用したか、コミュニケーションプログラムを提供しなかった企業が含まれていた。

　オンライン・アドバイスのユーザーは、また、より広範なプラン加入者の母集団とも多少異なり、平均的な加入者よりもやや若く、かなり裕福な傾向がある。さらに、平均的な加入者よりも貯蓄が多く、一般的に401（k）プランにより深く関わっている。**表6.1**は、オンライン・アドバイスの利用者と一般的なプラン加入者を比較したものである[3]。

　全体として、オンライン・アドバイス・サービスは、プランデザインに関するプラン・スポンサーの意思決定に影響力を持つ傾向にある、より富裕な、より積極的なプラン加入者にアピールする傾向がある。この意味で、アドバイザリー・サービスを提供しているほとんどのプランの平均的な加入者とは異なっている。

表6.1 オンライン・アドバイス利用者の人口統計学的比較

	オンライン・ アドバイス利用者	対象従業員総数
平均年齢（歳）	46.3	46.4
平均残高（$）	159,103	89,549
残高中央値（$）	74,428	30,579
平均給与（$）	87,813	69,358
平均貯蓄率（給与のパーセントで）	9.0	7.0

出所：Financial Engines社データベース検索Q1, 2012から著者の計算。

2001年SunAmerica社に関する意見書

　2001年には、職場におけるアドバイス市場に重大な影響を及ぼす規制見直しの進展があった。SunAmerica社は、自社商品がラインナップに含まれている401（k）プランの加入者に対して、自社ブランドのもとで投資アドバイスを提供することを許可するよう、米国労働省に「意見書」を求めた。ただし、そのアドバイスは独立した第三者の専門家によって提供されることを条件とした。米国労働省は、SunAmerica社「意見書」（2001. Advisory Opinion. 2001-09A. Washington, DC: DOL）を発行し、ERISAの下で規定されている禁止取引を免除できる具体的な条件を提示した。この「意見書」の実質的な影響は、401（k）市場において大規模な資産運用会社やレコードキーパーが、独立系の投資アドバイザー会社と協力して、プラン加入者に提供される他のサービスと投資アドバイスを結合し、独自のブランドのもとで提供することができるようにしたことである。それから数年間で、401（k）の金融サービス会社の多くは、Financial Engines社などの独立系アドバイザーと協力して、プラットフォーム上で統合されたアドバイザリー・サービスを提供するようになった。401（k）ビジネス企業が自社ブランドでアドバイスを提供できるようにすることで、投資アドバイスを401（k）プラットフォーム上に深く統合することが容易になり、顧客の利便性がさらに向上することになる。アドバイスは他の401（k）サービスにバンドルされていることが多いため、その結果、プラン・スポンサーによるアドバイザリー・サービスの採用も加速した。

　これらの動きは、Financial Engines社などの独立系のアドバイザーに、

アドバイザリー・サービスの範囲を拡大し、多額の固定費を投下しても、より洗練されたプラットフォームにアップグレードする機会を提供した。彼らはまた、401（k）プランにおける独立したアドバイザリー・サービスが、より多くの雇用者の間に新たな「ベストプラクティス」になるという見方を加速させた。オンライン・アドバイザリー・サービスの市場が成熟するにつれて、年金プランを双方向的に構築・実施するためにオンライン・アドバイザリー・サービスの利用に時間と労力を費やしたいと考えているのは、一部のプラン加入者だけであることがますます明らかになった。

　継続的なコミュニケーション・キャンペーンにもかかわらず、ほとんどのスポンサーにとってプラン加入者人口の1/4をはるかに超える普及率を達成することは難しかった。そこで、重要な課題は、加入者人口の他の3/4にどのようにアプローチするかということになったのである。

マネージド・アカウント

　Financial Engines社は、2003年、オンライン・アドバイスに非積極的な加入者のニーズに、よりよく応えるサービスを設計すべく開発に着手した。この「消極的な投資家」の集団が、退職後の生活支援についてどのようなサービスを求めているのかを明らかにするために、加入者への広範なインタビューとグループ調査が実施され、2つの重要なテーマが浮上した。

　第一に、加入者の多くは、対話型のオンライン・プランニングの体験に関心がないか、利用する時間がなかった。その代わり、彼らは、日常の関与を最小限に抑えて口座を管理する責任を一任できる「ハンズオフ」（不干渉）による打開策を求めた。そのような加入者にとって、退職金ポートフォリオの管理まで負担したくなかったのである。そして、第二に、異なる人口別のセグメント、特に退職に近い年配の加入者は、質問に答えてくれて、意思決定の妥当性を確認できる非オンライン型での相談を求めていた。後者の加入者は、専門家と相談することなく意思決定を実行することに神経質になることもあった。これら2つの人口セグメントからの洞察を結びつけると、自由裁量の口座管理構造を持ち、電話でのアドバイザーへの相談を可能とするサービスが必要であること

が明らかになった。

　401（k）口座における裁量運用の考え方は、ERISAのセクション3（38）により容易に受け入れられた。これにより、受託者責任を持つ（適格な）運用マネージャーは　プラン加入者に代わって投資判断を行う一方、運用マネージャーを選定するプラン・スポンサーは、運用マネージャーの投資判断に対する不利益から保護されるようになった。長年にわたりようやく確立されたフレームワークは、従来のDB型年金プランでは数十年にわたって実施されており、プラン・スポンサーにはよく知られていたことである。もちろん、投資アドバイスの場合と同様に、禁止取引規程は適用される。Financial Engines社や他のマネージド・アカウントの独立ベンダーは、プラン向けファンドを販売または管理していなかったため、自己取引の可能性を回避することができた。実際、スポンサーにマネージド・アカウントを提供する投資マネージャーを雇ってもらえるようにすることは、オンライン投資アドバイスを販売した初期数年間の責任問題を克服するよりも容易であった。

　Financial Engines社は、2004年に最初のマネージド・アカウントの顧客を持ち、同年末までにAUMを10億ドル以上に積み上げた。このサービスは、Financial Engines社が加入者に代わって投資ポートフォリオの運用・管理を引き継ぐ、投資一任型のマネージメント・アカウントとして構築された。加入者が登録すると、Financial Engines社は、レコードキーパーから得られた情報に基づいて、彼らの提案するポートフォリオ配分を示す「プランプレビュー」を生成する。「プランプレビュー」では、アドバイスの基礎となったデータと前提条件が開示され、加入者はオンラインや投資アドバイザーの担当者に電話することで、提案内容をさらに個々のニーズに合うようにすることができた。利用者は、リスク選好度、退職年齢、対外資産、自社株保有度合いなどプログラム内のパラメーターをカスタマイズすることができる。利用者が自分の口座を個別に変更すると、新しい提案を示す修正された「プランプレビュー」が生成される。このどの時点でも、マネージド・アカウントユーザーは、一般的な退職に関する質問に答えたり、加入者が退職年金プランを個別化したり、退職後の収入計画を立てるのに役立つ投資アドバイザーと話すことができるようになったのである。Financial Engines社の場合、投

資アドバイザーは専用のソフトウェアを使用して、これらの投資推奨銘柄を作成し、予測や診断統計を提供する。オンライン・アドバイスと同様に、これらの投資案の提示は、同社システムによって厳密に作成され、加入者がどのアドバイザーを利用しているのかに関係なく、一貫した高品質のアドバイスが提供されるようになったのである。

オンライン・アドバイスとマネージド・アカウントの重要な違いは、利用者がプランを実行させるためのアクションをとる必要がないことである。利用者がプログラムに参加すると、Financial Engines社は、資金をターゲット・ポートフォリオに移動するために必要な売買取引を処理し、その後、必要に応じて調整を行って、各口座を継続的にモニタリングする。ターゲット・デート・ファンドの戦略と同様に、マネージド・アカウントのポートフォリオ配分は、利用者が退職日に近づくにつれて、徐々に保守的になる。ターゲット・デート・ファンドとは異なり、各ポートフォリオは加入者に合わせて個別にアレンジされる。例えば、よりリスク回避的な加入者のポートフォリオは、リスクを求めている加入者のそれと比較して、債券投資への配分が傾いているといったようにである。また、マネージド・アカウントは、キャッシュ・バランス・プランの存在や、自社株所有に制限されたポジションなど、プラン固有の状況にも適応することができる。このような個人差やプランの違いを考慮したファンドの配分がさらに個別に含まれることで、このプログラムでは、加入者のニーズにより適した効率的な配分を提供することができる。

マネージド・アカウントのもう1つの重要な特徴は、プラン加入者が自身のDCプラン口座からプログラムのフィーを支払うことである。原則として、マネージド・アカウントの加入者は、手数料のみの投資アドバイザーがサービスに課金するのと同様に、同口座の投資一任型のマネージド・アカウントに対して、委託資産ベースでのフィーを支払う。この口座管理フィーは通常、四半期に一度（後払い）、加入者の口座残高から引き落とされる。プラン・スポンサーは、このサービスに対して費用を支払う必要がないため、プラン加入者にこのようなプログラムを提供する際の障壁は少ない。当然のことながら、加入者はこのサービスにお金を払うので、口座管理への支払いに関する潜在的な抵抗を克服する必要がある。しかし、大規模プラン市場によって提供される規模の経

済性のために、401（k）マネージド・アカウントサービスは、通常は、リテールマーケットで課される標準的な裁量運用フィーの何分の1かで提供される。裁量運用の一般的なリテールベースのフィーは、AUMの年間75bpから150bp以上となるが、Financial Engines社のマネージド・アカウントサービスのフィーは、加入方法や加入者の口座残高の大きさに応じて20bpから60bpまでの幅におさまっている。

　また、マネージド・アカウントを選択する加入者は、プランの大きな母集団とは異なることが分かった[4]。第一に、マネージド・アカウントの利用者は、平均して約1~2年ほど年齢が上の傾向がある。第二に、マネージド・アカウントの平均口座残高はプラン全体の平均と似ているが、口座残高の中央値は高くなっている。例えば、マネージド・アカウントの母集団では、平均残高はプラン加入者全体の105％であるが、中央値の残高は全体平均の145％である。これは、マネージド・アカウントユーザーは、非常に大きな口座や非常に小さな口座が少ない傾向があることを意味する。非常に大きな残高を持つプラン加入者の多くは、しばしば外部の投資アドバイザーを利用している。残高が非常に少ない加入者にとって、退職後のために投資戦略の支援を得る緊急性はほとんどない。第三に、給与と貯蓄率を見ると、マネージド・アカウントの利用者はプラン加入者全体の平均と類似している（**表6.2**参照）。

　興味深いことに、オンライン・アドバイスの利用者は、口座や投資判断をコントロールすることに高いプレミアムを置く傾向がある。対照的に、ほとんどのマネージド・アカウントユーザーは、投資判断を信頼できる専門家に委任できることに価値があると考えている。その結果、以前にオンライン・アドバイスを提供していたプランでのマネージド・アカウントの利用は、追加的になる傾向がある。**図6.2**は、Financial Engines社の提供するプランの利用状況の分布を表している（2011年末現在）。全体として、マネージド・アカウント加入者の利用率はオンライン・アドバイス利用者の利用率と類似しているように見えるが、異なる傾向を持つ一定量の集団が存在することが見て取れる。マネージド・アカウントの追加により、アドバイザリー・サービスの全体的な利用率は11％から22％に倍増した。もちろん、マネージド・アカウントの使い方は、加入者の人口構成的特性や、プログラムの認識と理解を生み出す

表6.2 マネージド・アカウントユーザーの人口統計学的比較

	運用勘定利用者	母集団総数
平均年齢（歳）	47.5	46.4
平均残高（$）	93,884	89,549
残高中央値（$）	44,301	30,579
平均給与（$）	70,138	69,358
平均貯蓄率（給与の％で）	7.2	7.0

出所：Financial Engines社データベース検索Q1, 2012から著者の計算。

図6.2 オンライン・アドバイスとマネージド・アカウントの総利用量

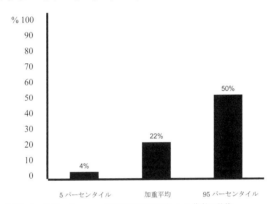

出所：Financial Engines社データベース（2011年12月31日）から著者の計算。

ために提供されるコミュニケーションのレベルによって異なるものとなる。

　プラン・スポンサーの観点からは、マネージド・アカウントは、投資家の行動に明らかな影響を与え、価値あるものとなりうる。加入者がアドバイスを軽視し、一連の推奨銘柄の一部のみを組み入れるオンライン投資アドバイスとは異なり、マネージド・アカウントは仕組上そのようなことがない。加入者が口座の管理権限を投資マネージャーに移すと、口座は最適化され、必要な変更があれば定期的にレビューされるようになっている。アドバイスを実行するために加入者のアクションは一切必要ない。加入者から投資アドバイスや推奨ポートフォリオを実行する責

任を外すことにより、投資配分の適切な調整が適時に行われることが保証されるようになる。これは、自社株へのエクスポージャーを減らすように加入者を説得するのに特に有効である。自社株のエクスポージャーを維持することは、401（k）プランにおいてよく見られる誤りである（時として、加入者の感情的、行動的反応を誘発することもあり得る）。多くの加入者は、自社株に関しては安全性に精通していると誤解しており、それがそれら加入者のポートフォリオにおいて、分散が不十分なことによるリスクの最大の要因となっている。そしてそれは、雇用主にとっては、訴訟リスクの潜在的な原因となり得る。Financial Engines社の2004年以降のマネージド・アカウントでは、65億ドルを超える自社株ポジションが債券および株式ポジションに分散されている[5]。

　また、マネージド・アカウントの導入は、加入者の職場向けアドバイザリー・サービスの利用方法に大きな影響を与えた。このイノベーションは、これまで最も頻繁に利用する加入者のみ享受していた専門家からの支援を、「消極的な投資家」でも同様の恩恵を受けることを可能にした。しかし、さらに、2006年の規制改正は、職場におけるアドバイザリー・サービスのさらなる広がりを進展させる画期的な契機だったのである。

2006年年金保護法

　2000年代初頭、デフォルト・オプションを変更した401（k）プランでは、加入者の選択に劇的な変化が見られることがわかった。具体的には、自動加入の仕組みにより、プランへの参加が全般的に大幅に増加した。しかし、そのメリットを享受しながらも、自動加入はプラン・スポンサーに新たな課題をもたらした。受託者責任に関する懸念が再び中心的なものとなったのである。なぜならば、実施にあたっては、プラン・スポンサーはデフォルトの投資を選択する必要があったからである。自動登録を現実的に考えると、多くの従業員は、プランのデフォルトの選択肢として提示された投資オプションに100％投資する可能性が高い。多くのスポンサーは、従業員がデフォルトの投資を選択し、その結果損失が発生した場合に起きる賠償責任の可能性を懸念した。このアプローチは、選択後の損失可能性を回避するものであったが、デフォルトを選択

した従業員が投資キャリア全体を通じて短期の債券投資のみで過ごしてしまうという状況を生み出した。

PPAは、主に自動加入の普及を促進すると共に、スポンサーの受託者責任に関する懸念に対処するために可決された。PPAは、「適格デフォルト投資選択肢（以下、QDIA）」を特定することにより、投資配分の免責条項を作った。デフォルト投資としてQDIAを利用することは、自動登録によりQDIAが損失を出した際の責任から雇用主を保護する免責事項が提供されたことを意味する。3つのQDIAは、（a）専門家により運用されるマネージド・アカウント、（b）ターゲット・デート・ファンド、または（c）バランス・ファンドである。

PPA施行後、多くのプラン・スポンサーは、QDIAとしてターゲット・デート・ファンドまたは専門家により運用されるマネージド・アカウントのいずれかを選択した。これは主に、これら2つのオプションがプラン加入者に対して、より個別に変更されていたためである。いずれも加入者の高齢化に伴い投資リスクが低下し、マネージド・アカウントでは追加的なレベルの個別化が必要になった。PPAはマネージド・アカウントビジネスにとっては好材料だった。QDIAに関連した波及効果のため、多くのスポンサーは、自動加入への切り替えを検討していなくても、マネージド・アカウントを検討するようになったからだ。図6.3が示すように、マネージド・アカウント利用者の純増加額は、PPA施行の翌年2007年には12万口座を超えてピークに達したのである。

PPAは、新規従業員を自動的にDC年金制度に加入させ、デフォルトの投資オプションがQDIAであれば免責条項が適用される仕組みの構築を可能とした。しかし、新入社員のみに焦点を当てることで、プラン加入者の大多数は無視されることになった。これに対応すべく、多くのスポンサーが全従業員の自動加入を適応させることになった。これは、PPAが提供するガイダンスと免責条項によって可能になったステップである。つまり、プラン・スポンサーは、既存の加入者を「デフォルト投資選択」に「再登録」し、PPAの規定しているコースに乗せるのだ。プラン再加入の主な利点は、すべての加入者に合理的な資産配分が提供され、加入者はポートフォリオを変更するために積極的な選択を行う必要があることである。たとえば、ある企業は、401（k）プランの中で高い

150

図6.3 新規マネージド・アカウント利用者数（ネットインフロー）

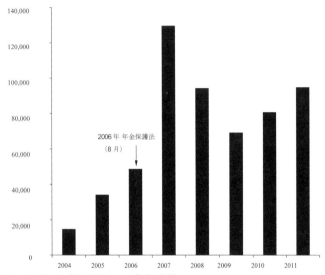

出所：Financial Engines社 SEC Filingsから著者の計算。

図6.4 デフォルトを含むプランの総使用量

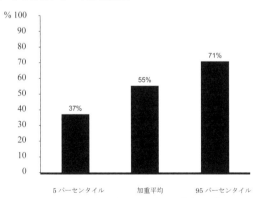

出所：Financial Engines社データベース（2011年12月31日）から著者の計算。

水準で保有されている自社株に懸念を抱いているかもしれない。自社株保有が積極的な加入者の決定の結果であることを明確にするために、会社は、プラン全体をQDIAから再度開始させることができる。その後、自社株を保有したい、またはその他の投資配分を希望する加入者は、再加入前にQDIAから外れるか、またはその後投資配分を積極的に変更する必要がある。

　結果は慣性の力が強力な要因であることを示している。図6.4は、2011年末時点の何らかのデフォルト（新規加入または再加入のいずれか）を含む年金プランの利用状況を示している。明らかに、利用方法の違いは劇的であった。5パーセンタイル値は4%から37%に上昇し、より低い範囲の利用度においてさえもかなりのものとなったことを示している。更に最高域では、デフォルトプランの利用率は全体で70%を超えていた。加入者の加重平均総使用率は、何らかのデフォルトプランがある顧客は55%であったため、デフォルトプランのある状況での使用率は、それ以外の場合の平均使用率の2倍以上であった。

DCプランにおける退職後所得

　DCプランに何兆ドルもの資産が蓄積され、ベビーブーマー世代が大量に退職する中で、加入者がDCプランの資産をどのようにして退職後所得に転換できるかが重要な問題となる。DB型年金プランとは異なり、401（k）や他のDCプランは、定年後の収入を安定的に生み出すようには設計されていなかった。しかし、最近の規制の変更は、退職後所得のためのDCプラン市場の発展を支援することを目的としている。DCプラン加入者のために資産形成支援の開発をした考え方が、再び重要になってきている。すなわち、規制が環境を定義し、スポンサーの選好により提供される計画案が決まり、実行可能なビジネスモデルを想定していく中で、個人の好みによって主に何を利用するかが決まっていく。

　DCプランはDB型年金プランに取って代わりつつあるので、出発点は自ずとDCプランからの収入をDB型年金プランからの収入に見合うようにすることである。この洞察によって、スポンサーや規制当局は、DCプランの潜在的な収益策として年金に注目するようになった。それにもかかわらず、加入者の行動、スポンサーの選好、そして現在の規制

環境はすべて、年金計画案がDCプラン市場での販売が難しいことを示唆している。その主な理由は、多くの人が退職時に資産を年金化することに消極的であるように見えることである。多くの研究者がこの「アニュイティ・パズル（終身年金パズル）」を研究してきた。この「アニュイティ・パズル」とは、予測される年金需要額と実際の年金需要額との間のギャップを指す用語である。たとえば、Warner, J. T., and S. Pleeter（2001）は、一時金または年金の選択肢を提供されている6万6000人の軍人グループのことを調査した。彼らは、年金の総支払額が一時金の2倍であるにもかかわらず、入隊員の90％、士官の50％が一時金の支払いを選択していたことを見出した。さらに、Vanguard社は最近、年金給付を一時金として受け取る選択肢を与えられたDB型年金プランの加入者の選択を分析した（Mottola and Utkus, 2007）。

　その結果は驚くべきものであった。年金給付が一貫して所得手段と認識されている従来のDB型年金プランでさえ、55歳以上の加入者の73％が一時金を選択した。年金の現金価値がより顕著であったキャッシュ・バランス・プランでは、55歳以上の加入者の83％が一時金を選択した。また、この分析は、プランのデフォルトが年金利用率の高さをもたらすという考え方に打撃を与えるものであり、次のように報告した。

　　「結婚した夫婦に連邦政府が義務付けているデフォルト・オプションであるにもかかわらず、年金を選択した既婚加入者は調査対象の4分の1未満であった。既婚の加入者は、書面による公正な権利放棄を提出することによって、デフォルトでアニュイティを提示する商品を選択し、積極的に取り組んだのである」（Mottola and Utkus, 2007: 1）。

　年金収入よりも流動性のほうが明らかに優先されていることを考えると（長年のDB型年金加入者でさえ）、401（k）またはIRA加入者で、退職後のポートフォリオを年金払いで選択する個人が非常に少ないのも不思議ではない。

　年金払いを選択しない場合、どのようなタイプの退職後所得計画案が彼らの興味を引くかは、まだわかっていない。流動性を維持しつつ収入

を提供する計画案から、401（k）プランからの早期退職金を使用して社会保障期間延長資金を調達する計画案まで、多くの可能性が生まれている。どんなオプションが成功するかはまだわかっていないが、硬直性、加入者需要、スポンサーの支援、そして透明な制度といったもの全てが、進化しつつある市場を形成する上で、大きな役割を果たすであろうことは明確である。

結論

　現在の米国の年金制度は、何百万人もの米国人に、退職後所得保障のために、雇用主が後押しする確定拠出年金制度を利用するよう求めている。しかし、貯蓄、投資、およびDCプランからの退職後所得の創出には、多くの人が持ち合わせていない、ある水準の金融リテラシーが必要である。前向きな展開としては、アドバイス市場において規模の経済が働くようになると、典型的なリテールアドバイザーの関心を引きつけるにしては資産額が不十分な人々に金融アドバイスを提供する機会を与えることである。これら規模の経済を活用して、アドバイザリー・サービスが成功するには、複雑な環境を認識し、多くの異なる加入者（候補）の嗜好を満足させなければならない。

　規制環境や制度は、そのようなサービスの重要なフレームワークである。これはいくつもの障害を生み出すこともあるが、より多くの場合、それは特定のアプローチに対する危険性に応じて、プラン・スポンサーの知見に影響を与える。そのアプローチが規制要件を満たしている場合、次に関連する障害は、プラン・スポンサーが受け入れるかどうかである。プラン・スポンサーは、年金制度のサービスに関して幅広い裁量権を持っているが、年金制度サービスにおいて、プラン・スポンサーは多方面で自由裁量を行使するため、広範囲で成功を収めるには、スポンサーの承認が必要となる。しかし、最終的には、加入者自身が利用可能なアドバイザリー・サービスの恩恵を受けることを決断しなければならない。個人が無視または嫌悪するようなアドバイスの提供は、長期的な成功を享受できない。その過程で、実行可能なビジネスモデルの重要性を強調しすぎることはない。ファイナンシャル・アドバイスへの多くのアプローチは、規制当局、スポンサー、個人の承認を得て行われるかもしれ

ない。しかし、投資可能資産が4万ドル未満の典型的な401（k）プラン
の加入者にサービスを提供できない場合には、全く意味を為さなくなる
のである。

▶ **第6章 章末注**

1 　このデータは、Financial Engines社データベースへの検索で取得した。母集団の
　 中央値の口座残高は、専門家により運用されているマネージド・アカウントの利
　 用者の約56万7,000人をサンプルとして計算した。
2 　これは、加入者による投資決定から生じる責任に関して、プラン・スポンサー
　 に一定の受託者保護を提供するものである。保護は、適切な分散投資の機会や他
　 のプランの特性を含め、様々な要件に基づいている。404（c）の条件をプラン・
　 スポンサーが満たしていれば、プラン加入者が行った投資決定に起因する責任か
　 ら保護されることになる。
3 　残高には、Financial Engines社によって収集されたスポンサープログラム資産の
　 総額が含まれる（例：DC、繰延報酬、キャッシュ・バランス・プラン、従業員持
　 株制度（ESOP）、プロフィットシェアリング、および保険料建て年金制度）。場合
　 によっては、オンライン・アドバイスの対象とならない口座が含まれることがあ
　 る。従来のDB型年金資産は除外されている。
4 　残高には、Financial Engines社によって収集されたスポンサープログラム資産の
　 総額が含まれる（例：DC、繰延報酬、キャッシュ・バランス・プラン、従業員持
　 株制度（ESOP）、プロフィットシェアリング、および保険料建て年金制度）。場合
　 によっては、オンライン・アドバイスの対象とならない口座が含まれることがあ
　 る。従来のDB型年金資産は除外されている。
5 　この証拠は、Financial Engines社データベース（2011年12月31日）の検索で取得
　 した。

▶ **第6章 参考文献**

Mottola, G. R., and S. P. Utkus (2007). 'Lump Sum or Annuity? An Analysis of Choice in
　 DB Pension Payouts,' Vanguard Center for Retirement Research.
US Department of Labor (DOL) (1996). Pension and Welfare Benefits Administration.
　 29 CFR Part 2509. Federal Register, 61 (113): 29586–90. Washington, DC.
—— (2001). *Advisory Opinion*. 2001-09A. Washington, DC: DOL. http://www.dol.gov/
　 ebsa/regs/AOs/ao2001-09a.html（翻訳時点で該当ページ無し）
Warner, J. T., and S. Pleeter (2001). 'The Personal Discount Rate: Evidence from Military
　 Downsizing Programs,' *American Economic Review*, 19 (1): 33–53.

第7章
個人年金保険への
意思決定におけるガイダンスの役割

ケリー・ヒューラー、
アンナ・ラパポート

　従業員や退職者にとって、生涯所得の動向や、退職年金を引き出す判断を行うのは、最も重要な意思決定要素の一部である。しかし、こうした決定には複雑なやり取りが伴い、その多くは理解されておらず、ほとんどの人はガイダンスの恩恵に頼ることになる。本章では、生涯所得を創出するための手段として、年金保険商品の購入判断を取り巻く、プラン・スポンサー、プラン・アドミニストレーター、アドバイス・プロバイダー、社会政策の役割について概説する。我々は、これらの役割が、購買プロセスにおいて、構造的かつ「積極的なガイダンス」を提供する機関投資家向けプラットフォームを通じ、どのように機能するのかを検討する。このシステムは個人投資家に対して、有効な選択肢を提供し、情報提供や投資教育を行うためのウェブサイトを構築し、競争入札プロセスを通じた年金保険の購入について、情報を提供することが求められている。このガイダンスには、問合せ対応や年金購入プロセスに関する相談を行う、多様かつ豊富な経験を備えた職員から提供される情報が含まれており、また、米国Hueler Companies社の機関投資家向け購入プラットフォームであるIncome Solutions®においては、我々の実証実験の分析結果を示している（Hueler, 2012）。さらに、我々はチリ政府や英国政府から得られた知見も紹介する[*1]。

ステージの設定

　米国において、従業員は、退職後の資産の取り扱いについて、従来からガイダンスを受ける傾向がさほどなかった。仮にアドバイスが提供されても、それは通常、退職時または退職間近に行われ、退職年金資産の

年金化、あるいは終身での引き出しに転換するかについてのアドバイス
は滅多になかった。DCプランが一般的になった現在は、（マネー・パー
チェス・プランを除く）ほとんどの年金プランにおいて、個人年金保険
は提供されない傾向にあり、その場合、退職者はこれまで通り、通常の
個人向け年金保険を保険会社から購入していた。しかし、これは、機関
投資家向け購買プラットフォームを通じて購入することもできる（詳細
は後述）。この場合、個々の退職者はグループ購買の恩恵を享受するこ
とができるのである。

　もし年金化していなければ、その投資ポートフォリオから計画的な、
または段階的な資金の引き出しが必要となるが、その場合、生存中に資
金不足に陥った際の保証はない。このため、退職者は初期資産残高の年
率4%を支出に回すことで、毎年インフレが進むにつれて、引出額が増
加する見込みのある「4%ルール」を推奨する人もいる。多くのファイ
ナンシャル・アドバイザーやアドバイス・プロバイダー[1]、特にマネー
ジド・アカウントを提供するプロバイダーは、年金受給段階で個人年金
保険を利用するよりも、このような計画的な引き出し手法を好む傾向が
あるが、この方針は退職者を投資リスクと死亡リスクの両方にさらすこ
とになる。アドバイス・プロバイダーの中には、長寿リスクに対処すべ
く、80歳〜85歳で支払いを開始する、据置型終身年金（以下、ALDA）
の購入を促進し始めているが、それでも、年金引出時期の早い段階にお
ける個人年金保険の利用の推奨は控えている。

　退職給付に対する米国の政策では、年金化を促進する取り組みと、そ
うでない取り組みの2つの考え方がある。例えば、社会保障給付は、一
種のインフレに連動した生涯所得の動向で、DB型年金はこれまで通り、
生涯所得を提供するものであった。対照的に、IRA、またはマネー・
パーチェス・プラン以外のDCプランで投資されるファンドは、一般的
に年金化はされていない（Rappaport, 2011）。Turner, J. A., and D. M.
Muir（2013）が示すように、401（k）プランが、利害衝突に対して潜在
的に脆弱である場合、移管時期は、いくつかの状況における一つとなる。
また、年金プランは、従業員や退職者に対して、年金プランの想定を超
えるような給付戦略や、選択肢に関する情報の提供は必要はなく、また、
年金資産が蓄積されている間に生涯所得がどう変化していくかといった

情報を提供する必要もない。生涯所得の動向や、DCプランの口座残高の実例をもって推奨する議員もいるが、広く採用されるには至っていない（United States Senate, 2011）。

　米国内国歳入法では、70歳半に達するまで、企業がスポンサーとなっている年金プランへの拠出金と投資収益に対して、課税猶予による便益を受けることを認めている。一方、必要最低引出額（以下、RMD）では、課税猶予を制限すべく、毎年、課税繰延口座から、少なくとも最低金額を引き出すことが義務付けられている。この最低額は、退職者の平均余命全体に引出額を分散配分し、引き出しの割合は毎年再計算される。RMDは段階的に引き出すことを規定しているため、適格積立資金からこれ以上引き出す必要のない人々にとっては、年金化やその他の収入の選択肢が脇に追いやられることになる。このような理由から、自身の資金をどのように扱うかは、政策立案者の推奨やアドバイスの一つとして見なされるようになったのである。一つの問題は、毎年RMDを利用する個人投資家は、投資リターンの高い時期は、資産額が拡大し続けるものの、市場が低迷し、投資リターンが低くなると、資産は急速に枯渇し、その結果、個人投資家はあまりにも早く資金消滅に至る可能性がある。

　また、プラン・スポンサーが個人年金保険を投資選択肢として提供することも困難であった。なぜなら、規制は障壁を生み出し、法的リスクをもたらすからである（Iwry and Turner, 2009）。米国財務省が2012年に公表した規制案と歳入に関する2つの裁定案の目的は、いくつかの障壁を取り除き、年金プラン加入者に個人年金保険の選択肢を提供しやすくするものであった。新しい提案では、(a) 企業が提供するDB型年金およびDCプランにおける選択方法は、「やるか、やらないか」といった絶対的な決定でなければならないという考え方からの転換、(b) RMDの要求構成から生じる、ALDAの利用に対する障害の撤廃[2]、(c) DB型年金を有するDCプラン・スポンサーは、DCプランからDB型年金への移管を通じて、プラン加入者が生涯所得を得ることができること[3]、そして、(d) DCプラン・スポンサーが、退職前の投資選択肢として、年金プランにALDAの選択肢を含めやすくすることを求めたのであった（United States Department of the Treasury, 2012）。また、米国労働省の規

則では、すべてのDCプラン費用の開示と説明を義務付けている。こうした変化は、生涯所得と透明性の確保がいかに重要であるかを、プラン・スポンサーや様々な分野の人々に示唆している（Council of Economic Advisers, 2012）。これらの動きは、適格退職年金制度を利用した、生涯所得向け年金プランに対する新たな支援策を反映しているものである。

　このような積極的な取り組みであっても、規制環境は未だ複雑な状態のままである。米国では、企業がスポンサーになっている年金退職金プログラムは、連邦政府によって規制される一方、保険契約は個々の州の保険部門によって管理されている。さらに、個人年金保険の販売プロセスには、個人年金保険契約の売買時に適合性審査の要件が含まれており、その基準は変化し続けている。2010年に、全米保険監督官協会（以下、NAIC[*2]）は、保険会社は、個人年金保険取引の適合性において責任を負うとする規制枠組みの設立を目的に「高齢者向け年金販売適合性原則モデル規則」を採択した。この取り組みでは、保険代理店を対象とした実質的なトレーニングを必要条件としており、FINRA（NAIC, 2010）の要請基準とも連動している。専門家の中には、この適合審査プロセスを指導の一形態と見なす者もある。

ガイダンスと年金化の意思決定

　米国では、年金プラン加入者は、資金引き出しの方法について多くの情報源から情報提供を受けている。プラン・スポンサー、プラン設計者、メディア、アドバイザー、金融サービス提供会社のほか、個人年金保険を購入するプロセスにおけるガイダンスや、政策や規制による形で政府からも情報が提供される。これらの情報は、後述するように、（資産の）年金化を支持する場合も、阻む場合もあるのである。

　米国のDB型年金は、デフォルトでの資金給付上の選択肢として、デフォルト分配選択による年金を提供することとなっており、プランの設計者は生涯所得の重要性を強く示唆している。対照的に、ほとんどのDCプランは積立金をIRAに移管するために、一括での払出しを行う。現在、DCプランのおよそ5分の1のみが、同プランにおいて個人年金保険を選択肢としているが、実際に提供されたとしても、これらが利用さ

れることはほとんどない（Wray, 2008）[4]。2012年、米国財務省の発表に
よれば、これらの資産は、生涯所得を創出するためにDB年金型プラン
へと移管されるため、DCプラン口座の利用方法が変更される可能性が
ある。この考え方への補完的なモデルは、企業が運営主体となったプロ
グラムの一環として、資産を移管するプラン加入者が、有用性の高い個
人年金保険プログラムを購入できるIRAへのルートを提供するものであ
る。現在、少なくとも一つの大型年金プランがこのような手法を提供し
ており、プラン加入者に対して、DCファンドからDB型年金プランへ
の変更に加え、個人取引の中から最も優れた商品銘柄の選好ができるよ
う、DCプラン口座における選択肢を与えている。この年金プランでは、
構造的なガイダンスとして、生涯所得に関する基礎教育、提供される特
定の個人年金保険の選択肢に関する情報、各選択肢の長所と短所を含め
て説明している。

　生涯所得に注目した年金プランの構築に関するもう一つの例は、年金
プランでの投資選択肢の一つとして、生涯所得を繰延べで購入する手段
を提供するというものである。いくつかの保険会社は、そのような選択
肢をサポートするための商品を提供しており、固定年金保険を採用する
ところもあれば、変額年金保険を扱うところもある。変額年金保険にお
いては、最低年金受取総額保証特約（以下、GMIB）、あるいは最低引
出総額保証特約（以下、GMWB）を利用することにより、最低給付額
を保証しつつ、潜在的な給付金増額の可能性も提供するというものであ
る。このような選択肢の提供は、資産移転の利便性と保証条項において
重要な違いがある。これらの選択肢を活用することで、年金資産は就業
期間中に年金資産ファンドへと投資され、退職時にはそれが終身的収入
となる（Institutional Retirement Income Council, 2011）。こういった投資
モデルは、従来型の団体年金保険商品の特徴と、新しい投資構造を融合
させたものだと言ってよい。また、これらのモデルにおいては、個人投
資家は保険会社という選択肢を持たず、年金プランの構築に組み込まれ
た支払方式に限定されたものとなる。現在のところ、このモデルの最新
版を採用している事業主は少ないため、これらのモデルがどの程度有効
であるかは未だ明らかではない。

　現在までのところ、生涯所得の代替案を支援し、それを奨励する事業

160

表7.1 企業が従業員に提供する退職ガイダンスまたは教育の種類

割合（％）	教育の種類
11	なし、ただし法定の通知を除く
34	事業主が選定したファイナンシャル・アドバイザーへのアクセス
78	年金プランのオプションを説明する教材を提供
68	退職金シミュレーターのオンライン提供
31	退職資産セミナー、所得プランニング・セミナーの開催

出所：Wray（2008）は、2008年のProfit Sharing Council of America（現 Plan Sponsor Council of America）メンバーによる調査を用いている。

主の役割は限られている。一部の年金プランでは、生涯所得と価格の設定された個人年金保険商品についての教育を提供し始めている。**表7.1**に示すように、プラン・スポンサー・カウンシル・オブ・アメリカ（PSCA）の調査によれば、約3分の1の事業主が、自身が選んだファイナンシャル・プランナーによるサービスを提供するか、退職資産と所得計画に関するセミナーを提供している（Wray, 2008）。それにもかかわらず、年金に関する多くの情報が提供されているかどうか、あるいはそのメッセージが退職資金の年金化の検討を支持するか否かは不明である。また、どのような選択肢を提示するか、そしてそれらをどのように位置付けるかは、セミナーを開催する企業が提供する商品やサービス、報酬モデルの影響を受ける可能性がある。調査の回答では、年金プランの5％は、蓄積された資産をそのまま年金プランに据え置くことを積極的に奨励し、11％は引き出しを要求または奨励し、残りの84％はどちらもあると回答した（Wray, 2008）。

　年金プランを通じた個人年金保険への直接的な手段を提供しない場合、一部の事業主は、Income Solutions®のような個人年金保険購入プラットフォームを通じて、金融機関によって価格が設定された個人年金保険を提供する。このプラットフォームは、IRA移管の代替案として、最も頻繁に利用されている。このような場合、構造的なガイダンスは非常に広範で、個人年金保険購入の選択を行う可能性について、定期的に言及するものもあれば、そのような情報をほとんど、または全く提供しないものもある。また、注目を集めるような給付金ウェブサイトを構築し、アクセスを円滑に行うプログラムを備えた企業もあれば、給付金ウェブサ

イトにサービス内容を埋め込んでしまったことで、サイトの特定やアクセスが困難になってしまった企業もある。

　我々の経験では、退職年金プランの受給選択情報への最初の接点は、企業の代表（社内またはレコードキーパーのいずれか）である。彼らとプラン加入者がどのようなコミュニケーションを取っているかによって、退職者の選択判断に潜在的な影響を及ぼすこととなる。また、生涯所得の重要性や年金化の価値に重点を置いた教育を行う事業主は非常にわずかであるが、プラン・スポンサーがニュースレターや従業員向けの定期刊行物を利用し、そのような便益を説明しているのであれば、いずれは、個人年金保険の見積り、問い合わせ、そして最終的には購入活動の促進へとつながるであろう。言い換えれば、このような取り組みが定着するまでには数年を要するが、時間の経過と共に活動は活発になっていく。他方、複数のプログラム・パートナーの経験から、プラン・スポンサーが個人年金保険の検討を奨励していても、購入への主たる原動力は、福利厚生担当者が退職給付の選択肢について、客観的で知識があるかどうかに委ねられる。もし、プラン・スポンサーがプラン加入者に対して、有用性の高いプラットフォームを利用することで、口座残高の一部について年金化を断念するよう説得し、高コストな代替案を売り込むようなことがあれば、それは事業主の努力を水泡に帰すことになる。

　今日、多くの事業主がDCプラン加入者にアドバイスを提供している。実際、直近の調査によれば、プラン・プロバイダーの79％が、従業員に何らかの投資アドバイスを行っている（Callan Investment Institute, 2012）。アドバイス・プロバイダーは、独立した第三者であることもあれば、プラン・アドミニストレーターと提携している場合もあり、その多くは、従業員がより多くの貯蓄を行い、より良い投資判断が出来るよう支援している。また、退職後に資産をそのまま年金プランに据え置くことを奨励するか、あるいは許可するかどうか、また、どのような選択肢を提供するかについては、年金プラン毎にそれぞれ異なっていることから、年金資産の引出期間に関する情報やアドバイスを行うかどうか、それらをどのように提供するか、さらに、プラン加入者が引出期間に移行する際のサポートはどうするかなど、実に様々な対応を行っている。我々の経験では、アドバイス・プロバイダーの中には、年金化を含む退

職後の幅広い選択肢について話し合い、それらについて十分な説明を行う者もいれば、引き出し手法の一環として年金化を避け、代わりに構造化された、あるいは手順に沿った引き出し方法を用いて、マネージド・アカウントに資金を維持しようとする者もある。このことは、退職時前後における個人投資家とのやり取りが、退職年金プランの受給方法の選択において、彼らに重大な影響を与える可能性が高いことから、重要なポイントとされている。

　事業主もまた、就労期間中における退職年金プラン口座の資産価値をどのように想定するかによって、退職年金の重要性（またはその欠如）についての予測を行い、口座残高のみを示すものもあれば、退職後所得予測を含むものもある[5]。Callan Investment Institute（2012）は最近、58％の事業主がプラン加入者に退職後の所得予測を開示または提供し、そのうち31％が従業員明細書に、13％が別の郵送明細書にそれぞれ記載し、74％が年金給付ウェブサイト上で試算を行い、15％は第三者のアドバイザーを通じて予測値を提供したとの調査結果を示している。このように、様々な状況や予測に関する実務範囲や、生涯所得や計画的な引き出し方法における、その後の彼らの判断への影響をより深く理解するには、さらなる研究が必要とされている。

機関投資家向け購入プラットフォームとガイダンス

　生涯所得を獲得すべく、プラン・スポンサーは、即時開始年金保険やALDAを購入できるオンライン型競争入札プラットフォームを介して、機関投資家向け購入プログラムを選択することができる。このプラットフォームには、年金プラン内における資産分配の選択肢、またはIRA移管への代替案といった、導入に関する2つの主要手段がある。現在までのところ、実施されているプログラムの90％以上を占める最も一般的な方法は、IRAへの移管で、これは、低価格で競争力のある流通チャネルを通じて、年金商品の提供に意欲的な保険会社の参入に依存しているのである。

　様々なプログラム・パートナーが提供するものの中で、個々のプラン加入者は、一般的な金融教育に加え、ウェブサイトを通じた基礎的な年金保険に関する知識や、事業主が提供するプログラムに関する情報、さ

らには、ファシリテーターやアドバイザーを通じて、年金制度というものを学ぶことができる。このシステム構造は、セルフサービス型モデルの支援に向けた、システム型オンラインによるガイダンスや情報提供を行うもので、一般的な年金保険に関する教育、インフレ調整後の年金化の重要性を説いた教育ビデオ、そして、必要所得水準を定め、複数の年金保険企業の中から標準的かつ有用性の高い見積りの比較検討を行い、さらには参入保険会社の財務状況を検証することによって、その他の収入源と通常支出の差異を算出できるツールを提供している。ここでは、どの個人年金保険を購入するか、またはどれだけ購入するかの推奨はなされない代わりに、個人年金保険の選択肢、コスト削減、手数料の標準化、透明性など、各個人の商品選択が最適な結果をもたらすようプログラムされているのである。尚、他の年金プロバイダーと比較をしたり、購入決定を制約したりすることへのアドバンテージはない。

年金プログラムおよびガイダンス・モデルへのアクセス

　このプラットフォームへのアクセスは、主に退職年金のプラン・スポンサー、金融サービス企業などのプログラム・パートナーや、レコードキーパー、関連業界団体、またはプログラム関連のアドバイザーを通じて行われる。これらのパートナーは、生涯所得の代替案を準備する（または、前述したように、そのような選択肢を事実上排除する）段階において、重要な役割を果たす。選択メニューを提供し、退職間近の人々や、退職資産の年金化を組み込むプログラムについても、退職者との話し合いは、個人年金保険の購入活動において、最も良い成果を示している。対照的に、不利な免責条項を提示したり、引き出し段階で年金化を推奨しないアドバイス・プロバイダーは、ユーザーの購入プロセスからの脱落率が最も高くなる。

　また、このプラットフォームは、個人投資家に対して、より積極的なガイダンスを提供しており、プログラム・パートナーによる基本的な支援から、より詳細なアドバイスに至るまで多岐にわたる。現在、ほとんどのプログラムは、包括的なファイナンシャル・プランの提供やアドバイスを行っておらず、むしろ、事業主経由で提供される選択肢、あるいは、各個人投資家のIRAから追加可能な終身的収入の選択について、相

談を受け付ける適格な専門職員が積極的なガイダンスを行っている。

　表7.2は、ガイダンスの提供がプログラムの各モデルにおいて、どのように異なるのかを示しており、その中でも3つのモデルが有効であると示している。

個人投資家向けオンライン

　ここでのアクセスとは、オンライン・プラットフォーム上での見積り、および購入プロセスを始める個人投資家によって行われるものである。このプログラムには、即時開始型年金保険に関する一般的な情報を踏まえた構造的なガイダンス、金融機関を通じた購買の利点、現在の収入と支出の差異を推定するのに役立つシミュレーター、オンラインによる個人年金保険の見積り依頼といった機能が含まれており、顧客はコールセンターに問合せ、基本的なサポートを受けることができる。またオンライン・プラットフォーム利用者を支援する形で、個人年金保険の用語、機能、および購入プロセスに関する問合せ対応など、積極的なガイダンスも提供されている。

ファシリテーター

　ここでは、ファシリテーターによる追加的、かつ専門的な支援を提供する業者とのパートナーシップを通じた、アクティブなガイダンスが提供されており、プラン加入者に対して、資格を有するプロの専門家が、見積り依頼、購入の検討、問合せ対応、プラットフォームを通じた購入依頼を支援している。このようなファシリテーターは、電話または電子メールで個々の購入者とコミュニケーションを図っており、一般的には、個人年金保険、またはその代替案となる、退職後の所得補完手段の提供を専門とするプログラム・パートナーの担当職員である。取引の中には、これら全てのステップをファシリテーターが実行する場合もあれば、プラン加入者が取引に関する見積りや実際の取引を行い、ファシリテーターがある程度の支援を提供する場合もある。このシステムは、ファシリテーターと個人投資家が、年金保険商品に関する見積りを同時に評価できる、互換性を備えた構造となっている。

表7.2 チャネル別機関投資家向けプラットフォームの提供モデルにおける、構造的ガイダンスと積極的なガイダンスの比較

購買プロセス要素	（機関投資家向けプラットフォーム）個人投資家	（機関投資家向けプラットフォーム）ファシリテーター	（機関投資家向けプラットフォーム）アドバイザー
実質的な提供プログラムに関する構造的なガイダンス情報。	プログラム・パートナー	プログラム・パートナー	アドバイザー
見積りの選定人	個人投資家	ファシリテーターまたは個人投資家	アドバイザー
購入の実行者	個人投資家	ファシリテーターまたは個人投資家	アドバイザー
プラットフォームが年金化の決定へ与える影響。	個人年金保険の価値に関する情報、考察（文章、動画）をウェブサイトで提供。	ファシリテーターはウェブサイト上の情報を追加できるが、推奨案への賛否や課題への顧客との協議に制限あり。	アドバイザーの利用方法に依存。
考慮すべき問題点や賛否。	ウェブサイトで	プログラム・パートナーによっては、追加情報はファシリテーターによって提供される場合がある。	アドバイザーに依存。
提供ツール	あり 有益性のある見積り、保険会社の格付、所得差異の算出ツール。	あり プラットフォームのプログラム以外にどの程度追加するかは、プログラム・パートナーに依存。	あり アドバイザーは、プラットフォームのプログラム以外に、評価情報やツールを提供する場合がある。
個人年金保険の見積りを提供する保険会社の領域(a)。	プラットフォームにより自動的に実行。	プラットフォームにより自動的に実行。	プラットフォームにより自動的に実行。
個別ウェブサイトへの直接アクセスの可能性。	可能	可能	不可能
個人からの質問に対応する積極的なガイダンス。	コールセンターまたはスタッフ	ファシリテーター	アドバイザー
勧奨案の提供	なし	なし	あり

(a) 参入保険会社は、プログラム・パートナー、個人年金保険の種類、および従業員居住地等の人口分布により異なる。
出所：著者らの分析；本文参照。

アドバイザー

　ここで言うアドバイザーは、個人投資家のポートフォリオ全体についてのアドバイスを含めた、より広範なファイナンシャル・アドバイスを提供しており、その際の協議は、プロのアドバイザーが主導して行う。このプログラムを利用するアドバイザーは、通常、顧客が支払を負担する有料のアドバイザーである。彼らの業務は、安心できる見積りを提供し、投資選択案に関する説明を行い、最善の個人年金保険の選択肢についてアドバイスを提示し、場合によっては、年金保険商品の斡旋も行っている[6]。

　表7.3は、ガイダンス・モデルで示す商品を個別購入する場合と、DB型年金を選択する場合とを比較したものである。ここでは、DB型年金の選択には、選択を行わなければならない固定期間があることがわかる。一方、他のすべての購入モデルでは、個人年金保険の購入時期や、選択可能な機能に柔軟性を持たせており、連絡の開始方法、実質的な選択肢、タイミング、および提供されるガイダンスのタイプによって異なっている。機関投資家向け購買プラットフォームにおける3つのモデルは、積極的なガイダンスの内容や方法、および協議の開始方法を除いて、類似している。

　表7.4は、個人年金保険の購入が、利用される流通チャネルによって、どのように異なるかを示している。チャネルが異なるグループ購入の場合は、人口分布的にも、また富裕度によっても必ずしも同じではなく、チャネルごとに考察されたそれぞれの相違に関する原因はまだ判明していない、という点については留意が必要である。オンライン・プラットフォームを通じて直接購入する個人投資家は、平均保険料が最も高く、男性が多く、連生型年金保険を選択する可能性が最も高い。そして、購入前にしばらく検討期間を持ち、複数の見積りを要求している。ファシリテーターを通じた購入者は、どの見積りかを決定する前に何回か相談を行い、見積りを取る前に自身の要望を提示する傾向がある。積極的なガイダンスを通じた購入に関する我々の分析では、購入者1人あたり平均5回（最大は14回）の相談が行われていた。アドバイザー経由で購入する1回あたり、また個人投資家が大量購入する場合の保険料は最も低くなっており、これはおそらく、ポートフォリオにおける個人年金保険

表7.3 機関投資家向けプラットフォーム経由の購入、およびDB型年金による年金給付

特徴	リテール (a)	(機関投資家向けプラットフォーム)個人投資家 (b)	(機関投資家向けプラットフォーム)ファンジリテーター (c)	(機関投資家向けプラットフォーム)アドバイザー (d)	DB型年金としての給付
個人年金保険の再購入契約	エージェント	自己	年金プランと提携し、プログラム・パートナーに雇用されているとみなされるファンジリテーター	購入者に雇用された機関投資家向けアドバイザー	プラン・スポンサー、またはアドミニストレーター
価格	リテール	機関投資家用価格	機関投資家用価格	機関投資家用価格	年金プラン別に規定
有益性のある見積り	おそらくあり	あり	あり	あり	—
手数料開示	おそらくあり	あり	あり	あり	—
手数料レベル	リテール	制度的	制度的	制度的	あり
購入のタイミング	なし	なし	なし	なし	あり
最初の問合せ相談先	通常はエージェント	年金プラン、プログラム・パートナー	年金プラン、プログラム・パートナー	アドバイザー	プラン・スポンサー
運用の第一段階における主導者	通常はエージェント	自己、コールセンター・スタッフ	自己、プログラム・パートナー	アドバイザー	プラン・スポンサーは年金プランの遵守が必須

(a) 一般的にエージェントを利用して、個人投資家がリテール市場で購入する場合を意味する。

(b) プログラム・パートナーの紹介を受け、個人投資家が機関投資家向け購買プラットフォームを通じて購入する場合を意味する。

(c) ファンジリテーターまたはプログラム・パートナーを代表する者が、機関投資家向け購買プラットフォームを通じて、購入の支援、見積書の選定、質問への回答、プログラム・パートナーの実行を行う場合を意味する。

(d) アドバイザーが顧客に代わって契約を開始し、購入の実行を行う場合を意味する。

出所：著者らの分析：本文参照。

表7.4 個人年金保険購入者の特徴と様々なチャネルを通じた購入内容

	全チャネルの合計	（機関投資家向けプラットフォーム）個人投資家	（機関投資家向けプラットフォーム）ファシリテーター	（機関投資家向けプラットフォーム）アドバイザー
保険料平均値	$139,000	$158,000	$142,000	$50,000
女性（％）	37	25	40	49
男性（％）	63	75	60	51
連生型（％）	37	47	31	53
単生型（％）	50	40	55	46
有期給付のみ（％）	13	13	14	1
当初見積2週間以内の購入（％）	63	50	70	53
当初見積4週間以内の購入（％）	78	67	83	69
当初見積6か月以内の購入（％）	94	90	98	81
当初見積6か月以降の購入（％）	6	10	2	19

出所：Hueler社から提供されたデータを著者らが分析。

の位置付けが反映されているものと見られる。アドバイザーとその顧客は、長期的な生涯所得計画の策定プロセスの一環として、個人年金保険の購入を検討する一方、ファシリテーターは、特に個人年金保険の決定において、顧客対応を行う専門家として活動する傾向がある。

構造的ガイダンスと意思決定

　個人年金保険の個々の購入者は、いつ、どれだけ購入するのか、複数の商品を購入するのか、生命保険会社をどこにするのか、どの年金保険商品の形態にするのかなど、多くの選択肢がある。従って、プラットフォーム上で提供される有用性の高い見積りには、複数の生命保険会社、年金商品の形態やその代替案、および全ての保険会社の財務格付け情報が含まれる。すべての見積りは、簡単に比較できるよう標準化されており、ほとんどの購入者は、購入完了前に複数の見積りを受け取ることを選択している。単一の年金商品購入者の一般的な見積り回数は4回であり、複数の年金商品購入者の場合は10回であった。複数の見積りを用いて、その差異を検証したものの中には、個人型と連生型、配偶者が主体である連生型の切り替え、連生型における遺族給付の比率の差異、保険料、個人年金保険の給付開始予定日などがあり、価格はリアルタイム

で提示される。このような見積りプロセスにおける激しい競争があってこそ、その透明性が担保されている。これには、異なる生命保険会社間で比較可能な商品特性や類似した情報が含まれており、構造的ガイダンスが示す一つのパターンとなっている。このアプローチは、提供可能な給付額だけでなく、保険会社の財務格付けも含めることによって、その財務状況の重要性を浮き彫りにしている。

適合性評価とガイダンス

　即時開始型年金保険の契約・購入の一環として、購入者は「適合性フォーム」への記入が求められている。具体的な書式は保険会社によって異なるが、必要なデータには、適合性を判断するための情報が含まれている。NAICによれば、「『適合性情報』とは、年齢、年間所得、家計の状況およびニーズ、資産運用経験および目的、個人年金保険の使用目的、資産の時系列変化、既存資産、流動性ニーズおよび純資産、リスク許容度および納税状況を含む推奨事項の適合性を判断する上で、合理的かつ適切な情報を意味する」（NAIC, 2010: 4）。このプロセスは消費者保護の提供が目的であるが、ガイダンスとしてとらえることもできるため、各保険会社は、報告されるべき財務情報の様式、および具体的な定義を定めている。

　機関投資家向け購買プラットフォームには、購入プロセスの一部として、適合性評価が含まれており、体系的なアプローチを行うためのチェックリストが用いられている。適合性評価の結果、見直しを求められ、保有資産と比較して金額の大きい個人年金保険の購入、払戻しのない、または給付期間のない個人型年金、80歳以上や59.5歳未満の購入者、適合性フォームにおける家計の情報が不十分といった場合は、申請者との連絡確認が行われることがある。適合性評価の担当者が家計状況と購入理由を確認した後、必要に応じてフォローアップの連絡をとる場合がある[7]。適合性を再確認するプロセスでは、購入者が購入決定を理解し、販売が適切であることを確認するのに役立っている。適合性評価の担当者にインタビューを行うと、適合性プロセスの過程で購入意思を変える者はめったにいないとされている。

ガイダンス・モデルにおける理解

　多くのファシリテーターは、プログラム・パートナーの職員であり、Hueler社は、商品の購入、プログラム・パートナーの職員、アドバイザーから寄せられる質問において、それらに対応可能な専門資格を備えた職員を配置している。時として、ファシリテーターは、入札確定プロセスを主導し、購入を行うこともあれば、単に質問に答えるだけの場合もある。これまでの実績では、顧客と話し合いを行うことは、購入活動に影響を及ぼす非常に重要な要素であることが示されている。従って、我々の分析において、購入の72％は、ファシリテーターやアドバイザーを介して行われたものである。残りの28％はオンラインでの購入だったが、ここでも、プログラム・パートナーのコールセンターに電話をして質問する人もいる。対話することなく個人年金保険を購入する人はごく僅かであり、おそらく購入者の10％未満だと見られる。多くの顧客は、複数の年金商品の見積りと複数の商品の購入を望んでいるのである。

　これまで、事業主が資金提供を行う契約において、終身年金を購入するか否かの決定は、従業員の退職時に行われ、さながら「やるか、やらないか」を決定するような提示をされてきた。しかし、このやり方は、人々にとって望ましい意思決定手法とは一致しない。我々の経験では、年金購入の70％は、すでに退職していると自身で認識している個人投資家によってなされてきた。定年退職をするには、移行期間と調整期間が必要なため、人々はより長い期間にわたって、個人年金保険の購入を選好している。彼らの中には、今後どの程度の支出が発生し、どの程度の安定収入が必要なのか、あるいはパートタイムで働き、それが自身の需要と照らし合わせた時に、どのような影響を与えるかを理解するのに時間を要する場合もある。また、生活環境や住居を変える人もいれば、金利リスクの分散を目的に、時間の経過とともに段階的に購入を行うことも理にかなっているといえよう。その結果、取消不能な方法で即時開始年金保険を購入したり、「やるか、やらないか」といった選択肢は、拒否される可能性が高いのである。機関投資家向け購買プラットフォームは、旧来の失敗モデルからの脱却に向けた、一つの選択肢なのである[8]。

即時開始型年金保険の購入者

　Hueler社のプラットフォーム・データベースから引き出された購入分析では、即時開始型年金保険の購入者の約3分の2が男性であることを示している。購入年齢は60代（56％）が最も多いが、50歳という若い層や、85歳という購入者もいる。32％が70歳以上で、そのうち8％が80歳以上である。「適合性フォーム」に記入されたデータ・サンプルに基づいて、純資産などの報告を見ると、即時開始型年金保険の購入者の純資産は、7％が10万ドル未満、27％は50万ドルから100万ドル、21％は100万ドルから200万ドル、そして14％が200万ドルを超えていることを示している。家計の財政状況に関する質問は様々であり、持ち家は含まれておらず、保有資産データは自己申告である。年金保険商品の購入資金源の68％は税制適格な資産[9]、つまりIRAまたはDCプランからであり、28％は非税制適格資産から、4％は内国歳入法第1035条に基づいた取引であった[10]。この取引は、しばしば変額年金契約との取引であり、このプラットフォームを通じて購入される即時開始型年金保険と交換される。購入者の中には、税制適格年金と非税制適格年金を組み合わせ、複数の個人年金保険を購入する者もいた。

　表7.5は、個人年金保険購入について詳しく説明している。この仕組みに含まれる構造的ガイダンスは、要求された見積りに加えて、少なくとも一つの代替的な見積りが提示されることを示している。多くの即時型年金購入者（50％）は、個人型年金保険を購入し、別の3分の1（37％）は連生年金を購入し、13％は有期型年金保険を購入していた。即時型年金保険の購入者のうち、消費者物価指数（CPI）連動型、または年率上昇型のいずれかで、インフレ保障型年金保険を購入するのはわずか14％である。また、男女間において選択する年金保険の種類が異なり、連生年金の81％は男性が購入しているのに対し、個人型年金は50％に過ぎない。夫婦の場合、夫の方が妻よりも購入者として指名される頻度が高いと考えられる。

　購入した年金保険の平均給付額は月額850ドルを超えるが、購入者の11％が月額200ドル未満、18％が月額200から399ドル、22％が400から599ドルと、小額であることが多い。購入者の50％が月額600ドル未満で、22％が600から999ドルで、28％が月額1,000ドル以上である。女性

172

表7.5 単一保険料即時開始年金保険の購入形態の特徴：
年金給付額と選択された個人年金保険の特性

個人年金保険の種類	購入総額比率（％）	平均月次給付額（$）	インフレ保障型または年率上昇型の購入総額比率（％）	男性購入者比率（％）	女性購入者比率（％）
連生型生命保険					
現金払戻付	7	900	10	78	22
終身給付のみ	14	973	8	75	25
有期給付	17	799	23	87	13
（連生型生命保険合計）	37			81	19
個人型生命保険					
現金払戻付	9	789	10	53	47
終身給付のみ	28	803	18	51	49
有期給付	13	843	13	45	55
（個人型生命保険合計）	50			50	50
有期給付のみ	13	1,032	3	65	35
全契約合計	100		14	63	37

出所：Hueler社から提供されたデータを著者らが分析。

はより少ない保険料で購入しており、男性の平均保険料156,000ドルに対して、平均保険料110,000ドルであった。購入者の大多数は1度に一つの年金保険を購入するが、複数の年金保険を購入する者もいる（しかし、ここに示したデータは、単一購入に基づくものであり、複数購入は集計されていない）。

見積りから購入までのスケジュール

　DB型年金の選択は、一定の期間内に行われなければならず、様々な選択肢の価格はDB型年金構造の一部であるが、個人年金保険の購入プロセスは、個人投資家が機関投資家向けプラットフォームを利用する場合、非常に異なっている[11]。購入者は、いつ購入するか、何を購入するかを選択することができ、そしてその意思決定を長期にわたって行うことができる。人々は、機能や特徴、月々の給付額がそれぞれ異なる個人年金保険を購入し、複数の契約を結ぶことができる。我々の理解では、多くの購入者は複数の見積りを取得しており、購入者の78％は当初の見積りから4週間以内に完了しているが、購入に至るまでに2年を要す

る人もいる。

競争、保険会社の選定、手数料の開示に関する考慮事項

　機関投資家向けプラットフォームでは、すべての年金給付の見積りにおいて、競争入札が用いられている。見積りデータを検証した結果から、任意の時点で個々の保険会社は、それぞれの異なる見積りにおいて、非常に競争的かつ、それらの見積り内容も時間の経過とともに変化することが判明している。個々の見積り内容の結果における差異は、特定の個人年金保険の特性、人口分布的要因、基礎となる価格の仮定、市場の状況、およびタイミングについて、保険会社の見解に起因する可能性がある。

　数千の個人年金保険の見積りデータを分析した結果、平均すると、月次給付額の高値と安値の差は8％であり、15％を超える差は稀であるが、場合によっては、20％にも達することがわかっている。また、**図7.1**では、同業他社との比較で、個々の発行体の個人年金保険見積りが示すポジションを分析している。そこでは、それぞれ10万ドルの個人年金保険購入価格を持つ、50件の個別見積りのサンプルから報告しており、一つの特定の保険会社の見積りのポジションを12ヶ月にわたって、異なる個人年金保険タイプの複数の同業他社に対して表示する。図中の各垂直線は、各個人年金保険の見積りを高値から安値の範囲でシナリオ別に表している。黒四角は、それぞれの見積りシナリオで同一の個人保険会社を表している。示された期間において、この保険会社はいくつかの見積りでは高い結果となり、また他のものでは低い結果となり、残りのケースでは中間の範囲に留まるなど、同様の結果が時間経過とともに一貫して認められ、高値と安値の差異は、見積り内容によって異なっていたのである。この結果を当てはめてみると、この差は英国の事象で見られるものほどは、大きくはなかった（Reyes and Stewart, 2008）。

質問や懸念事項への対応

　このプラットフォームのプログラム・パートナーの中には、顧客からの質問に対応し、購入プロセスを支援するサポートスタッフを擁する企業もあれば、Hueler社の職員に対して、直接的なアプローチを行うとこ

図7.1 1年間の個人年金保険10万ドルの見積り

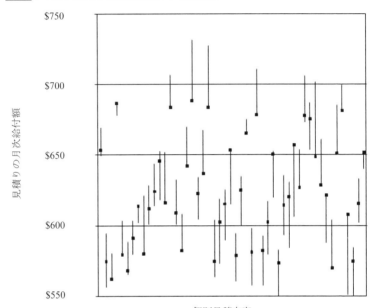

出所：Hueler Companies社から提供されたデータを著者らが分析。

ろもある。顧客からのよくある質問には、見積り作成へのアクセス方法
や、見積り・購入プロセスにおいて何が起きるかといった、購買プロセ
スに関するものがある。もう一つは、「どの程度を年金化すべきか？」
という点である。この質問者には、他の収入源や一般的な経費のカテゴ
リーを検討するのに有効な「所得ギャップ」シミュレーター画面に誘導
している。このシミュレーターは、必要経費と任意的経費の相違につい
ても説明することができる。また、別のよくある質問では、プログラム
に何らかの手数料がかかっているかどうかというもので、機関投資家向
けプラットフォームでは、購入における全ての見積りに対して、一括固
定取引手数料を徴求する。手数料は購入前後に全て個人投資家に開示さ
れるため、追加的な質問が発生する場合もある（これは、他の個人年金
保険の販売モデルとは異なるためである）。また、購入者は遺族給付や

インフレ保障についての質問をすることが多い。

　その他にも、保険会社についてよく尋ねられるものの中には、選択できる保険会社数がどれだけかという質問が含まれている。その会社数は、求められる個人年金保険の特性と、それらに関連するプログラム・パートナーに応じて、最大10社になる。また、質問者は保険会社がどのように選ばれ、どのような相違があるかをよく尋ねている。そういった質問者については、Moody's社、Standard & Poor's社、A. M. Best 社による格付けを含む、選定保険会社とその財務状況を開示しているウェブサイトへと誘導するようにしている。また、個人年金保険の購入者やプログラム・パートナーの中には、保険会社の支払不能問題を非常によく認識しており、この問題について尋ねる顧客もいる。さらに購入者の中には、保険会社のリスク分散を目的に、複数の保険会社間で保険商品を分割して購入する顧客もいる。個人年金保険、または年金プラットフォームへのアクセスを提供するプラン・スポンサーは、競争入札による選定か否かにかかわらず、参加保険会社における財務の安定性において、適切な監視を行っているかどうかを問題にすることが多い。

国際比較

　高齢者が、個人年金保険を購入する際の2つの手法として、チリ政府と英国政府の経験について簡潔に紹介する。

チリ政府における事例

　1981年以降、チリ政府には、強制的なDC年金制度が導入され、退職者は「プログラム化された」、または段階的な引き出しか、あるいは個人年金保険の購入を選択することができる。労働者の資産は、民間の年金基金である確定拠出型年金AFP制度（以下、AFPs）で積立てられ、同基金がこれらの計画的な引き出しを管理しているが、労働者は、これらの口座から一時金を受け取れない可能性がある。保険会社は、個人年金保険の見積りサービスで競り合い、最低年金給付保証に必要となる口座金額に満たない人々は、年金商品を購入することができない。現在、チリにおける退職者のほとんどは、年金受給を選択しているという（Ruiz and Mitchell, 2012）。

　年金の費用や経費に関する懸念に対処し、競争力と透明性を向上させ、プラン加入者の満足度向上を目指すべく、2004年、同政府の支援によって、コンピューターを利用した競争入札システム、SCOMPが導入された。このシステムにおいては、個人年金保険の見積りは、個人投資家が直接受け取るか、退職者の代理として、保険ブローカーが入手することができる。このシステムを通じて、個人年金保険を直接購入する場合の仲介手数料は無料であるが、ブローカーを利用する場合は、最大2.5％の仲介手数料がかかるという（Reyes and Stewart, 2008）。年金加入者は、ブローカー、あるいは販売代理店が行う支援の有無にかかわらず、競合するすべての保険会社から、最大3件の見積りを要求することができる。

　このシステムは、政府主導による強制的なDC年金制度に接続されているという点において、前述した我々のものとは異なっている。すなわち、我々の機関投資家向けプラットフォームは、多くのサービス・プロバイダーのシステムと接続されているものの、見積りの要求は年金プラン加入者に任されている。見積りを要求すると、同プログラムに登録されたすべての保険会社に対し、競争を助長するような情報が自動的に提供されるようになっている。さらに、サービス水準やプログラム・パートナーに応じて決められたスポット取引手数用が全面的に公開され、それ以上の仲介手数料や取引手数料は求められない。アドバイザーを利用する場合、スポット取引手数料は、一般的には、実質最低水準となっている。これは、個人投資家がアドバイザーへの手数料を負担することによって、アドバイザーは個人投資家に雇われるか、または彼らの代理人となるためである。

　また同国では、インターネット経由でシステムに直接ログインをしたプラン加入者は、34％であったにもかかわらず、手数料を支払わずにプロセスを完了したのは、わずか12％であった。さらに、競争入札を確実にする手段として、オプションを利用するプラン加入者は、ごく一部にすぎない（Reyes and Stewart, 2008）。従って、チリとIncome Solutions®のプラットフォームは、積極的なガイダンスと支援を求めて、ほとんどのプラン加入者が活用していると言える。機関投資家向けプラットフォームでは、競争入札は自動的に行われるが、同国ではその比

ではなく、またその利用は限られている。

　チリにおける事例は、インセンティブが重要であることを示している。ブローカーが個人年金保険の見直しに携わったところでは、75％の個人投資家が最高の（最も高い）給付を受けた。アドバイスを求めてAFPsを利用した退職者は43％で、生命保険会社に相談を行ったのは、わずか3％であった。これはおそらく、ブローカーが一度接触を持った顧客を獲得すると、インセンティブがもらえるためであろう。AFPsは、積立段階では積極的に参加しているが、年金商品のアドバイスを提供するための手数料を受けていない（Ruiz and Mitchell, 2012）[*3]。

英国政府からの教訓

　これまで英国においては、退職者は年金資産の4分の1を一時金で受け取ることができ、残りは75歳までに年金化されなければならなかった。しかし、1978年以降、受給する個人投資家は公開市場オプション（以下、OMO）を通じて、個人年金保険の購入権利を有するようになった。しかしながら、大多数の人は、必ずしも最良な年金給付率で受け取っていないにもかかわらず、年金プロバイダーを使って個人年金保険を購入していた。実際、最良のOMOでの給付率と、既存の年金プロバイダーとの年金所得格差は、30％にも達する可能性があるが、新しいプロバイダーに移行したのは3人に1人にすぎない（Reyes and Stewart, 2008）。2002年から、年金受給者は現行の年金受給先以外の団体から年金給付を受ける権利があることを知らされなければならず、所得の高い人ほど年金給付先を移管する可能性が高くなった。月収が250ポンドから499ポンドの26％がOMOに移ったが、このうちの67％の月収は、3,800ポンドを超えている（Reyes and Stewart, 2008）。

　英国では、オンライン経由で個人年金保険プランナーを斡旋する独立した任意団体、年金アドバイザリー・サービス（TPAS）と共に、このプロセスの改善に取り組んでいる。このサービスは、それぞれが個人年金保険を選択し、その価格を理解するのを支援している。個人年金保険プランナーや様々な情報資料は、英国の公的金融教育機関「マネー・アドバイス・サービス」の一部で、英国政府主導の下、金融サービス業界からの税金で運営されているウェブサイトである。オンライン・プラン

ナーは単生か連生か、遺族年金所得（給付）、インフレ保障か、死亡給付か、といった問題について、顧客と話し合いを行うための一種の構造的なガイダンスサービスを提供している（Reyes and Stewart, 2008; Money Advice Service）[*4]。

考察

　チリと英国は生涯所得に重点を置いているが、米国のプログラム構造は、プラン・スポンサーが登録、貯蓄、投資選択を行うための中心的な役割を担っている。チリや英国における強制的なDC年金制度に対して、米国におけるシステムは、言うまでもなく他国とは異なり、インフレ調整後の月次の年金給付は、社会保障制度から提供されている。

　もう一つの注目すべき要素は、競争入札の役割である。Hackethal, A., and R. Inderst（2013）が示す通り、ファイナンシャル・アドバイスの有効性に関する研究では、成果に関する透明性の向上が求められ、競争入札の有効性を後押ししている。上述したように、ある期間において見積りを比較する場合、最善の見積りを提示する業者は、時間の経過とともに、また、見積り内容によって異なる。民間企業である生命保険会社の競争を促進するプロセスがなければ、たとえ月収と最終的な所得の充足度を大幅に改善できたとしても、人々は既存のプロバイダーにとどまる傾向がある。さらに、多くの個人年金保険の購入者は、保険契約を完了する前に複数の見積りを希望するため、インターネット上で商品比較を利用できることは有用である。それにもかかわらず、終身年金保険商品の購入の意思決定は複雑になってしまうため、ほとんどの人にとって、追加的な支援やガイダンスが必要である。

　もう一つの要因は、米国の個人年金保険購入者の大半（われわれのデータでは61％）が、年金化の際に、自己保有資産の4分の1程度、またはそれ以下しか利用していないということである。従って、個人年金保険の購入者は、ポートフォリオの一部として購入を考えているようであり、これは「やるか、やらないか」といった従来型のアプローチが、もはや多くの購入者を引きつける可能性が低いことを意味している。対照的にチリでは、米国に比べてセーフティネットがはるかに小さいため、退職後の資産の年金化率が高くなっている。つまり、個人年金保険が計

画された所得配分を行うのは有益な手法ではない、といった一般な考え方には、おそらく欠陥があるものと思われる。なぜなら、退職後における資産の年金化方法において、貧弱なサービス提供の枠組み、限定的な個人年金商品の流通経路、ガイダンスの欠如といった問題が、著しい妨げとなっていることを認識していないからである。

結論

　退職後の保障において、生涯所得の保証は重要な要素であるにもかかわらず、米国における社会保障は、多くの退職者に生涯所得に十分となる単一の資金源を提供していない。退職年金プランが生涯所得を提供していない場合でも、保証された退職後所得の資金フローを増やす対策は可能である。ここで説明した機関投資家向け購買プラットフォームは、個人年金保険購買プロセスにおける透明性、競争、ガイダンスを統合した実在のモデルを提供している。構造的ガイダンスは、非常にうまく機能するシステムにおいて重要な要素ではあるが、それでもまだ不十分である。また、資産の一部を年金化する機会を増やすために、プライベートな相談も必要なのである。

　プラン・スポンサー、アドミニストレーター、アドバイザー、および金融機関のサービスを利用する個人投資家は、機関投資家向けプラットフォーム経由の購買や、構造的ガイダンスを活用することによって、グループ価格設定や、情報に基づく購買プロセスにおいて、その有益性を享受することができる。積極的なガイダンスがある場合、すなわち、購入決定の相談や、それに付随する様々な問題を理解し、アドバイスを行える人がいれば、彼らはより安心して購入することができるのである。また、競争的な価格設定は、より多くの月次給付額を生み出している。

　退職者の資産の年金化は、すべての人に適しているとは限らないが、年金を含めた公正な給付の選択肢を得ることは重要である。退職時の資産管理の選択、保証された生涯所得を検討する上での様々な障壁、主要関係者の影響力、個人投資家が最善の意思決定を行うのに最適な政策プログラムといった側面において、さらなる理解を得るためには、より多くの研究調査が必要となる。さらに、年金制度は、コスト、複雑な機能、プロバイダー・リスクに関連して、悪い報道を受けることが多い。残念

ながら、生涯所得を提供する即時開始型年金保険は、投資重視型の変額年金商品と混同されることが多い。もう一つの障壁は、顧客が年金化を行う際のファイナンシャル・アドバイスは、彼らの収入は減っているであろうという情報源に基づいて行われているということである。

　さらに、退職者により良好な運用成果を求める事業主の中には、フィデューシャリー・デューティや法的責任に関する懸念から、退職者とのその後における関与に消極的な事業主もいる。プラン加入者の生涯所得において、利益相反や矛盾したメッセージが最善の利益への行動を妨げるという問題の解明には、さらなる研究が必要とされている。

別表：8件の調査事例

　機関投資家向けプラットフォームでの経験を基軸に、様々な調査事例や金融商品の購入を分析することによって、購入プロセスで何が起きるかを明確にすることができる。

　購入者Aとして、金融知識が豊富な個人投資家の例を挙げる。購入者Aはファイナンシャル・アドバイザーと共に働いていた女性で、12件の年金契約を毎年4件、3年連続で購入した。複数の生命保険会社を通じて保険リスクを分散し、取引の実行や見積りの選定もそのアドバイザーが行っていた。これらは個人型年金保険であり、ほとんどがインフレ指数連動型で、特徴には若干のばらつきがあった。IRA口座から資産が引出され、購入1回当たりの保険料（$10,000）という点は同じであった。長期にわたる購入によって、金利リスクを分散させ、個人年金保険の運用に慣れていった。この購入者は66歳で初めて商品を購入し、月額合計で575ドルの追加所得を得ており、この購入プロセスにおいては、22件の優位性をもった見積りが提示された。

　購入者Bは62歳の男性で、59歳の女性の連生年金保険の受給者である。ここでは彼が採った精巧な購入事例を紹介する。この購入者は、3社の異なる保険会社から一時点で購入し、1社当たり5万ドルの保険料を支払い、月額904ドルの給付を受けている。すべての購入商品は、遺族に対する50％の給付と、10年間で一定の給付を伴う連生年金保険で、それぞれが同じ設計内容のDCプラン適格年金資金から充当したもので、

最初の見積日から購入日までの6ヶ月以内に、4件の見積りが提示された。

　購入者Cは二者一組（カップル）で、税制適格と非税制適格ファンドを組み合わせた複数の保険会社を利用することで、個人年金保険を5件購入し、さらに現金払戻し型の個人型年金保険と連生型年金保険の両方を購入している。当初の見積りから購入日までの期間は3週間未満で、様々な年金種類の組み合わせに対して、51件の見積りが提供された。

　購入者Dは、85歳の退職者で、67歳の連生年金保険の受給者が存在していた。彼は約5カ月の間隔をおいて2つの商品を購入した。彼の最初の購入では、ファシリテーターが見積り依頼をして購入を実行し、2つ目は本人によってなされ、2つの異なる保険会社を利用した。最初の購入は生残者に100％支払われる連生年金保険と有期給付の連生年金保険、2回目は有期給付の個人型年金保険であった。4件の見積りが提示され、最初の購入は最初の見積りと同じ週に行われた。保険料は、最初の購入では25万ドル、2番目の購入では17万5,000ドル、1番目の購入では月1,481ドルの給付、2番目の購入では月1,516ドルの給付であった。

　購入者Eは、61歳の男性で、7万ドルの税制適格年金での積立金を使って、月1,200ドル給付、5年有期給付の個人年金保険を購入した。9件の見積りを入手し、最初の見積りから購入まで4ヶ月を要した。5年有期給付年金保険を購入する理由としては、社会保障給付への橋渡し、社会保障請求の繰り延べ、大学費への充当、住宅ローンの返済によって、より多くの収入を得ることなどが考えられる。

　購入者Fは84歳の女性で、非税制適格ファンドを利用し、月額1,653ドルの生涯所得を得るために、保険料15万ドルの個人年金保険を購入したものの、現金による払戻の選択肢は購入しなかった。ファシリテーターが購入サポートを行い、8件の見積りを入手したが、最初の見積りから購入までに5週間を要した。80歳代の年金受給者による購入は、一般的にファシリテーターによる支援の下で行われ、税制非適格資産を利用することが多く、適合性に関する追加的な調査を受けている。

　購入者Gは、65歳の男性、64歳の女性で、保険会社4社を利用して4件の購入を行った。最初の見積りから最終購入までの3週間で、生残者に100％支給される連生年金保険と個人型年金保険の混合を含む、様々な

特性の年金商品が組み合わされた30件の見積りが提示され、その中には15年から20年の有期保証も含まれていた。購入は、税制適格年金資金から実施され、ファシリテーターが見積りの選定を行った。総購入価格は50万ドルを超え、これは総流動資産の3分の1未満程度に相当していた。購入者は、異なる保険会社を選択することによって、信用リスクを分散化した。

　購入者Hは妻が若い夫婦のプラン加入者であり、最初の個人年金保険購入時に、購入者は66歳で、妻は46歳であった。二人は、1年ごとに購入し、1件当たりの保険料が3万5,000ドルの商品を6つ購入した。彼らは、インフレ連動型の生残者に100％支払われる連生年金保険を選択した。IRAファンドを利用し、最初の見積りから購入までに2週間を要した。これにはアドバイザーが加わり、合計9件の見積りが選定された。

▶ **第7章** 章末注

1　アドバイザーとは、顧客にファイナンシャル・アドバイスを提供する人々のことである。アドバイス・プロバイダーとは、従業員給付制度のスポンサーやアドミニストレーターにアドバイスを提供する企業で、しばしば自動化されたプラットフォームを利用している。これらのプログラムには、コールセンターやユーザーと会話を行う人々を含んでいる。

2　据置型終身年金（ALDA）とは、85歳といった高齢者に対して、繰延を規定する年金契約であり、死亡が早期に発生した場合の死亡給付は伴わない。ここでは、高齢かつ中程度の費用で投資を始める場合の長寿化リスクの保証方法を提供している。今日に至るまで、税金繰延退職年金制度を通じてこのタイプの年金商品を利用する際は、この税制が障壁となっていた。

3　移管規定によって、DCプランによる積立額のDB型年金への移管が可能となり、その後の生涯所得は、DB型年金から提供されることが認められた。これは、事実上、退職者がDB型年金から、個人年金保険の購入を助長するという効果をもたらしている。

4　IRAでのAUMは、後に個人年金を購入するために利用されるかもしれないが、これに関する情報収集が以後行われていないことから、最終的に、DCプランのAUMが個人年金保険にどの程度変換されたかを立証することはできない（Wray, 2008）。

5　この予測は、退職時のいかなる形態の構造的な所得にも当てはまる可能性があり、生涯所得を対象とする必要はない。

6　これまでのところ、この手法を採用するアドバイザーはほとんどいない。収入を得るための引き出し方法について、ファイナンシャル・プランナーの75％は、所得創出のための段階的な引き出し、38％は、時間分割型のアプローチによる引き出し、33％は、不可欠的、あるいは任意的なアプローチを行うよう頻繁に提唱している（Guyton, 2011）。

7　ファシリテーターから質問の検証を行う場合の回答例として、以下のような例がある。「購入者は、基本経費、あるいは想定外の支出に耐えうるだけの十分な資

金があり、自身が表明した自己資本の50％を超える個人年金保険は購入しない事を確認した」。つまり、終身保証の購入者が確認を求められたというこの検証事例は、寿命を超えての給付がないことを理解しており、これは言うなれば、有期保証の購入者が有期期間を超えての給付がない、と言っているのと同じ事を示している。

8 年金化の試験運用は、これらいくつかの固有な欠点に対処すべく設計された、代替モデルとしてのもう一つの事例である。生涯所得の代替案に賛同する人達は、最初の固定期間に資産が年金化される年金化の試験運用という考え方を提唱している。それ以降、個人投資家は、終身年金に転換するか、一時金給付を含む他の方法をとるかの選択肢を持つことができる。

9 税制適格年金基金とは、IRAや401（k）プランのような税制優遇の退職貯蓄口座の資産のことである。内国歳入法は、これらの年金基金にどの程度拠出することができるか、また、どのように資金を引き出すべきかについて制限を設けている。税制適格と税制非適格年金基金をそれぞれで購入した場合は、個人年金保険の税務上の取扱いは異なる。

10 米国税法、内国歳入法第1035条に基づき、個人年金保険契約の保有者は、譲渡時に税金を支払うことなく、個人年金保険契約を他の契約と交換することが認められている。

11 記載の調査事例については、付録を参照のこと。

▶第7章 参考文献

Callan Investments Institute（2012）. *2012 Defined Contribution Trends Survey.* San Francisco, CA: Callan Associates.

Council of Economic Advisers（2012）. 'Supporting Retirement for American Families.' Washington, DC: CEA. February 2 .

Guyton, J.（2011）. 'Special Report: Retirement Income Planning: Study Suggests Link Between Planner Retirement Advice and Client Life Style Changes,' *Journal of Financial Planning*, 24（12）: 28–32.

Hackethal, A., and R. Inderst（2013）. 'How to Make the Market for Financial Advice Work,' in O. S. Mitchell and K. Smetters, eds., *The Market for Retirement Financial Advice.* Oxford, UK: Oxford University Press, pp. 213–28.

Hueler, K.（2012）. 'PSCA Adds Hueler Income Solutions® as a Member Benefit,' *Defined Contribution Insights*, 60（1）: 17.

Institutional Retirement Income Council（2011）. *Types of Institutional Retirement Income Products.* Iselin, NJ: Institutional Retirement Income Council. http:// www.iricouncil. org/types（翻訳時点で該当ページ無し）

Iwry, J. Mark, and J. A. Turner（2009）. *Automatic Annuitization: New Behavioral Strategies for Expanding Lifetime Income in 401 (k)s.* Washington, DC: Retirement Security Project. http://www.brookings.edu/~/media/Files/rc/papers/2009/07_annuitization_iwry/07_annuitization_iwry.pdf

Money Advice Service（2012）. *Pensions and Retirement.* London, UK: Money Advice Service. https://www.moneyadviceservice.org.uk/en/categories/pensions-and-retirement（翻訳時点で該当ページ無し）

National Association of Insurance Commissioners（NAIC）（2010）. *Revised Suitability in Annuity Transactions Model Regulation Executive Summary.* Kansas City, MO: NAIC. http://www.naic.org/documents/committees_a_suitability_reg_guidance.pdf（翻訳時点で該当ページ無し）

Rappaport, A. M. (2011). 'Retirement Security in the New Economy, Developing New Paradigms for the Payout Period,' in Society of Actuaries, eds. *Retirement Security in the New Economy: Paradigm Shifts, New Approaches and Holistic Strategies.* Schaumburg, IL: Society of Actuaries. http://www.soa.org/library/monographs/ retirement-systems/ retirement-security/mono-2011-mrs12-rappaport-paper.aspx（翻訳時点で該当ページ無し）

Reyes, G., and F. Stewart (2008). 'Transparency and Competition in the Choice of Pension Products: The Chilean and UK Experience,' Working Paper No. 7. Paris, France: International Organization of Pension Supervisors (OIPS).

Ruiz, J., and O. S. Mitchell (2012). 'Pension Payouts in Chile: Past, Present, and Future Prospects,' in O. S. Mitchell, J. Piggott, and N. Takayama, eds., *Securing Lifelong Retirement Income: Global Annuity Markets and Policy.* Oxford, UK: Oxford University Press, pp. 106–30.

Turner, J. A., and D. M. Muir (2013). 'The Market for Financial Advisers,' in O. S. Mitchell and K. Smetters, eds., *The Market for Retirement Financial Advice.* Oxford, UK: Oxford University Press, pp. 13–45.

United States Department of the Treasury (2012). *Treasury Fact Sheet: Helping American Families Achieve Retirement Security by Expanding Lifetime Income Choices.* Washington, DC: US GPO. http://www.treasury.gov/press-center/press-releases/ Documents/020212%20Retirement%20Security%20Factsheet.pdf（翻訳時点で該当ページ無し）

United States Senate (2011). *Background on the Lifetime Income Disclosure Act (S.267).* Washington, DC: US GPO. http://bingaman.senate.gov/upload/Lifetime_ Disclosure_Act.pdf（翻訳時点で該当ページ無し）

Wray, D. (2008). *Testimony before the ERISA Advisory Council Working Group Working Group on Spend Down of Defined Contribution Assets at Retirement.* Washington, DC: ERISA Advisory Council, US Department of Labor.

▶ **第7章** 訳者注

*1
Hueler社のIncome Solutions®の直近の内容や詳細については、巻末に示した直近のWEBサイトを参照されたい。

*2
全米保険監督官協会（National Association of Insurance Commissioners；NAIC）は、1871年に設立された。当初の名称はNational Convention of Insurance Commissionersであったが、1944年に現在の略称となった。全米50州、ワシントンDC、4準州の保険監督官で構成される。州保険監督官の任意かつ包括的な団体で、かつ州保険規制の調整機関、兼監視機関でもある。（生命保険文化センターHP　生命保険用語　英和・和英辞典を参照）、また現在のNAICについてはhttps://content.naic.org/を参照。

*3
チリの年金制度の内容や直近の詳細情報については、公益財団法人年金シニアプラン総合研究機構のWEBサイトの「世界の年金情報」で紹介されている。

*4
英国の年金制度の内容や直近の詳細情報については、公益財団法人年金シニアプラン総合研究機構のWEBサイトの「世界の年金情報」で紹介されている。

第 2 部

パフォーマンスとその影響の計測

第**8**章
ファイナンシャル・プランナーの影響評価

キャサリン D. ズィック、
ロバート N. マイヤー

　専門のファイナンシャル・プランナーは、顧客の経済的な幸福度を向上させているのだろうか？　この疑問への答えは25年前よりも、今日、より一層重要となってきている。なぜなら、現在は個人がファイナンシャル・プランニングに対してますます責任を負わなければならず、金融市場はより複雑で不安定になっているからである。このような傾向を示すものとして、1985年の米国には、約3,400万の証券口座と、1,528のミューチュアルファンド銘柄があり、2010年には、2億9,200万の証券口座と7,581のミューチュアルファンド銘柄が存在しているのである（ICI, 2011）[1]。金融関連の事象を扱うための情報収集や選択への負荷を考えれば、世帯の約3分の1が、専門のファイナンシャル・プランナーに、貯蓄、投資、保険の相談を行っているという報告は、驚くにあたらないだろう（SunAmerica Financial Group,2011; Twigg,2011; Turner and Muir,2013）。しかし、消費者の課題はここで終わりではない。なぜなら、ファイナンシャル・プランナーにはさまざまな種類があり、さらに肩書き、資格、認定などが多様化しているからである[2]。
　ファイナンシャル・プランナーが、顧客に利益をもたらす条件を知ることは重要であるにもかかわらず、今までのところ、ファイナンシャル・プランナーの影響を評価した研究調査は、ほんの一握りにすぎない。さらに、これまでの研究調査は、それらが示した結論の信頼性を限定するような、構造的特性にしばしば悩まされてきたのである。本章では、ファイナンシャル・プランナーが顧客の経済的な幸福度を改善するかどうかについて、評価分析者が自信をもって結論を導き出すための「ベストプラクティス」アプローチについて詳述する。このベストプラクティ

スに照らし合わせ、現在の文献をあらためて考察し、2007年全国家計資産・負債状況調査（以下、SCF）を用い、評価方法の選択が研究調査成果の結論にどう影響するかについて事例を示す。

評価方法

　専門のファイナンシャル・プランナーのコンサルティング効果を正確に評価するには、調査における3つの側面が健全であることを保証する必要がある。すなわち、（a）提供された助言内容とその成果の測定、（b）その調査結果が他の状況にもたらす適用能力、そして、（c）専門家による指導とその成果を検証し、それが間違いないものであるという確信である（Langbein and Felbinger, 2006）[3]。本章では、これらについて、専門のファイナンシャル・プランナーが行う業務への評価と照らし合わせ、順に考察していく。

正しい概念で測定されているか？

　一見すると、専門のファイナンシャル・プランナーに助言を求めたかどうかを検証するのは簡単に思われるかもしれないが、実際には複雑である。例えば、認定ファイナンシャル・カウンセラー（Accredited Financial Counselor；AFC[*1]）やCFPが行うコンサルティングを、銀行の顧客サービス担当者が行うものと同等と考えて良いか、取引手数料ベースのプランナーと報酬のみを徴収するタイプとを区別すべきか否か、相談回数が1回限りの場合と繰り返し発生する場合とを同じように扱って良いかどうかといった判断が、研究者には求められるのである。加えて、プランニングの策定において、どのような時間軸（1年、10年など）が重要になるのかについても決めておく必要がある。このような概念的な問題の解決には、専門のファイナンシャル・プランナーとの接触をどのように測定するかという点で、実用的な意義がある。

　先の研究調査では、広く定義されているファイナンシャル・プランナーの利用に関して、研究者は、二者択一で自己申告による質問形式に依存していた。しかし、この典型的なアプローチを改善する4つの研究調査に注目が集まっている。一つ目は、ドイツにおける研究調査であるが、専門的なファイナンシャル・アドバイスの利用を測定するために、

証券会社と銀行に協力を仰いだもので（Bluethgen et al., 2008; Gerhardt and Hackethal, 2009; Hackethal et al., 2012）、おそらく、これらの組織的な記録データは、自己申告のデータよりも正確である。二つ目は、同じくドイツにおける研究調査の一つに、独立系ファイナンシャル・アドバイザーを利用した場合と、銀行所属のアドバイザーを利用した場合との比較を行ったものであるが（Hackethal et al., 2012）、これらの結果はまちまちであった。そして、三つ目は、ファイナンシャル・アドバイザーが、分散投資を推奨し、実際に行われる投資が、予め決められた理想的なポートフォリオと一致するよう支援を行っていると結論付けた。一方、別の研究調査では、専門のファイナンシャル・アドバイザーとの連携が、顧客にとって有益であるとする証拠は、ほとんど得られなかった。

　四つ目は2010年、カナダの研究調査で、ファイナンシャル・プランナーとの接触を、時系列データを用いてより正確に測定している（IFIC, 2010）。具体的には、消費者に対し2005年と2009年にファイナンシャル・アドバイザーを利用したかどうかについて尋ねたもので、この実証分析では、両年ともに「はい」と答えた人と、両年とも「いいえ」と答えた人を比較検証している。この方法は、最近アドバイザーから助言を受けたことのない人や、最近助言を受け始めたばかりの人を対象外にするという利点がある。この調査結果から、2009年における世帯の運用資産額は、投資アドバイスを受けていない世帯よりも、受けた世帯の方が高いということが明らかになった。この調査では、5つの世帯グループを所得毎に分け、年間10万ドル未満の世帯グループとそれを上回るグループとを比較したが、その差は歴然であったという。

　このような注目すべき研究調査の結果にもかかわらず、現在の研究調査は依然として、ファイナンシャル・プランナーの種類や、顧客への影響を見分ける様々な要因となるものを公平に評価するには至っていない。また、現在の文献では、ファイナンシャル・プランナーと顧客との間における関係性、とりわけ、その期間や頻度について把握ができていない。これと同じくらい厄介な問題が、測定結果の選択に関係している。これらはファイナンシャル・プランナーが達成すべき成果を把握するものであるが、分析者はこの点について異議を唱えている。たとえば、Collins（2010）は、ファイナンシャル・プランナーにおける役割を、技術的な

専門家、証券取引の代行、カウンセラー、コーチの4つに区分しており、各役割は、ファイナンシャル・プランナーの実績に応じて、異なる基準があることを意味している。

　測定結果の選択を行う際に伴う、概念的な問題の様相を理解するには、ファイナンシャル・プランナーを利用する利点が、金額（口座残高の成長度）、時間（プランニングの策定過程で節約された時間）、心理的状態（退職後の生活に対する自信や安心感）という側面において、最も適切に評価されているか否かを問う必要がある。さらに、実績面での評価では、顧客の取引において、「市場を上回るリターンの達成」を支援し、（先入観や思い込みによって投資判断に影響を与える行動バイアスへの「サーキットブレーカー」的な役割を担い）重大なミスを回避させることが、果たして、「優れた」ファイナンシャル・プランナーに求められているのかどうかは不明である。例えば、Hackethal et al.（2012）では、ファイナンシャル・プランナーとは、職務経験、専門知識、顧客が見落としがちな大局的な視点を示す「精神科医」（筆者らのたとえであり、Hackethalらによるものではない）的な役割を果たすのではなく、有能な人材がその時間を他の仕事に使うことができるような、いわゆる「ベビーシッター[*2]」としての役割を果たすものだと結論付けている。

　もし、ファイナンシャル・プランナーを利用することの利点が、純粋に金銭的なものであるならば、厳格な基準は、長期的にはリスク調整後の高い収益率、あるいは、より大きな資産を形成することとなるであろう。しかし、ほとんどの研究者は、ある時点におけるファイナンシャル・アドバイスや、そのかなり先の時点における資産残高へのエクスポージャーを測定する余裕を持ち合わせていない。さらに、クロスセクション分析では、ファイナンシャル・プランナーを利用することと、平均以上の資産を手にすることとの間における関連性を誤って解釈する危険性がある。なぜなら、ファイナンシャル・プランナーは、人々がより裕福になる手助けをするかもしれないが、高額所得者は、ファイナンシャル・アドバイスを求める傾向がより強い可能性があるからである。

　経済的な成果（ポートフォリオ上のパフォーマンスなど）を、ファイナンシャル・プランナーの潜在的価値の尺度として用いることは困難であることから、多くの研究調査では、ファイナンシャル・プランナーが

短期的に影響を与えうる、（特定のプランニング施策、分散投資、緊急時の備えといった）「プロセス」要因に焦点を当てている。想定では、推奨されるファイナンシャル・プランのプロセス手順にあくまでも従っていくことが、長期にわたる経済的な成果を改善する方法だとしている。われわれの研究調査では、退職後の資金ニーズを推計することは、まさにより多くの退職金資産の蓄積と関係していることを示している（Marsden et al., 2011）。しかし、達成目標や具体的な目的の設定、ファイナンシャル・プランの策定や実施、パフォーマンスのモニタリングといった、豊富なプランニング手順に影響を与える証拠は不十分なのである（Certified Financial Planner Board of Standards, 2009）。

　分散化は、測定が比較的容易であることや、顧客とそのアドバイザーが直接管理を行っていることなどから、ファイナンシャル・プランナーへの影響に関する研究調査において、最も用いられる一般的な尺度となっており、資産クラス内、および資産クラス外の双方における検証が可能である。特に、Bluethgen et al.（2008）は、ミューチュアルファンドの利用、株式投資における多様な地域への分散（ホームアセット・バイアスとの対比）、ポートフォリオの変動性といった、分散化を多面的に測定するのに優れた研究調査成果を示している。

　ファイナンシャル・プランナーの影響を測定する概念的な手法がないことから、評価分析者は現実的な立場を取ることがよくある。すなわち、複数の研究調査結果を測定し、その中のいくつかを、長期的な投資実績の対象とするものであるが、ほとんどの研究調査は、ファイナンシャル・プランニングのプロセスにおける短期的な成果や、検証が可能な調査項目に重点を置いたものとなっている[4]。

検証結果は他の状況にも適用できるか？

　検証結果が他の状況にも適用できなければ、ファイナンシャル・プランナーの有効性には、限定的な洞察しか与えられないということになる。研究調査モデルにおける、他の状況への適用性を検証するには、2つの評価的考察が特に重要となってくる。

　第一に、対象となる母集団の定義が重要だということである。ある研究者は、同じ雇用主の下での労働者や同じ金融機関の顧客である個人な

と、比較的均質的なグループに関する専門のファイナンシャル・プランナーの有効性を知りたいと思うかもしれないし、また別の研究者は、一般的な人々や、（若年成人層や中所得世帯といった）特定のサブグループに対する影響への評価に関心を持つかもしれない。対象となる母集団は、誰を研究調査の対象とするか、そして、その結果をどのように外挿すべきかという決断を促すものである。例えば、人々が金融機関Xに資金を投資するようになった要因（教育水準など）は、専門的なファイナンシャル・アドバイスを受けた時に、人々がどのように行動するかということにも影響を与える可能性があるため、金融機関Xに資金を投資した個人に関する研究調査結果は、一般の人々に対して外挿すべきではないのである。

　実際には、ファイナンシャル・プランナーの潜在的な効果を検証している従来の研究調査のほとんどすべてが、特異的なサンプル標本を用いている。一つ目は、ある大手金融サービス会社のウェブサイトにアクセスした人々に焦点を当てている（ING, 2010）。二つ目は、米国に拠点を置く、別の研究調査が、雇用主がプラン・スポンサーである401（k）プランの提供を受けている人々のみに調査を行う（Charles Schwab, 2007）。そして、三つ目は、米国の雇用主の下で勤務する回答者全員の調査データを用いるというものであった（Marsden et al., 2011）。全米で最も代表的な調査は、RAND社ALP調査データに基づくものである（Hung and Yoong, 2013）[5]。オランダで実施された研究では、中堅銀行から提供されたデータに基づいて調査が行われている。また、いくつかのドイツでの研究は、単独のオンライン証券会社、および、または単独の銀行からのデータを利用したものであった（Bluethgen et al., 2008; Jansen et al., 2008; Gerhardt and Hackethal, 2009; Hackethal et al., 2012; Hackethal and Iderst, 2013）。

　第二に、対象となる母集団が定義されたら、研究者はそのデータが同集団の全員、もしくはその一部から収集されたものかどうかを判断しなければならない。通常、評価分析者はコストを考慮してサンプル標本を選択することになるが、そのような場合には、選択されたサンプル標本が対象となる母集団を代表するものであることを保証すべく、あらゆる努力をしなければならない。適切なサンプル標本を作成し（Scheaffer et al., 2012)、合理的な調査協力率を確保する最良の方法については、十分に確立された文献がある（Groves and Couper, 1998）。しかし、全体的なサンプル標本が、対象となる母集団の大部分を反映している場合であっても、特異な項目の質問に対する無回答については、特に、経済的な問題といったデリケートな質問の場合、代表性において問題を引き起こす可能性がある（Riphan and Serfling, 2003, 2005）。そのような無回答には代入法を用いることができるが、それらは技術的に非常に高度な手法である（Kennickell, 1998, 2011）。

金融の専門家との話し合いや、
その成果に対する信頼性は検証できるか？

　専門のファイナンシャル・プランナーの影響に対する評価では、因果関係の確立が求められる。つまり、金融の専門家との話し合いが、金融に係る業務や経済的な成果の改善につながるということを意味している。目標設定やポートフォリオの分散といった金融に係る営業業務や、純金融資産としての経済的な成果は、金融市場における経済全体規模での変動、個人のライフサイクル・ステージ、家計の所得、リスク許容度、偶然的な出来事、そして、専門のファイナンシャル・プランナーに助言を求めたかどうかといった、無数の要因による影響を被る可能性が高い。評価分析者は、他のランダム要因や分類要因を除いて、専門のファイナンシャル・アドバイスを求めた効果が対象項目における評価に与えた影響について知りたいと望んでいる。

　ランダム要因は、標準的な統計的検定技術の導入によって、定期的に検証することができる[6]。これとは対照的に、経済的な成果から他の分類要因を差し引くことは、もっと複雑である。大規模なサンプル標本を用いた研究調査であったとしても、適切な試験モデルを用いていなければ、説得力のある結果を得られない可能性もある。したがって、ファイナンシャル・プランナーを利用している人々とそうでない人々の経済的な幸福度を単に比較するだけでは、因果関係は証明されないのである。例えば、業界主導によるいくつかの研究調査は、専門のファイナンシャル・プランナーは非常に有益であると結論づけ（Charles Schwab, 2007; FPA/Ameriprise, 2008; ING）、また、ある研究調査では、「消費者意欲は

歴史的な低水準に近づいているが、一方のグループ、すなわち退職者を含めた包括的なファイナンシャル・プランを提供されている人々は楽観的であり、経済的な目標達成が順調に進んでいると感じている」（FPA/Ameriprise, 2008: 1）と主張しているものもある。

　因果関係に対する結論を導き出すには、ランダム化比較実験（以下、RFE）と呼ばれる、高度な評価モデルを用いるのが最善な方法である。RFEでは、調査対象となる個人が、トリートメント・グループとコントロール・グループへと無作為に割り付けられる。金融変数（ファイナンシャル・プランの策定、実施、総資産など）に関するデータは、最初に、両グループのメンバーから収集される。その後、トリートメント・グループに割り付けられた人々は、専門のファイナンシャル・プランナーの助言（待遇など）を受けることになる。専門のファイナンシャル・プランの測定方法に応じて、その待遇には様々な活動（目標設定、リスク許容度の決定、分散投資の推奨）や、宣伝普及方法（対面、オンライン）、および1回、または複数回のエクスポージャーなどが含まれる。適切な期間（6ヵ月、1年、5年）が経過した後、金融変数に関するデータを再測定し、トリートメント・グループにおける金融変数の変化は、コントロール・グループの変化と比較される。コントロール・グループと比較した場合、トリートメント・グループの経済的な成果に対する統計上の著しい相違は、専門のファイナンシャル・プランニングの影響における証拠となる。**図8.1**は、RFEの優れた設計構造を示している[7]。

　トリートメント・グループとコントロール・グループの結果を比較することによって、評価分析者は、両グループに影響を与える分類要因を除外できるという保証が得られる。例えば、2008年の歴史的な大不況は、双方のグループに等しく影響するはずである。同様に、その研究調査にかなりの検証分析期間が含まれている場合、コントロール・グループとの比較は、経済的な成果における、ライフステージ上の変化が相殺されることを保証するものとなる。例えば、トリートメント・グループとコントロール・グループの変化を比較することにより、評価分析者は、養育関連の支出から投資に振り向けられる「エンプティ・ネスト（空の巣）期」への移行に伴う、経済的な成果の変化を相殺することができる。最後に、2度の調査が行なわれたトリートメント・グループを含めるこ

194

図8.1 専門のファイナンシャル・プランナーへの相談の効果を測定するための無作為による実証実験

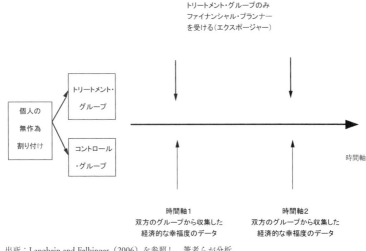

トリートメント・グループのみ
ファイナンシャル・プランナー
を受ける（エクスポージャー）

個人の
無作為
割り付け

トリートメント・
グループ

コントロール
・グループ

時間軸

時間軸1
双方のグループから収集した
経済的な幸福度のデータ

時間軸2
双方のグループから収集した
経済的な幸福度のデータ

出所：Langbein and Felbinger（2006）を参照し、筆者らが分析。

とにより、評価分析者は、研究調査の目的に敏感な参加者が示す、あらゆる効果を除去することが保証されるのである。すなわち、基準となるデータ収集の結果として、実験の参加者がファイナンシャル・プランの重要性を認識するようになれば、トリートメント・グループの経済的な成果の変化と、コントロール・グループのものとを比較することによって、これを分析から除外することができるのである。

双方のグループを無作為に割り付けることで、評価分析者は、意欲的で有能な個人が、専門のファイナンシャル・プランニング・サービスを受けているグループを自己選択[*3]にする可能性に振り回されなくて済むのである。また、経済的な成果に影響を与える高所得者、あるいは低所得者を1つのグループに取り込んでしまう可能性についても、調整を行う必要はないのである。

このような理由から、RFEは、専門のファイナンシャル・プランナーとの面談といった干渉要因と、複数の成果との間に存在する因果関係の評価を行う「質の高い研究基準」なのである。しかし、このような研究

手法を実施するには、通常、非常に高額な費用と広範な計画を必要とするため、実際に行われることは少ない。その代替として、専門のファイナンシャル・プランナーが経済的な幸福度にどのような影響を与えるかを評価するのに、最もよく用いられる研究調査モデルには、何らかの非ランダム化比較実験が含まれるようになっている。

　非ランダム化比較実験は、2つのアプローチから1つを選択する。一つめのアプローチは、トリートメント・グループへの処置（エクスポージャー）の前後で、単一の個人グループの分析対象の変数を単純に比較するものである。そのような実験の下では、各個人は自らがコントロール変数として機能する。例えば、専門のファイナンシャル・プランナーとの話し合いを行う以前の金融資産の水準を、1年後の水準と比較するのである。Gerhardt and Hackethal（2009）による研究を含め、これまでのいくつかの研究では、このような事前・事後の比較を取り入れ、以前は自分で投資判断をしていたが、最近、アドバイザーから助言を受けた600人のドイツの個人投資家を分析している。その結果、研究者は、ポートフォリオの再構築の一環として、アドバイザーから助言を受けるように切り替えたことが、より多くの証券取引に関わる行動を引き起こした可能性が高いと報告している。そして、新たに助言を受けた顧客もまた、分散化を進め、リスクの少ない取引を行うようになったという。

　Bhattacharya et al.（2012）による別の分析では、資産の分散化や専門のファイナンシャル・アドバイザーへの相談による成果に僅かな利益が見られたものの、その被験者は非常に特異なグループであったという。そして、アドバイザーと協力する機会について肯定的な回答をした5%未満を調査した結果、これらの被験者は、強力な自己選択グループであることが明らかになった。しかし、その場合においても、助言を受けた顧客のほとんどは、銀行所属のアドバイザーの推奨には従わなかったという。Hornet al.（2009）では、投資に関連する税法の改正前後で、助言を受けた投資家とそうでない投資家を比較すべく、時間経過を用いて分析を行った。助言を受けた投資家は、新しい規則の犠牲となる可能性は低くなるが、税務上の過誤を犯しにくい人々が、ファイナンシャル・プランナーと協力することを選択する可能性を排除することはできなかったと、筆者らは指摘している。

　二つ目の非ランダム化比較実験のアプローチは、現在の研究における中心的な手法となっている。ここでの対象項目における評価は、2つの異なる個人のデータセットについて、単一時点で評価測定するというもので、一つのグループはトリートメント・グループとして処置され、もう一方のグループは処置されない。われわれが示した文脈では、この方法にはクロスセクション・データを使用することが含まれるかもしれない。そこでは、回答者全員が自分自身の資産額について報告をしているが、ファイナンシャル・プランナーと接触したことがあると回答した者がいる一方で、そうではないとする回答者もいたのである。

　これら2つの非ランダム化比較実験のアプローチは、コントロール・グループとの比較を用いているが、無作為割り付けが行われていないことから、トリートメント・グループ以外で関連のあるすべての次元において、2つのグループが類似しているか否かが疑問視されている。結論から言えば、評価分析者は、単純な平均値の比較に頼ることはできない。もっと正確に言えば、研究者は、対象項目における評価に影響をおよぼす恐れがあるトリートメント・グループとは関係のない、他の体系的なプロセスを捉える変数を検証しなければならない。例えば、経済的な成果の場合には、いくつかの例をあげると、教育、世帯構成、ライフサイクル・ステージといった変数が含まれるかもしれない。これらの潜在的に重要な共変量を差し引くことは、専門のファイナンシャル・プランと経済的な成果との因果関係において、偏った推定値を導いてしまう可能性がある。

　非ランダム化比較実験の評価では無作為割り付けが行われておらず、逆の因果関係の懸念も引き起こしている。それは、専門のファイナンシャル・プランニングを求める人は、もともと多くの資産を保有しているので、彼らに助言を求める可能性があるということを示すものである。あるいは、資産額の低い（または、最近、資産額の下落を経験した）人は、過去の意思決定を取り消す手段として、専門家の助言を求めるかもしれない。いずれの場合も、専門のファイナンシャル・プランを受けること（エクスポージャー）と経済的な成果における因果関係の方向性が不確実であることから、対象項目における評価に対するトリートメント効果（助言の効果）の推定値には、偏りがあるのではないかとの懸念に

つながってしまうのである。

　また、非ランダム化比較実験では、推定された因果関係への信頼性は、省略された変数の除去と逆の因果関係によるバイアスがかかっている。本質的に、評価分析者は、統計的モデリングを用いて、無作為割り付けの補償を試みなければならないのである。専門的なファイナンシャル・プランの影響を評価する場合、推定された関係性が真の因果関係を示すという信頼性は、2つの事象の関数であるとしている、すなわち、(a)経済的な幸福度に影響を与える別の変数の影響を適切に取り込んだモデルの中に、共変量を含めること、そして、(b)専門的なファイナンシャル・プランと経済的な幸福度の同時関係に対する統計的許容量である。Bluethgen et al.（2008）による、当分野における草分け的な研究調査では、重回帰分析を用いて、銀行所属のファイナンシャル・アドバイザーの利用と、金融口座の特性との関連を検証している。それらは、投資家の年齢、収入、リスクに対する考え方など、様々な個人的属性を照合している。その検証によれば、アドバイザーの活用は、口座の分散化を促進し、事前に定義されたポートフォリオ・モデルをより厳密に遵守するだけでなく、経費も増額するということを明らかにしている。しかしながら、この研究調査では、逆の因果関係に関する可能性を検証していなかった。

　Hackethal et al.（2012）は、ファイナンシャル・アドバイザーの利用を予測すべく、操作変数によるアプローチを採用し、方法論上における重要な一歩を踏み出した。まず、地域毎のデータを用いて、金融情報における地理的集中度を概算し、これをもって、専門のファイナンシャル・プランナーの利用度の代用とみなした。しかし、投資家のさまざまな行動やポートフォリオの運用実績の分析に、ファイナンシャル・アドバイザーを利用する予測可能性を用いたものの、ファイナンシャル・アドバイザーの活用が顧客にとって有益であるという証拠を、ほとんど見出すことができなかった。

　Hung and Yoong（2013）は、投資家の運用実績とアドバイザーの利用における、逆の因果関係の可能性を操作変数法によって検証すべく、金融リテラシーについて2つの指数を用いることとした。彼らの考え方では、金融リテラシーとは、アドバイスの代替、または補完であり、助言

を求める可能性に影響を与えるものだということであった。したがって、金融リテラシーが助言を求めるか否かの決定に影響する限り、金融リテラシーについて検証することは、顧客が助言を求める可能性から、助言の影響を分離するのに有益であると言えるだろう。Hung & Yoong (2013) は、さまざまな投資口座の特徴（口座への拠出と引き出し、資産配分および投資選択の「誤り」）を分析した。彼らは、投資アドバイスには、明確な影響はほとんどないと結論づけ、どちらかといえば、逆の因果関係の証拠、すなわち、口座残高の減少を経験した人々が、アドバイザーを利用するようになったということを発見したのである。

Gerhardt and Hackethal (2009) の研究では、顧客に与える影響の特定にあたり、操作変数の代替手段を検証している。彼らは、ファイナンシャル・アドバイザーの予想利用数を照合するのではなく、傾向スコアアプローチを用いて、報告済となったファイナンシャル・アドバイザーの利用数を除き、可観測となったすべての標数と一致する調査項目のペアを、統計的に構成したのである。この手法は、正確な実験計画における無作為割り付けを概算したもので、それによって、投資家の運用実績の相違は、保有資産額の相違を含め、専門家の助言の利用、あるいは不利用以外の何等かの関数である可能性が低くなる。しかし、このアプローチを用いてさえも、専門のアドバイザーが顧客のために、より良い投資活動と投資実績を向上させたという証拠はほとんど見つからなかった。

大規模な州立大学の従業員を対象に実施された米国の研究においても、傾向スコアを用いたアプローチが採用されたが、その結果には一貫性が見られなかった（Marsden et al., 2011）。アドバイザーと活動を共にすることは、目標設定、退職ニーズの計算、退職金運用口座の資産分散化、補完的な退職口座の利用、緊急時のための資金の貯蓄、最近の経済危機に対する積極的な事前準備、退職後の生活に対する自信など、多くの重要なファイナンシャル・プラン活動と関連している。しかしながら、ファイナンシャル・アドバイザーの利用は、自己申告による退職後のための貯蓄や、年金用口座の資産価値の短期的な増加とは関係性がなかったのである。

理想的なRFEに最も近い2つの研究として、オランダのKramer

（2012）と米国のHung and Yoong（2013）がある。オランダの研究は、時間比較、およびグループ間比較における双方の比較を用いることで知られている。Kramer（2012）では、それまで自分で投資判断を行っていた投資家と、アドバイスを受けることに切り替えた後の投資家のポートフォリオを比較した。このような切り替えは、現実の世界では比較的稀な設定であるため、著者は4年間（2003年～2007年）で228人の投資家を分析している。アドバイザーに相談してから1カ月以内に、その投資家のポートフォリオは、現在保有している資産のポートフォリオ回転率を大幅に上げただけでなく、資産の増加も証明したのである。このような口座の変化に重要な視点を加えるべく、著者は、傾向スコアを基本としたマッチングペアによる研究調査モデルを採用した。この研究調査における決定的な卓越性は、アドバイザーがより大型のポートフォリオに取り組む可能性を把握すべく、サンプル標本を大口投資家と小口投資家に分類して検証している点にある。加えて、アドバイザーを利用する短期的な効果は、資産の分散化、特に資産の株式部分における、株式ミューチュアルファンドの利用を増やすことであった。また著者は、2003年～2007年で、比較的早い時期に切り替えを行った投資家のポートフォリオのリターンと遅くに切り替えた投資家のものとを比較し、前者の実績は後者のものと比べ、若干劣っていたことを発見した。この結果は明らかに、株式から債券へのシフトによるものであり、株式投資部分の実績による差異ではない。投資家の時間比較、およびグループ間比較における双方の比較を用いたにもかかわらず、本研究調査では、自己選択の可能性、すなわち、自分で投資判断を行うスタイルから、アドバイザーを利用するスタイルへと切り替えた人々には、金融変数の結果にも影響を与えるような特徴があるのかもしれないということについて、明確に説明することはできていないのである。

　今までのところ、Hung and Yoongの分析（2013）は、被験者の無作為割り付けを採用した唯一の分析である。残念ながら、今回の用途では、アドバイザーと顧客との双方向のやり取りではなく、印刷物によるアドバイスの影響を検証したもので、人々が行った資産配分は、実際の口座ではなく、仮想のポートフォリオ上で行われたものであった。被験者は3つのグループに割り当てられ、コントロール・グループの被験者は、

ファンド費用と過去のリターンのみに関する情報を受け取り、デフォルトに設定されたトリートメント・グループは、資産配分の選択に関する助言を自動的に受け取っている。その助言は、最適化ポートフォリオ配分のモデルに基づいており、（a）情報のみ、または（b）情報、および選択した資産配分についてのフィードバックに関する情報が提供されている。最後に、トリートメント・グループにおいて肯定的な決断を行った被験者は、投資アドバイスを受けるかどうかの選択を行う（その運用では、低リターンと高リターンのばらつきもあった）。簡単に言えば、デフォルトに設定されたトリートメント・グループの結果は、コントロール・グループの結果に近いものであったが、意図的にアドバイスを選んだグループの選択は優れていた。そして、後者のグループの被験者は、過小分散投資や過度に保守的な投資といった、2つの重大な投資ミスを犯す可能性が低かったのである。無作為割り付けは、他の被験者の特性の影響も考慮すべきであるが、著者らは、金融リテラシーを含む様々な共変量測定値とともに、実証実験グループの被験者を含む多重回帰の頑健な検証結果を報告している。

　要約すると、近年の研究調査からの知見では、専門のファイナンシャル・プランナーが顧客に与える影響の検証には、様々な手法が採用されている。最良のモデルは、検証された関係性が、測定されていない変数、または逆の因果関係による可能性を軽減するものである。ランダム化比較実験ができない場合、傾向スコアの使用は最も可能な方法であろう。これまで、傾向スコアを用いた研究調査は、単一の銀行、証券業者、雇用主と関係のある個人投資家に限られてきた。加えて、これらの被験者は、それぞれの自国の国民よりも裕福である傾向があった。傾向スコアリングを用いた下記の研究調査は、その国の中間所得水準を下回る個人を含め、全国的なサンプル標本にまで拡大したものである。

全国規模のデータセットによる分析

　SCFデータの登用によって、専門のファイナンシャル・プランナーが、顧客の経済的な幸福度をどの程度まで向上させるかの測定が容易となり、評価分析者の選択が、評価から導き出された結果にどのように影響しているのかを実証することができるようになった。SCFは、米国連邦準備

制度理事会が後援し、全国世論調査センターが3年毎に実施する調査である。これは、全米世帯を代表するサンプル標本の確保に注力したものと、富裕層世帯のサンプル標本の確保を目的とした、二重のフレームワークによるサンプル標本モデルを採用したものである。2007年のSCFでは、前者は2,915世帯、後者は1,507世帯であった（Kennickell, 2009）[8]。

SCFにおける概念の測定

　SCFのような全国調査には、測定の有効性と信頼性の双方が検証された質問事項があるという利点がある。それにもかかわらず、SCFを利用している研究者は、そのような質問事項が、検証したい根本的な概念に関するすべての側面を反映しているとは限らないとしている。SCFには、貯蓄や投資決定の際に用いられる情報源に関する質問が一点含まれており、専門家によるファイナンシャル・プランニングの測定に関しても、それが同様に適用される。SCFの質問は、以下のようになっている。

　　　貴殿（ならびに貴殿の家族）は、貯蓄と投資に関する意思決定にどのような情報源を利用していますか？　電話をかけたり、新聞や雑誌を読んだり、郵送資料を読んだり、テレビ、ラジオ、インターネット、広告などの情報を利用していますか？　友人、親族、弁護士、会計士、銀行、証券会社、ファイナンシャル・プランナーから助言を受けていますか？　あるいは、何か別のことをしていますか？

　回答者は、上記の質問に対して複数回答をすることができる。ここでは、専門のファイナンシャル・プランナーに相談をするという意味で、「ファイナンシャル・プランナー」を情報源に選んだ回答者をコード化してデータベースを作成する。これらの世帯は、トリートメント・グループに振り分けられ、一方、情報源の中で「ファイナンシャル・プランナー」を選択しなかった世帯は、コントロール・グループに分類される。

　SCFには、世帯の金融資産保有に関する詳細情報が盛り込まれており、われわれが経済的な成果をどのように測定するかについての選択肢を与

202

える役割を果たしている。ここでは、世帯の金融総資産、金融資産に占める株式の比率、そして、預金口座がプラス残高になっている資産クラスの数によって判断されたポートフォリオの多様化、の3つを選択する。これらは、ファイナンシャル・プランの策定過程で行われた措置を暗黙のうちに測定しているに過ぎないが、ファイナンシャル・プランの実施とその成果の双方に係る要素を反映しているものである。

他の状況への適用性

　以下の分析では、所得分布の下位99％に労働年齢の成人がいる世帯に焦点を当てる。このため、SCFのサンプル標本は、世帯主（SCFの協定により、婚姻関係にある夫婦世帯の男性と定義）が18歳から64歳の世帯に限定される。また、年間所得が425,000ドル、あるいはそれを上回る世帯は、その年の上位1％における、おおよその境界値であることから除外している（Luhby, 2011）。対象となる母集団の選択が、研究調査から導き出された結果にどのような影響を与えるかを解説すべく、サンプル標本の値を2007年の平均世帯収入で割り、各サブグループをわれわれのモデルを用いて再評価した。前述したように、調査回答者は金融財産に関するデリケートな質問項目への回答を躊躇することがあるため、SCFの調査スタッフは欠損値に対処すべく、代入法アルゴリズムを開発した。データの補完は、欠損値ごとに5回に分けて生成され、それぞれのレコードで5回複製して保存する。データの複製によって、より精度の高い欠損値の判定が可能になるだけでなく、研究者には、プログラミングマクロを利用して、正確な標準誤差を算出することが求められている（Kennickell, 2009）。また、分析が容易になるように、関連する5つのデータセットのそれぞれについて、別々の推定を行うといった、より簡潔な方法を取っている（Hogarth et al., 2004）。われわれの結果は、これらの関連する5つのデータセットにおける検証結果に、顕著な相違が見られなかったことから、3つのデータセットの推定値を本章では提示する[9]。

検証結果における信頼性の担保

　以下では、SCFを用いて、ファイナンシャル・プランナーへの相談と

表8.1 加重平均値と経済的な成果実績を示す変数のT検定

ファイナンシャル・プランナーへの相談の有無	全サンプル標本 （N=2,881）		年収が平均世帯収入以下のサンプル標本（N=1350）		年収が平均世帯収入以上のサンプル標本（N=1531）	
	有 (N=696)	無 (N=2,185)	有 (N=178)	無 (N=1,172)	有 (N=518)	無 (N=1,013)
金融総資産（$） t検定	228,123 7.86**	89,189	79,145 2.84**	23,746	302,286 4.55**	178,626
株式投資比率（0-1.0） t検定	0.35 10.44**	0.21	0.24 5.69**	0.12	0.41 4.62**	0.33
資産カテゴリー数（1〜8） t検定	2.86 15.22**	2.00	2.22 8.84**	1.50	3.18 7.38**	2.70

注：** $p < 0.05$
出所：2007年全国家計資産・負債状況調査による著者の算出。

対象項目における評価との関係に係る、3つの推定値について検証する。最初に示す二変量推定値は、社会人口統計的な影響や、3つの対象項目における評価に影響を与えると考えられる、経済的な要因の影響を検証するものでもなく、また、経済的な成果における潜在的同時性や、専門のファイナンシャル・プランナーへの相談を考慮するものでもない。第二に、社会人口統計的、および経済的要因における系統的影響を排除する、最小二乗法（以下、OLS）推定値について説明する。最後に、社会人口統計的、および経済的影響を除外し、潜在的同時性に調整を加えた傾向スコア推定値について解説する。

　3つの調査結果における記述統計は**表8.1**に示されており、専門のファイナンシャル・プランナーに相談した世帯と、そうでない世帯に区分している。ここで検証されたすべての平均値の差は、統計的に有意である（p<0.05）。専門のファイナンシャル・プランナーに相談する世帯は、そうでない世帯と比べ、より多くの金融資産を保有し、資産における株式の占める割合が高く、分散化の度合いが大きい。これは、SCFサンプル標本全体と、2つの所得階層による第二次サンプル標本の双方に該当するものである。言い換えれば、二変量推定値のみを用いた比較では、専門のファイナンシャル・プランナーは、健全なファイナンシャル・プラ

ンニングの原理を導入して、より多くの金融資産の形成を支援していると言える。

　上記の結論は、別の体系的なプロセスによって働く要因が、株式投資、ポートフォリオの分散化、そして究極的には、金融資産の蓄積といったものに対して、世帯が行う意思決定に影響を与えているという認識を和らげるに違いない。例えば、より高水準な教育を受けた個人は、資産分散化の重要性を理解する可能性が高い。同様に、家庭内に未成年の子どもがいる場合は、子どもに係る品々や様々な生活サービスへの支出により、金融資産の蓄積がより困難なように感じるかもしれない。専門のファイナンシャル・プランナーによるコンサルティングの影響を把握するのと同時に、各世帯の経済的利害に影響を与える社会人口統計的、および経済的プロセスの要因を解明すべく、多変量（OLS）分析を利用する（独立変数は**表8.A1**で定義した）。

　表8.2～8.4は、全サンプル標本と所得階層で分けられた第二次サンプル標本の双方において、3つの対象項目における評価に関する、多変量（OLS）分析結果について説明するものである。二変量推定の結果におけるいくつかの特徴には、注目に値するものがある。驚くべきことに、専門のファイナンシャル・プランナーによるコンサルティングの影響は、3つの結果それぞれにおいて、50％以上減少すると推定された。例えば、全サンプル標本の場合、金融総資産に対するファイナンシャル・プランナーの貢献度の推定値は、金融資産に影響を与えると仮定された社会人口統計的要因と経済的要因を考慮した場合、138,934ドル（二変量推定）から66,182ドル（OLS）に低下する。これに呼応する形で、株式投資への効果は14％から6％に、分散度への効果は86％から39％へと減少した。

　所得階層で分けられた第二次サンプル標本を比較すると、推定されたファイナンシャル・プランナーの効果には、かなりの相違があることがわかる。金融総資産で見た場合、ファイナンシャル・プランナーのコンサルティングは、高所得世帯の金融資産を76,739ドル押し上げる一方、低所得世帯の金融資産総額に与える影響は小さく、他の要因を一定にすると39,488ドル押し上げると推定されている。株式保有資産については、ファイナンシャル・プランナーのコンサルティングの限界効果は、高所

表8.A1 OLS共変量の加重平均値

変数	定義	全サンプル標本	世帯収入 < 平均世帯収入	世帯収入 ≧ 平均世帯収入
年齢	年単位で測定された世帯主の年齢(世帯主は、SCFで定義された夫婦世帯における夫)	43.03	41.21	45.04
教育	世帯主の正式教育年数(世帯主は、SCFで定義された夫婦世帯における夫)	13.5	12.63	14.46
女性	世帯内で金融分野に最も明るいと称する人への調査を実施(各世帯の代表者 女性=1 男性=0)	0.54	0.58	0.5
婚姻状態	1=世帯主は現在結婚している 0=その他	0.61	0.42	0.81
子供の人数	家庭内における未成年者数	1.01	0.97	1.06
非ヒスパニック系アフリカ系アメリカ人	1=非ヒスパニック系アフリカ系アメリカ人世帯主 0=その他	0.14	0.19	0.09
ヒスパニック系	1=ヒスパニック系世帯主 0=その他	0.11	0.14	0.07
賃金収入	年収(単位:10,000ドル)	5.34	2.18	8.83
DCプラン	1=世帯主および/または配偶者が現在の雇用主のDCプランに加入 0=その他	0.42	0.23	0.62
DBプラン	1=世帯主および/または配偶者が現在の雇用主のDBプランに加入 0=その他	0.22	0.13	0.32
DCプランとDBプラン	1=世帯主および配偶者の現在の雇用主双方が提供するDBプラン・DCプランに加入 0=その他	0.11	0.03	0.2

出所:2007年全国家計資産・負債状況調査による著者の算出。

206

得世帯への効果（4%）と比べ、低所得世帯の株式保有資産の効果（7%）の方がより大きく、同様に、分散投資への限界効果は、高所得世帯への効果（32%）よりも、低所得世帯の効果（43%）の方が大きいこ

表8.2 金融資産全体の回帰分析の推定結果[a]

独立変数	全サンプル標本	収入＜平均世帯収入	収入≧平均世帯収入
		係数	係数
ファイナンシャル・プランナーと相談	66,182.00 (3.88[**])	39,488.00 (1.99[**])	76,739.00 (3.01[**])
年齢[b]	6,385.75 (10.53[**])	1,927.39 (3.31[**])	11,561.00 (9.80[**])
年齢の二乗値[b]	243.44 (4.64[**])	42.83 (0.90)	359.69 (3.15[**])
教育	17,676.00 (5.71[**])	6,207.86 (2.12[**])	35,708.00 (5.96[**])
女性	−39,569.00 (−2.85[**])	−10,725.00 (−0.77)	−46,341.00 (−1.95)
婚姻状態	−3,468.22 (−0.22)	12,196.00 (0.81)	−28,962.00 (−0.92)
子供の人数	5,722.47 (0.91)	1,402.57 (0.24)	6,209.15 (0.54)
非ヒスパニック系アフリカ系アメリカ人[c]	−39,352.00 (−1.97)	−17,310.00 (−0.99)	−98,753.00 (−2.38[**])
ヒスパニック系[c]	−4,305.89 (−0.19)	−11,112.00 (−0.53)	−12,559.00 (−0.28)
賃金収入（$10,000）	190.71 (11.75[**])	28.22 (0.60)	172.97 (7.73[**])
DCプラン加入	−8,600.09 (−0.50)	22,238.00 (1.23)	−10,173.00 (−0.34)
DBプラン加入	−60,088.00 (−2.53[**])	12,093.00 (0.51)	−96,691.00 (−2.32[**])
DC・DBプラン加入	12,344.00 (0.37)	−20,118.00 (0.42)	20,132.00 (0.39)
調整後−R^2	0.15	0.02	0.16
F検定	39.55[**]	2.61[**]	23.2

a 回帰はSCFの最終加重を使用する。
b 年齢は、年齢と年齢の二乗値の間の多重共線性を避けるべく、世帯平均年齢とした（Glantz and Slinker, 1990）。
c 一連のダミー変数において省略された人種/民族カテゴリーは、非アフリカ系アメリカ人かつ非ヒスパニック系の世帯。
注：（ ）内はt検定。[**]$p < 0.05$
出所：2007年全国家計資産・負債状況調査による著者の算出。

とが確認できる。従って、二変量推定の結果と比べた場合、OLSモデル
は、専門のファイナンシャル・プランナーの影響について、その微妙な
差異を明確に表す全体像をわれわれに与えている。統計的に重要ではあ
るものの、これら3つすべての調査結果では、ファイナンシャル・プラ
ンナーの効果はより小さく、また、その効果も所得グループによって著
しく異なっているのである。これらの知見は、経済的な成果に影響を与
えると思われる他の要因の検証や、実際の研究調査に基づいたサンプル
標本の選定を行う際には、対象となる母集団に焦点を当てることへの重
要性を示している。

　上述のように、OLSモデルは、逆の因果関係の修正を組み込むもので
はない。しかし、可能性があるとすれば、例えば、より多くの金融資産
を持つ人々は、その財産を守るために専門家の助言をより積極的に求め
る場合がある。われわれのデータでは、逆の因果関係における統計的な
検証が、その存在を示唆している（Baum et al., 2003）[10]。

　ここで、われわれは、傾向スコアモデルを用いてこの問題を修正する。
というのも、構造方程式モデルとは異なり、傾向スコアモデルでは、選
択された関数の制限を受けないからである。また、検証を行うサンプル
標本から、反事実的条件を持たない検証済みとなった個人が削除される
ことも、このモデルの好ましい点である（Black and Smith, 2004;
Gibson-Davis and Foster, 2006）[11]。

　以下において、われわれは、実際の実験で用いられた無作為割り付け
による手法ではなく、トリートメント・グループとコントロール・グ
ループのメンバーでマッチングを作成し、逆の因果関係がもたらすバイ
アスを調整できる傾向スコアを開発した（Rosenbaum and Rubin, 1983,
1984）。まず、回答者がファイナンシャル・プランナーに相談をするか
どうかを表示する従属変数において、ロジスティック回帰を推定する。
その方程式の独立変数には、ファイナンシャル・プランナーとの交渉を
経た意思決定に影響を与えると思われるすべての要因と、実質的な対象
項目における評価（すなわち、金融総資産、株式投資の比率、資産分
散）に影響を与える可能性がある全ての要因が含まれている。さらにこ
のモデルでは、ファイナンシャル・プランナーへ相談する可能性にのみ
影響を与える要因の指標として、金融リスク、金融的な成功、支出、退

208

表8.3 株式持分比率についてのOLS推定値[a]

独立変数	全サンプル標本	収入＜平均世帯収入 係数	収入≧平均世帯収入 係数
ファイナンシャル・プランナーと相談	0.06 (4.69[**])	0.07 (3.53[**])	0.04 (2.76[**])
年齢[b]	0.00 (5.09[**])	0.00 (4.06[**])	0.00 (3.19[**])
年齢の二乗値[b]	0.00 (−2.53[**])	0.00 (−0.11)	0.00 (−3.17[**])
教育	0.02 (6.82[**])	0.01 (3.44[**])	0.02 (4.28[**])
女性	−0.04 (−3.56[**])	−0.01 (−0.82)	−0.06 (−4.12[**])
婚姻状態	0.00 (0.06)	0.00 (−0.21)	−0.03 (−1.40)
子供の人数	−0.01 (−2.64[**])	−0.01 (−2.29[**])	−0.01 (−1.77)
非ヒスパニック系アフリカ系アメリカ人[c]	−0.07 (−5.06[**])	−0.08 (−4.43[**])	−0.05 (−2.03[**])
ヒスパニック系[c]	−0.06 (−3.30[**])	−0.06 (−2.69[**])	−0.06 (−2.20[**])
賃金収入（$10,000）	0.01 (5.90[**])	0.01 (2.19[**])	0.00 (3.09[**])
DCプラン加入	0.19 (15.09[**])	0.21 (11.71[**])	0.14 (7.64[**])
DBプラン加入	0.00 (0.17)	−0.02 (−0.67)	−0.01 (−0.28)
DC・DBプラン加入	0.01 (0.27)	0.09 (1.97)	0.01 (0.16)
調整後−R^2	0.27	0.22	0.14
F検定	81.43[**]	30.15[**]	20.02[**]

a 回帰はSCFの最終加重を使用する。
b 年齢は、年齢と年齢の二乗値の間の多重共線性を避けるべく、世帯平均年齢とした（Glantz and Slinker, 1990）。
c 一連のダミー変数において省略された人種/民族カテゴリーは、非アフリカ系アメリカ人かつ非ヒスパニック系の世帯。
注：（ ）内はt検定。[**]$p < 0.05$
出所：2007年全国家計資産・負債状況調査による著者の算出。

表8.4 資産カテゴリー数についてのOLS推定値[a]

独立変数	全サンプル標本	収入＜ 平均世帯収入 係数	収入≧ 平均世帯収入 係数
ファイナンシャル・ プランナーと相談	0.39 (8.34[**])	0.43 (6.27[**])	0.32 (5.26[**])
年齢[b]	0.02 (12.42[**])	0.02 (8.81[**])	0.02 (7.54[**])
年齢の二乗値[b]	0.00 (4.44[**])	0.00 (4.46[**])	0.00 (3.21[**])
教育	0.12 (14.33[**])	0.09 (9.05[**])	0.11 (7.86[**])
女性	−0.04 (−3.56[**])	−0.01 (−0.82)	−0.06 (−4.12[**])
婚姻状態	0.10 (2.41[**])	0.03 (0.57)	−0.11 (−1.51)
子供の人数	0.01 (0.34)	0.01 (0.35)	0.02 (0.58)
非ヒスパニック系 アフリカ系アメリカ人[c]	−0.33 (−6.15[**])	−0.37 (−6.20[**])	−0.12 (−1.25)
ヒスパニック系[c]	−0.31 (−4.87[**])	−0.34 (−4.68[**])	−0.28 (−2.58[**])
賃金収入（$10,000）	0.04 (9.87[**])	0.07 (4.24[**])	0.02 (4.53[**])
DCプラン加入	0.8 (17.26[**])	0.91 (14.53[**])	0.53 (7.52[**])
DBプラン加入	0.16 (2.46[**])	0.08 (−0.93)	0.07 (−0.65)
DC・DBプラン加入	−0.20 (−2.25[**])	−0.06 (−0.37)	−0.12 (−0.95)
調整後−R^2	0.42	0.38	0.2
F検定	164.92	63.54[**]	30.84[**]

a　回帰はSCFの最終加重を使用する。
b　年齢は、年齢と年齢の二乗値の間の多重共線性を避けるべく、世帯平均年齢とした（Glantz and Slinker, 1990)。
c　一連のダミー変数において省略された人種/民族カテゴリーは、非アフリカ系アメリカ人かつ非ヒスパニック系の世帯。
注：（　）内はt検定。[**]$p < 0.05$
出所：2007年全国家計資産・負債状況調査による著者の算出。

表8.A2 傾向スコア分析の第1段階のロジスティック回帰パラメーター：従属変数は「ファイナンシャル・プランナーへの相談」ᵃ

	全サンプル標本			収入<平均世帯収入			収入≧平均世帯収入		
	係数	オッズ比	95%信頼区間	係数	オッズ比	95%信頼区間	係数	オッズ比	95%信頼区間
年齢ᵃ	-0.02	0.98	0.98-0.99	-0.01	0.99	0.98-1.00	-0.02	0.98	0.97-0.99
年齢の二乗値ᵃ	0.00	1.00	1.00-1.00	0.00	1.00	1.00-1.00	0.00	1.00	1.00-1.00
教育	-0.13	0.88	0.84-0.92	-0.13	0.88	0.81-0.95	-0.11	0.89	0.84-0.95
女性	-0.20	0.82	0.67-0.99	-0.16	0.85	0.60-1.20	-0.24	0.78	0.62-0.99
婚姻状態	-0.23	0.80	0.64-0.99	-0.13	0.88	0.61-1.27	-0.15	0.86	0.63-1.18
子供の人数	0.01	1.01	0.93-1.11	0.07	1.07	0.91-1.26	-0.01	0.99	0.89-1.11
非ヒスパニック系アフリカ系アメリカ人ᵇ	0.30	1.35	0.97-1.88	0.00	1.00	0.64-1.56	0.56	1.75	1.04-2.93
ヒスパニック系ᵇ	0.22	1.25	0.84-1.86	0.06	1.06	0.57-1.97	0.23	1.26	0.74-2.13
賃金収入 ($10,000)	-0.01	0.99	0.98-1.01	0.00	1.01	0.93-1.09	0.00	1.00	0.99-1.02
DCプラン加入	-0.27	0.77	0.61-0.96	-0.15	0.86	0.56-1.32	-0.28	0.76	0.57-1.01
DBプラン加入	-0.30	0.74	0.54-1.01	-0.33	0.72	0.43-1.21	-0.33	0.72	0.48-1.07
DC・DBプラン加入	0.14	1.15	0.76-1.74	-0.25	0.78	0.30-2.04	0.24	1.27	0.77-2.09

投資リスクを取らない (1＝Yes)	1.03	2.81	2.17－3.66	0.78	2.17	1.51－3.13	1.24	3.45	2.30－5.18
他人と比べ金融的に成功している (1＝強く同意、あるいは幾分同意)	−0.33	0.72	0.58－0.89	−0.04	0.96	0.67－1.38	−0.46	0.63	0.48－0.83
物の価値を増すと散財しがちである (1＝全くそう思わない、あるいは幾分そうは思わない)	−0.09	0.91	0.76－1.10	−0.39	0.67	0.47－0.96	0.03	1.03	0.82－1.29
世帯の退職後所得は生活の水準を維持に十分満足、あるいは非常に満足である	−0.04	0.96	0.80－1.16	−0.35	0.71	0.50－0.99	0.11	1.12	0.89－1.41
貯蓄／支出計画において最も重要な対象計画期間は5年以上である (1＝Yes)	−0.27	0.76	0.63－0.92	−0.41	0.66	0.47－0.94	−0.16	0.85	0.68－1.07

a 回帰はSCFの最終加重を使用する。

b 年齢は、年齢と年齢の二乗値の間の多重共線性を避けるべく、世帯平均年齢とした (Glantz and Slinker, 1990)。

c 一連のダミー変数において省略された人種/民族カテゴリーは、非アフリカ系アメリカ人かつ非ヒスパニック系の世帯。

注：( )内は検定。** $p < 0.05$

出所：2007年全国家計資産・負債状況調査による著者の算出。

212

職後の生活に対する自信についての姿勢に関する質問への回答を用いている。さらに、ファイナンシャル・プランナーに相談する可能性や、実質的な対象項目における評価の双方に影響を与えうる要因として、上述の標準的な社会人口統計的変数と経済変数も取り入れている。第1段階では、ロジット推定（結果は**表8.A2**を参照）を用いて、ファイナンシャル・プランナーへの相談の可能性に関する予測値を生成し、その後、それらを用いて、トリートメント・グループ世帯とコントロール・グループ世帯とをマッチングさせるのである[12]。

図8.2は3つの推定手法すべてを通して、ファイナンシャル・プランナーに相談した場合の、対象項目における評価（金融総資産に対する推定増分効果）を比較したものである。専門のファイナンシャル・プラン

図8.2 ファイナンシャル・プランナーへの相談が金融総資産に与える増分効果の推定値

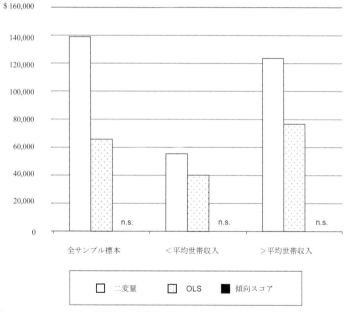

注：n.s. = p < 0.05では、統計学的に有意ではない。
出所：2007年全国家計資産・負債状況調査（Kennickell, 2009）による著者の推定。

図8.3 ファイナンシャル・プランナーへの相談が、保有するさまざまな金融資産の種類の数に影響する増分効果の推定値

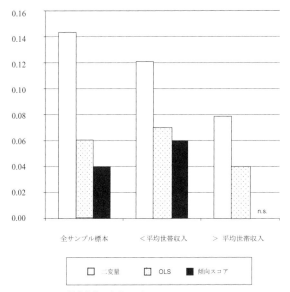

注：n.s. ＝ p ＜ 0.05では、統計学的に有意ではない。
出所：2007年全国家計資産・負債状況調査（Kennickell, 2009）による著者の推定。

ナーに相談することは、（全サンプル標本と、高所得者、低所得者双方の第二次サンプル標本の結果において）より多くの金融資産と関連性があることを二変量モデルが示唆している。社会人口統計的特性、および経済的特性を調整すると、専門のファイナンシャル・プランナーへの相談に対するOLS推定値の実質的な効果は、減少することが分かる。さらに、傾向スコアの調整値を用いた後においては、専門のファイナンシャル・プランナーが金融資産に与える影響は（全サンプル標本と2つの第二次サンプル標本の両方で）、統計的に重要な意味を成すものではない。

金融総資産に対する株式投資の比率に目を向けると、単純な二変量比較は、ファイナンシャル・プランナー効果の最大推定値を与えていることが図8.3で再び示されている。社会人口統計的、および経済的共変量を検証すると、その効果量は小さくなる。また、同時性を調整した場合、

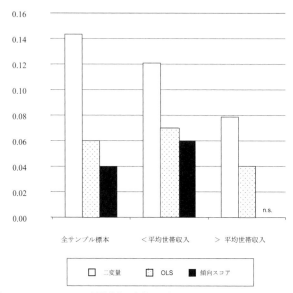

図8.4 ファイナンシャル・プランナーへの相談が、金融総資産に占める株式投資比率に与える増分効果の推定値

注：n.s. ＝ p ＜ 0.05では、統計学的に有意ではない。
出所：2007年全国家計資産・負債状況調査（Kennickell, 2009）による著者の推定。

（全サンプル標本と低所得の第二次サンプル標本における）推定効果は、さらに小さくなる。興味深いことに、専門のファイナンシャル・プランナーとの相談は、低所得世帯の株式比率を著しく上昇させるが、高所得世帯には大きな影響を与えていないことが分かったのである。

最後に、**図8.4**は、経済的な成果を金融資産の分散度、すなわち、対象項目における評価が様々な金融資産の数である場合に、推定値がどのように異なるかを示している。ここでも、専門のファイナンシャル・プランナーに相談する際の二変量推定値が最も大きく、次いでOLS推定値となり、傾向スコア推定値が最小となっている。しかし、上記とは異なり、専門のファイナンシャル・プランナーに相談することで、資産の分散化はより加速すると考えている。

結論

　本章では、方法論が異なれば、金融の専門家が顧客に与える影響を示す推定値は変化するということを述べてきた。われわれは、専門のファイナンシャル・アドバイスを利用する人とそうでない人たちを単に比較するだけで、その恩恵をあまりにもバラ色に描きすぎているということを、合理的な確信をもって知ることができたのである。自己選択、その他の交絡変数、逆の因果関係への取り組みといったより綿密な研究を通じ、ファイナンシャル・プランナーを利用する便益がより小さいことが示されたのである。さらに、われわれのSCF分析によって、資産の分散化を促進するという主な効果が明らかとなった。

　しかし、専門のファイナンシャル・アドバイスの影響に関する知見は、まだ初期段階にあるため、将来の研究調査において、この3つの方向性が有意に進展することとなるだろう。第一に、専門知識、投資商品の入手、インセンティブの点で大きな差異があるにもかかわらず、これまでのところ、金融関係の専門家について、詳細に識別している研究調査は見当たらない。いくつかの研究調査では、あらゆる種類のファイナンシャル・アドバイザーを単一のカテゴリーにまとめるものもあれば、単一の金融機関に雇用される単一のアドバイザーを検証するものもある。しかし、種類の異なるアドバイザーの影響については、まだ多くのことが分かっていない。

　第二に、構造方程式や傾向スコアによるアプローチは、専門のファイナンシャル・アドバイスの効果をさらに研究調査する上では有用なステップであるが、これらの方法はRFEの代用にはならない。これらを実施するには多くの費用がかかるが、RFEは自己選択、および逆の因果関係に関する可能性を排除することができる。さらに、RFEは、現実の社会状況下では、ファイナンシャル・プランナーに相談することはめったにないが、専門家の助言から最も多くのものを得ることができる人々、すなわち、平均所得以下の人々、および、または働き始めた段階の人々を、研究調査の参加者として募ることができるのである。

　第三に、将来的には、現在実施している実験よりも、より長期間における研究調査が必要である。ファイナンシャル・プランナーに相談する短期的な効果が、分散投資や、特定のリスク・プロファイルのリバラン

スが行なわれるというのは驚くことではない。専門のアドバイザーを利用することに伴う短期的、かつ継続的なコストを考慮すると、彼らの価値を示す有力な証拠を見出せない場合もある。また、（既存の顧客にとって慰めになるかもしれないが）自己流で投資を行うよりも、アドバイスを受けた投資家の方が、将来の経済に自信を持っていることを示唆するという結果から、投資家が金融の専門家に相談する、といった動きに転じる可能性は低いと考える。そして、アドバイザーやファイナンシャル・プランナーを利用することで、長期的な収益率や資産蓄積の水準を高めることを実証するのは、より有用なことであろう。金融市場の短期的な変動を考えた場合、われわれに必要となるものは、中長期的な運用パフォーマンスの実績であり、ファイナンシャル・プランナーや研究者が、「専門のファイナンシャル・アドバイスの潜在的な便益」といったフレーズから、「潜在的な」という文言を外すことが必要なのである。

▶ **第8章 章末注**

1　投資家数と投資選択肢の増加は、同時期にDB型年金からDCプランへと劇的に移行したことも一因となっている。1985年には、雇用主が年金プランを提供している米国人の38％が、DBプランのみ、35％がDBプラン、およびDCプランに加入し、29％はDCプラン（401（k）プラン）のみに加入していた。2008年までに、これらの比率はそれぞれ7％、26％、67％にシフトした（EBRI, 2010: Figure 2）。

2　米国のCFPボード（Certified Financial Planner Board）は、23の異なるファイナンシャル・サービスの資格情報を掲載している（http://www.cfp.net/learn/knowledgebase.asp?id=15）。（翻訳時点で該当ページ無し）

3　本章を通して使われている「経済的な成果」という用語は、専門的なファイナンシャル・プランナーの助言を求めることに関連性のある、金融的業務活動や資産に係る実績をまとめた用語として用いている。

4　アドバイスを受ける範囲や成果に関する大まかな枠組みが決定したら、これらの測定値が無作為な測定誤差がほとんどない方法で、確実に実行されるようにすることである。すなわち、評価分析者は、使用したデータ・ソース（例えば、調査質問や管理記録）の測定誤差が最小になるよう保証しなければならない。このような測定誤差は、潜在的に問題がある、および、または財産上のデリケートな質問を含む調査を行う場合、特に問題となることがある。幸いなことに、測定の信頼性への懸念を最小限に抑えるべく、財産に関する質問を行う際の最善な方法を詳述した先行研究がある（Avery et al., 1988; Juster and Smith, 1997; Kennickell and Starr-McCluer, 1997; Duncan and Peterson, 2001; Hurd et al.,2003）。

5　RAND American Life Panel（ALP）調査は、オンラインで実施され、その対象は、インターネットでのアクセスが限定される人々の参加を促進すべく、特別な仕組みを有している。

6　ランダム要因の影響は、2つの方法によって誤った結論を導く可能性がある。

第一に、偶然の変動は、専門のファイナンシャル・プランナーが、実際には影響を与えなかったとしても、経済的な成果に影響を与えたという結論を導く可能性がある。この誤差（すなわち、第1種の誤差）を生じるリスクは、サンプル標本の大きさによって変化する統計的有意性において、低 a レベル（すなわち、<0.05）を設定することで最小化が可能となる。第二に、偶然の変動は、専門のファイナンシャル・アドバイザーが、実際に影響を与えたとしても、経済的な成果には何の影響も与えなかったという結論（すなわち、第2種の過誤）につながる可能性がある。二番目のタイプの誤差を発生する可能性は、サンプル標本の大きさ、金融に関する専門的な助言を求めた母集団における効果量、および用いられた統計的検定の種類である。一般的に言えば、より大規模なサンプル標本、より大きな効果量、および多変量統計による検定は、全て、この二番目のタイプの誤差を発生させる可能性を減少させる。

7　理論上、RFEには測定効果を検証する4つのグループが必要であるが、実際にはそのような方法で行う研究調査は非常に少ない。

8　サンプル標本に対する加重は、2007年、SCFの記述統計を提示する際に利用された。これは、サンプル標本モデルが通常とは異なったため、SCFの参加者における体系的な脱落を補修するのに用いられた。加重多変量解析の決定については、いくつかの文献において議論がある（Lindamood et al., 2007）。尚、本章では加重多変量解析は用いていない。

9　要請があれば、著者らはその他の一連の推定値を提供することができる。

10　この検証は、ファイナンシャル・プランナーへの相談に、従属変数の推定値を含んでおり、より変数を削減したモデルで推定している。次いで、この方程式の残差は、3つの経済的な成果の各々を推定する、構造方程式に追加的な回帰分析要因を含むものである。この第2の方程式から得られた、F検定の結果は、内生性の尺度である。現在の適用において、F検定は、金融総資産で5.88（p = 0.02）、株式投資で15.37（p < 0.00）、分散資産で42.85（p < 0.00）であり、ファイナンシャル・プランナーへの相談や3つの対象項目における評価は、それぞれ内生性があることを示す上で、十分な証拠があることを示唆している。

11　Rosenbaum and Rubin（1983, 1984）は、トリートメント・グループのメンバー（すなわち、ファイナンシャル・プランナーに相談する個人）と、コントロール・グループの特定のメンバー（すなわち、ファイナンシャル・プランナーに相談していない個人）における共変量を調整し、同時性の問題に対処すべく、傾向スコアの採用を提案している。

12　マッチング手法はいくつかの研究文献で用いられている（Gibson-Davis and Foster, 2006を参照）。最善のマッチング手法についての学術的な同意がないことを考慮し、本章では、トリートメント・グループにおける検証範囲が、radius0.01以内に含まれるコントロール・グループの全メンバーを利用して行う、ラディウス・キャリパー・マッチング手法を採用した。マッチング後、T検定を実施し、トリートメント・グループとコントロール・グループの間に、統計的有意差があるかどうかを検証する[*4]。

▶ **第8章** 参考文献

Avery, R. B., G. E. Elliehausen, and A. B. Kennickell (1988). 'Measuring Wealth with Survey Data: An Evaluation of the 1983 Survey of Consumer Finances,' *Review of Income and Wealth*, 34 (4): 339–69.

Baum, C. F., M. E. Schaffer, and S. Stillman (2003). 'Instrumental Variables and GMM: Estimation and Testing,' *The Stata Journal*, 3 (1): 1–31.

218

Bhattacharya, U., A. Hackethal, S. Kaesler, B. Loos, and S. Meyer (2012). 'Is Unbiased Financial Advice to Retail Investors Sufficient? Answers from a Large Field Study,' *Review of Financial Studies*, 25 (4): 975–1032.

Black, D. A., and J. A. Smith (2004). 'How Robust Is the Evidence on the Effects of College Quality? Evidence from Matching,' *Journal of Econometrics*, 121 (1–2): 99–124.

Bluethgen, R., A. Gintschel, A. Hackethal, and A. Mueller (2008). 'Financial Advice and Individual Investors' Portfolios.' *Social Science Research Network.* http://papers. ssrn. com/sol3/papers.cfm?abstract_id=968197&download=yes（翻訳時点で該当ページ無し）

Certified Financial Planner (CFP) Board of Standards (2009). *What You Should Know About Financial Planning.* Washington, DC: CFP Board of Standards. http://www. cfp.net/Upload/Publications/187.pdf（翻訳時点で該当ページ無し）

Charles Schwab (2007). 'Press Release: New Schwab Data Indicates Use of Advice and Professionally-Managed Portfolios Results in Higher Rate of Return for 401 (k) Participants,' San Francisco, CA, November 28.

Collins, J. M. (2010). 'A Review of Financial Advice Models and the Take-Up of Financial Advice,' Center for Financial Security Working Paper No. 10-5. Madison, WI: University of Wisconsin-Madison.

Duncan, G. J., and E. Petersen (2001). 'The Long and Short of Asking Questions About Income, Wealth, and Labor Supply,' *Social Science Research*, 30 (2): 248.

Employee Benefit Research Institute (EBRI) (2010). *FAQs About Benefits—Retirement Issues.* Washington, DC: EBRI. http://www.ebri.org/publications/benfaq/index. cfm?fa=retfaq14（翻訳時点で該当ページ無し）

Federal Reserve System Board of Governors (2009). *Codebook for 2007 Survey of Consumer Finances.* Washington, DC: Federal Reserve System.

FPA/Ameriprise (2008). *Value of Financial Planning Study.* Washington, DC: FPA Press. http://www.ameriprise.com/global/sitelets/fpa/docs/fpa-study-finalreport-2008.pdf （翻訳時点で該当ページ無し）

Gerhardt, R., and A. Hackethal (2009). 'The Influence of Financial Advisors on Household Portfolios: A Study on Private Investors Switching to Financial Advice,' *Social Science Research Network.* http://ssrn.com/abstract=1343607

Gibson-Davis, C., and E. M. Foster (2006). 'A Cautionary Tale: Using Propensity Scores to Estimate the Effect of Food Stamps on Food Insecurity,' *Social Service Review*, 80 (1): 93–126.

Glantz, S. A., and B. K. Slinker (1990). *Primer of Applied Regression and Analysis of Variance.* New York: McGraw-Hill.

Groves, R. M., and M. P. Couper (1998). *Nonresponse in Household Interview Surveys.* New York: John Wiley & Sons, Inc.

Hackethal, A., and R. Inderst (2013). 'How to Make the Market for Financial Advice Work,' in O. S. Mitchell and K. Smetters, eds., *The Market for Retirement Financial Advice.* Oxford, UK: Oxford University Press, pp. 213–28.

Hackethal, A., M. Haliassos, and T. Jappelli (2012). 'Financial Advisors: A Case of Babysitters?' *Journal of Banking and Finance*, 36 (2): 509–24.

Hogarth, J. M., C. E. Anguelov, and J. Lee (2004). 'Why Don't Households Have a Checking Account?' *Journal of Consumer Affairs*, 38 (1): 1–34.

Horn, L., S. Meyer, and A. Hackethal (2009). 'Smart Investing and the Role of Financial

Advice—Evidence from a Natural Experiment Using Data Around a Tax Law Change,' *Social Science Research Network.* http://ssrn.com/abstract=1343623

Hung, A. A., and J. K. Yoong (2013). 'Asking for Help: Survey and Experimental Evidence on Financial Advice and Behavior Change,' in O. S. Mitchell and K. Smetters, eds., *The Market for Retirement Financial Advice.* Oxford, UK: Oxford University Press, pp. 182–212.

Hurd, M., F. T. Juster, and J. P. Smith (2003). 'Enhancing the Quality of Data on Income: Recent Innovations from the HRS,' *Journal of Human Resources*, 38 (3): 758–72.

ING Retirement Research Institute (2010). *Help Wanted.* New York: ING Retirement Research Institute. http://ing.us/rri/ing-studies/value-of-advice（翻訳時点で該当ページ無し）

Investment Company Institute (ICI) (2011). *2011 Investment Company Fact Book, 51st Edition.* Washington, DC: ICI. http://www.ici.org/pdf/2011_factbook.pdf

Investment Funds Institute of Canada (IFIC) (2010). *The Value of Advice: Report.* Toronto, ON: IFIC. https://www.ific.ca/Content/Document.aspx?id=5906（翻訳時点で該当ページ無し）

Jansen, C., R. Fischer, and A. Hackethal (2008). 'The Influence of Financial Advice on the Asset Allocation of Individual Investors,' *Social Science Research Network.* http://ssrn.com/abstract=1102092

Juster, F. T., and J. P. Smith (1997). 'Improving the Quality of Economic Data: Lessons from the HRS and AHEAD,' *Journal of the American Statistical Association*, 92 (440): 1268–78.

Kennickell, A. B. (1998). 'Multiple Imputation in the Survey of Consumer Finances,' Federal Reserve Board Working Paper, September. Washington, DC: Federal Reserve Board.

—— (2009). 'Ponds and Streams: Wealth and Income in the U.S., 1989 to 2007,' Finance and Economics Discussion Series Working Paper 2009–13. Washington, DC: Federal Reserve Board.

—— (2011). 'Looking Again: Editing and Imputation of SCF Panel Data,' Federal Reserve Board Working Paper, August. Washington, DC: Federal Reserve Board.

—— M. Starr-McCluer (1997). 'Retrospective Reporting of Household Wealth: Evidence from the 1983–1989 Survey of Consumer Finances,' *Journal of Business and Economic Statistics*, 15 (4): 452–63.

Kramer, M. (2012). 'Investment Advice and Individual Investor Portfolio Performance,' *Financial Management*, 41 (2): 395–428.

Langbein, L., and C. L. Felbinger (2006). *Public Program Evaluation: A Statistical Guide*, New York: M.E. Sharpe.

Lindamood, S., S. D. Hanna, and L. A. N. Bi (2007). 'Using the Survey of Consumer Finances: Some Methodological Considerations and Issues,' *Journal of Consumer Affairs*, 41 (2): 195–222.

Luhby, T. (2011). 'Who are the 1 Percent?' *CNN Money.* October 29.

Marsden, M., C. D. Zick, and R. N. Mayer (2011). 'The Value of Seeking Financial Advice,' *Journal of Family and Economic Issues*, 32 (4): 625–43.

Riphahn, R. T., and O. Serfling (2003). 'Heterogeneity in Item Non-response on Income and Wealth Questions,' *Schmollers Jahrbuch: Zeitschrift fur Wirtschafts- und Sozialwissenschaften/Journal of Applied Social Science Studies*, 123 (1): 95–107.

—— (2005). 'Item Non-response on Income and Wealth Questions,' *Empirical Economics*,

30（2）: 521–38.

Rosenbaum, P. R., and D. B. Rubin（1983）. 'The Central Role of the Propensity Score in Observational Studies for Causal Effects,' *Biometrika*, 70（1）: 41–55.

——（1984）. 'Reducing Bias in Observational Studies Using Subclassification on the Propensity Score,' *Journal of the American Statistical Association*, 79（387）: 516–24.

Scheaffer, R. L., W. Mendenhall III, R. L. Ott, and K. G. Gerow（2012）. *Elementary Survey Sampling, Seventh Edition.* Boston, MA: Brooks/Cole.

SunAmerica Financial Group（2011）. *The SunAmerica Retirement Re-Set Study.* Los Angeles, CA: SunAmerica Financial Group. http://retirementreset.com/（翻訳時点で該当ページ無し）

Turner, J. A., and D. M. Muir（2013）. 'The Market for Financial Advisers,' in O. S. Mitchell and K. Smetters, eds., *The Market for Retirement Financial Advice.* Oxford, UK: Oxford University Press, pp. 13–45.

Twigg, M.（2011）. *The Future of Retirement: Why Family Matters.* London, UK: HSBC. http://www.hsbc.com/1/PA_esf-ca-app content/content/assets/retirement/111024_for6_family_pages.pd（翻訳時点で該当ページ無し）

▶ **第8章** 訳者注

*1

認定ファイナンシャル・カウンセラー（Accredited Financial Counselor；AFC）は、アメリカ金融カウンセリングとプランニング教育協会（Association for Financial Counseling and Planning Education；AFCPE）で運営・認定される資格である。詳細はhttps://www.finra.org/investors/professional-designations/afc　を参照。

*2

「ベビーシッターの理論」は、本人は乳幼児の面倒をみる能力が十分にある人でも、時間がないときにはベビーシッターに依頼するということになぞらえて、本人に金融管理能力があるにもかかわらず時間がないときには、ファイナンシャル・アドバイザーを利用する、という考え方である。

*3

自己選択（self-selection）は経済学では、製品やサービスの特性に応じて、一定の特性を持った利用者がそれを選択して集まることを指す。ここでは自発的に助言を受けようとする投資家はその助言をよりよく生かそうという傾向がある、との内容を示している。

*4

比較に用いるコントロール・グループのサンプル標本における傾向スコア値に大きな乖離がある場合に、精度を欠いたマッチングをもたらす可能性がある。これを回避すべく、ラディウス・マッチングでは、傾向スコアの検証範囲に上限を設けている。

第**9**章

助言の要請：
ファイナンシャル・アドバイスと
行動変容に関する
研究調査と実験的証拠

アンジェラA. ハング、
ジョアンヌK. ユン

　米国の政策立案者は、自立型退職年金制度（self-directed retirement plans[*1]）において、公平なファイナンシャル・アドバイスへのアクセスを拡大するという難しい問題に焦点を当て、潜在的にコストを要する改革や規制の実施が、望ましい行動変容につながるかどうかを重要な課題としている。本章では、次の2つの研究調査に関する問題を取り上げる。すなわち、個人は助言に応じて、行動ファイナンスを実際に改善するのか？　また、政策立案者が、中立的なファイナンシャル・アドバイスの利用を促進した場合、参加者は実際に助言を求めたり、与えられた助言を実行したりするのだろうか？

　われわれは、401（k）プランに関連する投資家や助言について、2つの補完的な検証分析と実験的分析を行った。検証分析では、実際のプラン参加者における投資パフォーマンスを検証するが、助言の効果については、助言を受ける際の自己選択と逆の因果関係という2つの問題によって制限されるというのがわれわれの推論である。実験的分析は、仮想上の投資選択に制限されるものの、選択と逆の因果関係の双方を排除することができる。今回の調査結果を比較検討することで、双方のアプローチにおける密接な関係を導き出すことができた。

　政策立案者にとっては、アドバイスに関する教訓は様々である。1つの重要な示唆は、雇用主に、選択肢の一つとして助言を提供し、従業員の積極的な意思決定を保証すれば、経済的な成果を大幅に向上し、改善

できる可能性が高いということである。さらに、金融リテラシーが不十分な従業員は、これらのプログラムを利用する可能性が高い。しかし、さらに進んで、すべての従業員にアドバイザリー・サービスの提供を義務付けることは、非常にコストがかかり、行動変容には至らないかもしれない。さらに、いくつかの状況では、政策立案者が、救済策として強制的な金融カウンセリングを推奨しているが、われわれの分析結果は、助言を受け入れる用意が無い限り、この方法はうまくいかない場合があることを示唆している。概して、人々に動機を与えることは非常に難しいのである。

背景

　個人投資家とファイナンシャル・アドバイザーとの関係は、ここ数十年の間に大きく変化してきた。それは、ファイナンシャル・サービス・プロバイダーが、サービスの幅を広げ、個人が経済的な幸福度に対して、より大きな責任を負うようになったからである。2011年末時点で、アメリカ人は、雇用者が提供するDCプランやIRAに、推定9.4兆ドルの資産を預けている（ICI, 2012）。しかし、金融行動の研究では、投資家自身のやり方に任せてしまうと、DCプランにおける最適な投資決定を行うことができず、代わりに、経験則や単純な決定ルールを用いて、最初の投資配分を行ってしまう傾向が示されている（Samuelson and Zeckhauser, 1988; Benartzi and Thaler, 2001; ICI, 2001; Hewitt Associates, 2004; Agnew and Szykman, 2005）。最適なポートフォリオの選択理論に則さない投資を行う可能性を考慮すると、投資選択の「誤り」や単純な経験則は、経済的な幸福度に重大な影響を与える可能性がある（Dominitz and Hung, 2008）[1]。これらの「誤り」の一部は、個人資産の金融的な管理能力の欠如に起因する可能性が考えられる。Lusardi and Mitchell（2006, 2007）は、投資は複雑な業務であり、消費者は複利、リスク分散、インフレに関するデータを収集し、処理し、予測する必要があり、投資範囲に関する知識の蓄積を行うことが必要であると主張している。彼らの調査結果によると、米国人のほとんどは、退職後の計画を自己負担として上手く立ち回るだけの十分な金融リテラシーを持ち合わせていないことが示唆されている。

　理論的には、ファイナンシャル・アドバイザーは、金融リテラシーの差がもたらす負の影響を改善し、経験の浅い個人投資家のリターンを向上させ、リスク分散を図ることができる（Hackethal et al., 2012; Hackethal and Inderst, 2013）。実際、個人がアドバイザーを利用すれば、ポートフォリオの管理や情報収集といったスケールメリットの恩恵を享受することができるし、アドバイザー側は、これらの経費を顧客間で案分させることができる。しかし、消費者擁護団体は、適切な判断を行う準備が整っていない投資家は、証券ディーラー系企業による不適切な助言や、不相応な金融商品を勧めて利益を得るような投資会社の影響を最も受けやすいと主張している（Hung et al., 2008）。また、アドバイザーに相談しても実行しない人は、その知識が実際の行動変容に結びつかないため、全うな助言の恩恵を受けられない可能性もある。

　悪質な投資アドバイスの落とし穴には、多くの注意が払われてきた。投資アドバイスに関する理論的、あるいは実験に基づいた経済学の研究文献は、主に、助言をする側とされる側との関係に内在する、モラルハザード問題を取り上げてきた（Liu, 2005; Inderst and Ottaviani, 2009; Yoong and Hung, 2009; Hackethal et al., 2012; Turner and Muir,2013等）。同様に、米国の自立型退職年金制度に関する規制や立法上の議論では、助言の利用が可能になっても、経験の浅いプラン参加者が、巧みな言葉に翻弄されるリスクを軽減するための最善策に重点が置かれている。2006年のPPAでは、レベルフィーによる補償措置、または、客観的なコンピュータモデルを用いた助言によって、DCプラン提供者への所得税の課税控除を促進した。

　それにもかかわらず、そして驚くべきことに、優れた投資アドバイスが実際に機能しているかどうかに関する情報は比較的少ないのである。規制当局や立法者は、ファイナンシャル・アドバイスというものが、投資の初心者にとって、中立的な立場で、より身近なものとなるよう真摯に取り組んでいるが、政策目標を達成するための行動変容という観点では、実際の恩恵が当然の結論として見なされるべきではない。実際、モラルハザードがおよばない環境におけるファイナンシャル・アドバイスに対する個人の反応については、ほとんど実証的な証拠がないのである。

　一般的な助言の要請や受け入れに関する長年の文献は、心理学や組織

行動学に基づいている。助言を求める傾向に関する知見には一貫性がな
く、状況に大きく依存している。たとえ助言を求めることが無償であっ
ても（Gibbons, 2003）、あるいは、それが極めて一般的であるにしても、
助言を求めることに抵抗を感じるという結果を示す様々な研究調査があ
る（Gino, 2008）。一方で、意思決定に確信が持てない場合は、助言を
求める傾向にあるということも分かっている（Gibbons et al., 2003）。助
言を求めるタイミングについて結論を出すのは難しいが、研究文献では、
一方的な助言を受けた人に比べて、積極的に助言を求める人は、その助
言に従う可能性が高いことが強く示唆されている（Gibbons et al., 2003）。
実際、初めから助言を受ける人々は、助言の評価を大幅に割り引く傾向
があるという確固たる調査結果がある（Yaniv and Kleinberger, 2000;
Yaniv, 2004a, 2004b; Bonaccio and Dalal, 2006）。積極的に求めた助言は
有益と受け取られるが、一方的で押し付けがましい助言は煩わしいと認
識され、否定的な反応につながる可能性があるという（Goldsmith and
Fitch, 1997; Goldsmith, 2000; Deelstra et al., 2003）。 同 様 に、Gino
（2008）は、個人は、無償で得た助言よりも、有償で得た助言を大いに
受け入れることを示している。
　代表的な母集団を対象とした、投資アドバイスの状況を具体的に取り
上げた実証的な分析はほとんどなく、心理学に基づく証拠の多くは、投
資運用とは関係のない項目を用いて研究室に集められたものである。さ
らに、インセンティブに関する研究室の文献は、結果がまちまちであり、
そこから推定することは難しい。Sniezek and Van Swol（2001）やSniezek
et al.（2004）は、インセンティブによって助言の影響が割り引かれるの
を低減させるとしているが、Dalal（2001）は逆の結果を示している。
経済学の文献では、投資家は頻繁により多くの助言を求めるものの、与
えられた助言をいつ、どのようにして実行するのかは不明であることが
示されている（Helman et al., 2007）。さらに、投資家は、積極的に助言
を求めるかどうかを選択することから、実際の行動と助言との相互関係
は、自己選択の結果である可能性がある。つまり、特定の投資行動をと
る傾向が強い人は、アドバイザーを求める傾向も強いと考えられる。
Hackethal et al.（2012）は、ドイツのインターネット証券会社で助言を
受けた顧客が、自己選択（self-selection[*2]）によって、より良い結果を得

たと大々的に主張し、裕福な個人が自分の財務管理を他人に委託する「ベビーシッター」理論を提案するものであるとしている。しかし、これらのオンライン証券会社の顧客は、米国の平均的なDCプラン保有者とは異なる経験と目的を持つ人々である可能性が高い。Kramer（2012）もまた、オランダの投資家のポートフォリオ配分は、助言によって変化したが、パフォーマンスは変化しなかったとしている。401（k）プランにおける積極的な投資活動といった行動は、助言との相関性が明らかになっているが（Agnew, 2006）、因果関係についてはまだ十分には立証されていない。

研究設定

投資行動分析のための主なデータ収集手段は、ALPのメンバー2,224人に実施したアンケート調査である[2]。今回の投資行動調査は、2009年5月5日から2009年6月22日にかけて、ALPのMS73として実施された。1,467人の母集団については、測定された金融リテラシー指標と自己申告によるそれとを計測することで、投資行動調査と過去のモジュールの金融リテラシーを比較することができた。前者は、基本的な計算能力や投資、退職金、保険知識に関する質問への回答から算出され、後者は、回答者自身の判断に基づいている。指標の作成方法の詳細は Hung et al.（2009）に記載されている。

現在の雇用主の下でDCプランに加入していると回答した個人に対して、DCプランに関する個別推奨を受けるために、ファイナンシャル・アドバイザーに相談したことがあるかどうかを尋ねた。**表9.1**は、サンプル標本の記述統計量と、618人のグループにおける加重人口構成を示している。

助言を求める傾向

2008年には、DCプランに加入している従業員の18％がアドバイザーに相談をしていた[3]。人口構成別に見ると、2008年に、アドバイザーへDCプランを相談したのは、女性とマイノリティが多いことが分かる。また、高齢者、高学歴、富裕層の方が、よりアドバイザーを頼る傾向にある。われわれは、2008年に報告されたアドバイザーへの相談を、2つ

226

表9.1 要約統計量　RANO ALP調査データ（American Life Panel; ALP）

回答数	
ALPサンプル標本の合計	2,224
退職者	498
自営業者	185
無職	287
雇用者が退職プランを提供していない	293
雇用者がDCプランを提供していない、または不明	209
従業員に退職プランを受ける資格がない	43
従業員に資格はあるが加入していない	86
欠損値/不完全な状態	5
最終的なサンプル標本：現在DCプランに加入している	618
	重み付け(%)
女性	48.7
大卒	45.7
既婚	65.4
年齢≦45	41.2
世帯年収（AFI）＜5万ドル	23.1
アフリカ系アメリカ人またはヒスパニック	18.7

注：サンプル標本は、ALPモジュールの回答者のうち、現在DCプランに加入している人で構成されている。
出所：著者による計算、本文参照。

の結果変数として、線形確率モデル（以下、LPモデル）を用いて推定した。LPモデルにおける係数は、各回帰因子の単位変化に伴った、結果確率の変化における最良線形予測量（BLP）と解釈される[4]。

　表9.2の1列目は、回帰係数が要約統計量で検証されたパターンを反映している一方で、様々な人口統計学上の特性の中には、婚姻状態の項目を除き、2008年に実際に報告された助言の要請について、統計的に大きな影響を与える目立った予測因子はほとんど見られない。

助言と報告されたDCプラン加入者の行動における関係

　2008年は、ほとんどのDCプラン加入者が積極的に拠出を続け、プラン資産の半分強が株式で保有されていた。しかし、回答者のポートフォリオの大部分では、少なくとも1つ、ありがちな投資選択の誤りが見られた。彼らは、投資目的において助言を最も重視していると回答してい

表9.2 助言を求める傾向の決定要因に関するOLSによる推定値

	(1)	(2)	(3)	(4)
既婚	0.087 **	0.036	0.035	0.071 *
	(0.044)	(0.05)	(0.048)	(0.042)
女性	0.062	0.067	0.064	0.066
	(0.044)	(0.051)	(0.05)	(0.043)
年齢＜40	−0.02	0.059	0.059	−0.004
	(0.044)	(0.056)	(0.056)	(0.042)
AFI＜5万ドル	−0.039	−0.027	−0.029	−0.024
	(0.051)	(0.065)	(0.068)	(0.05)
アフリカ系アメリカ人またはヒスパニック	0.073	−0.014	−0.015	0.064
	(0.079)	(0.077)	(0.077)	(0.076)
大卒	0.024	0.012	0.015	0.012
	(0.043)	(0.051)	(0.047)	(0.043)
金融リテラシーの測定値		−0.003		
		(0.034)		
自己申告による金融リテラシー			−0.008	
			(0.033)	
プランの純損失（2008）				0.132 **
				(0.055)
定数項	0.085 *	0.108 *	0.13	
	(0.048)	(0.056)	(0.113)	
サンプル標本数	590	450	450	590
決定係数	0.02	0.01	0.01	0.04

注：標準誤差は括弧内に記載。差異の統計的有意性は2つのカテゴリー内にあり、*は10％レベルで有意、**は5％で有意、***は1％で有意を示す。表9.1参照。
出所：American Life Panel 2009を用いた著者の計算、本文参照。

るが、アドバイザーの利用と投資ポートフォリオの特性における強固な関連性は見られなかった。DCプランの策定に関する助言価値について尋ねたところ、ほとんどの回答者（57％）が、資産配分に関する助言を最も重視していた。また、回答者の約3分の1は、全体的な拠出目標の設定、約4分の1は、税金や相続対策、年金資産の取り崩しといった、将来の計画に関連する助言を優先していた。

　このことから、回答者の多くは、退職金年金プランの運用という大きな課題よりも、投資運用に関する具体的な役割をアドバイザーに求めていることがわかる。そのため、われわれは主に、資産配分に焦点を当て、以下では拠出に関する行動についても簡単に説明する。

　表9.3によると、DCプラン資産の平均的な保有比率は、株式が55％、債券が20％、マネー・マーケット・ファンドが20％であり、残りの4％

228

表9.3 現在のOCプランにおける口座保有者のポートフォリオ配分パターン

パネルA. ポートフォリオの特徴

	株式（%）	債券（%）	マネー・マーケット・ファンド（%）	その他（%）	サンプル標本数
男性	60.0	18.0	19.1	2.9	503
女性	49.9	24.1	21.8	4.2	503
非大卒	52.3	21.4	22.8	3.5	503
大卒	58.5	20.4	17.6	3.6	503
年齢＜45	59.1	19.6	17.8	3.4	503
年齢≧45	52.4	21.8	22.2	3.6	503
AFI＜5万ドル	48.5	19.2	28.1	4.1	503
AFI≧5万ドル	56.8	21.3	18.5	3.4	503
アフリカ系アメリカ人またはヒスパニック	52.0	16.8	28.2	3.0	503
合計	55.2	20.9	20.4	3.5	503
助言なし	55.5	20.4	20.4	3.7	478
助言あり	52.5	24.0	20.0	2.6	478

パネルB：報告されたポートフォリオ配分の「誤り」。

	株式残高がゼロ（%）	不十分な分散（%）	過度に積極的（%）	過度に保守的（%）	サンプル標本数
男性	6.4	25.6	22.9	26.2	503
女性	12.4	30.1	20.7	42.2	503
非大卒	11.4	34.0	24.8	40.1	503
大卒	6.8	20.5	18.4	26.7	503
年齢＜45	6.5	26.5	22.9	31.3	503
年齢≧45	11.3	28.6	21.1	35.7	503
AFI＜5万ドル	13.1	27.7	17.5	40.9	503
AFI≧5万ドル	8.3	27.7	22.9	32.1	503
アフリカ系アメリカ人またはヒスパニック	8.2	29.6	25.1	43.0	503
合計	9.3	27.7	21.8	33.9	503
助言なし	9.2	27.3	22.1	33.9	478
助言あり	7.8	23.6	17.1	36.6	478

注：表9.1参照。
出所：American Life Panel 2009を用いた著者の算出。

はその他の資産である。十分な教育水準を満たしておらず、高齢で、あまり裕福ではない回答者と同様に、女性、アフリカ系アメリカ人、ヒスパニック系の回答者の株式保有率は低い。Mottola and Utkus（2009）に

倣い、一般に認められている投資原則に基づいて、ポートフォリオの「誤り」を診断する。そして、これらの「誤り」は以下のように定義される。(a) 株式残高がゼロ、(b) 株式残高が40％未満（過度に保守的）、(c) 株式残高が95％以上（過度に積極的）、(d) 単一の資産クラスに100％投資している（分散していない）。回答者の半数以上（56％）のポートフォリオは、このような「誤り」の特徴を備えている。女性はより保守的で、株式の保有数が少なく、分散度も低い傾向にある。実際、女性回答者の12％以上が株式を全く保有していない。同様に、高齢で、あまり裕福ではなく、十分な教育水準を満たしていない人は、株式を保有しておらず、長期的な資産の成長を妨げている。また、**表9.3**によると、アドバイザーを利用している人は、株式への投資が少なく、債券への投資が多いこと、また、株式、債券、マネー・マーケット・ファンド以外の資産の保有が少ないことがわかる。彼らはどちらかと言えば積極的な方ではなく、株式への投資は少なめか、あるいは実質的にはゼロに近い可能性がある。そして、過度に保守的になる傾向も見受けられる。

　潜在的な人口統計学的効果を検証しながら、その差の重要性や有意性を推計すべく、OLSを用いて、次のような方程式を立てた。

$$Y_i = \alpha + \beta Advice_i + X_i' \delta + \epsilon \qquad (9.1)$$

　結果変数をYとして、対象項目の代替行動を用いる。人口統計学的特性を示すベクトルXに加えて、説明変数として助言の指標を加えている。対象項目の行動が二項変数の場合、結果は以前と同様に、LPモデルとして解釈される。

　多変量分析の結果（**表9.4**）では、集計表の傾向と非常によく似た結果が得られ、これらの人口統計学的特性は、2008年に報告された、実際の助言の要請を予測しないという見解と一致している。助言は、ポートフォリオ内の配分レベルや、投資選択の「誤り」において、統計的に重要な予測となるものではない。

　拠出に関する行動もまた、助言との関係が複雑であることを示している。このサンプル標本では、2007年、および2008年にDCプランに拠出する資格のある回答者の88％が拠出を行ったと報告しており、平均拠

表9.4 OLSによるパラメータ推定値

パネルA：DCプラン保有者によるポートフォリオ配分の実証的決定要因。

	(1) 株式	(2) 債券	(3) マネー・マーケット	(4) その他
2008年にアドバイザーに相談	−2.226	4.233	−0.772	−1.234
	(5.424)	(3.311)	(3.840)	(1.190)
既婚	3.065	−4.002	1.21]	−0.274
	(5.469)	(3.871)	(4.839)	(1.461)
女性	−6.666	4.352	1.387	0.927
	(4.572)	(2.860)	−3.638	(1.341)
年齢＜45	6.027	−1.365	−4.697	0.035
	(4.107)	(2.554)	(3.193)	(1.279)
AFI＜5万ドル	−2.846	−3.752	6.939	−0.34
	(5.437)	(3.610)	(5.080)	(1.703)
アフリカ系アメリカ人 またはヒスパニック	−4.578	−6.041	10.673 **	−0.055
	(6.070)	(3.739)	(5.364)	(2.028)
大卒	7.021 *	−1.205	−5.999*	0.183
	(4.201)	(2.842)	(3.569)	(1.393)
定数項	51.766 ***	23.732 ***	21.045 ***	3.456 *
	(7.254)	(5.134)	−6.423	(1.852)
サンプル標本数	478	478	478	478
決定係数	0.05	0.03	0.05	0.00

パネルB：報告されたポートフォリオ配分の「誤り」。

	(1) 株式残高 がゼロ	(2) 不十分な 分散	(3) 過度に 積極的	(4) 過度に 保守的
2008年にアドバイザーに相談	−0.012	−0.041	−0.057	0.007
	(0.037)	(0.071)	(0.072)	(0.079)
既婚	−0.015	0.03	0.038	−0.038
	(0.051)	(0.074)	(0.069)	(0.072)
女性	0.041	0.075	0.023	0.136 **
	(0.037)	(0.062)	(0.061)	(0.061)
年齢＜45	−0.049	−0.01	0.025	−0.029
	(0.031)	(0.055)	(0.054)	(0.059)
AFI＜5万ドル	0.021	−0.005	−0.028	0.011
	(0.056)	(0.073)	(0.064)	(0.078)
アフリカ系アメリカ人 またはヒスパニック	−0.051	−0.036	0.022	0.129
	(0.045)	(0.081)	(0.081)	(0.099)
大卒	−0.027	−0.101 *	−0.047	−1.65 ***
	(0.036)	(0.058)	(0.055)	(0.058)
定数項	0.120 *	0.277 ***	0.200 **	0.373 ***
	(0.063)	(0.103)	(0.100)	(0.084)
サンプル標本数	478	478	478	478
決定係数	0.02	0.02	0.01	0.06

注：表9.2参照。
出所：American Life Panel 2009を用いた著者の算出。

出率は7%を超えているが、この平均値は、少数の極端に高い拠出率の
報告によって歪められている。分布の中央値および最高値は5%である。
2007年以降に拠出額を増やしたと回答した人は22%で、雇用者からの
マッチングを受けた人の80%がその額を満たしていた。一方、2008年
に拠出額を減らした、あるいはやめたと答えた人は9%、早期引き出し
をした人は9.6%であった[5]。データを見やすい表形式にまとめ、同様の
多変量分析を行った結果、アドバイザーを利用する個人は、2007年と
2008年に拠出を行い、雇用主のマッチングを満たしていることがわ
かった。しかし、助言を受けた人は、2007年[6]と比べて、2008年の拠出
額を減らしている可能性が高いことも示されている。

金融リテラシーにおける自己選択は、
助言と行動の関係を解明するか？

　金融リテラシーは、検証不可能な主要特性であり、助言の分析を複雑
にすることが多く、またその逆も然りであると研究者は主張している。
助言と行動の関係における理論上の議論は、どちらにも当てはまる。も
し金融リテラシーが助言の代わりになり、金融リテラシーの低い人が助
言を受ける可能性が高いのであれば、検証された行動の違いは、助言に
おけるプラスの影響を過小評価する可能性があるかもしれない。逆に、
Hackethal et al.（2012）が提起しているように、金融リテラシーが最も
高い人が助言を受ける可能性が高い場合、検証された行動の違いは、こ
の影響を過大評価する可能性がある。Dominitz et al.（2008）は、金融
リテラシーが両者とは関係なく、強い効果を持つことを示しており、金
融リテラシーの代理変数として、教育水準や経験のみを用いて検証可能
な選択を制限しても、この問題を十分に解決できない可能性がある。
Hackethal et al.（2012）は、この問題を解決すべくさらに一段踏み込ん
で、操作変数法を用いている。われわれの研究調査では、金融リテラ
シーの測定値を用いて、この種の選択を明確に制限していることが大き
な利点である。その結果は、金融リテラシーの自己選択が、重要な役割
を果たしていないことを示唆している。

　これを説明すべく、まず、**表9.2**のLPモデルを再測定するが、今度は
金融リテラシーを追加の回帰変数として加える（ただし、金融リテラ

シーの測定が可能なサンプル標本は少ない）。**表9.5**の結果では、金融リテラシーの選択に対するプラスの結果は得られなかった。金融リテラ

表9.5 ポートフォリオの配分と金融リテラシー：
現在のDCプラン加入者に関するOLSによる推定値

パネルA：報告されたポートフォリオ配分と金融リテラシー（現在のDCプラン保有者）。

	(1) 株式	(2) 債券	(3) マネー・マーケット	(4) その他
人口統計学的管理のみ				
2008年にアドバイザーに相談	0.692 (6.948)	2.285 (4.125)	−2.519 (4.808)	−0.016 (0.045)
金融リテラシーの制御 特定化Ⅰ：				
2008年にアドバイザーに相談	0.639 (6.938)	2.285 (4.122)	−2.463 (4.790)	0.639 (6.938)
金融リテラシーの測定値	−1.313 (3.773)	0.004 (2.486)	1.379 (3.531)	−1.313 (3.773)
特定化Ⅱ：				
2008年にアドバイザーに相談	0.756 (6.920)	2.299 (4.096)	−2.567 (4.797)	−0.017 (0.045)
自己申告による金融リテラシー	1.086 (3.365)	0.245 (2.008)	−0.807 (2.487)	−0.010 (0.025)

パネルB：報告されたポートフォリオ配分の「誤り」と金融リテラシー。

	(1) 株式残高 がゼロ	(2) 不十分な 分散	(3) 過度に 積極的	(4) 過度に 保守的
人口統計学的管理のみ				
2008年にアドバイザーに相談	−0.016 (0.045)	−0.025 (0.088)	−0.024 (0.090)	−0.027 (0.094)
金融リテラシーの制御 特定化Ⅰ:				
2008年にアドバイザーに相談	−0.015 (0.045)	−0.027 (0.088)	−0.028 (0.089)	−0.028 (0.094)
金融リテラシーの測定値	0.039 (0.037)	−0.055 (0.053)	−0.103 ** (0.046)	−0.024 (0.050)
特定化Ⅱ:				
2008年にアドバイザーに相談	−0.017 (0 045)	−0.027 (0.086)	−0.026 (0.088)	−0.029 (0.094)
自己申告による金融リテラシー	−0.010 (0.025)	−0.046 (0.045)	−0.035 (0.046)	−0.033 (0.041)
サンプル標本数	360	360	360	360

注：他の人口統計学的管理も含まれているが、推計値は示されていない。表9.2も参照。
出所：American Life Panel 2009を用いた著者の算出。

シーが不十分であることは、助言を求めることと多少は関係があるが、測定された関係性は軽微であり、有意な予測性はない。これは、金融リテラシーの測定値と自己申告による値の双方に当てはまる。LOWESS平滑化法（Lowess curve smoother[*3]）を用いたノンパラメトリック分析では、測定された金融リテラシーと助言の要請との間に、ややマイナスの関係があることが示されたが、結果は少数の外れ値によって大きく歪められている。つまり、自己申告された金融リテラシーと助言の要請との関係には、目に見える形での傾向はない。これと一致するように、助言に対する行動結果の回帰において、金融リテラシーを制限しながら式（9.1）を再測定しても、報告された資産配分や投資選択の誤りといった、推定係数にはほとんど影響を与えることがない[7]。この結果は、測定された金融リテラシーと自己申告された金融リテラシーの双方を使用した場合にも、その堅牢性が示されている。

考察：
潜在的な逆の因果関係と他の検証不可能な変数に対する選択

　われわれの結果では、個人は、投資において助言が重要であると考えているが、助言や検証された投資行動には、系統的かつ統計的に有意な関係性はないように見受けられる。さらに、アドバイザーに相談した人は、拠出額を減らした可能性、あるいは、拠出を継続している可能性も高かった。このような、一見矛盾した行動パターンは、逆の因果関係の存在を示唆しており、年金プランのパフォーマンスが低下し、異常なストレスを感じた個人が、アドバイザーに相談した可能性があることを意味している。

　この可能性を探るべく、2008年の年末の年金残高と、2007年から2008年にかけての年金残高の純増減についても調査を行った。その結果（詳細は省略）、確かに、年金プランの純損失を経験した個人は、アドバイザーに相談する可能性が高いことを示しているが、金融リテラシーや所得水準を考慮しても、2008年においては、アドバイザーへの相談は、全体の年金残高に対して、わずかにプラスの効果があることがわかった（点推定値もかなり大きい）。助言を求めることは、実際のところ、最終的には資産の保全に役立つかもしれないが、マイナス的な事

234

象が（その逆ではなく）、助言の要請に影響を与える傾向を助長するものとなる可能性がある。

　助言と行動の間の因果関係を立証する上でもう一つ複雑なのは、金融リテラシー以外の様々な検証不可能な要因における選択の可能性である。ALPの回答者は、アドバイザーに相談しない様々な理由を報告している（回答は1つのみ）。回答者の37％は、自分で意思決定ができると感じており（言い換えれば、助言を受けなくても十分な金融リテラシーがあると考えている）、回答者の39％は、友人や家族、あるいはインターネットなど、専門家の助言に代わる様々な手段があることを挙げている。また、マイノリティの大半（25％）は、財政的な理由からアドバイザーには相談していない。このような異質性は、金融リテラシー（またはその欠如）が助言を求めることと相関しているものの、われわれが先に述べたように、圧倒的に優勢となる説明要因ではないという結果と一致している。

助言と行動に関する実験的根拠

　研究調査データにおいては、逆の因果関係や検証不可能な変数の選択を排除することはできない[8]。助言を求める行動の変化について、いかにも外因的な事象や助言の要請における予測可能な原因が無く、上記で取り上げた問題を考慮すると、行動に対して助言を受けるという因果関係の影響を明確に特定することはできない。そこで、助言と行動に関する実験解析を行なうこととする。われわれの研究調査は、研究調査データで明らかとなった投資アドバイスに焦点を当てていることから、ポートフォリオ配分に対して投資アドバイスを受ける影響を検証する。仮定上における結果分析に限定されるが、与えられた助言が均一であること、そして、逆の因果関係が生じないという2つの重要な利点を備えている。われわれは、多段式無作為抽出実験を計画し、参加者に仮想上のポートフォリオ配分項目を提示した。参加者には、マネー・マーケット・ファンド、債券市場インデックス・ファンド、S&P500インデックス・ファンド、スモール・キャップ・バリュー・インデックス・ファンド、REITインデックス・ファンド、グローバル・エクイティ・インデックス・ファンドという6つの投資オプションと、手数料やリターンといった

ファンドの基本的な情報が与えられ、ファンド間における仮想上のポートフォリオが割り当てられた。

コントロール・グループの選択：
デフォルト・コントロール・グループと積極的な意思決定グループ

参加者は、コントロール・グループと2つの実験条件のいずれかに無作為に割り当てられた。いずれの条件においても、参加者は、投資ポートフォリオの配分を求められることを知らされた。コントロール・グループは、課題の実行に先立って、それ以上の情報やサポートを受けていない。一方、われわれが、「デフォルト・トリートメント・グループ」と名付けたトリートメント・グループでは、参加者全員が最適なポートフォリオ配分に関する助言を受けた。もう一つのトリートメント・グループである「積極的な意思決定」グループでは、参加者に選択権が与えられ、助言を求めた場合にのみそれを受けることができた。これらの実験は、助言を求めた場合とそうでなかった場合の効果に加え、助言を受ける際の自己選択の効果を調べられるようになっている。

金融環境におけるトリートメント・グループ：
過去のリターンにおける高低

これまでの研究調査で、個人投資家の反応は、報告された過去のパフォーマンスに非常に敏感であることが示されている（Sirri and Tufano, 1998; Zheng, 1999）。助言というものが、この感度を緩和できるかどうかを確認すべく、ポートフォリオ配分項目で示される過去のリターンを変化させた。全回答者の中から無作為に選ばれた半数（低リターン・トリートメント・グループ）には、過去1年間における一般的なファンドのパフォーマンスを代表する様々な資産クラスのリターンを示し、残りの半数（高リターン・トリートメント・グループ）には、同じく過去5年間におけるリターンを示したが、これらには著しいマイナスはなかった。

助言の提示

われわれは、Mottola and Utkus（2009）によって最初に提案された、

規範的に望ましい投資ルールに関する助言を示した。これらのルールは、以下のような一般的に受け入れられている投資原則に基づいている。すなわち、（a）株式残高をゼロにすることは推奨されない、（b）株式の残高が40％未満の場合は、過度に保守的であると考えられる、（c）株式を95％以上保有する場合は、過度に積極的であると考えられる、（d）単一の資産クラスで100％構成されたポートフォリオは分散不足の可能性がある、などである。この分析では、助言の形式ではなく、その一般的な結果に焦点を当てている。ただし、助言を受けた参加者（デフォルトか選択かにかかわらず）の半数は、無作為に「ルール・グループ」に割り当てられ、彼らには、一連の簡単な投資ルールやガイドラインが表形式で提示された。残り半数の参加者は、「ポートフォリオ・チェックアップ・グループ」に割り当てられた。われわれは、参加者が投資配分を入力した後に、フィードバックを提供できる双方向なメカニズムを設計した。「ポートフォリオ・チェックアップ・ツール」は、投資配分を評価し、一連のルールと比較するものである。ポートフォリオがどのガイドラインにも違反していない場合には、「緑」の信号が与えられ、ポートフォリオ配分が、多かれ少なかれ、厳しいルールに反する場合には「黄」または「赤」の信号が与えられた。図9.1は、コントロール・グループとトリートメント・グループにおけるタスク記述のサンプル標本を示している。

実験見本と要約統計量

ファイナンシャル・プランの状態にかかわらず、ALPの調査モニター2,224人全員が実験に招集され、2,070人の回答者が実験を完了した。表9.6は、欠落回答を考慮した後のサンプル標本と、最終的なサンプル標本の人口構成を示したものである。なお、実験解析では、母集団への重み付けは行っていない。図9.2は、無作為に行った実験と各トリートメント・グループにおける確率割当を示した完全な概略図である[9]。本分析では、選択トリートメント・グループに注目し、他の無作為トリートメント・グループについては今後の課題とする[10]。無作為化の状態を確認すべく、選択したトリートメント・グループのサンプル標本人数と要約統計量を一覧にし、後に行う分析で認識する、あるいは説明の必要が

あるグループ間における残りの差異を特定した。その結果は、2つの例外を除いて、無作為化が、検証可能な項目という観点から、各トリートメント・グループ間における合理的なバランスを実現することを示唆している。その一つ目は、「積極的な意思決定」グループと「デフォルト」トリートメント・グループにおける若年層の偏り、二つ目は、コントロール・トリートメント・グループとアドバイス・トリートメント・グループにおけるDCプラン加入者の偏りである。そのため、われわれの多変量分析には、適切な人口統計学的管理が織り込まれている。

助言を選ぶのは誰か？　自己選択と金融リテラシー

「積極的な意思決定」グループにおける約65％が、助言を受けることを選択した。その結果、2つの検証結果は注目に値する。第一に、すべての人が助言を受けることを選択したわけではないということ、次に、助言を受けるかどうかを無作為に選択したわけではないということである（50％が95％信頼区間の外側にあるため）。助言を求めた人とそうでない人との相対的な人口構成はかなり異なっている。「積極的な意思決定」グループでは、年齢と資産の面で明確かつ著しい相違がある。助言を受ける方を選んだ人は、そうでなかった人よりも年齢が高く、裕福である可能性が高かった。金融リテラシーのデータを伴ったサブサンプル標本については、金融リテラシーについても検証した。しかし、検証データとは異なり、**表9.6**の下部においては、金融リテラシーに関する選択について、有力な証拠が示されている。助言を受ける方を選んだ人は、金融リテラシーが著しく低い。興味深いことに、この差は、測定された金融リテラシーと比べ、自己申告された金融リテラシーの方が統計的には非常に重要である。

　表9.7は、**表9.2**で登用したLPモデルで推定した「積極的な意思決定」グループにおいて、助言を要請する確率の決定要因を示している。第1列には、研究調査データ分析で得られた人口統計学的特性に加えて、DCプランに加入しているかどうかの指標と低リターン処理をしているかどうかの指標が、助言を求める傾向に個別に影響を与えている可能性があるため、これらを回帰変数として加えている。第2列と第3列には、金融リテラシーの指標を加えた。その結果、金融リテラシーを考慮する

図9.1 ALPモジュールの調査項目

このセクションでは、ミューチュアルファンドへの投資の可能性について、いくつかの質問をします。ミューチュアルファンドとは、多くの投資家から資金を集め、その資金を株式、債券、その他の証券に投資する投資形態のことを意味します。

例えば、退職貯蓄口座に資金を投資するために、以下のような投資信託を提案されたとします。以下は、各ファンドが請求する年間手数料と、過去5年間の各ファンドの年間収益率を示した、ミューチュアルファンドに関する簡単な説明です。
投資対象として6つの選択肢を用意しました。

パネルA

ファンドの選択	年間手数料	5年間のリターン
マネー・マーケット・ファンド	0.21%	3.28%
債券市場インデックス・ファンド	0.20%	4.56%
S&P500 インデックス・ファンド	0.18%	-2.29%
スモール・キャップ・バリュー・インデックス・ファンド	0.23%	-0.76%
REIT インデックス・ファンド	0.21%	0.77%
グローバル・エクイティ・インデックス・ファンド	0.72%	-0.24%

次の画面では、それぞれのファンドにどのくらいの割合で資金を配分するかを尋ねるものです。
これらの選択をする際に、一般的な助言を受けたいと思いますか?
oはい
oいいえ

以下の各ファンドに保有を希望するポートフォリオの割合は?

パネルA

自身のポートフォリオの選択	%	年間手数料	5年間のリターン
マネー・マーケット・ファンド		0.21%	3.28%
債券市場インデックス・ファンド		0.20%	4.56%
S&P500 インデックス・ファンド		0.18%	-2.29%
スモール・キャップ・バリュー・インデックス・ファンド		0.23%	-0.76%
REIT インデックス・ファンド		0.21%	0.77%
グローバル・エクイティ・インデックス・ファンド		0.72%	-0.24%
% 合計			

パネル A

投資に対する一般的な助言
1)株式の残高をゼロにすることは推奨されない
2)株式の残高が40％未満の場合は過度に保守的であると考えられる
3)株式を95％以上保有する場合は過度に積極的であると考えられる
4)単一の資産クラスで100％構成されたポートフォリオは分散不足である可能性がある

最終的な選択内容に問題がなければ、"次へ"をクリックして下さい。

以下の各ファンドに保有を希望するポートフォリオの割合を記入してください。その後、「ポートフォリオの配分を評価する」をクリックすると、標準的なファイナンシャル・アドバイスに基づいて、あなたの選択に対するフィードバックが送られます。

パネル B

自身のポートフォリオの選択	％	手数料	5年間のリターン
マネー・マーケット・ファンド	100	0.21％	3.28％
債券市場インデックス・ファンド	0	0.20％	4.56％
S&P500インデックス・ファンド	0	0.18％	-2.29％
スモール・キャップ・バリュー・インデックス・ファンド	0	0.23％	-0.76％
REIT インデックス・ファンド	0	0.21％	0.77％
グローバル・エクイティ・インデックス・ファンド	0	0.72％	-0.24％
％ 合計	0		

あなたの選択に基づく、ポートフォリオ診断内容は以下の通りです。

パネル C

ポートフォリオ診断結果	
	あなたのポートフォリオには、株式は含まれていません。 研究結果では、ほとんどの人が株式をある程度保有することで利益を得ています。

選択肢を変更したい場合は、最終回答を提出する前に配分を更新ができます。「マイ・ポートフォリオ配分を評価する」をクリックすると、ポートフォリオ診断ツールから新しいフィードバックが得られます。評価が終わったら、「次へ」をクリックして下さい。

パネルA：調査項目内容のスクリーンショット：高リターン・グループ＋積極的な意思決定
パネルB：調査項目内容のスクリーンショット：ルール
パネルC：調査項目内容のスクリーンショット：ポートフォリオ・チェックアップ
出所：RAND American Life Panel

表9.6 ALP実験サンプル標本の要約統計量

	積極的な意思決定グループ：助言を選択 (%)	サンプル標本数	積極的な意思決定グループ：助言を選択しない (%)	サンプル標本数	t検定の等分散性 (p値)	デフォルト・トリートメント・グループ（一方的に与えられる助言）	サンプル標本数	重み付け無し (%)
既婚	70.26	548	65.76	295	0.18	65.29	801	66.5
女性	59.49	548	54.58	295	0.17	57.80	801	57.3
年齢<45	30.66	548	40.68	295	0.00 ***	30.34	801	31.8
AFI<5万ドル	33.39	548	42.71	295	0.01 **	41.32	801	39.2
アフリカ系アメリカ人またはヒスパニック	8.94	548	10.17	295	0.56	10.36	801	9.5
大卒	45.26	548	43.73	295	0.67	46.82	801	45.2
現在、雇用者のDCプランに加入している	31.39	548	27.46	295	0.24	26.09	801	29.0
金融リテラシーの測定値	0.32	406	0.36	178	0.09 *	0.24	569	
自己申告による金融リテラシー	2.64	406	2.99	178	0.00 ***	2.66	569	

注：表9.2参照。
出所：American Life Panel 2009 を用いた著者の算出、本文参照。

と、助言を求める傾向に対する年齢効果は重要ではなくなったが、資産の効果は依然として大きいことがわかった。助言は無償であり、仮想上の課題であるインセンティブは、実際の資産の大きさとは関係がないことから、このことは注目に値する。また、金融リテラシーは、他の人口統計学上の管理とは関係なく、（金融リテラシーの測定値と自己申告によるものとのどちらを使用するかにかかわらず）非常に重要であることにも着目している。しかし、適合度が比較的低いということは、金融リテラシーの測定値を含めても、実験において助言を求める変動の大部分が、検証可能な特性によって、まだ説明されていないことを示している。

助言が投資行動に与える影響

　逆の因果関係や金融的な制約がない場合、金融リテラシーに関する否定的な自己選択を行う可能性が高いことから、われわれは、助言が投資行動に与える影響について分析する。次の目標は、(a) 助言自体に効果があるかどうかを確認すること、(b) 助言がデフォルト的ではなく、積

図9.2 実験デザインの概略

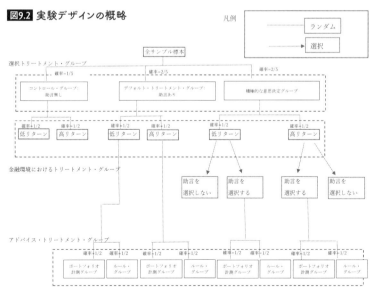

出所：著者による作成、本文参照。

極的な選択肢として提示された場合、投資家が助言に対して異なる行動をとる可能性があるかどうかを理解すること、(c) 助言が一般的な選択変数である場合、選択における相対的な重要性と、検証された実際の行動における助言の実質的な影響力について洞察を得ること、である。これらの問題は、より自由な形での助言の提供や、強制的な金融カウンセリングの導入といった、政策における代替案の影響を検討する際には、最も重要なものである。

投資行動に対するデフォルト的または選択的助言に関する 平均的な効果

　無作為化比較試験では、コントロール・グループとトリートメント・グループの間で、対象項目における評価の平均値を比較するだけで、実験効果に関する公正な推定値を得ることができる。まず、回答者のポートフォリオ配分と、投資ルールで明確に述べられている「誤り」について、デフォルト・トリートメント・グループ（一方的に助言が与えられるトリートメント・グループ；default treatment group）と、積極的な意思決定グループ（任意で助言が与えられるトリートメント・グループ；affirmative decision group）の双方を、コントロール・グループ（助言を行わないコントロール・グループ；control group）と比較をして説明する。それぞれのトリートメント・グループにおいて、サンプル標本の平均が、コントロール・グループのそれと等しい（すなわち、実験効果はゼロである）という仮説を検証した。なお、積極的な意思決定グループの平均値には、助言を選んだ人とそうでなかった人の双方の結果が含まれている。したがって、トリートメント・グループとコントロール・グループの違いは、実際の選択にかかわらず、積極的な意思決定を行ったことによる全体的な効果を反映している。

　表9.8によると、デフォルト・トリートメント・グループにおける全結果の平均値は、コントロール・グループと著しい差がないことが明らかになっており、一方的に与えられた助言は、行動には影響を与えないと考えられる。これとは対照的に、積極的な意思決定グループでは、回答者が過小分散や過度に保守的であるといった、投資における2つの「誤り」の可能性は大幅に低くなることが分かった。このことは、概し

表9.7 助言を求める傾向の決定要因：
積極的な意思決定グループ（OLSによる推定値）

	(1)		(2)		(3)	
既婚	0.030		0.008		0.017	
	(0.038)		(0.045)		(0.045)	
女性	0.065	*	0.025		−0.007	
	(0.034)		(0.041)		(0.041)	
年齢＜45	−0.104	***	−0.031		−0.038	
	(0.035)		(0.046)		(0.045)	
AFI＜5万ドル	−0.077	**	−0.092	*	−0.092	**
	(0.039)		(0.047)		(0.046)	
アフリカ系アメリカ人またはヒスパニック	0.010		−0.020		−0.016	
	(0.058)		(0.071)		(0.071)	
大卒	−0.005		−0.057		−0.025	
	(0.034)		(0.043)		(0.042)	
DCプランを保有	0.036		0.054		0.064	
	(0.037)		(0.043)		(0.042)	
低リターン処理	−0.007		0.032		0.029	
	(0.033)		(0.038)		(0.038)	
金融リテラシーの測定値			−0.045*			
			(0.027)			
自己申告による金融リテラシー					−0.089	***
					(0.022)	
定数項	0.650	***	0.723	***	0.952	***
	(0.053)		(0.061)		(0.084)	
サンプル標本数	843		584		584	
決定係数	0.02		0.02		0.05	

注：表9.2参照。
出所：American Life Panel 2009を用いた著者の算出、本文参照。

て、積極的な意思決定グループの行動に対して、プラスの平均的効果を
持つことを意味している。

　この2つのトリートメント・グループにおける人口構成が若干異なる
ことを考慮して、全サンプル標本を対象にOLS回帰を用いて、以下の式
を推定した。

$$Y_i = \alpha + \beta_d default_i + \beta_a affirmative_i + X_i'\delta + \epsilon \qquad (9.2)$$

　ここで、「default」、ならびに「affirmative」は処理ダミーであり、可観

244

表9.8 実験結果：平均値の比較

% 配分	サンプル標本平均			t検定における平均値の等分散性(p値)		
	コントロール・グループ (助言なし %)	デフォルト・トリートメント・グループ (一方的に手にされる助言 %)	積極的な意思決定グループ (任意による助言)	デフォルト・トリートメント・グループ (=)制御	積極的な意思決定グループ (=)制御	
株式	25.6	25.2	28.1	0.81	0.12	
債券	29.9	29.9	29.3	0.97	0.65	
マネー・マーケット	38.2	39.2	37.1	0.54	0.48	
その他	5.9	5.7	5.5	0.31	0.17	
投資の誤り						
株式残高がゼロ	37.6	37.1	34.1	0.87	0.22	*
不十分な分散	13.2	10.4	9.6	0.14	0.06	
過度に積極的	1.4	1.5	1.7	0.90	0.73	
過度に保守的	65.5	65.3	59.6	0.94	0.04	**

% 配分	サンプル標本平均		t検定における平均値の等分散性(p値)			
	助言を選択 (%)	助言を選択しない (%)	助言を選択 (=)助言を選択しない	助言を選択 (=)デフォルト	助言を選択しない (=)制御	
株式	29.5	25.5	0.04 **	0.00*	0.96	
債券	29.8	28.4	0.36	0.96	0.40	
マネー・マーケット	34.5	41.9	0.00 ***	0.00	0.11 ***	
その他	6.2	4.3	0.00 ***	0.28	0.00	
投資の誤り						
株式残高がゼロ	27.6	46.1	0.00 ***	0.00	0.02 **	
不十分な分散	4.4	19.3	0.00 ***	0.00	0.02 **	
過度に積極的	1.1	2.7	0.08	0.53	0.21	
過度に保守的	56.2	65.8	0.01 **	0.00	0.94	

注：表9.2参照。
出所：American Life Panel 2009 を用いた著者の算出、本文参照

測変数ベクトルXを制御する。プログラム評価の用語で表現すると、デフォルト・トリートメント・グループは、無償で助言を行う強制プログラムに登録され、積極的な意思決定グループは、単純に無償で助言を提供するだけのプログラムに登録されていると考えることができる。ベータ係数は、プログラムにエクスポージャーされた実験効果、または、（デフォルト・トリートメント・グループと同様の強制的な完全準拠型プログラムの場合は、実際のプログラム効果と同じ）「Intent-to-Treat（以下、ITT）」推定値を示している[*4]。

　表9.9は、投資選択の「誤り」指標を結果変数として用いたポートフォリオの特徴について示している。デフォルト処理には著しい効果はないが、前述した積極的な意思決定の効果は、人口統計学上の制御に加えて、DCプランの保有や低リターン・トリートメント・グループの制御を網羅することに頑健性が示されている。また、金融リテラシーのデータを備えた個人のサブサンプル標本については、測定された金融リテラシー指標と自己申告された金融リテラシー指標の双方を用いて、式（9.2）を再推計した。金融リテラシーを制御すると、積極的な意思決定における全体的な効果は減少したが、過度に保守的なトリートメント・グループを低減することで、著しいプラスの効果があることがわかった。一般的に、個人は助言内容に従って、ポートフォリオのかなりの部分を、95％を超えない範囲で、株式に割り当てることがわかった。しかし、もう一つの回帰分析では、金融リテラシーを制御するかどうかにかかわらず、その推定値は、積極的な意思決定グループには一貫してプラスの値を示し、デフォルト・トリートメント・グループにはマイナスの値を示した[11]。

　これらの結果は、一方的に与えられる助言には平均的な効果が見られないが、選択肢の一つとして助言を提供することで、投資行動全体にプラスの影響を与える可能性があることを立証している。デフォルト・トリートメント・グループにおいては、求められていない場合でも、助言の提供を正当化する、不均一な実験効果の可能性をわれわれは探究している。次に、積極的な意思決定グループでは、実験に対する実際の効果を推定し、他の検証不能な特性に対する自己選択の意味について分析することとする。

246

表9.9 ポートフォリオの特性に対するITT（intent-to-treat）効果：
全選択グループ（OLSによる推定値）

	(1) 株式残高 がゼロ		(2) 不十分な 分散		(3) 過度に 積極的		(4) 過度に 保守的	
デフォルト・トリートメント・グループ	−0.000		−0.026		0.002		−0.002	
	(0.029)		(0.018)		(0.007)		(0.028)	
積極的な意思決定グループ	−0.030		−0.034	*	0.002		−0.056	**
	(0.028)		(0.018)		(0.007)		(0.028)	
既婚	−0.012		0.001		−0.003		0.005	
	(0.024)		(0.015)		(0.006)		(0.024)	
女性	0.072	***	−0.002		−0.005		0.100	***
	(0.021)		(0.014)		(0.006)		(0.021)	
年齢＜45	−0.044	*	0.000		0.014	**	−0.096	***
	(0.023)		(0.015)		(0.006)		(0.023)	
AFI＜5万ドル	0.062	**	0.010		−0.008		0.049	**
	(0.024)		(0.016)		(0.006)		(0.024)	
アフリカ系アメリカ人 またはヒスパニック	−0.064	*	−0.012		−0.007		−0.032	
	(0.036)		(0.024)		(0.009)		(0.036)	
大卒	−0.070	***	−0.027	*	−0.006		−0.041	*
	(0.022)		(0.014)		(0.006)		(0.022)	
DCプランを保有	−0.058	***	0.042	***	0.008		−0.102	***
	(0.021)		(0.014)		(0.005)		(0.021)	
低リターン処理	−0.001		0.028*		0.016	***	−0.060	**
	(0.024)		(0.015)		(0.006)		(0. 024)	
定数項	0.394	***	0.112	***	0.012		0.694	***
	(0.039)		(0.025)		(0.010)		(0.039)	
サンプル標本数	2,070		2,070		2,070		2,070	
決定係数	0.03		0.01		0.01		0.05	

注：表9.2参照。
出所：American Life Panel 2009を用いた著者の算出、本文参照。

デフォルト・トリートメント・グループには
不均一な実験効果があるのか？

　デフォルト・トリートメント・グループでは、強力な平均的効果は見られなかったが、おそらく、このような一方的な助言に反応する小さなサブグループの対象項目があり、それらを個別に検証することができるのではないかと推測するのは妥当であろう。特に、政策立案者は、能力の高くない個人のグループに介入することを検討するかもしれない。今回の研究調査結果から得られた一つの結論は、金融リテラシーが高くな

い人々は、経済的な制約といった理由から、自ら助言を求めておらず、また、投資選択を誤りやすいため、デフォルトで無償の助言を与えることが、彼らの助けになるのではないかというものである。そして、この考えに対するある程度の賛同はあるものの、強い証拠となるものは無い。

われわれは、デフォルト・トリートメント・グループとコントロール・グループの個人に注目し、デフォルト・トリートメント・グループのダミーを、能力水準を反映する指標（教育レベル、年齢、または金融リテラシーに関する基準）と相互作用させ、式（**9.2**）を再推定した。この仕様では、相互作用項における膨大な係数は、そのトリートメント・グループにおける異なった（相加的な）実験効果を示唆している。今回の分析では、金融リテラシーの不足を示す指標を作成すべく、各金融指標の中央値を下回る個人を「金融リテラシーが不十分」と定義した。ポートフォリオの充実度を測定する全ての指標において、金融リテラシーが不十分な回答者に助言を行うということは、彼らにとって役に立つ影響を与えていることを推定値が示唆しているにもかかわらず、若年層や金融リテラシーが不十分な層には統計的に著しい違いがあるため、結果には明確な傾向は見られない。しかし、全体としては、デフォルト・トリートメント・グループにおいて、無償のカウンセリングを義務化するための圧倒的な説得力を有する事例は見られなかった（ただし、Hastings and Mitchell［2011］などの他の研究調査では、助言の形式を変更すると、低リテラシー・トリートメント・グループにおいて違いが生じる可能性が示されており、双方向型ポートフォリオ計測グループは、非双方向型ルール・グループよりも大きな効果をもたらす可能性がある）。

実験効果と積極的な意思決定グループの選択

積極的な意思決定グループでは、助言を受けることを選択した人とそうでない人の間に極めて著しい行動上の違いが見られ、実験効果と選択の双方が存在することが示唆された。これまでの結果から、最も直感的な選択タイプである金融リテラシーに関するプラスの選択は除外されている。代わりに、この調査結果は、動機や関心といった他の検証不能な要素に関する自己選択を示唆している。同時に、上述のITT分析と同様

に、実験に対するプラスの平均的効果が見いだされており、すなわち、助言自体が対象者の行動を変えているのである。しかし、実際の効果の大きさは、検証不能な変数の自己選択の差異に比べて小さく、検証データだけでこのようなプログラムを評価することに対して、注意喚起的な役割を果たしている。

表9.8の主要な結果に戻ると、積極的な意思決定グループにおける被験者と非被験者では、ポートフォリオ配分やその内容の充実度に著しい差があることが分かった。4つの測定基準すべてにおいて、助言を受けた人は、そうでない人よりも著しくパフォーマンスが高く、株式保有がゼロであったり、分散が不十分であったり、過度に保守的であると評価される可能性は低い。また、助言を受けた人は、単に全体的にリスク・エクスポージャーを増やしているわけでもなく、過度に積極的だという評価も少ないようである。積極的な意思決定グループで助言を受けた人は、デフォルト・トリートメント・グループにおいて助言を受けた人を上回る一方で、助言を受けていない人は、（同じく助言を受けていない）コントロール・グループの人と比べて、悪くなるか、または変わらない。後者の検証結果は、これらの違いが、パフォーマンスにも影響を与える何らかの側面において、自己選択によるものであることを示唆している。

助言を受けた人のパフォーマンスが高いことを説明する一つの方法は、金融リテラシーが高い人は助言を求める可能性も高いということかもしれないが、先の分析では、助言を受けた人は、金融リテラシーに関してマイナスとなる自己選択をしていることがわかっている。助言の効果がない場合、金融リテラシーが選択の主な要因であれば、助言を受けた人のパフォーマンスは良くなるところか悪くなると予想される。そこで、金融リテラシー指標を含む、あるいは含まない制御ベクトルを使った積極的な意思決定グループのみを用いて、式（9.1）を再推定した。ポートフォリオの測定基準については、パフォーマンスの向上と助言には多大なる有意性があることを認識しており、これは、通常の人口統計ベクトルと、金融リテラシーの測定値のいずれかを着実に含めることができる（表9.10）。

もし、この一連の制御によって選択問題を解決すると仮定すれば、投

表9.10 ポートフォリオの特性、助言、金融リテラシー：
積極的な意思決定グループ（OLSによる推定値）

	(1) 株式残高 がゼロ	(2) 不十分な 分散	(3) 過度に 積極的	(4) 過度に 保守的
人口統計学的管理のみ				
助言を選択	−0.227 ***	−0.169 ***	−0.022 **	−0.108 **
	(0.041)	(0.025)	(0.010)	(0.043)
金融リテラシーを追加				
特定化Ⅰ：				
助言を選択	−0.237 ***	−0.174 ***	−0.022 **	−0.118 ***
	(0.041)	(0.025)	(0.011)	(0.043)
金融リテラシーの測定値	−0.089 ***	−0.047 ***	0.003	−0.095 ***
	(0.027)	(0.016)	(0.007)	(0.028)
特定化Ⅱ：				
助言を選択	−0.262 ***	−0.182 ***	−0.020 *	−0.139 ***
	(0.041)	(0.025)	(0.011)	(0.043)
自己申告による金融リテラシー	−0.112 ***	−0.041 ***	0.006	−0.100 ***
	(0.022)	(0.013)	(0.006)	(0.023)
サンプル標本数	584	584	584	584

注：表9.9のその他の人口統計特性を含むが、示されていない。表9.2参照。
出所：American Life Panel 2009を用いた著者の算出、本文参照。

資行動に対する助言の効果が非常に大きいことを意味する。つまり、助言を受けることを選んだ人は、ポートフォリオに株式を組み入れていなかったり、分散が不十分であったりする可能性が18-25％低いということである。また、過度に保守的である可能性は、およそ10％低く、同じ助言を自動的に行った場合に効果がゼロであるのとは劇的に対照的であるが、われわれは、検証が困難な他の特性による選択を排除することはできない。この関連性のうち、どの程度が選択効果によるものなのかを理解すべく、次に、実験が行われたトリートメント・グループへの平均的な影響を推定し、それをこれらの行動の違いと比較する。

前節の分析では、助言には確かに効果があることが示唆されているが、この効果が、検証された相違の全体を説明できるかどうかはまだわからない。もし、助言というものが、双方のトリートメント・グループの誰の行動にも影響を与えず、単に選別装置として機能するのであれば、（無作為に割り付けられた）積極的な意思決定グループとコントロー

250

ル・グループの双方における「平均的」な行動は同じになると予想される。しかし、著しいITT効果にもかかわらず、平均すると、積極的な意思決定グループは、コントロール・グループと比べて、投資選択を誤る可能性が低いか、あるいは同程度であることを示唆している。

このITT推定値は、単純に積極的な意思決定グループ全体の平均的な効果であり、助言を受けた人も、そうでなかった人も一緒にまとめられている。われわれが興味を持っているのは、実験の対象者における平均効果、つまり実際に助言を受けた人に対する助言の効果である。彼らに対する平均効果の推定値は、ITT推定値を実際の対象とした率で単純に割ったものであり、この場合においては、積極的な意思決定グループ全体の平均的効果を、助言を選んだトリートメント・グループの回答者の割合で割ったものである。多変量分析の枠組みでは、これは、トリートメント・グループへの割り付けを補助変数とし、トリートメント・グループとコントロール・グループの双方に、操作変数法を用いて式(9.1)を再推定することと同じである。

表9.11の結果（金融リテラシーの有無）は、比較的控えめなものである。この場合、助言を選択した個人は、過度に保守的になる可能性が8-9%低くなるが、その他の効果は、はるかに抑えられている。分散投資の不足に対する影響は、様々な仕様において、5%低い可能性があるものから特に重要性の無いものまで、多岐に及んでいる。**表9.10**の推定値と比較すると、実際の実験効果の大きさは、助言を受ける人とそうでない人との違いにおいて、かなりの部分が自己選択によるものであり、この選択は、金融リテラシー以外のパフォーマンスに連動した、検証不可能なものによって発生することを示唆している。

結論

われわれは、助言と行動の因果関係に対する理解をさらに深める実験的手法を用いて、ポートフォリオ配分の課題を実施した被験者に関する、仮想上の選択実験について報告した。これは、実際のファイナンシャル・プランの結果ではなく、仮想上のものにすぎないが、この実験分析からは、いくつかの優位点が見られた。第一に、提供される助言内容が完全に均一であること、第二に、逆の因果関係の問題が生じないことで

表9.11 ポートフォリオの特性と金融リテラシーに関する実験者の平均効果の推定値：
積極的な意思決定グループとコントロール・グループの比較
（操作変数法：助言の操作変数＝積極的な意思決定グループへの割り当て）

	(1) 株式残高 がゼロ	(2) 不十分な 分散	(3) 過度に 積極的	(4) 過度に 保守的	
人口統計学的管理のみ					*
助言を選択	−0.055	−0.036	−0.002	−0.092	
	(0.047)	(0.029)	(0.012)	(0.048)	
金融リテラシーを追加					
特定化Ⅰ：					
助言を選択	−0.058	−0.038	−0.002	−0.095	**
	(0.047)	(0.029)	(0.012)	(0.047)	
金融リテラシーの測定値	−0.099 ***	−0.049 ***	−0.003	−0.120 ***	
	(0.022)	(0.014)	(0.006)	(0.022)	
特定化Ⅱ：					
助言を選択	−0.047	−0.033	−0.020	−0.083 *	
	(0.046)	(0.029)	(0.012)	(0.047)	
自己評価による金融リテラシー	−0.101 ***	−0.036 ***	0.006	−0.105 ***	
	(0.018)	(0.011)	(0.005)	(0.018)	
サンプル標本数	897	897	897	897	

注：表9.9のその他の人口統計特性を含むが、示されていない。表9.2参照。
出所：American Life Panel 2009を用いた著者の算出、本文参照。

ある。回答者は、3つのトリートメント・グループのいずれかに無作為に割り当てられる。一つ目の・トリートメント・グループはコントロール・グループで、回答者には何の助言もなく課題が提示される。二つ目は、デフォルト・トリートメント・グループで、回答者は全員、同じファイナンシャル・アドバイスを受ける。三つ目は、積極的な意思決定グループで、回答者に助言を受けるかどうかの選択肢が与えられ、「はい」を選択した人だけが助言を受けることができる。この3つのトリートメント・グループを比較することで、当然の如く助言が与えられた場合と、能動的に助言を求めた場合との効果について研究調査を実施することができた。

　その結果、一方的に与えられた助言は、投資行動に影響しないことが明らかになった。行動に関する結果を見ると、単に助言を与えられた個人は、その内容をほとんど無視しており、また、助言が任意である場合、金融リテラシーが不十分な個人には、助言を求める傾向が見られた。そ

して、個人の能力に対する逆の選択にもかかわらず、積極的に助言を求める人の方がパフォーマンスは高い。このように、自己選択の影響の大きさが、実際の実験効果に影を投じる可能性はあるものの、助言を求めた方が、そうでない場合よりも効果があるように見える。

状況によって、政策立案者は、強制的なカウンセリングを魅力的な救済策と考えるかもしれない。しかし、対象となる母集団が、たとえ本当に必要なスキルが不足していたとしても、助言を受ける準備が本質的にできていない場合には、この方法は機能しないということを、われわれの調査結果は示唆している。そして、雇用主が福利厚生の一つとして助言を提供し、従業員の積極的な意思決定を確保することが、利用者の大幅な普及や、経済的な成果の向上につながり、さらには、金融リテラシーが不十分な従業員は、こうしたプログラムを利用する可能性が高いということを、われわれはよく理解している。同時に、政策立案者は、このようなプログラムの効果について現実的に考えるべきである。助言を受けた者とそうでない者の間で検証された相違は、選択の影響を受けている可能性が高いため、任意で行われたアドバイス・プログラムの影響を過大評価することはできない。研究者が、金融的な能力や教育といった、一見重要な変数のデータにアクセスできる場合でも、事後評価は、特にそのようなバイアスの影響を受ける可能性がある。

われわれの調査結果は、難しい問題を示唆している。金融リテラシーの向上はパフォーマンスの向上につながるが、潜在的な動機といった検証不能な要因もまた大きく関連しており、金融的な個人の能力とは完全に相関しているわけではないように思われる。したがって、動機やその他の根本的な要因が影響を受けないのであれば、助言などの支援ツールを増やすことによって、平均的な成果の向上だけではなく、積極的に行動する人とそうでない人との格差も拡大する可能性がある。したがって、知識から実際の行動変容へと移行させるためには、単に情報を提供するだけでなく、消費者が行動に落とし込むことができる助言や教材の構築が必要となる。今後は、情報コンテンツに加えて魅力的なプレゼンテーション形式が、自律的に行動変容を促すかどうかを検討していく。

本研究調査は、DOL、および米国国立老化研究所（以下、NIA）の資金援助を受け、RAND Roybal Center for Financial Decision Makingを通

じて行った。著者らは、関連する研究調査や洞察に満ちた議論に協力してくれた、ジェフ・ドミニッツ、プラカーシュ・カーナン、アリー・カプタイン、アンナマリア・ルサルディ、エリック・マイヤー、カタ・ミハイ、そして、研究調査の支援をしてくれたアリス・ベックマン、編集支援をしてくれたナタリア・ヴァイルに感謝する。ここに記載されている研究調査結果や結論は、著者個人のものであり、DOL、NIA、連邦政府の各機関、またはランド研究所の見解を示すものではない。すべての誤差脱漏の責任は著者が負うものである。

▶第9章 章末注

1 彼らのアプローチは、スウェーデンの世帯における投資選択の「誤り」による社会福祉費を評価したCalvet et.al.（2007）と類似し、リスク資産における分散不足やリスク資産市場への不参加に焦点を当てている。

2 ALPは、18歳以上を対象としたインターネット・パネルの回答者である。彼らは、自身のコンピュータを使用するか、あるいは、テレビや電話回線経由でアクセスが可能なWeb TVを通じてサイトにログインする。この技術により、これまでインターネットに接続できなかった回答者もパネルに参加できるようになった。ALPのメンバーは、ミシガン大学研究調査センターが毎月実施している消費者調査に回答した18歳以上の個人の中から選ばれる。また、他の月間調査としては、広く利用されているミシガン大学消費者信頼感指数などがある。ALPの回答者は、参加時に、個人の属性情報、職歴、その他の世帯情報に関する個別の調査を完了し、新しいモジュールにログインするたびに更新するよう促される。この調査では、生年月日、性別、学歴、民族、職業、居住地、収入など、自己申告による一連の人口統計学的特徴が得られる。概して、ALPの母集団は、一般的な米国のそれと比べて教育水準が高い傾向にある。このサンプル標本を選んだ主な理由は2つある。一つは、国勢調査のデータによれば、ミシガン州の回答者は、一般の人々よりも教育水準が高い傾向があること、そしてもう一つは、大多数のALPメンバーは自らインターネットにアクセスしていることである。アメリカのインターネット・ユーザーは、一般の人々よりも教育や所得が高い傾向にある。そのため、調査データ分析では、すべての回答に対して、母集団への重み付けを行っているが、実験データの分析では、そのデータには重み付けされていない。

3 注目すべきは、2008年に、与えられた助言に関する質問の調査サンプル標本から、誤って25人の回答者が除外され、さらに3人が無回答であったということである。真の全サンプル標本による最大値と最小値は17-22%で、除外されたトリートメント・グループの利用率を0-100%と極端に仮定して算出したものである。残りのサンプル標本の全体的な助言の利用率が低いことから、真のサンプル標本の平均値は、この範囲の下限である可能性が高いことを示唆している。

4 本節では、簡略化のために線形確率モデルを使用している。堅牢性テストでは、プロビット回帰により、質的にも量的にも同様の結果が得られた。

5 早期引き出しを行ったと報告した41人のうち、7人が積み立てを報告していなかったことにも注目したい。しかし、積み立てもやめたと答えたのは2人だけで、5人が積立額を減らしていた。一方で、23人が前年と同じ（プラスの）平均積み立てを続けており、5人が実際に積立額を増やしている。

6　欠損データのある個人は、早期脱退を報告しているトリートメント・グループに含まれており、後者の統計は欠損値に関する仮定に最も敏感である。欠損データのないサンプル標本では、助言を受けた人の方が早期脱退を報告する確率が高かった。すべての欠損データの上限を1と仮定すると、この結果は明確かつより顕著になり、すべての欠損データの下限を0と仮定すると、当然のことながら、この結果は逆転することが分かった。決定的な推論はできないが、データ欠損のない早期引き出しのトリートメント・グループにおいて、助言の普及率がサンプル標本平均に近いことから、アドバイザーがいる場合とそうでない場合で、真の早期引き出し行動が大きく異なるとは考えられない。

7　金融リテラシーそのものが、これらの結果やその他の関連する結果に与える影響についての詳細な分析は、Hung et al.（2007）に示されている。

8　ドイツの投資家を対象としたHackethal（2012）らの研究では、助言の影響を明らかにすべく、一人当たりの銀行支店数、有権者の参加率、所得の対数値、大卒人口比率の地域別統計をファイナンシャル・アドバイザーの利用手段として採用し、操作変数法を用いている。ALPの回答者は、現在居住する州で報告を行っているため、米国全土でも同様のデータを収集し、2005-2006年の一人当たりのファイナンシャル・アドバイザー数、2006年の世帯平均所得の対数値、2009年の25歳以上の人口における大卒者の割合、2008年の総選挙における州の有権者数の平均値を用いて、この戦略を再現した。しかし、これらの測定手段を用いた第一段階の回帰（ここでは報告されていない）は、極めて弱いものとなった（F検定 < 2）。以上のことから、米国はドイツとは異なり、アドバイザーの供給における地域的な差異は、助言の要請における強力な予測因子ではなく、操作変数による回帰は、有効な戦略にはならないと結論づけた。

9　アンケートを完了しなかった16件の検証結果を削除し、さらに138件の回答が、欠損または無効であった。クロス集計とカイ二乗検定の結果、欠損した回答は選択したトリートメント・グループとは相関がないことを示している。

10　他のトリートメント・グループにおける無作為化は直交して行われるため、このような一連の無作為トリートメント・グループは、基本的な比較方法に関する分析結果には、影響を与えないと考えられる。

11　コルモゴロフ – スミルノフ検定（Kolmogorov–Smirnov test）における確率分布が同等であれば、デフォルト・トリートメント・グループとコントロール・グループに差異がない場合、空値は拒否されない（p = 0.996）。積極的な意思決定グループとコントロール・グループの場合も拒否されることはない（p = 0.144）が、この結果はかなり限界的なものである。また、余談であるが、双方の金融リテラシーの測定値は、トリートメント・グループとは関係なく、助言内容に沿った形で行動パターンを強力かつ明確に予測する。つまり、金融リテラシーの高い人は、株式を保有する可能性が高く、投資選択を誤る可能性が低い、ということである。

▶第9章 参考文献

Agnew, J.（2006）. 'Personalized Retirement Advice and Managed Accounts: Who Uses Them and How Does Advice Affect Behavior in 401（k）Plans?' CRR No. WP2006–9. Chestnut Hill, MA: Center for Retirement Research at Boston College.

——L. R. Szykman（2005）. 'Asset Allocation and Information Overload: The Influence of Information Display, Asset Choice, and Investor Experience,' *Journal of Behavioral Finance*, 6（2）: 57–70.

Benartzi, S., and R. Thaler（2001）. 'Naive Diversification Strategies in Defined

Contribution Saving Plans,' *American Economic Review*, 91（1）: 79–98.

Bonaccio, S., and R. S. Dalal（2006）. 'Advice Taking and Decision-making: An Integrative Literature Review, and Implications for the Organizational Sciences,' *Organizational Behavior and Human Decision Processes*, 101（2006）: 127–51.

Calvet, L. E., J. Y. Campbell, and P. Sodini（2007）'Down or Out: Assessing the Welfare Costs of Household Investment Mistakes,' *Journal of Political Economy*, 115: 707–47.

Dalal, R. S.（2001）. *The Effect of Expert Advice and Financial Incentives on Cooperation*. Unpublished Master's Thesis. Champaign, IL: University of Illinois at Urbana Champaign.

Deelstra, J. T., M. C. W. Peeters, W. B. Schaufeli, W. Stroebe, F. R. H. Zijlstra, and L. P. van Doornen（2003）. 'Receiving Instrumental Support at Work: When Help Is Not Welcome,' *Journal of Applied Psychology*, 88（2）: 324–31.

Dominitz, J., and A. A. Hung（2008）. 'Retirement Savings Portfolio Management, Simulation Evidence on Alternative Behavioral Strategies,' *Journal of Financial Transformation*, 24: 161–72.

—— J. K. Yoong（2008）. 'How Do Mutual Funds Fees Affect Investor Choices? Evidence from Survey Experiments,' RAND Working Paper No. WR-653. Santa Monica, CA: RAND Corporation.

Gibbons, A. M.（2003）. *Alternative Forms of Advice in Natural Decision Settings*, Unpublished Master's Thesis. Champaign, IL: University of Illinois at Urbana Champaign.

—— J. A. Sniezek, and R. S. Dalal（2003）. 'Antecedents and Consequences of Unsolicited Versus Explicitly Solicited Advice,' in Symposium presented at the annual meeting of the *Society for Judgment and Decision Making*. Vancouver, BC: Symposium in Honor of Janet Sniezek.

Gino, F.（2008）. 'Do We Listen to Advice Just Because We Paid for it? The Impact of Advice Cost on Its Use,' *Organizational Behavior and Human Decision Processes*, 107（2）: 234–45.

Goldsmith, D. J.（2000）. 'Soliciting Advice: The Role of Sequential Placement in Mitigating Face Threat,' *Communications Monographs*, 67（1）: 1–19.

—— K. Fitch（1997）. 'The Normative Context of Advice as Social Support,' *Human Communication Research*, 23（4）: 454–76.

Hackethal, A., and R. Inderst（2013）. 'How to Make the Market for Financial Advice Work,' in O. S. Mitchell and K. Smetters, eds., *The Market for Retirement Financial Advice*. Oxford, UK: Oxford University Press, pp. 213–28.

—— M. Haliassos, and T. Jappelli（2012）. 'Financial Advisors: A Case of Babysitters?' *Journal of Banking and Finance*, 36（2）: 509–24.

Hastings, J. S., and O. S. Mitchell（2011）. 'How Financial Literacy and Impatience Shape Retirement Wealth and Investment Behaviors.' NBER Working Paper 16740. Cambridge, MA: National Bureau of Economic Research.

Helman, R., J. VanDerhei, and C. Copeland（2007）. 'The Retirement System in Transition: The 2007 Retirement Confidence Survey,' EBRI Issue Brief No. 304, April.

Hewitt Associates（2004）. 'Press Release: Hewitt Study Shows US Employees Sluggish in Interacting with 401k Plans: Research Shows Poor 401k Saving and Investing Habits Despite Improved Economy,' May 24. Hung, A. A., N. Clancy, J. Dominitz, E. Talley, C. Berrebi, and F. Suvankulov（2008）. 'Investor and Industry Perspectives on

Investment Advisers and Broker-Dealers,' RAND Technical Report No. TR-556-SEC. Santa Monica, CA: RAND Corporation.

—— E. Meijer, K. Mihaly, and J. K. Yoong (2009). 'Building Up, Spending Down: Financial Literacy, Retirement Savings Management, and Decumulation,' RAND Working Paper No. WR-712. Santa Monica, CA: RAND Corporation.

Inderst, R., and M. Ottaviani (2009). 'Misselling Through Agents,' *American Economic Review*, 99 (3): 883–908.

Investment Company Institute (ICI) (2001). 'Redemption Activity of Mutual Fund Owners,' Investment Company Institute Research in Brief, 10 (1). Washington, DC: ICI. http://www.ici.org/pdf/fm-v10n1.pdf

—— (2012). *Retirement Assets Total $18.9 Trillion in First Quarter 2012.* Washington, DC: ICI. http://www.ici.org/research/retirement/retirement/ret_12_q1 (翻訳時点で該当ページ無し)

Kramer, M. M. (2012). 'Financial Advice and Individual Investor Portfolio Performance,' *Financial Management*, 41 (2): 395–428.

Liu, W.-L. (2005). 'Motivating and Compensating Investment Advisors,' *Journal of Business*, 78 (6): 2317–50.

Lusardi, A., and O. S. Mitchell (2006). 'Financial Literacy and Planning: Implications for Retirement Wellbeing,' Pension Research Council Working Paper 2006–01. Philadelphia, PA: Pension Research Council.

—— (2007). 'Baby Boomer Retirement Security: The Roles of Planning, Financial Literacy, and Housing Wealth,' *Journal of Monetary Economics*, 54 (1): 205–24.

Mottola, G. R., and S. P. Utkus (2009). 'Red, Yellow, and Green: Measuring the Quality of 401 (k) Portfolio Choices,' in A. Lusardi, ed., *Overcoming the Saving Slump: How to Increase the Effectiveness of Financial Education and Saving Programs.* Chicago, IL: University of Chicago Press, pp. 119–39.

Samuelson, W., and R. Zeckhauser (1988). 'Status Quo Bias in Individual Decision Making,' *Journal of Risk and Uncertainty*, 1: 7–59.

Sirri, E. R., and P. Tufano (1998). 'Costly Search and Mutual Fund Flows,' *Journal of Finance*, 53: 1589–622.

Sniezek, J. A., and L. M. Van Swol (2001). 'Trust, Confidence, and Expertise in a Judge–Advisor System,' *Organizational Behavior and Human Decision Processes*, 84 (2): 288–307.

—— G. E. Schrah, and R. S. Dalal (2004). 'Improving Judgment with Prepaid Expert Advice,' *Journal of Behavioral Decision Making*, 17 (3): 173–90.

Turner, J. A., and D. M. Muir (2013). 'The Market for Financial Advisers,' in O. S. Mitchell and K. Smetters, eds., *The Market for Retirement Financial Advice.* Oxford, UK: Oxford University Press, pp. 13–45.

Yaniv, I. (2004a). 'The Benefit of Additional Opinions,' *Current Directions in Psychological Science*, 13 (2): 75–8.

—— (2004b). 'Receiving Other People's Advice: Influence and Benefit,' *Organizational Behavior and Human Decision Processes*, 93 (2004): 1–13.

—— E. Kleinberger (2000). 'Advice Taking in Decision Making: Egocentric Discounting and Reputation Formation,' *Organizational Behavior and Human Decision Processes*, 83 (2): 260–81.

Yoong, J. K., and A. A. Hung (2009). 'Self-dealing and Compensation for Financial Advisors,' RAND Working Paper. Santa Monica, CA: RAND Corporation.

Zheng, L. (1999). 'Is Money Smart? A Study of Mutual Fund Investors' Fund Selection Ability,' *Journal of Finance*, 54: 901–33.

▶ **第9章** 訳者注

*1

自立型退職年金制度（self-directed retirement plans）は、一般的に退職年金資産を税制適格（非課税）のもと自己責任で運用する年金制度を指す。DCプランで、企業が従業員に年金プランを提供する401（k）プランや金融機関等に口座を設けて個人で運用するIRAなどがある。

*2

自己選択（self-selection）は経済学では、製品やサービスの特性に応じて、一定の特性を持った利用者がそれを選択して集まることを指す。ここでは自発的に助言を受けようとする投資家はその助言をよりよく生かそうという傾向がある、との内容を示している。

*3

LOWESSは、Locally Weighted Scatter plot Smooth（局所的に重み付けされた散布図平滑化）が正式名称であり、局所的に重み付けをしたサンプルで線形回帰を使用してデータを平滑化する方法である。

*4

intention to treat 推定値はintention to treat analysis（治療企図解析、ITT解析とも訳される）から推定された推定値である。日本理学療法士学会HPのEBPT（evidence-based physical therapy）用語集によると、治療企図解析（ITT解析、intention to treat analysis）とは「ランダム割り付けを行う介入研究において、研究を始める前に決定した対照群と介入群の割り付けを実験終了時にも変えずに解析する方法である。たとえば、対照群（被検者A、B、C）と治療群（被検者D、E、F）として研究を行い、研究を進めるうちに対照群の被検者Bが治療を受けたくなって治療群に変わったとか、治療群の被検者Dが治療を止めたというときでも、研究終了時の解析は当初の予定通り、対照群（被検者A、B、C）と治療群（被検者D、E、F）として解析する手法」であるという。

第**10**章

ファイナンシャル・アドバイス市場を
機能させる方法

アンドレアス・ハッケタール、
ローマン・インダースト

　金融業界における規制は急速に変化している。金融サービスを利用する個人に対する広範な保護を実現すべく、欧州で新設された金融安定理事会は、個人投資家保護の促進を目的とし、これに特化する権限を含むいくつかの提案を行った（FSB, 2011）。このような規制機関は、米国でも新たに創設され、2011年7月から米国消費者金融保護局（以下、CFPB）として運営が行われている。また英国では、旧金融サービス機構に代わって、金融行動監視機構（以下、FCA）が設立されることになっている（FSA, 2011）。このような動きの背景にある主な理由は、「ファイナンシャル・アドバイス」におけるシステムに大きな欠陥が見受けられるためであり、専門家が提供するファイナンシャル・アドバイスが、利用者の金融知識の隔たりを狭め、円滑な取引を促進するものではなく、むしろその逆に、彼らの金融リテラシーの欠如や経験不足が悪用されているとして非難されている。米国財務省（2009: 68）は、金融規制の新たな計画骨子案において、次のように述べている。

　　中立的なアドバイスは、個人投資家が受け取ることのできる最も重要な金融サービスの一つである。（中略）住宅ローン仲介業者は、複雑な住宅ローンの決断において、アドバイザーとしての信頼性を売り込んでいるが、このような仲介業者が、金融商品を扱うプロバイダーから副次的な支払いを受け取るようなことがあれば、自らの公平性を損なう可能性がある。それにもかかわらず、個人投資家は、たとえ利益相反が明らかであったとしても、仲介者は顧客のために働き、顧客の利益を優先しているということから、仲介者に対する

信頼性を維持している場合がある。それゆえに、個人投資家は合理的ではあるものの、相反する仲介者のアドバイスを誤って信用してしまうことがある。

このようにして、ファイナンシャル・アドバイス市場が正常に機能せず、恩恵が毀損されるのではないかという憶測に対し、欧州委員会（EC, 2011: 27）が同調したことから、金融商品市場指令への提案を見直すこととなった（MiFID II）。

　　また、顧客に対して、個人的な提案を行うという継続的な関係性に加え、複雑性が増す様々なサービスや金融商品において、個人投資家保護の強化という観点から、ビジネス行動規範の向上が求められている。（中略）投資に関連するあらゆる情報を得るには、提供されるアドバイスの根拠、とりわけ、彼らが個人的に推奨する金融商品の範囲を明らかにしているか、独立した基準に則ったアドバイスであるか、推奨した金融商品の適合性を継続して査定しているかどうかについて、投資アドバイザリー企業に求めることが望ましい。（中略）個人投資家の保護を強化し、提供するサービスの透明性を高めるには、独立性に基づいた投資アドバイスやポートフォリオの管理を行う際に、第三者、特に発行体や商品提供者からの供給の受け入れや、あるいは商品の勧誘を受け入れる可能性について、さらなる制限を行うことが適切であると考えられる。

本章では、個人投資家の投資判断におけるクオリティの向上には、ファイナンシャル・アドバイスが重要であることを論じている。個人投資家は金融リテラシーが不十分で、系統誤差に陥りやすいことから、豊富な情報に基づいた公平なファイナンシャル・アドバイスは、重要な役割を果たすことになる。ここでは、特に個人投資家向けのサービスに注目して議論する。最近の調査結果では、通常、個人投資家は、専門家のアドバイスを受けており、これは、より高学歴の個人投資家の金融知識を補完するものかもしれないが、そうでない個人投資家にとっては、アドバイスが与える影響が非常に大きいものとなる可能性を示している。

　果たして、個人投資家はファイナンシャル・アドバイスを正しく活用しているのだろうか？　我々はそうではないと考えている。その理由の一つは、前述した引用で示唆されているように、個人投資家が利益相反に内在する問題を理解していない可能性があるからである。我々は、公平性を欠くアドバイスを提供する仕組みが、なぜ市場に根強く残っているのかに関する、数々の実証実験の結果や理論的な研究を交えて考察するとともに、個人投資家が、公平性に欠けたアドバイスを、誤って利用している可能性についても示したい。

　本章では、投資関連のニュースレターやアナリストレポートによる一般的なアドバイスではなく、特定の個人投資家に重点を置いている。また、現在行われている議論については、ファイナンシャル・アドバイスやファイナンシャル・アドバイザーについて、特定の役割や専門性、またそれに適用される固有の法律上の義務について、選別することなく言及していく。従って、ファイナンシャル・アドバイスの役割や範囲に関する概論は、法律的に彼らの業務において、アドバイスというものは「単に偶発的なもの」であり、専業の投資アドバイザーや証券ブローカーにも等しく適用されるべきであるというものである[1]。

金融商品への投資における問題点

　個人投資家の投資判断を難解かつ複雑にさせる理由一つとして、商品数が多すぎることが考えられる。

投資決定の複雑さと系統誤差（systematic error）

　S&P 500インデックス・ファンドのような比較的単純な商品であっても、透明性の欠如によって、その価格には、ばらつきが見られる[2]。さらに、多くの個人投資家向け金融商品は、非常に複雑かつ、派生的な構造や様々な「隠れ費用」を含んでいるため、個人投資家は決断を下す前に慎重に計算し、比較検討を行わなければならない。複雑であることへのもう一つの理由としては、家計世帯における投資判断の性質そのものにある。理論的に言って、個人投資家が、確率的な労働収入と資産収益率を考慮した場合、生涯の予算制約においては、主観的な期待効用を最大化するものであると仮定している（Campbell and Viceira, 2002）。個

人投資家には、消費とポートフォリオの構成を算出するためのダイナミックな最適化計画が必要となるが、実際のところ、最適化の問題は容易さとはほど遠い。個人投資家がどのように投資商品を検索しているか、また、ポートフォリオの最適化にふさわしい状態変数の実現性はどの程度なのかについては、ほとんど知られていない。しかし、最近のいくつかの研究では、個人投資家が、非常に限定的な検索しか行っておらず、単一の情報源からのみ情報を収集しているように見受けられるとしている[3]。おそらくこれには、彼らが最も信頼できるファイナンシャル・アドバイザーが関与しているのではないかと見られており、そのアドバイザーの存在がどの程度まで影響し、どのように情報収集を奨励しているのか、それとも、このプロセスを失速させるものなのかという点について、残念ながらまだ研究の対象となっていない。

　実際に投資判断を行う際には、情報に長けた個人投資家は先ず、多くの様々な手法を検討し、自身のバランスシートの評価や、既にどの程度まで別のリスク段階に到達しているのか、そして、貯蓄や長期的な投資を行う余裕がどの程度あるのかを判断する必要があり、これらはリスク許容度や投資期間の長さにも反映される。そして次のステップでは、さまざまな資産クラスで最も有利な貯蓄と投資を行うことにより、投資への多様化だけでなく、期待リターン、リスク、市場の非流動性において、最適なトレードオフの関係を実現するのである。その後で、個々の有価証券を選択し、これらの取引をそれぞれ実行することになる。時間の経過に伴い、個人投資家は、市場動向を踏まえた上で、投資判断を見直す必要があり、また自身の投資決定についての再検討を行う可能性が出てくるだろう。

　学術文献では、少なくとも一部の個人投資家がこのプロセスにおいて、系統誤差に陥りやすい、ということに関する多くの事例を挙げている[4]。最良の意思決定を行う上で障害となる主な要因としては、不安定で不明確な選好、経験則に基づいた（狭い範囲での）意思決定によるフレーミング効果、期待に対する不適切なアンカリング効果、惰性や先延ばし、自信過剰、選択肢や情報の過多などがある[5,*1]。さらにこの系統誤差には、金融商品や金融市場がどのように機能するかについての誤った認識、または、リスクを十分に想定していなかったことに起因する可能性が含

まれる。この点において、専門家のアドバイスは、大きな役割を果たしている。上記で概略を述べたように、投資アドバイザーは、一般的な投資プロセスにおける5つの手順に沿って、投資家の意思決定のクオリティを向上させるべきである。最善な方法が取られれば、ある程度の時間を経て、このプロセスが人々にとって、最適なポートフォリオを形成するようになることだろう[6]。

個人投資家の金融的能力

「金融的能力」とは、個人投資家が利益向上を目的とした、金融(投資)の意思決定を行う際の知識とスキルを意味する。最近のいくつかの研究では、複雑な投資判断に直面しても、多くの個人投資家世帯は十分な「金融的能力」を持ち合わせておらず[7]、さらには、多くの成人が十分な情報を得た上で行う自主的な投資判断や、金融商品の推奨事項を検証するのに必要なインフレやリスクの概念、ましてや金融商品の基本的な知識ですら不足しているということが、いくつかの調査で明らかになっている。

この知識の欠如というのは、国民全体に対して全て該当するというものではない。教育水準の高い世帯(富裕層世帯)は、より能力が高い傾向があるが、一方、非常に若い成人層において、知識の欠如が特に著しい。「金融的能力」の格差を、より良い金融教育で克服できるかどうかは不明である。例えば、高校での金融リテラシーの授業や事業主が主催となって提供された教育に基づいた研究では、それらのいかなる援助も長続きはしないとするものもあれば、その逆の結論を示すものもあった[8]。これが事実であるならば、明らかに、専門的なファイナンシャル・アドバイスの重要性を強調することにつながるであろう。

不十分なアドバイスの裏付け

個人投資家のより良い投資決定を支援する上で、専門的なファイナンシャル・アドバイスは大きな可能性を内包しており、実際、個人投資家は頻繁にアドバイスを求め、それを受けている。最近、欧州における投資商品購入者を対象とした、大規模なオンライン調査では、80%近くが対面販売を通じた購入を行っており、そのほとんどが投資アドバイザ

リー企業の職員やプロのアドバイザーとの間で行われている（Chater et al., 2010)[9]。そして、約60％が、自身が行った選択はアドバイザーによって直接影響を受けたと報告している。また、米国のファイナンシャル・プランニング市場、およびアドバイス市場における規模は、2011年には約440億ドルと推定されている[10]。

　いくつかの研究では、年齢、教育、金融リテラシー、財産、所得によって、ファイナンシャル・アドバイスを求める可能性が高まることが報告されており[11]、さらに、男性よりも女性の方がアドバイスを求める傾向が強いという。また、若年層に比べ、高齢で高学歴の人ほど自信があり、異なる意見を組み合わせることができると考えられ、財産や所得が高いほど、より多くの調査費を確保し、より多くの投資機会に費用を投じる。男性と比べ、女性はさほど自信過剰ではないことから、アドバイザーの意見を重視する傾向がある。また、金融知識をあまり持たない個人投資家のほとんどは、アドバイスを求めることはないものの、それでも敢えてアドバイスを求める場合は、単一源のアドバイスに依存する傾向があるとしている。例えば、Hackethal 等（2010）は、ドイツの大手銀行において、金融スキルが豊富な顧客とそうではない場合を比べた際、後者はファイナンシャル・アドバイスに、より依存していると報告しており、これら2つのグループ間において、投資行動や取引行動に大きな違いをもたらしたことを示唆している。実際、特定のアドバイザーに過度に依存する個人投資家は、ポートフォリオの資産価値や、投資に関する一般教養を含む、数多くの特徴的なアドバイスを駆使し、金融資産の利益率を20％以上も向上させたという傾向が見られた。すなわち、アドバイザーの推奨にさほど固執しない投資家よりも、高い収益を生み出していたのである。欧州の調査データによると、Georgarakos and Inderst（2010）は、金融教育を受けていない、あるいは投資判断が複雑であると感じている個人投資家においては、リスク資産を保有する意欲という点で、ファイナンシャル・アドバイスへの信頼が決定的な要因となるが、教育水準が高く、自信のある個人投資家の場合は、その度合いがより低くなる[12]。これらの研究を総合すると、個人投資家の不均一性が明らかとなり、すなわち、信頼できるファイナンシャル・アドバイザーに強く依存しているグループと、自分自身で意思決定を行うグルー

プが存在するということが明示されている。

　ファイナンシャル・アドバイスは個人投資家の投資判断において、重要な役割を果たすことができるが、場合によっては、何ら便益を得られないこともある。例えば、個人投資家は、より分散化したポートフォリオを持っているかもしれないが、それらは一概に、利益率が低い、あるいはパフォーマンスが高いとは限らない場合がある（Hackethal 等, 2012）。その理由の一つは、アドバイスは客観的であるものの、個人投資家がそれを十分に考慮していないかもしれないということである。ファイナンシャル・アドバイス市場が十分に機能していれば、アドバイザーと顧客の利益が一致するが、「アドバイザー兼セールスマン」といった、とりわけ「高額な費用」を要する金融商品を提供するプロバイダーとの利益が一致した場合は、歪んだ報酬を生み出すこととなる。しかしながら、個人投資は、この費用について無知であったり、購入時には気づいていなかったりするかもしれないのである。

　米国連邦取引委員会による、住宅ローン仲介業者の開示ルールについてのスタッフ報告書（Lacko and Pappalardo, 2007）は、住宅ローン仲介業者は、最善のローンを購入するための、信頼できるアドバイザーだと多くの個人投資家が考えているとしている。金融商品を最近購入した人に関する調査（Chater 等, 2010）では、ほとんどの回答者が利益相反について無知であることが明らかになった。回答者の半数以上は、ファイナンシャル・アドバイザー、提携プロバイダー、そしてそのスタッフらが、完全に独立したアドバイスや情報を提供していると考えていたのである。アナリストの推奨に対する投資家の反応を調査した結果では、個人投資がアナリストの報酬について、十分に理解をしていない場合があり[13]、また、ある実証データによれば、盲目的にアドバイスに従うことを望んでいることが示されている[14]。個人投資家が利益相反について十分に警戒していない場合、ファイナンシャル・アドバイスは、個人投資家の投資判断の補助にはならず、むしろ不利益を生み出す可能性をもたらすものになるのである。投資サービスに関しては、気付かないまま過度に高額な手数料の金融商品を購入したり、ポートフォリオに組み込んだ証券を頻繁に解約したりする可能性があるのである。

　さらに、自己本位なファイナンシャル・アドバイスは、個人投資家が

陥りがちな、系統誤差に対して、さらなる追い打ちをかける場合がある。Mullainathan等（2010）は、米国において「覆面調査員」を派遣し、投資アドバイザーとの初対面時に、個人投資家がどのように反応したかを検証した。最初の相談時において、投資アドバイザーは顧客が従来から抱えている誤解には反応せず、潜在的誤りを軽減するどころか、かえって偏見や誤解を増幅させてしまう可能性さえあったのである。

　アドバイスというものが、個人投資家に対して、どのような支援の橋渡しをするのか、それとも、知識不足を悪用してどのような損害を与えているのか、また、系統誤差をどのように緩和し、あるいは、どうやって悪用するのかを説明することで、我々はこの議論をまとめることとする。ファイナンシャル・アドバイス市場は、（a）アドバイザーと顧客との間に利益相反が存在するかどうか、（b）様々な顧客の特性（**表10.1**参照）という2つの条件から、4つの状況に分類される。「状況1」および「状況2」は、アドバイザーと顧客との間で利害が一致するケースで、「状況3」は、おそらく、「状況4」とは異なる事実上の意味合いがあり、有益な助言料へのさらなる透明性を求める一方、「状況4」は、投資実績やアドバイザーの活動成果について、情報提供が求められている。

　しかしながら、いくら公平で専門的なアドバイスであっても、それらを適切に利用しなかったり、単にアドバイスに従わなかったりすると、利益創出が困難な場合がある。ファイナンシャル・アドバイザーに、「注目株への有益なヒント」を提供してほしいと期待するような個人投資家は、分散投資の有益性を重視するアドバイザーからは、目を背けるかもしれない。今のところ、個人投資が実際にファイナンシャル・アドバイスをどのように利用しているかについては、限られたデータしかない[15]。大手証券会社の顧客（investors）を対象に、ランダムで行った実証実験において、Bhattacharya等（2012 a）は、個人投資家のポートフォリオ構成や投資スタイルを検証した結果、彼らにはファイナンシャル・アドバイスが最も必要であるにもかかわらず、実際には、それらを得る可能性はほとんどなく、アドバイスを受けていても、それにはほとんど従わなかったことが判明した。さらに、アドバイスを受け入れる前後の実績を比較した場合、アドバイスに忠実に従うことで、ポートフォリオの効率性が大幅に改善されたであろうということも示された。これは、概

266

ね、アドバイスというものが、個人投資家の判断力を向上させることを証しているが、アドバイスから潜在的な利益を得るためには、アドバイスを受ける側の障害を克服しなければならないことを示している。

　この障害の中には、アドバイザーの能力よりも、投資家自身の金融的能力を過信していたり、アドバイスへの「質」に対する不信感から、部分的にしかアドバイスを順守しなかったり、また、アドバイスの「順守」から得られる利益予想を的確に評価するための情報入手が困難であることが起因し、ポートフォリオの選択に疎くなってしまうというものも含まれている。良好なアドバイスへの順守度が低いことに対する、明瞭単純な対処方法としては、供給サイド、すなわちファイナンシャル・アドバイス市場、特に、投資アドバイザリー企業への情報提供に重点をおくことによって、**表10.1**にある、「状況3」や「状況4」といった状態を抑制できる場合もある。しかし、「状況1」、「状況2」といった状態においても、アドバイスを通じて、個人投資家の利益を大幅に向上させるには十分とは言えないだろう。個人投資家は、利益相反（事前に開示されている）があったのかどうか、それはどの程度だったのかということを、どうやって事後的に知ることができるのだろう？　合理的なアドバイスが投資決定力を改善し、それによって助言料が補われたかどうかをどのように評価できるのだろう？　利益相反する供給者か否かを判断する上で、アドバイスの実績やクオリティをどのように比較検討できるか？　これらの質問への回答には、さらなる調査が必要となる。

表10.1 金融アドバイス市場における4つの可能な形態

	金融能力に制約のある投資家	系統的な誤認識
顧客とアドバイザーの利益が一致する場合	（状況1）アドバイザーが金融知識のギャップを埋める（金融商品、手数料等）	（状況2）アドバイザーは顧客に系統的な誤認識について教育する（ホームバイアス、自信過剰等）
顧客とアドバイザーの利益が相反する場合	（状況3）アドバイザーは手数料やリスクを説明せずに隠す	（状況4）アドバイザーは顧客の誤解を悪用する（ポートフォリオの頻繁な入れ替え、注意を惹くような銘柄を中心とした取引等）

出所：著者が独自に作成。

　有用な政策的対応としては、第一に、アドバイスに対する自身の必要性を評価する立場に個人投資家自身を据え、第二に、様々なアドバイザーの中からアドバイスによって期待される成果を予測することであろう。次のセクションでは、現在の規制アプローチと代替案について述べる。

ファイナンシャル・アドバイス市場の活性化
　例えば、いくつかの政策では、個人投資家が自ら情報収集を行い、それらを分析できるよう、情報の質を向上させることで、ファイナンシャル・アドバイスの需要を減らそうとしており、主要な金融商品に関する文書といった強制的な開示基準も、このカテゴリーに該当する。さらに、金融商品自体がシンプルになれば、専門家によるアドバイスの必要性も低くなる。事前に承認を受けた貯蓄や投資商品のみに優遇税制を付与する政策（例えば退職金口座）もまた、この目的に見合っているだろう。しかし、多くの金融の専門家が、個人投資家に有益であると考えるような、組成が単純な金融商品であっても、平均的な投資家に委ねられれば、元々備わった利益を失う可能性がある。
　例えば、Bhattacharya et al.（2012 b）は、個人投資家が個別株やアクティブ運用のミューチュアルファンドを、ETFやインデックス・ファンドのような低コストのインデックス連動型商品に置き換えた場合に何が起こるかを分析している。彼らによると、ポートフォリオの改善によるプラスの効果は、ファクター・タイミングによる、マイナスのアブノーマル・リターン[2]によって完全に相殺されると報告している。前述したように、個人投資家への教育は、専門家によるアドバイスの必要性をさらに削減することになるだろうが、その影響は短期間で終わる可能性があることを示唆する研究もある。国民の金融リテラシーレベルと、複雑さを増す投資判断において求められるニーズには、（費用のかかる）金融教育をもってしても、その格差を埋め合わせるには、単純に大きすぎるかもしれない。
　ファイナンシャル・アドバイスの質を向上させる代替的なアプローチとは、アドバイザーが公正なアドバイスを提供できるよう、適切な報酬を与えることである。上記で紹介した研究結果では、個人投資家は、ア

ドバイザーによる不随的な報酬の受領について、正しい予想を行うことが出来ず、このことが公になった場合でも、それによって引き起こされる利益相反という危険性は、購入時には明らかにはならないのである。このような投資家の「経験不足」は、金融商品価格の利幅が、アドバイスへの直接的な費用ではなく、手数料という形でアドバイザーに支払われることから、個人投資はアドバイスに対して、ほとんど、あるいはもっぱら、間接的に支払ってしまうという結果につながっている（Inderst and Ottaviani, 2012 a）。また、合理性に欠けたアドバイスに慢心した個人投資家は、手数料への警戒心を緩めてしまう傾向があるため、個人営業の投資アドバイザリー企業は、結果として生じてしまった先入観への説明や、アドバイスの効率性を維持したシステムの導入への報酬が不十分な場合がある。

　このような説明が特定の金融商品や販売チャネルに適用される場合、利益相反に関する強制的な情報開示は、正当なものと考えられる。さらに、Chater 等（2010）の報告書の実証的結果が示すところによれば、このような強制的な情報開示は、強烈な「目から鱗の体験」として機能しなければならないが、十分に際立つものになるとも限らないのだという。一方、透明性が向上すると、望ましくない結果をもたらすこともある。Loewenstein 等（2011）によれば、アドバイザーは開示情報において、偏ったアドバイスをしても気に留めないように見受けられ、また、アドバイスを受ける側は、アドバイザーにあからさまな不信感を示さないよう、与えられたアドバイスをより忠実に守っているように見えたのだという。これは、特定の成功報酬に上限がある、または禁止されている場合はその比ではないかもしれないが、市場の歪みへとつながる可能性も指摘されるのである。特に、アドバイザーへの付随的な報酬が支払われるような関わり合いに対して、個人投資家が警戒心を抱いていれば、このような報酬構造や報酬レベルへの干渉が、効率の悪さにつながる場合がある。一方、アドバイザーは、最も効率的な金融商品、あるいは顧客獲得や情報収集から利益を引き出せるようなアドバイスへと舵取を行うので、取引手数料やパフォーマンス連動型報酬による販売は、重要な機能を果たす可能性がある[16]。

　したがって、政策立案者は、広まりつつある誘発的な構造や隠れた利益相反の可能性について、タイプの異なる個人投資家の認識レベルが、果たしてどの程度まで達しているのか、あるいは、専門家によるアドバイスとフィデューシャリー・デューティとの大きな違いを認識できているのかどうかという点について、十分に立証することができるだろう。次に、利益相反が見えにくい（垂直統合等による）利益調整など、強制的な情報開示が逆効果となるかどうかは、検討しておく必要がある。例えば、エージェンシーが異なる業務に携わり、複数のプロバイダーの金融商品へのアドバイスを行うような設定をすることによって、エージェンシー問題を解決できるのであれば[17]、二番目に相応しいという意味においても、ある種の利益調整は、効率的であることが証明されるかもしれないのである。

アドバイス市場における透明性の向上

　投資アドバイスを受けた個人投資家は、そのアドバイスが良かったのか悪かったのかをどのように評価するのだろうか？　もちろん、そのような個人投資家にとっては、アドバイザーとは情報源の一つでしかなく、単に取引のためのファシリテーターとして関心を持っているだけかもしれない。一方、あまり金融知識を持たない個人投資家は、アドバイスの結果を見て、それがどれほど良いものだったかを自身で判断しなければならないだろう。しかし、多くの金融商品において、これは遠い将来の話なのである。例えば、高額で償還される生命保険商品の場合、最初の誤った判断を修正するのは、ほぼ不可能であるかもしれない。投資対象が市場性のある有価証券であれば、基本的には、個人投資家は、定期的に投資判断結果を検証し、ポートフォリオの配分を変更することで、調整することができる。

　少なくとも原則的には、個人投資家は、推奨される投資リターンが高いのか低いのか、あるいはその市場価格が、例えば、昨年1年間でどの程度変動していたのかを確認することもできる。そして、その投資が、推奨された投資と同じくらいリスクがあることが実際に証明されたかどうか、また、ベンチマークと比較して、コストを差し引いたリターンがリスクに見合ったものであったかどうかを立証することができる。アド

バイザーは、株式投資における有能な「銘柄選択者」である必要はないものの、単に費用の発生を防ぎ、特定商品の関連リスクを評価するだけで、顧客への「プラス・アルファ」を提供できるであろう。

原則として可能なことはこれだけなのである！ しかし、現実には、個人投資家の多くは、現在のポートフォリオのリスク評価に必要な情報ですら不足しており、たとえ情報を知ることができても、その情報を適切に処理することができない可能性があるのである。Koestner（2012）は、自己主導型顧客約2万人の取引行動を8年間にわたって分析し、取引を続けている投資家が、過去の失敗から学んでいるかどうかを検証している。その結果、投資家が取引経験を積んだとしても、投資の分散不足やディスポジション効果[*3]は取り除かれないことがわかったのである[18]。すなわち、投資経験の豊富さは、必ずしも将来のポートフォリオにおける回転売買の低下、取引費用の低減化、経時的な純利益の増加といったものには結びついていないのである。取引費用は、ラウンドトリップ取引[*4]における特異なリスク特性のある株式や取引タイミング・パターンよりも、個人投資家のリターンに著しく影響するものになるのである。

図10.1は、（ポートフォリオの）リスク管理において、改善の余地が大きいことを示唆している。上のパネルは、金融機関1（ドイツのオンライン証券会社）の自己主導型顧客における、実際の平均的なポートフォリオ・リスクを示している。この証券会社に投資口座を開設する際、顧客は自身のポートフォリオにおける許容リスクレベルを報告しており、カテゴリー1は非常に低リスク、カテゴリー5は非常に高いリスクをそれぞれ示している。顧客が希望するリスクカテゴリーと、実際のポートフォリオにおけるリターン変動との間に、単調な関係がないことは明らかであり、非常に低いリスクレベルを好むと述べた顧客が、実際には、非常に高いリスク許容度の投資家と同程度のポートフォリオのリスクを構築していたのである。

金融機関1では、過去のポートフォリオにおけるリスクやリターンを顧客に報告していないが、ドイツのほとんどのリテール金融機関もこれと同様である。このことは、実際のポートフォリオ・リスクが希望した水準に見合ったものであったかどうか、また、実際のポートフォリオ・

図10.1 表示されたリスク選好度と平均実際のポートフォリオ・リスクの比較

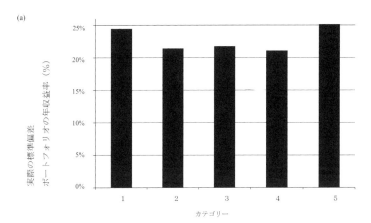

(a)

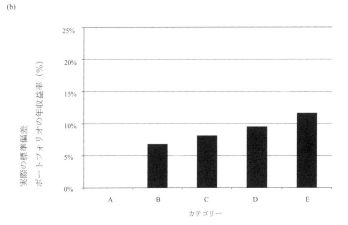

(b)

パネルA：対象ポートフォリオ・リスクのリスク・カテゴリー（金融機関1）
パネルB：対象ポートフォリオ・リスクのリスク・カテゴリー（金融機関2）
注：パネル (a) は、2007年1月から2008年12月における、金融機関1の自己主導型顧客、約1万4,000
　　人のポートフォリオ収益率の年平均標準偏差を示している。パネル (b) は、2009年5月から
　　2010年4月における、金融機関2の約400社の個人投資家に推奨されたポートフォリオ収益率の
　　年平均標準偏差を示している。各パネルの横軸のカテゴリーは、顧客が指定した希望リスクレ
　　ベルを示している。カテゴリー1 (A) のポートフォリオは、通常「保守型」ポートフォリオ、
　　また、カテゴリー5 (E) のポートフォリオは「投機型」ポートフォリオと呼ばれる。例：リス
　　クレベル2（「中等度リスク」）を目標にしていると事前に報告した、金融機関1の自己主導型顧
　　客のポートフォリオ収益率は、2007年と2008年において年平均標準偏差21.5％であった。
出所：著者が独自に作成。

リターンが、ベンチマークのリターンと一致していたかどうかについて、顧客が検証することが困難であることを示唆している。言い換えれば、個人投資家がアドバイスを求めるのか、アドバイザーを変更するのかを判断する際に、リスクとリターンという2つの重要な指標を簡単に利用することが出来ないということなのである。図10.1の下のパネルでは、金融機関2（Bhattacharya等、2012 a）が提供する、ある特別なアドバイス・モデルにおいて、個人投資が目標とするポートフォリオ・リスク（A＝ローリスク、E＝ハイリスク）と、実際のポートフォリオ・リスク（これら投資家の実際のポートフォリオ・リターンの標準偏差）の関係を比較したものである。金融機関2のアドバイザーは、目標とするリスクカテゴリーを、顧客と一緒に決定し、そのリスク選好にマッチしたポートフォリオを推奨する。基本的に、金融機関はポートフォリオ・リスク管理におけるアドバイザリー・サービスの質の高さを実証すべく、事後的な報告を行っているのである。

　また、投資アドバイスに関する個人投資家の選好について、オンライン調査を実施したところ、投資アドバイザー選定基準の第一条件は、目標とするリスクに応じた、ポートフォリオ・リスクにおける管理能力実績であることが分かった。また、ポートフォリオ・リスクの測定と報告方法について検証した結果、過去のリスクの大きさに応じたポートフォリオ順位は、特定のリスク指標の選択には、ほとんど影響されないという結論に達した。さらに、個人投資家へのリスク報告は、彼らにとって有意義なものとなるよう、可能な限りシンプル（例えば、ポートフォリオ・リターンの標準偏差をマッピングした、1から10までの尺度など）であり、また高度に標準化されたものでなければならないことが分かった。これらの結果は、ドイツ消費者保護省への最近の報告書に盛り込まれており、統一された電子フォーマットを用いて、自身のポートフォリオの詳細や取引データを（適切な費用で）取得できる法的権利を個人投資家に与え、市場の透明性を高めるよう推奨し、これによって、第三者機関が過去におけるポートフォリオのリスクとリターンを、標準的な指標で算出し、それらを適切なベンチマークと比較出来るようになるのである（Hackethal and Inderst, 2011）。このような政策介入は、そのような指標が自由に使えることへの潜在的優位性を認識している、豊富な金

融知識を持った個人投資家を対象とするのに限られるだろうが、透明性の向上における可能性が出てきたというだけでも、ファイナンシャル・アドバイス市場において切望されるリスク管理向上への刺激となるだろう。

結論

　ファイナンシャル・アドバイス市場についての我々の考察は、この市場をより良く機能させるにはどうすればよいかという政策的な議論に役立つものである。ほとんどの個人投資家は、複雑なファイナンシャル・プランにおける意思決定を行う準備が十分にはできていないため、専門家によるファイナンシャル・アドバイスは有益な役割を果たす可能性が高い。実際には、専門家によるアドバイスは広く行われているものの、そのようなアドバイスがもたらす成果は、せいぜい中立的なものだと見られる。政策立案者にとっての主な問題は、不透明な商品情報が絡んだアドバイザーの報酬制度だと見られている。しかし、純粋に供給側、つまり投資アドバイザーへの対策や利益相反の開示の義務化だけでは、質の高いアドバイス提供に対する競争を助長し、良質なアドバイスの順守を高めていくのは不十分で、むしろ、アドバイザーが推薦する情報だけではなく、その「結果に対する透明性」が必要だと考えられる。過去におけるリターン変動を標準化して分類するのと同時に、自己のポートフォリオのリスクとリターンの分析結果に関する、簡単で分かりやすい報告書があれば、アドバイザーと個人投資家が個々のターゲット・リスクと、実際のポートフォリオ・リスクにもっと注意を払うよう誘導できるかもしれない。このような「結果に対する透明性」があれば、投資アドバイザーが主体とする付加価値の高い業務、すなわち、個人投資家の選好に合ったポートフォリオのマッチングを行うことによって、自身の能力を発揮することができるであろう。

▶ **第10章** 章末注
1　実際、消費者（consumers）は異なった内容のフィデューシャリー・デューティが課されているにもかかわらず、これらの異なるアドバイス発出の源泉を適切に区別していない可能性がある（Hung et al., 2008）。
2　Hortacvosu and Syverson（2004）を参照。

3 これに関する最も包括的な調査研究は、Chater et al.（2010）、および（ヨーロッパに焦点を当てた）Eurobarometer（EC, 2012）である。

4 行動ファイナンス理論分野に関する、最も信頼のおける調査については、Barberis and Thaler（2003）を参照。Chater et al.（2010）は、個人投資サービスに適用される、より政策志向的な概観を提供している。

5 サーベイ調査については、Barber and Odean（2011）を参照。

6 Kahneman（2011）は、人間の意思決定に関する定型化された記述において、直感を生み出す自動的で迅速、かつ感情的な「システム1」と、これよりもさらに徹底的な情報処理を行い、直感を支持（「納得」［rationalize］）、または反論（「不審」［disbelieve］）する、手間を要し、遅く、いくぶん怠慢な「システム2」とを区別している。したがって、意思決定における系統誤差は、「システム2」に束縛されることのない、誤った直感の結果である場合もあれば、未熟練な「システム2」による介入の結果である場合もある（次節参照）。カーネマンは、個人の意思決定に改善をもたらす2つの補完的手法を提案している。第一に、他人を巻き込んで自らの「システム1」をコントロールすると同時に、自らの「システム2」の能力を高めることである。第二の手法は、一般的ではあるが、判断ミスの特定と克服に役立つ、特徴的な語彙を確立することである。プロのファイナンシャル・アドバイスは、手法1の変形と見なすことができる。我々は、第4節の終わりで、望ましい実際のポートフォリオ・リスクに対処すべく、手法2の変形、すなわち標準化された語彙を提案する。

7 Lusardi and Mitchell（2007）を参照

8 英国のパーソナル・ファイナンス・リサーチ・センターは、最近、これらの評価に関する調査を実施した（FSA, 2008）。一方、Lusardi and Mitchell（2007）は、卒業から10年後、学校での金融教育におけるプラスの影響を見出した。

9 ヨーロッパ各諸国や金融商品によって、その情報源は大きく異なるため、銀行員はヨーロッパ大陸諸国において主要な役割を担っている。

10 www.ibisworld.com/industry/default.aspx?indid=1316、ならびにTurner and Muir（2013）を参照。

11 Hackethal et al.（2012）、およびVan Rooij et al.（2011）を参照。

12 興味深いことに、より高度な教育を受けている、あるいは金融上の意思決定がそれほど複雑ではないと考える個人投資家にとって、消費者保護に対する信頼は、リスク資産を保有しようとする意思決定における重要な要因となっている。一方、あまり教育を受けていない、あるいは金融上の意思決定がより複雑であると考える個人投資家は、消費者保護に対する信頼は、あまり重要でないと考えている。

13 Hung et al.（2008）を参照。

14 利益相反について被験者に情報が提供されても、その知見は必ずしも被験者を十分に警戒させるようなものではないという（参照：Chater et al., 2010 では、様々な実験について議論されている）。

15 Hung and Yoong（2013）、Finke（2013）、Turner and Muir（2013）、Zick and Mayer（2013）et al.、本書の他章を参照。

16 Inderst and Ottaviani（2009, 2011）は、そのような複数の業務目的をアドバイスのモデルに導入している。

17 Inderst and Ottaviani（2012 b）は、簡単なアドバイス方法を導入し、強制力を携えた情報開示政策について、詳細かつ正式な議論について提供している。

18 Seru et al.（2010）は、投資家の市場からの離脱を調整した後では、学習効果が小さかったことを示している。

▶ **第10章** 参考文献

Barber, B. M., and T. Odean (2011). 'The Behavior of Individual Investors,' SSRN Working Paper, No. 1872211. http://papers.ssrn.com/sol3/papers.cfm?abstract_id=1872211

Barberis, N., and R. Thaler (2003). 'A Survey of Behavioral Finance,' in G. Constantinides, M. Harris, and R. Stulz, eds., *Handbook of the Economics of Finance*, Vol. 1. Amsterdam, The Netherlands: North-Holland, pp. 1053–128.

Bhattacharya, U., A. Hackethal, S. Kaesler, B. Loos, and S. Meyer (2012a). 'Is Unbiased Financial Advice to Retail Investors Sufficient? Answers from a Large Field Study,' *Review of Financial Studies*, 24: 975–1032.

―― ―― (2012b). 'Passive Aggressive: Index-Linked Securities and Individual Investors,' SSRN Working Paper, No. 2022442. http://papers.ssrn.com/sol3/papers.cfm?abstract_id=2022442

Campbell, J. Y., and L. Viceira (2002). *Strategic Asset Allocation―Portfolio Choice for Long-Term Investors*. New York: Oxford University Press.

Chater, N., S. Huck, and R. Inderst (2010). *Consumer Decision-Making in Retail Investment Services: A Behavioral Economics Perspective*. Report to the European Commission Directorate-General Health and Consumers (SANCO). Brussels, Belgium: SANCO.

Department of the Treasury (Treasury) (2009). *Financing Regulatory Reform―A New Foundation: Rebuilding Financial Supervision and Regulation*. June: 68. Washington, DC: Department of the Treasury.

European Commission (EC) (2011). *2011/0298 Proposal for a Directive of the European Parliament and of the Council on Markets in Financial Instruments Repealing Directive 2004/39/EC (MiFID II)*. Brussels, Belgium: EC Directorate-General Internal Market and Services.

―― (2012). *Special Eurobarometer on Retail Financial Services*. Brussels, Belgium: EC Directorate-General Internal Market and Services.

Financial Services Authority (FSA) (2008). 'Evidence of Impact: An Overview of Financial Education Evaluations,' *Consumer Research*, 68 (July): 1–87. London, UK: FSA.

―― (2011). *The Financial Conduct Authority: Approach to Regulation*. London, UK: FSA.

Financial Stability Board (FSB) (2011). *Consumer Finance Protection with Particular Focus on Credit*. Report to G20 Leaders. Basel, Switzerland: FSB.

Finke, M. (2013). 'Financial Advice: Does It Make a Difference?' in O. S. Mitchell and K. Smetters, eds., *The Market for Retirement Financial Advice*. Oxford, UK: Oxford University Press, pp. 229–48. 226 The Market for Retirement Financial Advice

Georgarakos, D., and R. Inderst (2010). 'Financial Advice and Stock Market Participation,' SSRN Working Paper No. 1641302. http://papers.ssrn.com/sol3/papers.cfm?abstract_id=1641302（翻訳時点で該当ページ無し）

Hackethal, A., and R. Inderst (2011). *Messung des Kundennutzens der Anlageberatung*. Report to the German Ministry of Consumer Affairs (BMELV). Berlin, Germany: BMELV.

―― ――S. Meyer (2010). 'Trading on Advice,' SSRN Working Paper No. 1701777. http://papers.ssrn.com/sol3/papers.cfm?abstract_id=1701777

――M. Haliassos, and T. Jappelli (2012). 'Financial Advisors: A Case of Babysitters?' *Journal of Banking and Finance*, 36: 509–24.

Hortaçsu, A., and C. Syverson (2004). 'Product Differentiation, Search Costs, and

Competition in the Mutual Fund Industry: A Case Study of S&P 500 Index Funds,' *Quarterly Journal of Economics*, 119: 403–56.

Hung, A. A., and J. K. Yoong (2013). 'Asking for Help: Survey and Experimental Evidence on Financial Advice and Behavior Change,' in O. S. Mitchell and K. Smetters, eds., *The Market for Retirement Financial Advice*. Oxford, UK: Oxford University Press, pp. 182–212.

——C. Noreen, J. Dominitz, E. Talley, C. Berrebi, and F. Suvankulov (2008). *Investor and Industry Perspectives on Investment Advisers and Broker-Dealers*, Technical Report. Santa Monica, CA: RAND Institute for Civil Justice.

Inderst, R., and M. Ottaviani (2009). 'Misselling through Agents,' *American Economic Review*, 99: 883–908.

Inderst, R., and M. Ottaviani (2011). 'Competition through Commissions and Kickbacks,' *American Economic Review*, 102 (2): 780–809.

—— (2012a). 'How (Not) to Pay for Advice: A Framework for Consumer Financial Protection,' *Journal of Financial Economics*, 105 (2): 393–411.

—— (2012b). 'Financial Advice,' *Journal of Economic Literature*, 50 (2): 494–512.

Kahneman, D. (2011). *Thinking, Fast and Slow*. London, UK: Allen Lane.

Koestner, M. (2012). *Essays in Household Investment Behavior*. Ph.D. Thesis. Goethe University Frankfurt, Germany.

Lacko, J. M., and J. N. Pappalardo (2007). *Improving Consumer Mortgage Disclosures: An Empirical Assessment of Current and Prototype Disclosure Forms*, Federal Trade Commission (FTC) Bureau of Economics Staff Report. Washington, DC: FTC.

Loewenstein, G., D. Cain, and S. Sah (2011). 'The Limits of Transparency: Pitfalls and Potential of Disclosing Conflicts of Interest,' *American Economic Review*, 101:423–26.

Lusardi, A., and O. S. Mitchell (2007). 'Financial Literacy and Retirement Preparedness: Evidence and Implications for Financial Education,' *Business Economics*, 42: 35–44.

Mullainathan, A., M. Nöth, and A. Schoar (2010). 'The Market for Financial Advice: An Audit Study,' NBER Working Paper No. 17929. Cambridge, MA: National Bureau of Economic Research.

Seru, A., T. Shumwayand, and N. Stoffman (2010). 'Learning by Trading,' *Review of Financial Studies*, 23: 705–39. How to Make the Market for Financial Advice Work 227

Turner, J. A., and D. M. Muir (2013). '*The Market for Financial Advisers*,' in O. S. Mitchell and K. Smetters, eds., The Market for Retirement Financial Advice. Oxford, UK: Oxford University Press, pp. 13–45.

van Rooij, M., A. Lusardi, and R. Alessie (2011). 'Financial Literacy and Stock Market Participation,' *Journal of Financial Economics*, 101 (2): 449–72.

Zick, C. D., and R. N. Mayer (2013). 'Evaluating the Impact of Financial Planners,' in O. S. Mitchell and K. Smetters, eds., *The Market for Retirement Financial Advice*. Oxford, UK: Oxford University Press, pp. 153–81.

▶ **第10章** 訳者注

*1

経験則（heuristic）、フレーミング効果（framing）、アンカリング効果（anchoring）、先延ばし（procrastination）などは行動経済学上の用語である。詳細は、大竹文雄（2019）等を参照。大竹文雄、『行動経済学の使い方』、岩波書店、2019年

*2
イベントスタディなどで計測する異常時のリターンを指す。イベントが発生したときに、そのイベントが発生してないと仮定した場合の株式のリターンに加えてそのイベント分の追加的な「異常」なリターンが発生すると仮定して計測、検証する。
*3
ディスポジション効果とは、価格が上昇した株を早期に売り、一方で、下落した株を保有し続けるという投資家の傾向であり、気質効果とも呼ばれる。
*4
ラウンドトリップ取引（Round trip transaction）はいわゆる往復取引のことで、ラウンドトリップ取引コスト（Round trip transaction cost）とは、有価証券またはその他の金融取引で発生するすべてのコストを指す。ラウンドトリップ取引コストには、手数料、為替手数料、ビッド・アスク・スプレッド、マーケット・インパクト・コスト、場合によっては税金も含まれる。

第11章

ファイナンシャル・アドバイスは変化をもたらすか?

マイケル・フィンケ

　個人は、次第に複雑さを増す金融商品の中から、老後の生活資金を調達しなければならないという重大な責任に直面している。このような難しい選択を自力で行うには、金融関連の人的資本への投資が必要となるが、これは個人にとっても社会にとっても効率的とは言えない可能性がある。脆弱な金融判断による資産への潜在的損失の大きさを考えれば、金融専門家の知識を借りることは、弁護士や会計士のサービスよりも有用であるかもしれない。

　専門家の助言を受けることで、生涯効用を割り引いた後の満足感が、想定していた割引手数料やアドバイザーに徴求された費用を上回れば、個人はファイナンシャル・アドバイザーを利用するということが、経済学的に示唆されている。理に適った個人であれば、効率的なポートフォリオへの投資、リスク管理商品の適切な活用、ライフサイクルにおける最適な資産配分、節税のための遺産贈与計画の策定において、金融専門家を雇う有用性を認識するだろう。

　米国では、個人の脆弱な金融判断を示す十分な証拠があるにもかかわらず、金融専門家の助言を受けているのは、5人に1人程度にすぎない（Elmerick et al., 2002）。費用を投じて、金融に関する相談をしようとする個人がこれほど少ないのは驚くべきことだが、十分な情報開示とそうでないものとを見分ける重要性や、ファイナンシャル・アドバイス・サービスにどれほどの費用を要するかをほとんど理解することもなく、これほど多くの個人が専門家に頼っているのもまた驚くべきことである。ファイナンシャル・アドバイザーによる助言の有用性を推測すべく、さまざまな取り組みが行われているが、それらを決定的に示すものはまだない（Hackethal and Inderst, 2013等）。これは、ファイナンシャル・ア

ドバイス・サービスの不透明かつ不明瞭な価格設定や、業界内の利益相反が原因と考えられる。

　ファイナンシャル・アドバイスの価格設定や便益性の定量化に関する問題は、主に金融商品の販売事業から派生した専門職に起因すると考えられる（Turner and Muir, 2013）。証券ディーラーの行為を規制する1934年証券取引所法は、登録された証券外務員が行う助言が金融商品の販売に付随するものであることを前提とし、金融商品の購入者（アドバイザリー・サービスの顧客ではない[*1]）は、ミューチュアルファンドや年金などの金融商品を容易に購入できるよう、証券外務員のサービスを求めると想定されている。証券外務員は、購入者に対する適合性の範囲内で金融商品を推奨する。各当事者は進んで取引に参加し、おそらく取引によって双方ともに便益をあげることができる。しかし残念なことに、一方の当事者（購入者）は情報的に不利な立場にあり、助言が金融商品の販売にのみ付随するものであるということを認識していない可能性がある。

　消費者に代わってエージェント（仲介代理人）が投資を行う場合は、その費用を概算することができる。周知のとおり、当事者である本人と外務員は、ともに自らの便益を最大化しようとするため、当事者本人とエージェントの利益が一致しない場合には、利益相反が発生する。Lusardi and Mitchell（2008）は、米国における金融リテラシーの低さを示す多くの研究について検証を行っている。金融市場をほとんど知らない当事者本人（世帯）は、ファイナンシャル・アドバイスの特性を見極めるのが難しい。このように、当事者とアドバイザーにおける金融知識の不均衡は、購入前、そして購入後のサービス品質の評価を困難にする。

　本章では、専門的な助言による付加価値を説明した文献を再考察する。専門家によるファイナンシャル・アドバイスへの依存度を高めることによって、潜在的な安心感がより拡大し、ファイナンシャル・アドバイザーが、より良い金融判断に一役買っているという証拠もいくつかある。それにもかかわらず、その結果には一貫性が見られず、アドバイザーのインセンティブ報酬によって利益相反が発生すれば、結果は悪化する可能性がある。ファイナンシャル・アドバイザーに対する健全かつ整合的な規制がなければ、アドバイザーが（消費者が容易に認識できない）不

可解な商品価格を設定したり、消費者から利益を搾取するのに優位な情報を入手したりすることによって、個人が損害を被る可能性がある。教育基準、信頼に資する認定資格、そして利益相反に関する一貫した規制、これらすべてが欠如しているために、ファイナンシャル・アドバイスの専門家や、それに関連するさまざまな職業における資質の向上が妨げられている。

専門的なファイナンシャル・アドバイスを受けるのは誰か？

　Campbell（2006）は、個人における金融上の意思決定に関する数多くの例を示しており、それらは、理論上の効果（標準的な最適性）とは程遠いものとなっている。従来からの高い利回りに加え、情報や取引に係るコストが大幅に削減されているにもかかわらず、個人の半数は株式を保有していない。彼らは株式投資において、株価が上昇したときにより多く購入する傾向があり、ポートフォリオを適切に分散していない。また、消費者は高金利で借り入れを行う一方で、ほとんど、あるいは全く利回りのない流動資産を保有している。さらに、多くの消費者は、借り換えるタイミングを逸して不適切な住宅ローンを選択している。そして、複雑な税制が非効率的な資産配分へとつながっている。長寿化利益（mortality credit）や残存資産の確保によって利益が得られることは明らかであるにもかかわらず、退職時に年金化する個人はほとんどいない。したがって、専門家の助言によって個人の幸福感が改善することは間違いない。

　ファイナンシャル・プランナーの利用において予測される世帯特性としては、富裕層が圧倒的に多く、次いで高収入、大卒、自営業となっている（Finke et al., 2011）。回答者によると、ファイナンシャル・アドバイザーを選んだ最も一般的な理由は、相続や事業の売却など、人生における重要な出来事が起こった時であった（ICI, 2007）。とはいえ、ファイナンシャル・アドバイスは、単に需要主導型で行われるものではない。ファイナンシャル・アドバイザーは、巨額の投資資産を有する顧客にサービスを提供している。なぜなら、彼らの報酬モデルのほとんどは、富裕層をターゲットにするためのインセンティブとなっているからである。その理由の一つは、新規顧客の開拓、顧客との面談による目標設定

や信頼関係の構築、初期段階における資金計画の策定や金融商品の選択には、固定費がかかることが多いからである。手数料報酬やAUM手数料は、投資可能な資産に応じて増加するため、彼らは富裕層の顧客に対してより多くの労力を割くことになる。

　逆に、ファイナンシャル・アドバイスの提供には、無償の場合であっても、アドバイザーとの面談に加え、助言内容の評価や実施に費やす時間には、多額の固定費が含まれており、富裕層以外の個人は、投資の改善による利益が間接的なコストに見合わないと判断する可能性がある。ドイツのある証券会社において、無作為に選ばれた8,000人の顧客を対象に、独立系投資アドバイスの専門家を無償で提供したところ、進んで受け入れたのはわずか5%だった（Bhattacharya et al., 2012）。その助言は、無作為に選ばれたサンプル標本に無償で提供されたため、専門のファイナンシャル・アドバイスを受けるための選好には、供給バイアスが存在しなかった。より多くの資産を有する人と、ファイナンシャル・アドバイスを受ける確率には強い関連性が見られる。ファイナンシャル・アドバイスを受けた人達の中でも、さらに金融知識が豊富な人が示唆していることは、十分な情報に基づいた金融判断によって利益を得たいと期待している人々が、専門家の助言という需要を刺激しているということである。

　1979年のThe National Longitudinal Survey of Youth（以下、NLSY79[*2]）では、退職後の生活に備えて、ファイナンシャル・プランナーに相談したかどうかを尋ねた。2008 年の調査では、回答者のライフサイクルにおける貯蓄のピークは40歳代後半だった。表11.1は、収入、純資産、認知能力の五分位数、教育水準、および回答者の自己肯定感（援助要請行動に影響を与える可能性がある）によって、回答者の割合を示している。ファイナンシャル・プランナーの利用率は、資産と所得に応じて劇的に上昇することが明らかになった。下位収入の五分位数と比べ、上位収入と純資産五分位数の回答者の約10倍がファイナンシャル・プランナーに相談を行っていた。高卒の回答者でファイナンシャル・プランナーに相談したのはわずか10%だったが、大卒の回答者では3人に1人以上が相談をしていた。ファイナンシャル・プランナーを利用したのは、認知能力が最も高い回答者（10代として測定）で、3分の1以上（34%）であっ

表11.1 世帯の特徴と退職後の生活設計

(%)

世帯の特徴	ファイナンシャル・プランナーに相談した	退職後の必要資金を計算した	コンピューター・プログラムを利用した	雑誌や書籍を読んだ
収入				
最も低い	4.0	10.2	2.5	14.1
第2五分位	8..7	15.5	5.8	21.4
第3五分位	15.5	24.4	11.9	32.6
第4五分位	21.3	28.3	15.6	38.8
最も高い	37.0	43.7	27.7	53.8
純資産				
最も低い	5.4	10.8	3.6	15.8
第2五分位	7.1	14.4	5.5	21.3
第3五分位	12	19.8	8.8	28.9
第4五分位	22.8	29.6	14.5	38.1
最も高い	38.2	46.1	29.5	54.4
教育水準				
高校未満	2.1	10.6	1.6	6.6
高校	10.2	17.1	6.3	21.7
単科大学系	18.5	25.1	13.5	37.6
大学	33.4	41.5	25.6	51.3
大学院	35.9	42.4	27.8	55.1
賃貸	8.2	14.2	6	20
持ち家	21.2	31.3	16.3	37.9
認知能力				
最も低い	5.7	12.8	4.1	15.3
第2五分位	11.5	17.1	7.4	25.7
第3五分位	17.9	24	10.4	33.9
第4五分位	21.7	31.6	15.8	39.3
最も高い	34.1	39.7	27.3	50.7
自己肯定感				
最も低い	7.7	13.9	5.9	19.4
第2五分位	15.7	22.6	11.9	29.8
第3五分位	17.4	23.5	11.1	30.9
第4五分位	20.1	29	15.3	36.8
最も高い	25.7	31.9	17.5	41.0

出所：The National Longitudinal Survey of Youth 1979（NLSY79）2008年を用いた著者の算出。

たのに対し、認知能力が最も低い5分位数の回答者では6%だった。また、自己肯定感の高い回答者ほど、専門家に助言を求める傾向があった。以上のことから、助言を求める可能性が高い人は、金融的に誤った行動を取る傾向が最も少ないと言える。むしろ、彼らは、助言から得られる潜在的な便益を最も認識しており、アドバイザーから助言を受ける心理

的、あるいは時間的コストを正当化できるだけの十分な資産を持っている。また、専門的な助言を求める人は、退職後の生活に必要な情報を書籍やコンピュータ・プログラムから得ようとする自己啓発型である可能性が高い。

　より多くの金融資産を持つ個人が専門家の助言を求める要因は、富裕層の需要が大きいことに加え、投資可能な資産に応じて報酬が増加するアドバイザーが、富裕層にプランニング・サービスを提供していることと考えられる。これらの結果は、金融知識が豊富になると、専門的な助言に対する需要が高まることを示している。また、金融知識が十分ではない人は、自身の現在の状況や理想的な経済状況の違いを明確に理解しておらず、情報や専門家の支援を求める利便性を想像するのは難しいかもしれない。

ファイナンシャル・アドバイスのメリット

　個人の投資成果に関するファイナンシャル・アドバイザーの影響について実証している調査報告書からは、費用や価値を提供する技能と照らし合わせて、アドバイザーを区分するのは困難であるという問題がうかがえる。例えば、Bluethgen et al.（2008）がドイツの投資家を対象とした研究では、助言を受けた投資家は、より高品質かつ分散されたポートフォリオを持ち、投資に対してより高額な手数料を払っていたことを示している。これらの手数料は、投資効率の向上によって得られた利益に対して、アドバイザーに支払われた報酬の可能性がある。Kramer（2012）も同様に、自身で投資判断が行われた取引口座と専門家の助言を受けたものとの間に、ポートフォリオ上のパフォーマンスの差があるという証拠は見られなかったが、助言を受けた方の取引口座の方が、より分散化が進んでいたと報告している。Hackethal et al.（2011）では、ドイツの銀行の顧客で、手数料報酬型のファイナンシャル・アドバイザーを利用した顧客は、コスト控除後のポートフォリオのパフォーマンスが低かったことを指摘しているが、これはおそらく、アドバイザーの売上高を増やすためのインセンティブに起因していると考えられる。アドバイザーを利用する人の多くは、金融経験が豊富であることから、著者は、アドバイザーはベビーシッターのような存在であり、彼らは言わ

ば、高い技能を持った「親」となって、そのような技術を持ち合わせていない顧客の手間と費用を肩代わりしているという可能性を提起している。また、アドバイザーがより効率的な投資選択を勧めても、顧客がそれに従わない可能性もある（Hackethal and Inderst, 2013）。

　Hung and Yoong（2013）は、一方的なファイナンシャル・アドバイスを受けた回答者は、投資行動に改善が見られなかったが、任意でファイナンシャル・アドバイスを選択した回答者は、パフォーマンスが改善したと報告している。著者は、従業員の福利厚生として助言を提供することは、助言が提供されれば利用すると回答した4分の3の従業員に役立つと指摘している。そして、助言が効果的であるためには、顧客が助言を求めるような動機付けが必要であることが考えられる。Bhattacharya et al.（2012）の研究で、銀行の顧客に提供された無償の助言が、パフォーマンスにほとんど影響を与えなかった理由もこの点にあるのかもしれない。

　最近では、神経科学の理論を用いて、ファイナンシャル・プランの策定プロセスが、これまで個人が敬遠しがちだった、幸福感を最大化させる意思決定へと導く動機付けとなることが説明されている（James, 2011）。現在行われている金融に関する意思決定は、長期的な目標を損なう可能性がある。なぜなら、現在の思考は感情的であり、計算されたものではないからである。これは、合理的で慎重な思考というものが、ヒト大脳皮質で行われるためであり、私たちの日常生活の多くに、感情を持った哺乳類の（大脳辺縁皮質）が使われている。リスクへの反応や、誘惑への抵抗に対する苦悩は、大脳辺縁系皮質によって生じるもので、人間は認知的な努力によってこれを制御しようとしている。McClure et al.（2004）は、大脳辺縁系皮質は主に短期的な意思決定に関与し、長期的な意思決定はヒト大脳皮質で行われていることを「脳画像」を用いて示している。これらの知見は、多くの個人が退職後の生活に備えてもっと貯蓄をすべきだと考えているにもかかわらず、401（k）への拠出額を増やす取り組みを今すぐ始めようとしない理由の説明に有用である。

　このような状況で、ファイナンシャル・アドバイザーを活用することには2つの利点がある。一つ目は、冷静に落ち着いて、目標を明確にし、資金計画を立てるだけで、スマートで合理的な意思決定に係る一連の作

業が可能になり、現在と将来の異時点間において、より良い投資決定ができるようになることである。二つ目は、金融的な判断を別の人物に委ねることで、顧客の感情から離れた判断が可能になることである。損失回避の感情は大脳辺縁系皮質の反応と関連しており、顧客が市場の低迷に対して感情的な反応を示した場合、アドバイザーは、長期的な投資方針に注力するよう、まさに「理性の声」を与えることで、彼らの感情を抑えることができる。

　損失回避は、投資家がマーケット・タイミングをうまく見計れない理由の説明にもなる。Friesen and Sapp（2007）は、上昇相場の流れでセンチメント主導の株式ファンドに流入し、市場が弱含んだタイミングで離脱した結果、年間1.56％のアンダーパフォーマンスが発生したことを明らかにしている。株式ファンドからの撤退は特に損失が大きく、1ヶ月あたり平均15ベーシス・ポイントの損失をもたらした。2007年から2008年の大不況時に、株式投資を全て売却したDCプラン加入者数は233％増加した（Mottola and Utkus, 2009）。Winchester et al.（2011）は、包括的な助言を受けた回答者（有償の投資アドバイザーに共通）に、金融危機の際にポートフォリオを変更して現金化を行ったかどうかについて調査を実施した。慎重なアドバイザーであれば、現在のポートフォリオを維持するか、株式市場の低迷に従って、現金からのリバランスを提案するはずである。筆者らは、現金化を行わないということを最も強力に判断する材料は、投資家がファイナンシャル・プランを書面の形で保有しているかどうかであることに気が付いた。これは、一般的に投資方針が含まれている包括的なプランニングにおいて、個人投資家が感情的になって、安全な方向へと逃れることを防ぐのに役立つことを示唆している。また、Shapira and Venezia（2001）は、プロの運用者は、ディスポジション効果[*3]などの行動バイアスの影響を受けにくいことから、個人が意思決定をプロのアドバイザーに委ねることによって、投資行動の誤りから生じる損失を減らすことができると報告している。

　表11.2は、ファイナンシャル・プランナーの利用が個人のパフォーマンスに与える単独の影響を推定すべく、多変量解析による分析結果を示したものである。全国を代表するNLSY79データにおいて、2007年に測定された世帯におけるバランスシートの情報には、42歳から49歳の約

表11.2 ファイナンシャル・プランナー回帰分析

世帯の特性	純資産	a	退職後の財産	b	IRAの保有	c	退職後の必要資金を計算	d
ファイナンシャル・プランナー	0.449	***	1.190	***	2.133	***	6.038	***
所得の対数値	1.591	***	1.803	***	1.430	***	1.458	***
純資産の対数値	—		—		1.184	***	1.023	*
教育（基準点＜高校未満）								
高校	0.109		0.920	***	2.703	*	1.117	
単科大学系	0.008		1.036	***	2.689	*	1.139	
大学	−0.089		1.386	***	2.979	**	1.235	
大学院	−0.242		1.531	***	3.266	***	1.221	
男性	0.025		−0.557	***	0.811	**	1.04	
既婚	0.314	***	0.585	***	0.895		0.770	**
子供	−0.036		0.177		1.005		0.935	
IQ	0.014	**	0.047	***	1.028	***	1.010	***
年齢（基準点 43−44）（才）								
45−46	−0.006		0.0900		0.996		1.088	
47−48	−0.064		−0.006		1.019		1.214	*
49−51	−0.062		0.145		1.230	*	1.201	*
持ち家	3.222	***	1.539	***	1.387	**	1.376	***
自営業	0.298		−0.277		1.062	***	1.123	
相続	0.435	***	0.146		1.388	***	0.995	
離婚	−0.052		−0.580	***	0.832		0.837	
配偶者が働いている	−0.028		0.849	***	0.83		0.875	
地域（基準点 南部）								
北部	−0.089		0.634	***	1.356	***	0.893	
北東部	0.085		0.605	***	1.120	***	0.808	***
西部	0.199		−0.122		1.213	*	1.081	
サンプル標本数（N）	4,987		4,987		4,962		4,970	
自由度修正済決定係数	0.4354		0.3396		0.3002		0.2575	

a この回帰分析は、世帯純資産の対数値の予測因子をモデル化している。
b この回帰分析は、すべての税控除付き退職金口座に保有されている資産の予測因子をモデル化している。
c この回帰分析は、IRA、自営業者退職基金制度（キオプラン）、変額年金、その他の税制優遇措置のある口座に資金を保有していることの予測因子をモデル化している。
d この回帰分析は、退職後に必要な年金収入を計算しているかどうかの予測因子をモデル化している。

注：***、**、*はそれぞれ0.01、0.05、0.10の水準で有意であることを示す。
出所：The National Longitudinal Survey of Youth 1979（NLSY79）2008年データ。

5,000世帯が含まれている。ここでは、純資産、退職金口座に保有された財産、IRAの保有状況、そして、回答者が退職後に必要な金額を計算したことがあるかどうかを調査した。これらは、人口統計学的、および

社会経済学的な管理に加え、回答者が退職に備えてファイナンシャル・プランナーに相談したかどうかを示す指標にも関連している[1]。

ファイナンシャル・プランナーへの相談は、所得、教育、認知的能力の調整を行った場合でも、純資産や退職後の資産に明らかなプラスの関係があることが示された。また、ファイナンシャル・プランナーに相談したことがある人は、退職後の必要資金を算出している可能性が5倍高かった。ファイナンシャル・プランナーは、より多くの資産を蓄積している個人に魅力を感じている可能性もあるが、税制が優遇される退職貯蓄の確保やIRAの保有において、ファイナンシャル・プランナーの変数に強い影響を与えているということは、プランナーの利用がプラスの成果に貢献していることを示唆している。James（2011）が指摘するように、ファイナンシャル・プランニングにおける一連の流れは、どちらかと言えば避けられがちな、異なる時点を意識した意思決定にも取り組んでいけるよう後押しをしている。言い換えれば、このような一連の流れは、現在の消費と将来の目標を上手く兼ね合わせ、ファイナンシャル・プランナーの利用が、目標の達成における最適な投資手段（税控除される取引口座など）の選択に役立つということを、否が応でも個人に認識させることになるだろう。

インセンティブと投資アドバイス

経費率の高いミューチュアルファンドとは異なり、経費率の低いミューチュアルファンドは、常に採算を下回っている。これは、ファンド・マネージャーが一般的にインデックス・ベンチマークを上回るリターンを達成できるという証拠がほとんどないためである（Fama and French, 2010）。このように、ファンドの手数料とパフォーマンスには逆の関係があるにもかかわらず、2010年の低手数料インデックス・ファンドに投資された、株式ミューチュアルファンドの資産は、わずか14.5%であった（ICI, 2011）。このパターンを説明する一例として、手数料の高いファンドは、ファンドの運用と投資アドバイスの双方に報酬を提供していることが挙げられる。助言を求める投資家は、助言とミューチュアルファンドが組み合わされた商品を購入し、アドバイザーには、ポートフォリオにおける推奨銘柄の付加価値として、間接的な報酬が支払わ

れる。競争の激しい市場では、ファンド手数料の変動は、追加的なアドバイス・サービスの価値を反映している可能性がある（Coates and Hubbard, 2007）。

　高額なファンド手数料が維持されているもう一つの理由は、ミューチュアルファンド市場が消費者の金融知識レベルによって細分化されており、高額な手数料のファンドはファイナンシャル・アドバイザーの仲介を通じて、経験の浅い投資家に提供され、低額な手数料のファンドは直販チャネルを通じて、経験のある投資家に提供されている可能性が考えられる。Del Guercio et al.（2010）の報告によると、ミューチュアルファンドのファミリー・ファンド方式では、パフォーマンスに敏感な直販チャネルの投資家と、ファンドのパフォーマンスよりも、証券会社の現物支給を重視する証券会社チャネルの投資家のいずれかに焦点を当てる傾向がある。例えば、直販チャネルによるミューチュアルファンドのファミリー・ファンド方式は、主にリターンを追及する投資家の資産を集めるために、敏腕なファンド・マネージャーの雇用により多くの資源を割いている。Bergstresser et al.（2009）は、ブローカーが推奨するミューチュアルファンドにおいて、リスク調整後のパフォーマンスが低い傾向にあるのは、投資家層の違いによるものと考えられるとしている。すなわち彼らは、専門のファイナンシャル・アドバイザーは、投資選択において付加価値を与えていないという証拠を示している。とはいえ、専門家がミューチュアルファンドの推奨に付随するサービスを通じて価値を提供している可能性もある。

　ICI（ICI, 2007）によると、個人がミューチュアルファンドを販売するブローカーを通じてファイナンシャル・アドバイスを求める主な理由は、資産配分や投資オプションに関する専門知識を得るためである。ほとんどのファイナンシャル・アドバイザーは、証券ディーラー、保険会社、銀行、その他の金融機関を通じて助言を提供しているかどうかにかかわらず、金融商品の販売手数料、または販売手数料と顧客から直接徴求する手数料の組み合わせによって対価を得ている（Turner and Muir, 2013）。販売手数料は、金融商品の購入直後にその価格から差し引かれることが多く、その結果、投資の価値がすぐにマイナスになってしまう。例えば、20,000ドルをAクラスのミューチュアルファンドの投資に、フ

ロント・エンド・ロードが5％として1,000ドルの販売手数料を払った場合、19,000ドルの残高が残る。ノーロード・ファンドへの乗り換えが容易であるため、この短期的な資産の損失は、アドバイザーの利用という長期的な個人の満足度によって補填されなければならない。販売手数料で対価を得ているファイナンシャル・アドバイザーは、それをアドバイス・サービスの価値に対する対価として正当化することが多い。しかし、そのような助言は、1934年証券取引所法に基づく、顧客への金融商品の販売に付随したものでなければならないとされている。

　ミューチュアルファンドのアドバイザー報酬における重要な特徴とは、ファンドの投資家には、たいていそれが認識されないままであるということである。最も不透明な報酬形態は、フロント・エンド・ロードではなく、継続的に発生する12b-1手数料である。これは、投資家がブローカーへ支払った販売手数料の証跡を示すもので、総経費率の一部としてのみファンド目論見書に開示される。これは、アドバイザーへの販売手数料を伴うシェアクラス（クラスCシェア）の人気を物語っており、投資家がフロント・エンド・ロード（クラスAシェア）を購入した際の純資産価値の減少を査定するよりも、さらに評価が難しいとされている。このような手数料は、1980年にSECが認可した当初、マーケティング費用や販売関連サービスとして位置づけられていたが、時間の経過とともに、より広範な報酬形態へと変化している。ミューチュアルファンドの不透明な手数料は、特異性のある手数料の改善をSECに提案したことに業界が抵抗したことを示す重要な証拠である（ICI, 2010）。Gabaix and Laibson（2006）は、不明瞭な属性の違いを認識できない消費者と、金融経験が豊富な消費者との間におけるマーケットを分割すべく、金融商品の属性を伏せたモデルを提示している。手数料の自動引き落としは、消費者に認識されないことが多い（特異性が低い）ため、売り手にとって魅力的であり、価格に対する消費者の感度も鈍くなる（Finkelstein, 2009）。興味深い事例として、インドでは規制改定により、12b-1手数料と同様に、コストを分割償却して費用を隠蔽すべく、22ヶ月以内にクローズド・エンド・ファンド型ファンドを設立した。Anagol and Kim（2012）によると、この短期間に当該ファンドが45本組成されたが、過去66ヶ月間では2本にとどまり、期間終了後には1本もなかった。これ

らのファンドは、この短期間に5億ドルの超過手数料を獲得したが、これはおそらく、経験の浅い投資家にとっては手数料が不明瞭であったため、より魅力的なファンドに見えたと思われる。

報酬とエージェンシー・コスト

　エージェンシー・コストとは、当事者本人が仲介代理人を雇い、当事者に代わって行われるあらゆる取引に付随して発生する費用である。助言のやり取りにおける関係性で言えば、実質的な意思決定をエージェントに委ねることはないかもしれないが、エージェントの優れた情報は、顧客の利益よりもアドバイザーの利益において、有利な意思決定をもたらす助言機会を創出している。ファイナンシャル・アドバイスというものが信頼財に似ているのは、ミューチュアルファンドの投資において、消費者は推奨銘柄の特性を、購入後であっても判断できないのが常であるという理由に因るものである。そのため、ファンドの相対的なパフォーマンスを評価するための人的資本が必要となるものの、ほとんどの消費者はそのような技能を備えていない（Beshears et al., 2011）。アドバイザーが、運用実績が思わしくないファンド銘柄を推奨して、より多くの報酬を得ていたとしても、規制に抵触したり、将来のビジネスを失う可能性がない範囲であれば、彼らはそのような行為を続けるであろう。

　博識かつ無私無欲なアドバイザーであれば、顧客が求める幸福感を最大化すべく、一連の推奨を行うことであろう。しかし、ファイナンシャル・アドバイザーが、常に全力で顧客の利益のために行動することを期待するのは、現実的でもなければ、経済的な効率性もない。Jensen and Meckling（1976）は、助言の委託コストを最小化するための手段を明らかにしている。まず、消費者は、助言の内容を定期的に検証して、アドバイザーを評価することができる。しかし、ほとんどの消費者は、効果的な評価を行うための金融知識を持ち合わせていないため、投資家に代わる公平な専門家（SECやFINRAなど）に検証を委ねるのが最も効率的であると考えられる。第二に、アドバイザーは、ボンディング（bonding[*3]）によって、自分自身の独善的な推奨限度を制限することができる。例えば、認定ファイナンシャル・プランナーという職業上の呼称を得たアドバイザーは、顧客に対するフィデューシャリー・デュー

ティを果たさなければならない。アドバイザーが顧客から手数料を引き出す権限を自主的に制限することで、エージェントは自身のサービスに対する需要を高めるべく、エージェンシー・コストの低減というシグナル的な役割を提供することができる。第三に、当事者本人と仲介代理人で（代理業者の問題があっても）、顧客とアドバイザーの利益を一致させるための契約を結ぶことができる。ファイナンシャル・アドバイス業界で最も一般的な契約の種類には、金融商品の販売手数料、AUMの割合として個人から徴求する手数料、販売手数料と資産運用手数料の組み合わせ、そして、アドバイザーによるファイナンシャル・プランの策定や時間給による、出来高払い制報酬モデルがある。証券ディーラーの報酬形態で最も多いのは、販売手数料、または販売手数料と個人から直接徴求する手数料の組み合わせであり、投資アドバイザーの報酬形態の中では、AUM手数料が圧倒的に多い（Dean and Finke, 2011）。

　投資アドバイザーをフィデューシャリー（受託者）とする規制によって、過度なレント・シーキング行為を効率的に監視する政府機関が、ボンディング・メカニズムを施行することとなった。FINRAは、適合性の原則に基づいてアドバイザーを規制している。適合性の原則は、SECの規制におけるフィデューシャリー・デューティを基軸としたボンディング・メカニズムよりもはるかに明確で、アドバイザーの行動に対する制約を定めている。しかし、規則の対象となるアドバイザーには、レント・シーキングを最大化する報奨的な仕組が与えられており、規制の範囲内においてそれを行うことは、エージェントにとって最善の利益となる。

　先に述べたように、多くの消費者は、自分がファイナンシャル・アドバイスにいくら払っているのか、あるいはアドバイザーの報酬に関連した潜在的な利益相反についてほとんど理解していない（Hung et al., 2008）。投資家の多くは、自身が投資にどの程度支払っているのかを知らないため、手数料報酬は一般的に不透明であり、情報開示によってこの混乱が緩和されることはないようである（Beshears et al., 2011）。価格が不透明な市場において、アドバイザーは、適合性の原則や過剰な手数料の抜きとりによって、顧客から得られる将来の収益を失うリスクに制約されながらも、手数料報酬を最大化する役得が与えられている。例え

ば、ミューチュアルファンドの販売手数料は、逓減型手数料率によって
減少することが多く、投資額が大きいほど、すべての投資資金に適用さ
れる販売手数料が低くなる。販売手数料の最大化を望むアドバイザーは、
投資家の資産をファミリー・ファンドへ配分する可能性があることから、
SECはこのような慣行を排除すべく、対策本部を設立した（NASD,
2003）。

　ファイナンシャル・アドバイスという専門業務には、助言と金融商品
の提供が混在していることから、他の職業と同じ基準を満たしていない
ことが多く、潜在的な利益相反が生じている（Frankel, 2010）。もちろ
ん、消費者が意思決定の管理を専門家に委ねなければならないような市
場では、エージェンシー・コストは常に存在する。多くのファイナン
シャル・アドバイザーは、他のアドバイス業とは異なり、顧客の最善の
利益になるような推奨を行うとする法的基準の対象にはなっていない。
このようなアドバイザーの多くは、個人に適すると思われる金融商品を
推奨するだけで良いのだが、フィデューシャリー（受託者）として規制
の対象となるアドバイザーが使用する肩書きと類似、または同一となる
職業上の肩書き（ファイナンシャル・コンサルタント、ファイナンシャ
ル・プランナー）を使用している。アドバイザーという肩書を利用する
人のほとんどは、たとえ高学歴で裕福であっても、この両者を区別する
ことはできていない（Hung and Yoong, 2013）。

　手数料報酬は、アドバイザーの金融商品に対する販売意欲を刺激する
ものだが、消極的な投資においてはその比ではない。実際、
Mullainathan et al.（2012）の報告によると、ファイナンシャル・アド
バイザーは、顧客にリターン追及に励むよう頻繁に働きかけており、それ
はおそらく、直近の高リターンな投資対象に集中しすぎるという行動的
本能を（阻止するのではなく）利用する形で、取引頻度を増やすためで
ある。このようなセンチメント的要素が高い投資は、後に採算ベースを
下回る可能性が高くなる（Frazzini and Lamont, 2006）。実際、Bullard et
al.（2008）によれば、ブローカー経由でミューチュアルファンドを購入
した投資家は、もっぱら投資タイミングが悪かったために、ノーロー
ド・ファンドの投資家を150ベーシス・ポイントも下回ったとしている。
また、Anagol et al.（2012）は、コミッション・アドバイザー[*4]、彼らに

とって最善の利益にならない場合、顧客の行動に対してバイアスを排除しないということを明らかにした。

　金融経験の少ない消費者と不明瞭な価格設定が混在する市場では、コミッション・アドバイザーが、消費者の幸福感に付け込んで、手数料を最大化する金融商品を推奨するケースが発生している。例えば、インドのAnagol et al.（2012）は、保険代理業者が、金融知識が十分ではない顧客に対し、劣悪な金融商品を常習的に勧めていたのと同時に、金融経験が豊富な顧客には、より適切な金融商品を勧めていることを明らかにした。価格開示が求められる競争力の高い金融商品と、そうではない高額な金融商品のどちらを勧めるかという選択を迫られた場合、保険代理業者は後者を勧める。このような価格が不透明で劣悪な金融商品を勧める傾向は、消費者が販売手数料関連商品のコストを見抜くことができない限り、競争市場において、さらに顕著になる可能性がある。コストや販売手数料が低い金融商品を勧める代理業者は、不適切で高額な販売手数料の金融商品を勧める同業者によって、廃業に追い込まれるだろう。そしてこのような代理業者は、余剰収益をマーケティング費用の増大、好立地なオフィス賃貸、優秀な従業員の雇用に充当するのである。

　ファイナンシャル・プランニング・サービスの対価を課す企業のうち、97％がAUMに基づく報酬を設定している（Hung et al., 2008）が、これは報酬を課しているアドバイザーが、よりハイクラスな富裕層を好む方向へと導くビジネス手法であるかもしれない。Dean and Finke（2011）は、米国の登録投資アドバイザー7,043人に関するSEC報酬開示報告書を調査し、手数料報酬を得るアドバイザーは、一般的な富裕層顧客をターゲットにして、ファイナンシャル・プランニング・サービスを提供する傾向が強いことを明らかにした。

　また、個人が支払う手数料は、アドバイザーとの長期的な関係を築くための報酬的な役割を担うことで、短期的なアドバイス・サービスに集中するのを回避することができる。例えば、Finke et al.（2009）は、ファイナンシャル・プランナー（主にAUM手数料で対価を得ている投資アドバイザーであることが多い）を利用している個人は、ブローカーからファイナンシャル・アドバイスを受ける場合よりも、十分な生命保険に加入している可能性が高いことを明らかにした。もし、ブローカー

が最初の投資商品を販売し、報酬を得ることにこだわっていたならば、包括的なファイナンシャル・アドバイス・サービスを提供する優位性はほとんどないだろう。しかし、報酬には、潜在的なエージェンシー・コストがないわけではない（Robinson, 2007）。アドバイザーは、非投資資産から手数料報酬を受け取ることができないため、投資用不動産や事業用株式といった資産の売却を勧める傾向が強いかもしれない。また、投資資産を減らすという理由から、年金受給の開始を勧める可能性も低くなる。さらに、投資家のポートフォリオにおける負債の縮小には、資産の削減が必要となることから、手数料報酬がその阻害要因となる可能性もある。投資アドバイザリー企業間の価格競争も意外に少ないようである（Hung et al., 2008）。これはおそらく、資産ベースの手数料が所得税と類似していることから、納税者にとっては違和感がなく、一方、固定、あるいは時給ベースの手数料は固定資産税によく似ており、支払額が一目瞭然であることから、納税者にはより関心が高いと思われる（Cabral and Hoxby, 2011）。

規制の代替案となりうるもの

　手数料報酬に起因するエージェンシー・コストを抑える方法の一つとして、販売手数料を廃止し、ファイナンシャル・アドバイザーに一律のフィデューシャリー・デューティを適用することが考えられる。この目的に向けて、FSAは、2013年にリテール投資商品の手数料報酬の廃止を提案している（FSA, 2011）。販売手数料は、情報を伏せたり、不適格と判断される可能性が低い投資商品を販売するために、情報の不均衡が悪用されるきっかけになり得るとして、FSAは異議を唱えている。また、オーストラリアのFuture of Financial Advice Committeeは、販売手数料を廃止し、投資アドバイザーにフィデューシャリー（受託者）としての注意義務の適用を提言している。Finke and Langdon（2012）は、証券ディーラーに関する米国各州の慣習法の基準の違いを調査し、フィデューシャリー（受託者）として適用しない州と厳格に適用する州とを比較している。その結果、フィデューシャリー・デューティの厳格化によって、これらの州の登録証券外務員の数が減少したり、証券外務員が販売手数料商品を推奨したり、低所得層の顧客にサービスを提供する能

力に悪影響を与えるような証拠は見つからなかった。普遍的なフィデューシャリー・デューティを設けることで、他の金融商品よりも劣っているにもかかわらず、適切な商品として推奨し、報酬を得るような仕組みを削減することができる。また、ブローカーと投資アドバイザーにおいて、フィデューシャリー・デューティが不平等に適用されることから生じる、消費者の混乱を軽減することができる。

　米国とオーストラリアの調査によると、ほとんどの回答者は金融商品の購入時に、アドバイザーに直接支払う手数料よりも、むしろ販売手数料を好む傾向がある。そして、彼らが納得できるファイナンシャル・プランの金額は、一般的にアドバイザーが通常受け取る金額よりもはるかに少ないことが示唆されている（Australian School of Business, 2010; Ody, 2011）。これは、不透明性とパフォーマンスへの悪影響には相関性がある、という有力な証拠があるにもかかわらず、ミューチュアルファンドの投資家は、不透明な経費でファンドに報いようとしているように思われるのと一致している（Edelin et al., 2012）。情報開示によって、競争力や効率性が向上したものの、経験の浅い消費者は、不透明な価格設定の商品に引き寄せられるようになった。このように、価格が伏せられた劣悪な投資商品の需要は、完全な情報がない中で、実際のコストが過小評価されることによって引き起こされる可能性がある。Inderst and Ottaviani（2011）は、金融知識が十分でない消費者は、搾取される可能性が高いのに対し、金融知識が豊富な消費者は、市場圧力に反応して取引効率を上げるブローカーのインセンティブから、利益を得る可能性があることを示している（売れ行きの悪い車に対する自動車販売店のキックバックが、販売員の値下げ交渉を可能にするようなもの）。しかし、助言における利益相反を察知できるような、経験豊富な消費者が多いという証拠はほとんどない（Hung et al., 2008）。

　もちろん、平均的な投資家が、専門家のファイナンシャル・アドバイスの対価を時価で払うことに消極的になれば、アドバイザーのサービスを利用する人が少なくなる可能性もある。消費者が、助言を受ける対価は正規の価格をはるかに下回っていると思い込んでいる場合は、手数料報酬を好む傾向が持続する可能性がある。このことから、その費用が、実は不明瞭な価格設定の恩恵を受けているということを認識していれば、

多くの個人が助言に対価を払いたいとは思わないだろう、といった直観とは相容れない結論が導き出される。

　ファイナンシャル・アドバイザーへの報酬や規制の違いに加え、ファイナンシャル・プランニングに関する知識にも著しい相違があり、それがファイナンシャル・アドバイスによる付加価値の評価にバイアスをかけている可能性がある。ファイナンシャル・プランニングにおける教育の範囲は、投資、税金、退職金、遺産、保険分野の具体的な指導を含む大学の学位から、商品の特性や適合性の原則に焦点を当てた、短期間で開催される独自の講習会といったものまで多岐にわたる。登録証券ディーラー外務員は、主として、7時間にわたり投資商品知識や規制が問われるシリーズ7（米国証券外務員資格試験/FINRA）に合格しなければならない。また、通常RIAにおいては、投資アドバイザー能力試験に合格することが求められており、この試験では、3時間を要して証券や規制に関する知識が重点的に問われる。認定ファイナンシャル・プランナー試験は2日間行われ、総合的なファイナンシャル・アドバイスを提供するための知識に特化した項目が含まれている。認定資格は、その資格が持つ顕著な特性を公に示すものであるが、これは無資格のアドバイザーが、認定資格を取得できない場合に限られる。しかし、ファイナンシャル・アドバイス業界では資格が乱立しており、消費者はどの資格が信頼できるものなのかを判断できないことが多い。個人向けのファイナンシャル・アドバイスは、科学的根拠に基づいた専門的な職業として成熟しておらず、一律の慣行例や基準がなく、一貫性に欠けるものとなっている。

年齢とファイナンシャル・アドバイス

　60歳以上の回答者が専門家の助言を求めない理由として最も多かったのは、投資判断の主導権を委ねたくないというものだった（ICI, 2007）。45歳以下の個人では、投資の意思決定を委ねたくないとする割合（57％）は、60歳以上の個人（82％）よりもはるかに低い。専門家の助言を避ける理由として、高齢者層の回答者で2番目に多かったのは、自分で投資に必要な知識はすべて備えていると考えていることであった（ICI, 2007）。この割合は、やはり若い年齢層よりも高い。

このパターンは、精神的な刺激をスピーディーに処理し、それを新たな状況に順応させる能力、すなわち「流動性知能」[*5]が若年成人期にピークを迎えるという事実と混同されている。知識や経験から問題を解決する「結晶性知能[*6]」は、60歳前後にピークを迎える（McArdle et al., 2002）。金融に係る意思決定には、ある程度の数学的な技能が必要だが、先ず複雑な情報を処理し、結晶性知能を必要とする他の意思決定領域と一致する形で、その情報を状況に合わせて順応させる能力が必要とされる。例えば、温存していた投資ポートフォリオを利用して、退職時に資産を収入源に変えるには、年金や従来型の投資商品、複雑で絶えず変化する税法、投資や経済理論といった金融商品の知識が求められる。与信判断に関する研究では、判断能力レベルは50代半ばをピークに、結晶性知能の低下と同様に低くなることがわかっている（Agarwal et al., 2009）。

団塊世代群は、まず401（k）やIRAの資産を退職後の消費に回さなければならず、幸福感を最大化する能力は、年齢とともに低下すると考えられる。Finke et al.（2011）によると、基本的な金融リテラシー能力は、60歳以降、毎年約2％ずつ低下する。この低下は、保険、投資、与信枠、基本的なリテラシーといった、すべての意思決定領域で一致しており、教育水準が高く、金融知識が豊富な回答者の間ですらも低下している。やや皮肉なことではあるが、高齢者全般において意思決定能力は低下するが、意思決定に対する自信は低下しない。Finke et al.（2011）は、高学歴な回答者は、自身の金融に関する意思決定能力への自信を（過度に）失っているが、高齢者になると、彼らの自信は著しく高まっていくことを見出している。60歳以上の回答者の中で、専門家によるファイナンシャル・アドバイスが有益だと考える人が少ない理由は、自身の金融能力に対する過信にあるのかもしれない（ICI, 2007）。

このように、流動性知能を必要とする課題への対応能力が低下するということは、高齢者が誤りを避けられるよう、行動を改めることができることを示唆している。例えば、加齢は、運転中に視覚刺激を処理して反応する能力を低下させるが、その低下は非常にわずかで、多くの高齢ドライバーはそれを認識していない。幸いなことに、運転技術が低下しているという客観的な証拠を突きつけられた人は、その後、交通量の少

ない時間帯に運転し、混雑した交差点は避けるなど、自身の運転パターンを変えている（Holland and Rabbitt, 1992）。意思決定能力の衰えは避けられないと認識することによって、高齢者は、金融に関する意思決定を専門家に委ね、年金や自動的にリバランスを行うミューチュアルファンドといった、比較的管理が容易な投資先を好んで選択するようになるかもしれない。

結論

　金融知識を十分に持ち合わせていない個人が、複雑化する金融市場において、効率的な投資選択を行う必要に迫られているという十分な証拠をわれわれは示してきた。個人が支払う助言料よりも、優れた投資判断がもたらす将来の利益がそれを上回るのであれば、ファイナンシャル・アドバイスの専門家という存在は、金融関連の人的資本に係る割高で非効率な投資に対する、代替的役割を担うことができるのである。ファイナンシャル・アドバイザーは、不透明かつ一見気が付かないような販売手数料から報酬を得ていることが多い。そのため、助言から得られる便益には、潜在的な利益相反が存在する。

　このような理由から、正常に機能するファイナンシャル・アドバイス市場には、効率的な投資選択に必要な情報を利用しながら退職後の資金を調達する、という責任を課せられた新世代の消費者達に、それに対処するための必要な備えを与えることが求められている。消費者にとって最善の利益につながる提言や、教育水準の高いファイナンシャル・アドバイザーを利用できるようになることは、消費者が直面する情報の不均衡という問題への論理的な解決策になると考えられる。フィデューシャリー・デューティを課せられ、包括的なアドバイザリー・サービスを提供するプランナーから助言を受けた消費者は、そうでない消費者よりもはるかに良い結果を得ているという証拠が示されている。しかし、アドバイザーに関する規制は、多種多様な規則の寄せ集めで、顧客は本物が発する特性のシグナルを識別することができず、金融知識が最も豊富な消費者であっても、最良の助言を行うアドバイザーを見極められないことがある。

　投資家保護が充実している国の株式市場が健全なのは、著しい情報の

不均衡があるにもかかわらず、株式所有者は、投資マネージャーが自分たちの利益を大事に考えていると信じられるだけの根拠をもっているからである（La Porta et al., 1998）。つまり、自分が雇用した助言の専門家は信頼に資すると確信できるかどうかが、今後のファイナンシャル・アドバイス市場の健全性を左右すると考えられる。他の国々では、アドバイス報酬に関する消費者保護やフィデューシャリー・デューティの導入が進んでいる。2010年に米国で制定されたドッド・フランク法の草案では、ファイナンシャル・アドバイスを行うすべての専門家にフィデューシャリー・デューティが適用されることになっていた。フィデューシャリー・デューティの適用されない範囲にいることで、便益を得ている一部の人々はこの法案に反対するだろうが、情報の不均衡を特徴とする株式市場や保険市場と同様に、消費者保護の強化は信頼を創出し、必要とされるサービスの需要を高めることになるのである。

▶ **第11章** 章末注
1　純資産と所得は対数変換され、マイナスの値は変換前に1に設定される。

▶ **第11章** 参考文献

Agarwal, S., J. C. Driscoll, X. Gabaix, and D. Laibson (2009). 'The Age of Reason: Financial Decisions over the Life-cycle and Implications for Regulation,' *Brookings Papers on Economic Activity*, Fall: 51–117.

Anagol, S., S. Cole, and S. Sarkar (2012). 'Understanding the Incentives of Commissions Motivated

Agents: Theory and Evidence from the Indian Life Insurance Market,' Harvard Business School (HBS) Finance Working Paper No. 12-055. Boston, MA: HBS.

—— H. Kim (2012). 'The Impact of Shrouded Fees: Evidence from a Natural Experiment in the Indian Mutual Funds Market,' *American Economic Review*, 102 (1): 576–93.

Australian School of Business (2010). 'Financial Planning: What is the Right Price for Advice?' *Knowledge@Australian School of Business*.
http://knowledge.asb.unsw.edu.au/article.cfm?articleid=1150 （翻訳時点で該当ページ無し）

Bergstresser, D., J. Chalmers, and P. Tufano (2009). 'Assessing the Costs and Benefits of Brokers in the Mutual Fund Industry,' *Review of Financial Studies*, 22 (10): 4129–56.

Beshears, J., J. Choi, D. Laibson, and B. Madrian (2011). 'How Does Simplified Disclosure Affect Individuals' Mutual Fund Choices?' in D. A. Wise, ed., *Explorations in the Economics of Aging*. Chicago: University of Chicago Press, pp. 75–96.

Bhattacharya, U., A. Hackethal, S. Kaesler, B. Loos, and S. Meyer (2012). 'Is Unbiased Financial Advice to Retail Investors Sufficient? Answers from a Large Field Study,' *Review of Financial Studies*, 25: 975–1032.

Bluethgen, R., A. Gintschel, A. Hackethal, and A. Mueller (2008). 'Financial Advice and

Individual Investor's Portfolios,' Working Paper. http://ssrn.com/ abstract=968197

Bullard, M., G. C. Friesen, and T. Sapp (2008). 'Investor Timing and Fund Distribution Channels,' Working Paper. http://ssrn.com/abstract=1070545

Cabral, M., and C. Hoxby (2011). 'The Hated Property Tax: Salience, Tax Rates, and Tax Revolts,' Unpublished manuscript. http://economics.stanford.edu/ seminars/hated-property-tax-salience-tax-rates-and-tax-revolts (翻訳時点で該当ページ無し)

Campbell, J. (2006). 'Household Finance,' *Journal of Finance*, 61 (4): 1553–604.

Coates IV, J. C., and R. G. Hubbard (2007). 'Competition in the Mutual Fund Industry: Evidence and Implication for Policy,' *Journal of Corporate Law*, 33: 151–222.

Dean, L., and M. S. Finke (2011). 'Compensation and Client Wealth Among U.S. Investment Advisors,' Working Paper. http://ssrn.com/abstract=1802628

Del Guercio, D., J. Reuter, and P. A. Tkac (2010). 'Broker Incentives and Mutual Fund Market Segmentation,' NBER Working Paper No. 16312. Cambridge, MA: National Bureau of Economic Research.

Edelin, R. M., R. B. Evans, and K. B. Kadlec (2012). 'Disclosure and Agency Conflict: Evidence from Mutual Fund Commission Bundling,' *Journal of Financial Economics*, 103 (2): 308–26.

Elmerick, S., C. Montalto, and J. Fox (2002). 'Use of Financial Planners by US Households,' *Financial Services Review*, 11: 217–31.

Fama, E., and K. French (2010). 'Luck versus Skill in the Cross-section of Mutual Fund Returns,' *Journal of Finance*, 65 (5): 1915–47.

Financial Services Authority (FSA) (2011). 'Product Intervention,' Discussion Paper DP11/1 (January 2011). http://www.fsa.gov.uk/pubs/discussion/dp11_01.pdf (翻訳時点で該当ページ無し)

Finke, M. S., and T. P. Langdon (2012). 'The Impact of the Broker-Dealer Fiduciary Standard on Financial Advice,' Working Paper. http://ssrn.com/abstract=2019090

—— S. J. Huston, and W. Waller (2009). 'Do Contracts Impact Comprehensive Financial Advice?' *Financial Services Review*, 18: 177–93.

—— —— D. Winchester (2011). 'Financial Advice: Who Pays?' *Financial Counseling and Planning*, 22 (1): 18–26.

—— J. S. Howe, and S. J. Huston (2011). 'Old Age and the Decline in Financial Literacy,' Working Paper. http://ssrn.com/abstract=1948627

Finkelstein, A. (2009). 'EZ-Tax: Tax Salience and Tax Rates,' *Quarterly Journal of Economics*, 124 (3): 969–1010.

Frankel, T. (2010). 'Fiduciary Duties of Brokers-Advisers-Financial Planners and Money Managers,' Boston University (BU) Law Working Paper No. 09-36. Boston, MA: BU.

Frazzini, A., and O. Lamont (2006). 'Dumb Money: Mutual Fund Flows and the Cross-section of Stock Returns,' *Journal of Financial Economics*, 88 (2): 299–322.

Friesen, G. C., and T. Sapp (2007). 'Mutual Fund Flows and Investor Returns: An Empirical Examination of Fund Investors Timing Ability,' *Journal of Banking and Finance*, 31 (9): 2796–816.

Gabaix, X., and D. Laibson (2006). 'Shrouded Attributes, Consumer Myopia, and Information Suppression in Competitive Markets,' *Quarterly Journal of Economics*, 121 (2): 505–40.

Hackethal, A., and R. Inderst (2013). 'How to Make the Market for Financial Advice Work,' in O. S. Mitchell and K. Smetters, eds., *The Market for Retirement Financial*

Advice. Oxford, UK: Oxford University Press.

—— M. Haliassos, and T. Jappelli (2011). 'Financial Advisors: A Case of Babysitters,' CSEF Working Paper No. 219. Naples, Italy: Centre for Studies in Economics and Finance, University of Naples.

Holland, C. A., and P. M. A. Rabbitt (1992). 'People's Awareness of their Age-related Sensory and Cognitive Deficits and the Implications for Road Safety,' *Applied Cognitive Psychology*, 6 (3): 217–31.

Hung, A. A., and J. K. Yoong (2013). 'Asking for Help: Survey and Experimental Evidence on Financial Advice and Behavior Change,' in O. S. Mitchell and K. Smetters, eds., *The Market for Retirement Financial Advice*. Oxford, UK: Oxford University Press, pp. 182–212.

—— N. Clancy, J. Dominitz, E. Talley, C. Berrebi, and F. Suvankulov (2008). 'Investor and Industry Perspectives on Investment Advisers and Broker-Dealers,' RAND Institute for Civil Justice Technical Report for the Securities and Exchange Commission. Santa Monica, CA: RAND.

Inderst, R., and M. Ottaviani (2011). 'How (Not) to Pay for Advice: A Framework for Consumer Financial Protection,' Working Paper.
http://www.kellogg.northwestern.edu/faculty/ottaviani/homepage/Papers/pay%20 for%20advice.pdf（翻訳時点で該当ページ無し）

Investment Company Institute (ICI) (2007). 'Why Do Mutual Fund Investors Use Professional Financial Advisors?' *Research Fundamentals*, 16 (1): 1–8.

—— (2010). 'Investment Company Institute Cost-Benefit Analysis of SEC Rule 12b-1 Reform Proposal.' Washington, DC: ICI. http://www.ici.org/pdf/10_12b1_sec_cba. pdf.（翻訳時点で該当ページ無し）

—— (2011). 'Recent Mutual Fund Trends,' 2011 *Investment Company Fact Book*. Washington, DC: ICI. http://www.icifactbook.org/fb_ch2.html（翻訳時点で該当ページ無し）

James, R. (2011). 'Applying Neuroscience to Financial Planning Practice: A Framework and Review,' *Journal of Personal Finance*, 10 (2): 10–65.

Jensen, M. C., and W. H. Meckling (1976). 'Theory of the Firm: Managerial Behavior, Agency Costs, and Ownership Structure,' *Journal of Financial Economics*, 3: 305–60.

Kramer, M. M. (2012). 'Financial Advice and Individual Investor Portfolio Performance,' *Financial Management*, 41 (2): 395–428. Summer.

La Porta, R., F. Lopez-de-Silanes, A. Shleifer, and R. W. Vishny (1998). 'Law and Finance,' *Journal of Political Economy*, 106 (6): 1113–55.

Lusardi, A., and O. S. Mitchell (2008) 'How Much Do People Know About Economics and Finance? Financial Illiteracy and the Importance of Financial Education,' *University of Michigan Retirement Research Center Policy Brief*, No. 5. Ann Arbor, MI: MRRC.

McArdle, J. J., E. Ferrer-Caja, F. Hamagami, and R. Woodcock (2002). 'Comparative Longitudinal Structural Analyses of the Growth and Decline of Multiple Intellectual Abilities over the Life Span,' *Developmental Psychology*, 38 (1): 115–42.

McClure, S. M., D. I. Laibson, G. Loewenstein, and J. D. Cohen (2004). 'Separate Neural Systems Value Immediate and Delayed Monetary Rewards,' *Science*, 306: 503–7.

Mottola, G., and S. P. Utkus (2009). 'Flight to Safety? Market Volatility and Target Date Funds,' *Research Note*. Valley Forge, PA: Vanguard. https://institutional. vanguard. com/iam/pdf/BBBBBBMZ.pdf?cbdForceDomain=false（翻訳時点で該当ページ無し）

302

Mullainathan, S., M. Nöth, and A. Schoar (2012). 'The Market for Financial Advice: An Audit Study,' NBER Working Paper No. 17929. Cambridge, MA: National Bureau of Economic Research.

National Association of Securities Dealers (NASD) (2003). 'Report of the Joint NASD/ Industry Task Force on Breakpoints.' Washington, DC: FINRA. http:// www.finra.org/Industry/Issues/Breakpoints/P006422 (翻訳時点で該当ページ 無し)

Ody, E. (2011). 'Investors Prefer Commissions to Account Fees, Cerulli Study Says,' *Bloomberg.com*, June 7. http://www.bloomberg.com/news/2011-06-07/investors prefer-commissions-to-account-fees-study-says-1-.html (翻訳時点で該当ページ無 し)

Robinson, J. H. (2007). 'Who's the Fairest of Them All? A Comparative Analysis of Advisor Compensation Models,' *Journal of Financial Planning*, 20 (5): 56–65.

Shapira, Z., and I. Venezia (2001). 'Patterns of Behavior of Professionally Managed and Independent Investors,' *Journal of Banking and Finance*, 25: 1573–87.

Turner, J. A., and D. M. Muir (2013). 'The Market for Financial Advisers,' in O. S. Mitchell and K. Smetters, eds., *The Market for Retirement Financial Advice*. Oxford, UK: Oxford University Press, pp. 13–45.

Winchester, D. D., S. J. Huston, and M. S. Finke (2011). 'Investor Prudence and the Role of Financial Advice,' *Journal of Financial Services Professionals*, 65 (4): 43–51.

▶ **第11章** 訳者注

*1
金融商品の購入者（customers）であり、投資アドバイス・サービスを受ける顧客（clients）ではない、という意味である

*2
The National Longitudinal Survey（NLS）は米国労働統計局により1960年代半ばから実施されている縦断調査プロジェクトである。National Longitudinal Survey of Youth 79は1979年に10代から20代前半を対象とした調査であり、現在まで続いている。

*3
ボンディング（bonding）とは、エージェントが自分自身を拘束、監視することを意味する。ここでは、アドバイザーが、顧客に対するフィデューシャリー・デューティが課される公認ファイナンシャル・プランナーの資格を取得することにより、顧客の信頼を獲得することを示している。

*4
販売手数料をその報酬のベースとするアドバイザーを意味する

*5
流動性知能（fluid intelligence）とは、新たな問題を解決し、未知のパターンを認識することにかかわる能力全般を指す（Jaeggi et.al., 2011を参照）

*6
結晶性知能（crystallized intelligence）とは、特定種類の知識によって構成されるものを指す（Jaeggi et.al., 2011を参照）。

▶ **第11章** 訳者注　参考文献

Jaeggi S. M., M. Buschkuehl, J. Jonides, and P. Shah (2011). 'Short- and long-term benefits of cognitive training', PNAS, 108 (25): 10081-10086.

第12章

ミューチュアルファンドの投資家は、いつ、なぜ、どのようにファイナンシャル・アドバイザーを利用するのか？

サラ A. ホールデン

　米国では、2011年5月時点で、10世帯のうち4世帯以上がミューチュアルファンドを保有しており、その約半数がアドバイザーから継続的に助言を受けていると回答している（Bogden et al., 2011）。また、米国の10世帯のうちほぼ4世帯がIRAを保有し、IRAを保有している10世帯中のほぼ6世帯がIRAでミューチュアルファンドを保有している[1]。そして、米国の約半数の世帯がDCプラン口座を保有し、DCプラン口座を保有する人の半数以上が、同口座内でミューチュアルファンドを保有している[2]。これらの投資家は、様々な販売チャネルを使ってミューチュアルファンドを保有しており、多くの場合、投資の際に金融の専門家から支援を受けている。本章では、ミューチュアルファンドの保有世帯に関する調査情報を用いて、投資家がファイナンシャル・アドバイザーをいつ、なぜ、どのように利用しているか、投資家と投資アドバイザーとのやり取りはどのようなものか、そして、特定のミューチュアルファンドを保有する世帯は、他の世帯よりも助言を求める可能性が高くなるのかどうかについて考察する。

　第1節では、ファイナンシャル・アドバイスと金融リテラシーの役割に関する先行研究について簡潔にまとめる。次の節では、退職に係る特別な意思決定を行う場合は、ファイナンシャル・アドバイザーを利用するという調査結果と併せて、ミューチュアルファンドの投資家に関する詳細な調査で明らかとなった重要な結果に注目する。それに続いて、投資家とアドバイザーとのやり取りについて考察する。というのも、両者

の関係には複雑な繋がりがあり、持ちつ持たれつの関係があるからである。また、別の最新の調査では、継続的に助言を受けているミューチュアルファンドの保有世帯は、人口統計学的にも、また金融手段においても、継続的な助言を受けていない保有世帯との間に著しい相違があるかどうかについて検証を行っている。これらについての結果は後述することとする。

ファイナンシャル・アドバイスの役割に関する先行研究の概要

　2つの先行研究では、リスク選好とは別に、投資家とそのポートフォリオに影響を与える要因について考察する。一つ目の研究は、個人の投資経験に影響を与える金融リテラシー（および金融教育）の役割に焦点を当てたものである。この先行研究から得られた重要な結論は、金融リテラシーの水準が高い世帯ほど、株式投資を行う傾向があるということである。例えば、van Rooij et al.（2011）は、金融リテラシーが十分ではない個人は、株式に投資する可能性が著しく低いことを見出している。さらに、Collins（2010）は、そのような顧客は、継続的に助言を受ける可能性も低いと報告している[3]。

　二つ目の研究は、ファイナンシャル・アドバイザーの役割に焦点を当て、助言の影響を定量化し、どのようなタイプの投資家が助言を求めるのかを見極め、投資アドバイスがポートフォリオに与える影響を計量分析したものである。例えば、Hung and Yoong（2013）は、継続的に助言を受けることを選択した個人が投資パフォーマンスを改善するという検証結果を示しており、金融リテラシーが十分ではない個人は、雇用主が提供するファイナンシャル・アドバイス・プログラムを利用する可能性が高いと結論づけている。また、Hackethal and Inderst（2013）では、ファイナンシャル・アドバイスというものが、とりわけ金融知識が十分ではない投資家のパフォーマンスを向上させるという点において重要だとしながらも、ファイナンシャル・アドバイザーの市場機能は改善されなければならないと警鐘を鳴らしている。また、別の研究では、ドイツのリテール銀行のデータを分析し、「ファイナンシャル・アドバイスは、ポートフォリオの多様化を促進し」、「顧客の投資ポートフォリオが、予め定義されたモデル・ポートフォリオと合致するよう努めること」を明

らかにしている（Bluethgen et al., 2008: 2 and abstract）。この研究では、
リターン、利益相反、そして助言の提供が投資家の生活をより良いもの
にしているかという点についても検証を行っている。

　このような検証における問題点の一つは、アドバイザーと投資家の関
係が複雑であるということである。さらに、これらには定量化できるも
のとそうではない要素が関与していることから、リターンの分析では捉
えられない可能性がある。そこで、以下においてわれわれは、どのよう
なタイプのミューチュアルファンドの投資家がファイナンシャル・アド
バイスを利用し、そこから何を得ているのかを考察することによって、
二つ目の研究へと調査を拡大する。

ミューチュアルファンドの投資家は、
いつ、なぜ、どのようにファイナンシャル・アドバイスを求めるのか？

　2006年には、ICIが世帯調査を実施し、ミューチュアルファンドを保
有する世帯が、いつ、なぜ、どのように専門のファイナンシャル・アド
バイザーと関わりを持つのか、あるいは否かについて詳細な調査を行っ
た[4]。この電話調査では、雇用主がスポンサーとなっている年金プラン
以外でミューチュアルファンドを保有している個人に、専門のファイナ
ンシャル・アドバイザーを継続的に利用しているかどうかを尋ねている。
そして、利用していると答えた回答者に、助言を求めるタイミング、助
言を求める理由、その他に得られた複数のサービスについて詳細な質問
を行った。また、アドバイザーを利用していないと答えた回答者には、
なぜ利用しなかったのかについて尋ねている。

ミューチュアルファンドの投資家がファイナンシャル・アドバイスを
求める契機とは？

　ミューチュアルファンドの投資家は、所得と貯蓄が最も盛んになる時
期（すなわち、20代後半から50代前半）の間に、専門のファイナンシャ
ル・アドバイスを求める傾向があることが分かった。**図12.1**に示されて
いるように、継続的に助言を受けている投資家の約3分の1は、25歳〜
34歳の間で初めてファイナンシャル・アドバイスを求めたことを示して
おり、約4分の1は35歳〜44歳の間に、そして、約5分の1が45歳〜54歳

306

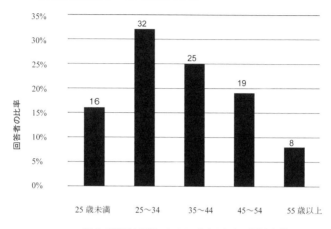

図12.1 ミューチャルファンド投資家の大多数は、所得と貯蓄が最もピークになる時期に、専門家の投資アドバイスを求めている

最初に専門的な投資アドバイスを求めた時の世帯主年齢

注：このサンプルデータは職場の退職年金プラン以外でミューチュアルファンドを保有し、専門の
ファイナンシャル・アドバイザーから継続的に助言を受けている米国の602世帯で構成されてい
る。この調査は、2006年7月下旬から2006年9月までの間に実施された。
出所：ICI Mutual Fund Shareholder Financial Advice Survey; Schrass and Bogdan（2012）を参照。

の間であった。このように、ミューチュアルファンドの投資家は、ライフサイクルに沿って投資ニーズや目標が変化するときには、たびたびファイナンシャル・アドバイスを求めていることがうかがえる。

さらに、**表12.1**で示されるように、特定の出来事を契機に、ミューチュアルファンドの投資家が専門の投資アドバイスを求めることもある。一部の投資家（27%）にとって、契機となる出来事とは、相続時、あるいは職場における年金プランからの一括分配を受けるときである。また、50歳代半ば、あるいはそれ以降で最初に助言を求めた個人の46%が、一時金を受け取ったと述べたのに対して、20歳代後半から40歳代前半で最初に助言を求めた人が一時金を受け取ったのは約5分の1であった。

助言を求めるきっかけとなるもう一つの出来事は退職である。つまり、多くの人は、DCプランで積み立てた年金資産の配分を考えるときに、専門のファイナンシャル・アドバイザーに相談するのである。Sabelhaus

et al.（2008）の調査によると、資産配分が可能なDCプラン口座を保有
している退職間近の世帯のうち、42％が専門のファイナンシャル・アド
バイザーに自己負担で相談し、13％が雇用主負担による専門のファイ
ナンシャル・アドバイスを受けたのだという[5]。加えて、Holden and
Schrass（2011）は、2011年のICI調査（2011 ICI IRA Owners Survey）を
用いて、従来型のIRA口座を保有する世帯で、そこから積立金を引き出
した保有世帯の52％が、ファイナンシャル・アドバイザーに相談して分
配額を算出していたということを発見した[6]。さらに、退職時に収入と
資産管理を検討していた従来型のIRA保有世帯の62％が、資産管理の戦
略立案において、専門のファイナンシャル・アドバイザーが役に立った
ということを示している。

表12.1 特定の金融上の目標を達成すると、ミューチュアルファンドの投資家は
専門的な投資アドバイスを求めるようになる

継続的に助言を受けているという回答者の理由別の割合

	継続的に助言を受けている全回答者	初めて専門の投資アドバイス求めた年齢				
		25歳以下	25～34	35～44	45～54	55歳以上
契機となる出来事があった	48	53	46	40	56	57
相続、退職や転職によって、一時金の受け取りがあった	27	38	18	21	37	46
世帯構成の変更（婚姻、子供の誕生、配偶者やパートナーの死亡）	21	15	28	19	19	11
退職後や教育資金の貯蓄など特定の金融上の目標がある	40	33	42	50	34	26
その他[a]	12	14	12	10	10	17

注：このサンプルデータは職場の退職年金プラン以外でミューチュアルファンドを保有し、専門の
ファイナンシャル・アドバイザーから継続的に助言を受けている米国の602世帯で構成されてい
る。この調査は、2006年7月下旬から2006年9月までの間に実施された。その他[a]に含まれる主
な理由として、良いアイデアのように思えた、家族や友人がそれを提案した、株式を購入した
いと思った、などがある。
出所：ICI Mutual Fund Shareholder Financial Advice Survey; Schrass and Bogdan（2012）を参照。

　相続や退職一時金の引き出しに加え、個人がファイナンシャル・アドバイスを求めるきっかけとなる出来事として、結婚、出産、配偶者やパートナーの喪失など、世帯構成が大きく変化するときが挙げられる。継続的に助言を受けているミューチュアルファンドの投資家の21％は、世帯構成の変化が、専門のファイナンシャル・アドバイスを必要とするきっかけになっていることを示している（表12.1）。そして、投資アドバイザーから継続的に助言を受けているミューチュアルファンドの投資家の40％は、何らかの契機となる出来事に応じて利用するのではなく、特定の金銭的な目標に対処すべく、専門の投資アドバイスを求めたという。30代後半から40代前半で初めてファイナンシャル・アドバイスを求めた人は、このような特定の金銭的な目標に取り組むためとする理由が最も多かった。すなわち、この年齢層の回答者の半数は、退職後のため、あるいは、子どもの教育資金のため、またはその他の特定の目標において貯蓄を始めたいとの理由からだと回答したのである。

なぜミューチャルファンドの投資家はファイナンシャル・アドバイスを利用するのか？

　ミューチュアルファンドの投資家は、様々な事象において、金融の専門知識をアドバイザーに求めている。一例をあげると、継続的な助言を受けているミューチュアルファンドの投資家の約4分の3は、資産配分の支援を受けたいと考え（図12.2）、また、約4分の3が、様々な投資選択について専門家の説明を求めていることが示されている。さらに、Leonard-Chambers and Bogdan（2007）は、継続的に助言を受けているミューチュアルファンドの投資家の38％が、自身で投資判断をしたくないと答え、44％が自身で投資判断を行う時間がないと回答したという。これとは対照的に、継続的な助言を受けていないミューチュアルファンドの投資家の大多数は、資産配分に関して「実践的」であることを示している。すなわち、彼らの66％は、自ら投資管理を行いたいと考え、64％は自身が投資を行う上で必要となるすべての資産を運用できるとしている（図12.2）。また、この中でファイナンシャル・アドバイザーを利用していない投資家の56％は、自身で投資判断を行うだけの十分な知識を持っていると答え、44％は自身が行う投資から恩恵を

図12.2 ミューチュアルファンドの投資家と資産配分支援

継続的に助言を<u>受けている</u>という回答者が、アドバイザーを利用する「主な」理由（2006年）

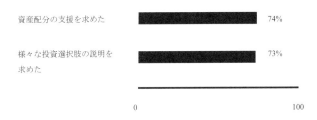

継続的に助言を<u>受けていない</u>という回答者が、アドバイザーを利用<u>しない</u>「主な」理由（2006年）

注：このサンプルデータは、職場の退職年金プラン以外でミューチュアルファンドを保有している
1,003世帯で構成されており、そのうちの602世帯の回答者が、現在アドバイザーから継続的に
助言を受けており、401世帯は継続的な助言を受けていなかった。この調査は、2006年7月下旬
から2006年9月の間に実施された（複数回答を含む）。
出所：ICI Mutual Fund Shareholder Financial Advice Survey; Schrass and Bogdan（2012）を参照。

受けていると答えたという（Leonard-Chambers and Bogdan, 2007）。
　ミューチュアルファンドの投資家は、資産配分や特定の投資判断に加
え、ファイナンシャル・プランニングに関する助言も求めている。例え
ば、**図**12.3で明らかに示しているように、継続的に助言を受けている
ミューチュアルファンドの投資家の71％は、ファイナンシャル・プラン
の全体像を理解する手助けがほしいと答え、71％が、財政的な目標を
達成するのに十分な貯蓄をしていることを確かめたいと考え、65％は、
不測の事態に備えて自身の資産が適切に管理されているのを確認するの
に、アドバイザーが役立ったと回答している。

310

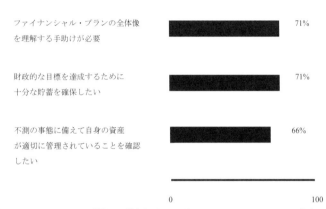

図12.3 ミューチュアルファンド投資家とファイナンシャル・プラン策定支援

継続的に助言を受けているという回答者が、アドバイザーを利用する「主な」理由（2006年）

ファイナンシャル・プランの全体像
を理解する手助けが必要　　　71%

財政的な目標を達成するために
十分な貯蓄を確保したい　　　71%

不測の事態に備えて自身の資産
が適切に管理されていることを確認
したい　　　66%

0　　　　　　　　　　　　　　100

注：このサンプルデータは職場の退職年金プラン以外でミューチュアルファンドを保有し、専門の
ファイナンシャル・アドバイザーから継続的に助言を受けている米国の602世帯で構成されてい
る。この調査は、2006年7月下旬から2006年9月の間に実施された（複数回答を含む）。
出所：ICI Mutual Fund Shareholder Financial Advice Survey; Schrass and Bogdan（2012）を参照。

ミューチュアルファンドの投資家は、ファイナンシャル・アドバイザーとどのように関わるのか？

　投資家とファイナンシャル・アドバイザーの関係は、信頼性だけではなく、ある種、持ちつ持たれつの関係がある。実際、**表12.2**では、継続的に助言を受けているミューチュアルファンドの投資家の4分の1は、自身で情報収集を行い、（プライマリー）アドバイザーによる助言内容を検証しており、43％が時々情報収集を行い、22％がまれに情報収集を行い、10％が全く情報収集を行っていないことが示されている。また、投資アドバイスがあった場合、投資家の36％は、常に（プライマリー）アドバイザーの助言に従うとし、60％が時々従うと回答している。

　継続的に助言を受けているミューチュアルファンドの投資家は、その特徴から大きくは3つのタイプに分類される。すなわち、アドバイザー委任型、アドバイザーと投資家による共同参画型、そして、投資家主導型である。投資家の38％は、すべての意思決定をファイナンシャル・ア

表12.2 ミューチュアルファンド投資家への調査および投資アドバイス

（プライマリー）アドバイザーによる助言内容を評価または確認するために、どの程度の
頻度で自ら投資調査を実施するか？

継続的に助言を受けている回答者：各行における比率	常に(%)	時々(%)	まれに(%)	無し(%)	合計(%)
（プライマリー）アドバイザーによる助言内容にどの程度従っているか？ 常に	19	37	26	18	100
時々	28	49	20	3	100
まれに	40	20	25	15	100
無い	17	33	0	50	100
合計	25	43	22	10	100

（プライマリー）アドバイザーによる助言内容を評価または確認するために、どの程度の
頻度で自ら投資調査を実施するか？

継続的に助言を受けている回答者：全体に占める比率	常に	時々	まれに	無し	合計
（プライマリー）アドバイザーによる助言内容にどの程度従っているか？ 常に	7	13	9	7	36
時々	17	29	12	2	60
まれに[a]	1	1	1	1	3
無い[a]	<0.5	<0.5	0	1	1
合計	25	43	22	10	100

a：この列のサンプルサイズは非常に小さい
注：このサンプルデータは職場の退職年金プラン以外でミューチュアルファンドを保有し、専門の
　　ファイナンシャル・アドバイザーから継続的に助言を受けている米国の602世帯で構成されてい
　　る。この調査は、2006年7月下旬から2006年9月の間に実施された（複数回答を含む）。
出所：ICI Mutual Fund Shareholder Financial Advice Survey

ドバイザーに委任、あるいはアドバイザーが主導的に意思決定を行い
（**表12.3**）、34％は投資家とアドバイザーが共に意思決定を行い、29％
は投資家が意思決定において、おおよそ主導的な役割を果たしているこ
とを示している。これらのグループは、人口統計学的、および金融的な
特性によって若干異なる。例えば、高校卒業かそれ以下の投資家は、よ
り教育水準の高い投資家と比べ、アドバイザーに意思決定を委任し、主
導権を握らせる可能性が高かった。投資家主導で意思決定を行う割合は、
年齢の上昇とともに低下する傾向があり、35歳未満のミューチュアル
ファンドの投資家の36％が、投資の意思決定の主導権を握っていると
答えたのに対し、65歳、あるいはそれ以上の投資家におけるその割合
は、22％にとどまった。低所得層のミューチュアルファンドの投資家

表12.3 投資家とアドバイザーにおける意思決定の分担

継続的に助言を受けているミューチュアルファンドの投資家：
下記項目に対する同意比率

	意思決定を ファイナンシャル・ アドバイザーに 全て委任、または アドバイザーが 主導して決定する	投資家と アドバイザーが 一緒に 意思決定を行う	投資家が常に 投資の 意思決定を 主導して行う
婚姻状態			
既婚・パートナーと同居	36	33	31
独身	33	37	31
離婚・別居	43	28	29
寡夫・寡婦	48	39	13
学歴			
高校卒以下	49	34	17
短大卒程度	44	28	28
大卒程度	33	40	27
大学院	42	19	39
大学院修了	33	36	31
回答時の年齢			
35歳未満	31	33	36
35–44歳	34	32	34
45–54歳	38	29	32
55–64歳	42	31	27
65歳以上	36	41	22
退職時の状況			
完全に退職	41	38	21
退職していない	36	32	33
雇用状況			
常勤	33	33	33
非常勤	39	33	28
現在非雇用	45	35	21
2005年の税引前世帯所得合計			
$50,000未満	52	33	15
$50,000–$99,999	44	31	26
$100,000–$249,999	31	36	33
$250,000以上	39	27	34
性別			
男性	33	37	31
女性	41	32	27
意思決定者のタイプ			
既婚・女性パートナー 唯一の意思決定者	42	24	35
既婚・女性パートナー 共同意思決定者	39	32	30

既婚・男性パートナー 唯一の意思決定者	33	28	39
既婚・男性パートナー 共同意思決定者	32	46	21
独身者女性	33	33	33
独身者男性	30	50	20
離婚・別居　寡婦	48	37	16
離婚・別居　寡夫	37	21	42
金融リスクをとる意思			
金融リスクを取るつもりはない	36	32	32
平均以下の金融リスクを取る	58	23	20
平均的な金融リスクを取る	37	37	26
平均以上の金融リスクを取る	34	34	32
実質的な金融リスクを取る	29	26	45
合計	38	34	29

a：この列のサンプルサイズは非常に小さい
このサンプルデータは職場の退職年金プラン以外でミューチュアルファンドを保有し、専門のファ
イナンシャル・アドバイザーから継続的に助言を受けている米国の602世帯で構成されている。この
調査は、2006年7月下旬から2006年9月までの間に実施された。この調査は、2006年7月下旬から
2006年9月の間に実施された（複数回答を含む）。
出所：ICI Mutual Fund Shareholder Financial Advice Sur

にも委任する傾向がみられるのに対し、高所得の投資家は自ら主導して
決定する傾向にあった。実質的な投資リスクを積極的に取ろうとする
ミューチュアルファンドの投資家は、投資の意思決定において、自ら主
導的に行いたいとする傾向が見られたが、平均を下回るリスクしかとろ
うとしない投資家は、自身で主導しようとする傾向が最も低かった。

どのようなミューチュアルファンドの保有世帯が、
ファイナンシャル・アドバイザーを利用する傾向にあるか？

　ICIが実施するICI Annual Mutual Fund Shareholder Tracking Surveyは、
毎年春、ミューチュアルファンドの保有世帯に対し、世帯貯蓄とミュー
チュアルファンドへの投資に関する一連の質問の中で、ファイナンシャ
ル・アドバイザーとのやり取りについても調査を行っている。2011年5
月の調査では、4,216世帯が対象となり、そのうちの44%、1,859世帯が
ミューチュアルファンドを保有していた[7]。この節では、先ず、ミュー
チュアルファンドの保有世帯が購入に至った経路を分類し、次に、継続
的に助言を受けている保有世帯とそうでない世帯における人口統計学的、
あるいは金融的な特性を見分ける統計表を示す。そして、多変量解析で

314

は、どの変数が継続してファイナンシャル・アドバイザーを利用することに関連しているかについて検証する。

ミューチュアルファンドの投資家は、さまざまな経路でファンドを購入する

　2011年にミューチュアルファンドを保有している米国の5,230万世帯のうち、半数は投資専門家から継続的に助言を受けていると回答している。図12.4が示すように、ミューチュアルファンドを保有する世帯の69％は、雇用主がスポンサーの退職年金プランの中で保有し、68％は雇用主がスポンサーの退職年金プラン以外で保有する。つまり、37％は、年金プランの範囲内とそれ以外の両方で、それぞれミューチュアルファンドを保有していた（Schrass and Bogden, 2012）。雇用主がスポンサーである退職年金プラン以外で購入されるミューチュアルファンドは、通常、「セールス・フォース」と「ダイレクト・マーケット・アプロー

図12.4 ミューチュアルファンドの投資家がファンド購入に利用した販売チャネル

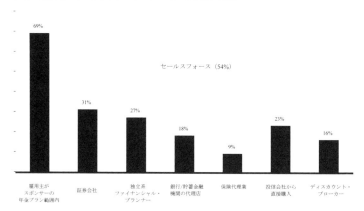

米国におけるミューチュアルファンドの保有世帯比率　（2011年5月）
職場の退職年金プラン以外でミューチュアルファンドを保有（68％）

注：複数回答あり。このサンプルデータは、2011年5月に米国でミューチュアルファンドを保有している1,859世帯で構成されている。
出所：2011 ICI Annual Mutual Fund Shareholder Tracking Survey; Schrass and Bogdan（2012）を参照。

図12.5 ミューチュアルファンド保有世帯の半数近くが、
複数経路（チャネル）を通じて残高を保有している

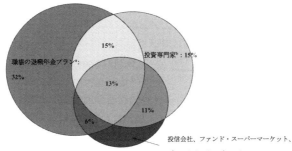

注：職場の退職年金プラン以外でミューチュアルファンドを保有する世帯の6%は、その源泉を明らかにしていないことから、図の数値は合計100%にはならない。この6%の中で、半数の3%は雇用主がスポンサーとなった年金プランの内外を問わず購入し、残りの3%は、雇用主がスポンサーの退職金年金プラン以外でのみ保有していた。このサンプル標本は、2011年5月時点において、米国でミューチュアルファンドを保有する1,859世帯で構成されている。
a：職場の退職年金プランには、DCプラン（401（k）、403（b）、457プラン、自営業者退職基金制度（キオプラン）、401（k）プラン以外のDCプラン）、および、雇用主がスポンサーのIRA（SEP IRA、SAR-SEP IRA、SIMPLE IRA）がある。
b：投資専門家には、登録投資アドバイザー、証券会社、独立系ファイナンシャル・プランナー、銀行・貯蓄金融機関、保険代理業者、会計士が含まれる。
出所：2011 ICI Annual Mutual Fund Shareholder Tracking Survey; Schrass and Bogdan（2012）を参照。

チ」を通じて入手する。ミューチュアルファンドを保有する世帯の54%は、RIA、証券会社、独立系ファイナンシャル・プランナー、銀行や貯蓄金融機関、保険代理業者などのセールス・フォース経由で購入を行っている。一方、投資家の約3分の1（32%）が、投信会社から直接、またはディスカウント・ブローカー（ダイレクト・マーケット・チャネル）を通じて購入していた。ミューチュアルファンドを保有する世帯の約半数（52%）が1つの経路から、約3分の1（35%）が2つの経路から、残りの13%は3つの経路全てから購入していた（**図12.5**）[8]。それにもかかわらず、ファンドを保有する世帯の3分の1（32%）は、雇用主がスポンサーの退職年金プランを通じてであり、15%は、このようなプラン以外の投資専門家のみを通じてファンドを購入していた。

　購入経路別の保有形態は世帯年齢によって異なっている。若年層世帯は、雇用主がスポンサーの退職年金プランが唯一の購入経路であること

316

を示す割合が高い。実際、50歳未満世帯の42%は、雇用主がスポンサーの退職年金プランの範囲内でのみミューチュアルファンドを保有していると回答している[9]。これとは対照的に、50歳、もしくはそれ以上の世帯は、このようなプラン以外でミューチュアルファンドを保有している割合が高く、39%は年金プラン以外でのみミューチュアルファンドを保有していると回答している[10]。高齢者世帯において、雇用主がスポンサーの退職年金プラン以外でミューチュアルファンドの保有形態が異なるのは、部分的には、就労期間におけるライフサイクルの経過、退職年金プランの積立金額、転職や退職、そして、退職年金プランから（年金プラン以外に分類される）従来型のIRA口座へのロールオーバー[*1]などによるものである[11]。

継続的に助言を受けているミューチュアルファンド保有世帯の特性

　本節では、2011年のICI調査（ICI Annual Mutual Fund Shareholder Tracking Survey）を用いて、どのようなミューチュアルファンドの保有世帯が、継続的に助言を受けようとするのかについて検証する。クロス集計と多変量解析の両方を用いて、人口統計学的、および金融的な特性が、継続的に助言を受けることと相関するのかについて見極める。

　2011年5月、ミューチュアルファンドを保有する世帯の約半数が、継続的に助言を受けていると回答している。継続的な助言を受けていない世帯主年齢の中央値は47歳であったのに対し、継続的に助言を受けている世帯主はそれより若干高齢となっており、その年齢の中央値は53歳で、既婚者、または寡婦である傾向も高かった（**表12.4**）。継続的に助言を受けている世帯は、そうでない世帯と比較して、非就業の退職者で、非雇用者の可能性が高かった[12]ものの、双方の所得水準は非常に近いものであった。そして、教育水準の分布においても、この2つのグループの値は近似している。

　世間一般的には、金融資産の多い世帯は、そうでない世帯と比べて、ファイナンシャル・アドバイザーを利用する可能性が高いとされ、この想定は、調査データからも確認できる。継続的に助言を受けているミューチュアルファンド保有世帯の金融資産中央値（285,000ドル）は、継続的な助言を受けていない世帯（130,000ドル；**表12.4**）の2倍以上で、

表12.4 ミューチュアルファンド保有世帯主の特徴

米国において継続的に助言を受けているミューチュアルファンド保有世帯の比率
(2011年5月)

	全てのミューチュアル ファンド保有世帯	継続的に助言を 受けている世帯	継続的な助言を 受けていない世帯
貯蓄や投資において意思決定を行う単身世帯主または共同意思決定者の年齢			
35歳未満	16	10	20
35–44歳	21	18	24
45–54歳	24	24	26
55–64歳	21	26	16
65歳以上	18	22	14
中央値(年齢)	50	53	47
平均(年齢)	50	53	48
教育レベル			
高卒以下	24	24	22
短大卒または準学士号	29	28	30
4年制大学を修了	23	23	23
大学院	6	6	6
大学院修了	18	19	19
婚姻状況			
既婚・パートナーと同居	74	76	72
独身	10	9	12
離婚・別居	9	7	12
寡婦・寡夫	7	8	4
世帯における投資の意思決定者			
男性が唯一の意思決定者	19	16	23
女性が唯一の意思決定者	19	17	21
共同で意思決定をする	62	67	56
備考:世帯金融資産			
世帯金融資産の合計(中央値)	$200,000	$285,000	$130,000
ミューチュアルファンド資産(中央値)	$120,000	$170,000	$85,000
回答世帯数	1,859	890	874

出所:2011 ICI Annual Mutual Fund Shareholder Tracking Survey; Schrass and Bogdan (2012) を参照。

継続的に助言を受けているミューチュアルファンドの保有世帯は、ミューチュアルファンド以外の投資を行う可能性も高い[13]。

　継続的な助言を受けていないミューチュアルファンド保有世帯において、雇用主がスポンサーのDCプラン口座を保有する割合はより高いことが示された。これは、DCプランにおけるアドバイザーの役割が限定的で、継続的な助言を受けていない世帯は、同プランを通じてのみミューチュアルファンドを保有している可能性が高いことを表してい

318

る[14]。

　ミューチュアルファンド保有者におけるこのような傾向は、若干若い年齢層や、まだロールオーバーの段階には至っていないワーク・ライフサイクル現象（work-lifecycle phenomenon）[*2]を反映している可能性もある。同様に、継続的に助言を受けているミューチュアルファンド保有世帯は、そうでない世帯と比較して、IRAに口座を持つ可能性が高い[15]。

　継続的に助言を受けているミューチュアルファンド保有世帯のファンド資産中央値（170,000ドル）は、継続的な助言を受けていない保有世帯（85,000ドル、**表12.4**）の2倍であった。彼らはまた、より多くのミューチュアルファンドを保有する傾向があり、ミューチュアルファンドが金融的な目標達成に役立つということに強い自信を示している。2006年のICI調査によると、専門のファイナンシャル・アドバイザーを利用するミューチュアルファンドの投資家は、そうでない投資家よりもインターネットへの関与が少ないとされている[16]。

　2011年5月のICI調査データによれば、インターネットの利用や取引の大部分において、継続的に助言を受けているミューチュアルファンドの保有世帯と、そうではない世帯における相違は見られなかった。しかし、少なくとも一点、重要な側面において異なっていたのは、インターネットは利用しているものの、継続的な助言は受けずにオンライン・トレーディングを行っているミューチュアルファンドの保有世帯は24%であったのに対し、インターネットを利用し、継続的に助言も受けている保有世帯で、オンライン・トレーディングを行っていたのは、たった14%であったということである。

多変量解析

　プロビット分析は、クロス集計表で示されたパターンの多くが、多変量分析においても統計的に有意であることを立証するのに役立っている。**表12.5**は、回帰分析で用いる変数を表しており、**表12.6**は、回帰分析結果を示している。従属変数は、ファイナンシャル・アドバイザーとの助言に関するやり取りにおいて、0か1の値をとるダミー変数である。

　世帯の金融資産が多いことと、継続的に助言を受けている可能性との間には、大いに、そして、明確な関係性があると思われる。例えば、金

表12.5 プロビット回帰モデルで用いた変数

変数名	変数内容
finadv	回答者が継続的に助言を受けている場合は1、そうでない場合は0
age	世帯主年齢
age2	世帯主年齢の2乗
hh_income1	世帯所得 < $25,000（省略）
hh_income2	$25,000 ≦ 世帯所得 < $35,000
hh_income3	$35,000 ≦ 世帯所得 < $50,000
hh_income4	$50,000 ≦ 世帯所得 < $75,000
hh_income5	$75,000 ≦ 世帯所得 < $100,000
hh_income6	$100,000 ≦ 世帯所得 < $150,000
hh_income7	$150,000 ≦ 世帯所得 < $250,000
hh_income8	$250,000 ≦ 世帯所得
hh_finassets1	世帯金融資産 < $10,000未満（省略）
hh_finassets2	$10,000 ≦ 世帯金融資産 < $30,000
hh_finassets3	$30,000 ≦ 世帯金融資産 < $50,000
hh_finassets4	$50,000 ≦ 世帯金融資産 < $75,000
hh_finassets5	$75,000 ≦ 世帯金融資産 < $100,000
hh_finassets6	$100,000 ≦ 世帯金融資産 < $250,000
hh_finassets7	$250,000 ≦ 世帯金融資産
education1	高卒以下（省略）
education2	短大卒・準学士号取得
education3	四大卒
education4	大学院
education5	大学院修了
risk1	金融リスクを取るつもりはない（省略）
risk2	平均以下の金融リスクを取る
risk3	平均的な金融リスクを取る
risk4	平均以上の金融リスクを取る
risk5	実質的な金融リスクを取る
dm_female	単独または共同の意思決定者が女性の場合1、単独または共同意思決定者が男性の場合は0
int_fin	金融的な目的においてインターネットを利用するとき1を取るダミー
own_dc	DCプランに口座を保有するとき1を取るダミー
own_ira	IRAに口座を保有するとき1を取るダミー
confidence1	ミューチュアルファンドは世帯の金融的な目標達成に役立つ投資であるとは全く思っていない（省略）
confidence2	ミューチュアルファンドは世帯の金融的な目標達成に役立つ投資であるという確信があまりない。
confidence3	ミューチュアルファンドは世帯の金融的な目標達成に役立つ投資であるとある程度は確信している。
confidence4	ミューチュアルファンドは世帯の金融的な目標達成に役立つ投資であると大いに確信している

出所：2011 ICI Annual Mutual Fund Shareholder Tracking Survey; Schrass and Bogdan（2012）を参照。

表12.6 ミューチュアルファンドの投資家が継続的に助言を受ける確率に関するプロビット推定

変数	Finadv=					平均値	平均限界効果		
	予測値	標準誤差	z	P>z	有意性		係数	標準誤差	z
intercept	−1.8729	0.6066	−3.09	0.002	***		0.0100	0.0067	1.5
age	0.0277	0.0186	1.49	0.135		55.952	−0.0001	0.0001	−1.29
age2	−0.0002	0.0002	−1.29	0.197		3330.55	0.0265	0.0784	0.34
hh_ine2	0.0775	0.2299	0.34	0.736		0.0740	0.0364	0.0746	0.49
hh_ine3	0.1068	0.2192	0.49	0.626		0.1033	0.0170	0.0724	0.23
hh_ine4	0.0485	0.2072	0.23	0.815		0.2213	0.0561	0.0771	0.73
hh_ine5	0.1567	0.2164	0.72	0.469		0.1912	0.0146	0.0820	0.18
hh_inere6	0.0398	0.2240	0.18	0.859		0.1993	0.0247	0.0866	0.29
hh_inere7	0.0679	0.2383	0.28	0.776		0.1221	0.0370	0.0961	0.39
hh_inere8	0.1068	0.2792	0.38	0.702		0.0407	0.1815	0.1093	1.66
hh_finassets2	0.6217	0.3253	1.91	0.056	*	0.0578	0.1150	0.1083	1.06
hh_finassets3	0.4116	0.3461	1.19	0.234		0.0423	0.3254	0.1172	2.78
hh_finassets4	0.9974	0.3247	3.07	0.002	***	0.0667	0.1891	0.1210	1.56
hh_finassets5	0.6053	0.3416	1.77	0.076	*	0.0448	0.3129	0.1057	2.96
hh_finassets6	0.9341	0.3058	3.05	0.002	***	0.2449	0.4034	0.0985	4.1
hh_finassets7	1.1584	0.3125	3.71	0	***	0.5183	−0.0598	0.0481	−1.24
education2	−0.1703	0.1369	−1.24	0.213		0.2897	−0.0658	0.0524	−1.26
education3	−0.1854	0.1471	−1.26	0.207		0.2433	−0.1023	0.0637	−1.61
education4	−0.2913	0.1806	−1.61	0.107		0.0830	−0.0968	0.0528	−1.83
education5	−0.2698	0.1470	−1.84	0.066	*	0.2685	0.1226	0.0629	1.95
risk2	0.3456	0.1797	1.92	0.054	*	0.0960	0.1184	0.0520	2.28
risk3	0.3291	0.1456	2.26	0.024	**	0.4939	0.0559	0.0575	0.97
risk4	0.1520	0.1562	0.97	0.331		0.2832	0.1798	0.0799	2.25
riks5	0.5083	0.2332	2.18	0.029	**	0.0407	0.0383	0.0281	1.36
dm_female	0.1062	0.0782	1.36	0.174		0.4475			

int_fin	-0.2919	0.1048	-2.79	0.005	***	-0.1047	0.0368	-2.85
own_dc	-0.3169	0.0971	-3.26	0.001	***	-0.1144	0.0345	-3.32
own_ira	0.3330	0.0876	3.8	0	***	0.1228	0.0324	3.79
confidence2	-0.2874	0.2055	-1.4	0.162		-0.1020	0.0714	-1.43
confidence3	0.1725	0.1781	0.97	0.333		0.0632	0.0651	0.97
confidence4	0.3127	0.1893	1.65	0.099	*	0.1147	0.0682	1.68

注：回帰分析は、1,229のミューチュアルファンド保有世帯の非加重のサンプルデータに対して行われた。Pseudo-R2は0.0846。
*90%信頼水準で有意；**95%信頼水準で有意；***は99%信頼水準で有意。
出所：2011 ICI Annual Mutual Fund Shareholder Tracking Survey; Schrass and Bogdan (2012) を参照。

融資産が250,000ドル、もしくはそれ以上を有するミューチュアルファンドの保有世帯は、金融資産が10,000ドル未満と比べ、継続的に助言を受けている可能性が著しく高い（**表12.6**）。大学院を修了した世帯主は、高校卒業、もしくはそれ以下の場合と比べ、継続的に助言を受けている可能性が著しく低いが、教育水準の分布においては、この両グループ間での値は近似している（**表12.4**）。すべてのリスク・カテゴリーが統計的に有意であるわけではないが（**表12.6**）、積極的にリスクをとろうとする姿勢は、継続的に助言を受けていることと相関関係がある[17]。金融上の目的でインターネットを利用するミューチュアルファンドの保有世帯は、継続的に助言を受けている可能性が低い。これは2006年のICI調査結果、および2011年5月のICI調査と一致する。

また、クロス集計表を見てみると、IRAの口座保有者はミューチュアルファンドの投資家が継続的に助言を受けているという確率を増加させ、逆にDCプランの口座保有者は、その確率を減少させるということを裏付けている（**表12.6**）。これらの変数は非常に重要性が高く、継続的に助言を受けながら投資を行うことは、直観的に理にかなっているということが理解できる。すなわち、雇用主がスポンサーの退職プランを除けば、ファイナンシャル・アドバイスはより身近なものであり、就労生活全体を通して、退職年金資産をロールオーバーすることは一般的であり、従来型のIRAの口座が作られるのは、雇用主がスポ

ンサーとなる年金プラン以外であると考えられる。

　最後に、ミューチュアルファンドの投資家は、金融的な目標の達成において、ミューチュアルファンドが役立つということに「大いに確信がある」としている。そして、継続的に助言を受けている投資家の方が、そのような確信を全く持たない投資家とは異なり、継続的に助言を受ける可能性がより高いのである（**表12.6**）。この結果は、安心して資産を増大できるよう、ミューチュアルファンドの投資家が専門のファイナンシャル・アドバイザーを求めることが多いとする2006年のICI調査の知見と一致している[18]。

結論

　ミューチュアルファンドを保有する世帯の約半数は、ファイナンシャル・アドバイザーから継続的に助言を受けていることが報告されている。投資家は、特定のミューチュアルファンドの選定や購入に留まらず、さまざまな理由から専門のファイナンシャル・アドバイスを求めているのである。多くは、相続、退職、転職による一時金の受領、世帯構成の変化、退職や教育のための貯蓄など、特定の金融目的の達成といった出来事を契機に、ファイナンシャル・アドバイスを求めることが多い。通常、ミューチュアルファンドの投資家は複数の金融サービスを受けており、さらに、自身では及ばない専門知識を得るために、ファイナンシャル・アドバイザーと手を携えることを望んでいる。

　アドバイザーとの関係は複雑であり、投資の意思決定における一連のやり取りには、持ちつ持たれつの関係が関与している。継続的に助言を受けているミューチュアルファンドの投資家は、投資の意思決定において、大まかに3つのグループに分かれていた。アドバイザー委任型（38%）、アドバイザーと投資家による共同参画型（34%）、そして、投資家主導型（29%）である。継続的に助言を受けているミューチュアルファンドの保有世帯は、金融資産が多く、ミューチュアルファンドが金融上の目標を達成するのに役立つ、ということへの強い確信を抱く傾向が見られる。金融的な目的にインターネットを利用するのは、それはおそらく、より自立的な投資家であることを示すもので、継続的に助言を受けることとはマイナスの相関関係にあると言えるだろう。

　最後に、本章の研究支援において、スティーブン・バス、マイケル・ボグダン、ダニエル・シュラスに感謝の意を伝えたい。

▶第12章 章末注

1　2011年5月には、米国世帯の38.8％がIRA口座を保有し、22.7％が同口座にミューチュアルファンドを保有していた。これらの統計値は、2011年5月のICI調査（May 2011 ICI Annual Mutual Fund Shareholder Tracking Survey）の集計表からの数値である。

2　2011年5月には、米国世帯の51.1％がDCプラン口座を保有し、29.1％が同口座にミューチュアルファンドを保有していた。これらの統計値は、2011年5月のICI調査（May 2011 ICI Annual Mutual Fund Shareholder Tracking Survey）の集計表からの数値である。

3　他の研究調査では、ドイツの投資家を対象とした分析から、「ファイナンシャル・アドバイスを最も必要とする投資家は、それを利用する可能性が最も低い」と結論づけている（Bhattacharya et al., 2011: 4）。

4　ICI調査のサンプルデータは、雇用主がプラン・スポンサーの退職年金プラン以外にミューチュアルファンドを保有する1,003世帯で構成されていた。これらの60％、602世帯の回答者が、現在アドバイザーから継続的に助言を受けており、13％、131世帯の回答者が一度限り助言を利用し、18％、176世帯の回答者は、これまでに一度もアドバイザーを利用したことがなく、残りの9％、94世帯の回答者が現時点でアドバイザーを利用していなかったという。この電話調査は、2006年7月下旬から2006年9月にかけて実施され、世帯所得の中央値が75,000ドル以上の世帯を無作為に抽出して行われている。ICI調査のさらなる分析については、Leonard-Chambers and Bogdan（2007）を参照。

5　複数回答が含まれており、回答者の約3分の2が複数の情報源や助言を参考にしたという。資産配分を選んだ回答者の56％が家族や同僚と相談し、46％が雇用主から提供された情報資源（専門のファイナンシャル・アドバイザー、セミナー、ワークショップ、オンライン退職ソフトウェア、印刷物等）を活用したという。ICI Defined Contribution Plan Distribution Decision Surveyにおける、phone-mail-phone survey[*3]では、2007年10月から2007年12月までの間で、年齢を対象にしたサンプルと退職者を対象にしたサンプルの中から無作為に抽出し、電話・Eメール・電話という一連の流れに従って調査を実施した。この調査では、最近退職したDCプランの口座保有者、1,187人が選ばれ、そのうち876人がEメールによる調査の完了に同意し、そのうち659人に電話によるフォローアップ調査が行われた。最終分析では、608人の回答者が調査を完了した。この調査の追加結果については、Sabelhaus et al.（2008）を参照。

6　2011年のICI調査は、2011年5月に実施されたRDD[*4]方式による電話調査であり、IRAに口座を保有する2,300世帯が調査を完了した。詳細はHolden and Schrass（2011）を参照。

7　2011年5月のICI調査（May 2011 ICI Annual Mutual Fund Shareholder Tracking Survey）は、RDD方式による電話調査である。これに関する追加的な詳細、および調査結果については、Bogden et al.（2011）、Schrass and Bogden（2012）を参照。

8　この統計値は、異なる経路（チャネル）の数値から算出している。ミューチュアルファンドの保有世帯は、特定の経路（チャネル）タイプの中から、複数の投信会社を利用することができる。

9　2011年5月、50歳未満のミューチュアルファンド保有世帯で、雇用主がスポン

324

サーの退職年金プランの範囲内のみで保有をしていたのは42%だった。そのうちの10%が投資専門家のみ、2%が投信会社、ファンド・スーパーマーケット、ディスカウント・ブローカー経由であった。雇用主がスポンサーの退職年金プランの範囲内、または投資専門家経由は14%で、そのうち7%は投資専門家、投信会社、ファンド・スーパーマーケット、ディスカウント・ブローカー経由で、残りの7%は雇用主がスポンサーとなった退職プランの範囲内で、投信会社、ファンド・スーパーマーケット、ディスカウント・ブローカー経由であった。3つの保有形態（DCプラン、DCプラン以外、DCプランとそれ以外の両方）すべてを通じてファンドを保有していたのは12%だった。雇用主がスポンサーの退職年金プラン以外のミューチュアルファンドを保有していたのは6%で、その源泉は明記されていない。この6%の中で、半数の3%は、雇用主がスポンサーとなった年金プランの内外を問わずに購入したもので、残りの3%は雇用主がスポンサーの退職年金プラン以外でのみ保有していた。これらの結果は、50歳未満の個人を世帯主とする896のミューチュアルファンド保有世帯のサンプルデータに基づいている。データは2011年5月のICI調査、および、図12.5の注記が用いられている。

10　2011年5月、50歳、もしくはそれ以上のミューチュアルファンド保有世帯で、雇用主がスポンサーの退職年金プランの範囲内でのみ保有していたのは23%だった。残りの内訳に関しては、19%が投資専門家を通じてのみ、3%は投信会社、ファンド・スーパーマーケット、ディスカウント・ブローカーを通じてのみ保有していた。17%は雇用主がスポンサーの退職年金プランの範囲内や、投資専門家経由、15%は投資専門家、投信会社、ファンド・スーパーマーケット、ディスカウント・ブローカーを通じて保有していた。6%は雇用主がスポンサーの退職年金プランの範囲内や、投信会社、ファンド・スーパーマーケット経由、13%が3つの保有形態（DCプラン、DCプラン以外、DCプランとそれ以外の両方）のすべてを通じて保有していた。4%は雇用主がスポンサーとなった退職年金プラン以外のミューチュアルファンドを保有していたが、その源泉は明記されていない。この4%の中で、半数の2%は、雇用主がスポンサーとなった年金プランの範囲内、またはそれ以外を問わずに保有していたもので、残りの2%は雇用主がスポンサーとなった退職年金プラン以外でのみ保有していた。これらの結果は、50歳、もしくはそれ以上の個人を世帯主とする963のミューチュアルファンド保有世帯のサンプルデータに基づいている。データは2011年5月のICI調査、および図12.5の注記が用いられている。

11　退職プランの一連のやり取りにおける、ロールオーバーやIRAの役割についての詳解は、Sabelhaus and Schras（2009）、Holden et al.（2010）、Holden and Schrass（2011）を参照。

12　継続的に助言を受けているミューチュアルファンド保有世帯の半数以上（58%）が、正社員雇用であったのに対し、継続的な助言を受けていない世帯の68%は、正社員雇用ではなかった。また、継続的に助言を受けているミューチュアルファンド保有世帯の26%が、退職後は未就労であったのに対し、継続的な助言を受けていないミューチュアルファンド保有世帯でのその割合は16%であった。これらのデータは2011年5月のICI調査から得たものである。

13　この結果は、2011年5月のICI調査の集計結果によるものである。

14　2011年5月には、継続的な助言を受けていないミューチュアルファンド保有世帯の82%がDCプラン口座を保有していたのに対し、継続的に助言を受けている保有世帯でのその割合は73%であった。また、継続的な助言を受けていないミューチュアルファンド保有世帯の42%は、雇用主がスポンサーである退職年金プランのみを通してミューチュアルファンドを保有し、継続的に助言を受けてい

る保有世帯でのその割合は17%だった。これらは、2011年5月、ICI調査の集計によるものである。

15 継続的な助言を受けていないミューチュアルファンドの保有世帯が約半数（51%）であったのに対し、継続的に助言を受けている世帯の約4分の3（74%）が従来型のIRA、またはRoth IRAの口座を保有していた。このようなIRA口座は、雇用主がスポンサーである退職年金プラン以外の投資とみなされることから、継続的に助言を受けているミューチュアルファンドの保有世帯は、このようなプラン以外で保有しているという可能性がより高かった。継続的な助言を受けていないミューチュアルファンドの保有世帯で、雇用主がスポンサーである退職年金プラン以外で保有していたのは26%であったのに対し、継続的に助言を受けている世帯でのその割合は38%であった。さらに、継続的に助言を受けている世帯の45%が、雇用主がスポンサーの退職年金プランの範囲内、またはそれ以外で保有していたのに対し、継続的な助言を受けていない世帯でのその割合は32%だった（継続的に助言を受けている世帯は、雇用主がスポンサーのIRA口座を保有している可能性がより高かった）。これらの結果は、2011年5月のICI調査の集計によるものである。

16 2006年のアドバイス調査データを用いたロジット分析によると、投資情報の取得にインターネットを利用しないミューチュアルファンドの投資家は、利用する投資家と比較して、継続的に助言を受けている可能性がほぼ2倍も高いことがわかった（Leonard-Chambers and Bogdan, 2007:7）。

17 継続的な助言を受けていないミューチュアルファンドの保有世帯は、継続的に助言を受けている世帯よりも、金融的なリスクを取ることに消極的であることを示す可能性が高かった。

18 2006年のアドバイス調査では、ミューチュアルファンドの投資家の76%が継続的に助言を受けている。専門のアドバイザーを利用する主な理由としては、自身で行うよりも、アドバイザーがいることで、資産を増やせる可能性が高まるためであるとし、4分の3は、「投資における安心を求めている」と回答している。この調査に関する詳細については、本章の章末注4、およびLeonard-Chambers and Bogdan（2007）を参照。

▶第12章 参考文献

Bhattacharya, U., A. Hackethal, S. Kaesler, B. Loos, and S. Meyer (2012). 'Is Unbiased Financial Advice to Retail Investors Sufficient? Answers from a Large Field Study,' *Review of Financial Studies*, 25 (4): 975–1032.

Bluethgen, R., A. Gintschel, A. Hackethal, and A. Müller (2008). 'Financial Advice and Individual Investors' Portfolios,' SSRN Working Paper No. 968197. http:// papers. ssrn.com/sol3/papers.cfm?abstract_id=968197（翻訳時点で該当ページ無し）

Bogdan, M., S. Holden, and D. Schrass (2011). 'Ownership of Mutual Funds, Shareholder Sentiment, and Use of the Internet, 2011,' *ICI Research Perspective*, 17 (5). www.ici. org/pdf/per17-05.pdf

Collins, J. M. (2010). 'A Review of Financial Advice Models and the Take-Up of Financial Advice,' Center for Financial Security Working Paper No. 10-5. Madison, WI: University of Wisconsin-Madison.

Hackethal, A., and R. Inderst (2013). 'How to Make the Market for Financial Advice Work,' in O. S. Mitchell and K. Smetters, eds., *The Market for Retirement Financial Advice*. Oxford, UK: Oxford University Press, pp. 213–28.

326

Holden, S., and D. Schrass (2011). 'The Role of IRAs in U.S. Households' Saving for Retirement, 2011,' *ICI Research Perspective*, 17 (8). www.ici.org/pdf/per17-08.pdf

—— J. Sabelhaus, and S. Bass (2010). *The IRA Investor Profile: Traditional IRA Investors' Rollover Activity, 2007 and 2008*. Washington, DC: Investment Company Institute; and New York, NY: Securities Industry and Financial Markets Association. www.ici.org/pdf/rpt_10_ira_rollovers.pdf

Hung, A. A., and J. K. Yoong (2013). 'Asking for Help: Survey and Experimental Evidence on Financial Advice and Behavior Change,' in O. S. Mitchell and K. Smetters, eds., *The Market for Retirement Financial Advice*. Oxford, UK: Oxford University Press, pp. 182–212.

Leonard-Chambers, V., and M. Bogdan (2007). 'Why Do Mutual Fund Investors Use Professional Financial Advisers?' *ICI Research Fundamentals*, 16 (1). www.ici.org/ pdf/ fm-v16n1.pdf（翻訳時点で該当ページ無し）

Sabelhaus, J., and D. Schrass (2009). 'The Evolving Role of IRAs in U.S. Retirement Planning,' *ICI Research Perspective*, 15 (3). www.ici.org/pdf/per15-03.pdf

—— M. Bogdan, and S. Holden (2008). 'Defined Contribution Plan Distribution Choices at Retirement: A Survey of Employees Retiring Between 2002 and 2007,' *Investment Company Institute Research Series*. Washington, DC: Investment Company Institute. www.ici.org/pdf/rpt_08_dcdd.pdf

Schrass, D., and M. Bogdan (2012). 'Profile of Mutual Fund Shareholders, 2011,' *ICI Research Report*. Washington, DC: Investment Company Institute. www.ici.org/ pdf/ rpt_12_profiles.pdf（翻訳時点で該当ページ無し）

van Rooij, M., A. Lusardi, and R. Alessie (2011). 'Financial Literacy and Stock Market Participation,' *Journal of Financial Economics, Elsevier*, 101 (2): 449–72.

▶ **第12章 訳者注**

＊1
非課税の年金退職金運用口座（例えば、401（k）プランなど）から、プランから退出時（転職時あるいは退職時など）に、別のプランを含む年金退職金運用口座（たとえばIRAなど）に保有している金融商品を移行（移管）させることができる。この移管のことを「ロールオーバー」（rollover）という。日本の確定拠出年金制度やNISAなどにおいてもこの移管の仕組みは取り入れられている（金融庁HP；巻末の参照先HPを参照）

＊2
女性が子育てを経た後、再び労働市場に参入するという現象を示す。

＊3
phone-mail-phone surveyとは、アンケート回答者が最初に電話で募集され、Eメールで回答し、その後で再度電話をかけて回答を得るという電話調査の方法のことである

＊4
Random Digit dialing；ランダム・デジット・ダイアリングとは、全国の各人の電話番号の中から、ランダムに個々の電話番号を抽出する方法のことである。

第 **3** 部

アドバイス市場と
規制上の考慮事項

第13章

ファイナンシャル・アドバイザーに関する規制の調和

アーサー B. ラビー

　一般的に、株式、債券、ミューチュアルファンドなどの有価証券に関する、個人向けのファイナンシャル・サービスを提供する専門家は、証券ディーラーまたは投資アドバイザーであるが、これらの肩書は一般投資家にとって、ほとんど意味がない（RAND Report, 2008; SEC Staff, 2011b; Hung and Yoong, 2013）。これまでブローカーとアドバイザーは、それぞれ異なるサービスを提供してきたが、今日における役割は、ほぼ類似しているか、あるいはほとんど同一のものだと言ってよい。しかし、法規制は業界の変化に追いついておらず、ブローカーやアドバイザーは、引き続き別々の規制制度の対象となっている。SECは現在、証券ディーラーと投資アドバイザーの規制を調和させ、個人投資家にアドバイスを行うブローカーに対し、フィデューシャリー・デューティを課すかどうかを検討しており、フィデューシャリー・デューティの基準に則り、ブローカーは、投資アドバイザーに適用されるものよりも、高いレベルの注意義務を負うことになる。この章では、規制の調和に関する議論を検討し、それを過去の状況と照らし合わせ、その解決策を方向付ける近年の動きについて議論する。

　我々は、規制の調和をめぐる議論が、どのような経緯でSEC、裁判所、連邦議会、そして再びSECへと移っていったのかについて話を進める。はじめに、規制の調和に関する背景、続いて、ブローカーやアドバイザーの規制に関する過去の状況の考察、そして、投資顧問業法に基づいた調和に関する問題への解決に向け、SECが「不運なルール」の選択に至った経緯について言及する。次に、米国ファイナンシャル・プランナーズ協会（以下、FPA）によって持ち掛けられた、同ルールに対する法的な異議申し立てと、コロンビア特別区巡回区控訴裁判所がこの規則

を無効にした理由について説明する。そして、議会の動向に目を向け、ドッド・フランク法が規制の調和にどのように取り組んだか、そしてこの問題に対する最終的な責任をSECにどのように戻したかを要約する。さらに、ドッド・フランク法によって義務付けられた、2011年のSECスタッフの調査に関する議論を経て、最後に、規制の調和を追求するSECが直面する課題を、我々は明らかにする。

規制の調和

　個人投資家は、子供の教育資金や退職資金の準備、あるいは短期的な貯蓄の管理を行う場合、運用資産を増やそうとしきりに営業活動をしかけてくる、おびただしい数のファイナンシャル・サービス・プロバイダーに遭遇することとなる。銀行、ミューチュアルファンド、株式ブローカー、投資アドバイザー、保険ブローカー、ファイナンシャル・プランナーといった異なる業態の人々達が、多種多様な投資商品やサービスを提供しており、その多くはひどく複雑で、一般的な投資家の理解の範囲を超え、場合によっては、これらのサービス・プロバイダーによって行われる役割が重複することがある。例えば、顧客に証券を売買するファイナンシャル・プランナーは、証券ディーラーでなければならず、また保険契約を販売する証券会社の販売員は、当該事業を行う州における保険業の免許を取得しなければならない。

　ファイナンシャル・サービス・プロバイダーが名乗る肩書は、投資家を混乱させてしまいがちである。自らを「ファイナンシャル・アドバイザー」と名乗る多くの個人や企業は、法律上では「投資アドバイザー」とはみなされず、証券ディーラーとして規定されている。加えて、多くのブローカーやアドバイザーが、個人に対して証券に関するアドバイスを行う際は、同一の役割を果たしていることから、同じ役割を果たすサービス・プロバイダーは、機能別監督の指針に基づき、同様に扱われるべきである。しかしながら、連邦証券取引法では、ブローカーとアドバイザーにはそれぞれ別の規制方針があり、義務や責任は異なっている。すなわち、同じ役割を果たすが規制は異なる、ということがもたらす結論には意味がなく、テーブルの向かい側に座って、株式やミューチュアルファンドを推薦している人が、法で定められたブローカーなのか、あ

るいはアドバイザーなのかということについて、多くの人々はとりわけ注意を払っていない。

証券ディーラーと投資アドバイザーにおける、主な規制の違いは何なのか？　ブローカーとは、大恐慌時代の1934年証券取引所法で規制されたもので、同法はブローカーとディーラーを定義し、SECへの登録を義務付けている（Securities Exchange Act, 1934: § 15 [a]）。ブローカーは、顧客にアドバイスを行う際に、「適合性」原則の対象となり、推奨する投資商品は、顧客の投資ニーズに適していることが保証されなければならない（FINRA, 2012）。適合性原則の背後にある理論は、ブローカーが証券を推奨するとき、その証券が投資家の目的と整合性があり、したがってその証券は適切な投資であるということを暗黙裡に表明している（Hazen, 2009）。

投資アドバイザーは、主にアドバイスを提供することを専業とするファイナンシャル・サービスの専門家である。アドバイザーは、1940年投資顧問業法の対象であり、この法律に定められるところの「投資アドバイザー」の定義に合致する者であることを定めている。同法において、アドバイザーは、より高度な「フィデューシャリー」としての注意義務基準の対象となる（SEC v. Capital Gains Research Bureau, 1963: 191–2）。これによれば、アドバイザーの推薦は「適格」であるにととまらず、顧客にとって「最善の利益」となるものでなければならない（SEC v. Tambone, 2008: 146）。アドバイザーにおける「最善の利益」の基準は、信託法や後見法のような他の分野のフィデューシャリー・デューティにおいての「最善の利益」の基準と同等で、この義務は「法律で最も知られているもの」とされている（highest known to the law; Donovan v. Bierwirth, 1982: 272 n.8）。

過去15年間にわたり、SECは、ブローカーとアドバイザーのための二分された規制システムを再検討すべきかどうかを熟考してきた。この間、規制当局は、Bernard Madoff Investment Securities社に疑惑の眼差しを向け続けていた。というのも、同社は2005年の時点で、SECには投資アドバイザーとして、またSECおよびFINRAには、証券ディーラーとしてそれぞれ登録を行っており、後に歴史に残る出資金詐欺（ポンジー・スキーム）[*1]が発覚したことで、ファイナンシャル・サービス・プロバイ

ダーに対する厳しい規制を課す重要性を際立たせるものとなった（Schapiro Statement, 2009）。裁判所と連邦議会は、規制の調和論争に自ら加わり、ドッド・フランク法が成立すると、同法に基づき、SECに対し、この問題の更なる調査を求めることになった。SECには、規制を調和させる権限が与えられたが、新たな規制の制定を要求するものにはならなかった（Dodd-Frank, 2010: 913）。

　規制を調和させるか否かの決定は、証券ディーラーおよび投資アドバイザー、ならびにそこで働く数十万人の証券外務員（その多くはリテールビジネスとして個人顧客にアドバイスを行う）に課される、法律上の義務において極めて重要である（SEC Staff, 2011b）。また、この決定はブローカーのビジネスモデルにも重要な意味を持ち、フィデューシャリー・デューティの基準とは対照的に、適合性原則の適用という点に特に依存しているからだ。この議論の結論は、ERISAに基づく米国労働省のフィデューシャリーの規制にも関連している。以下に述べるように、米国労働省は、ERISAに基づくフィデューシャリーの新たな定義を提案している。ドッド・フランク法で新たに承認された規則において、SECが取り上げるテーマは、ERISAにおけるフィデューシャリーにも当てはまる可能性があるのである（EBSA, 2010）。

SECの規制
歴史的発展

　連邦議会が、大恐慌の最中に連邦証券取引法を制定すると、20世紀の前半に、証券ディーラーや投資アドバイザーが最初に直面したのは連邦規制だった。1933年連邦証券取引法は、フランクリン・D・ルーズベルトの就任後100日間で行った任務の一つとして、可決された影響力の強い証券法規であり、連邦政府は、証券の公募や売却を行う企業に対して、公募企業の登録や、発行体および売却される証券に関する詳細な情報を購入者に提供することを義務付けた。しかし、連邦証券取引法は、ブローカーやアドバイザーといった市場関係者については、詳細な規制を行っていなかった。

　証券ディーラーの規制とSECの設立は、1934年証券取引所法の翌年に行われた。同法の成立に至るまでには、ルーズベルト政権とブローカー

業界との間で、委託証拠金、ブローカーの活動に関する制限、SEC自身の構成をめぐって、激しい議論が戦わされた。結局、この法律は、ニューヨーク証券取引所にとどまらず、悪名高く恐るべきリチャード・ホイットニーに誘導され、その影響を受けた多くの地方証券取引所からの集中的なロビー活動が行われた結果、政治的妥協の産物となった。数カ月の交渉の後、連邦議会は証券取引所法を可決し、ブローカーやディーラーの定義を定め、その行動に規制を課し、新設されたSECへの登録を義務化した（Parrish, 1970; Seligman, 2003）。

　1938年、ニューヨーク証券取引所のリチャード・ホイットニーを襲った不祥事の後、連邦議会は、証券取引所法の改正としてマローニー法を可決した。マローニー法は、店頭取引を行うブローカーおよびディーラーのためのSROとして全米証券業協会（以下、NASD）の設立を認可した（Maloney Act, 1938）。NASDは、有益な規制上の役割を果たす一方、強力な業界団体としても機能し、SECが主導することに反対することも多かった（Seligman, 2003）。NASDの後継者であるFINRAは、今日、証券ディーラーのSROとしての役割を果たし、証券会社およびその証券外務員に詳細な規制および登録義務を課しており、現在、約5,100の証券会社と60万人の証券外務員が存在する。

　投資アドバイザーの規制に特化した法律は、大恐慌時代の最後に連邦証券取引法が制定された1940年まで登場しなかった。米国が第二次世界大戦に入る直前、連邦議会は、ミューチュアルファンドを規制する膨大な法令が定められた投資会社法を可決した。同法案の第2編として、連邦議会は、投資アドバイザーを規制する、より緩やかな投資顧問業法を可決した。証券取引所法とは異なり、投資顧問業法には、アドバイザーのための自主規制の仕組みへの言及はなく、今日までアドバイザーのためのSROは存在しないが、このテーマは時宜を得たものである（SEC Staff, 2011a）。投資顧問業法の主要条項は、特定のアドバイザーにSECへの登録を義務付ける登録条項と、連邦証券取引法の後にモデル化された、個人投資家や潜在顧客を欺くことを禁ずる、不正防止条項であった（Investment Advisers Act, 1940: §§ 203, 206）。現在、SECに登録されている投資アドバイザーは約11,000人で、さらに15,000人のアドバイザーが州当局の規制を受けている。投資アドバイザリー関連企業には、

およそ275,000人の投資アドバイザーが所属している（SEC Staff, 2011b）[1]

投資顧問業法の不正防止条項には、投資アドバイザーのビジネスモデルに影響を及ぼす重要な条項が含まれており、アドバイザーが自身の顧客に対して、自己取引に携わることを厳しく制限している。自己取引とは、アドバイザー本人が、顧客から有価証券を購入したり売却したりすることで、この取引は、顧客と利益相反をもたらすため、アドバイザーが顧客に事前に書面で開示し、個々の取引の都度、同意を得ない限り、アドバイザーはそのような取引に従事することを禁止したのである。連邦議会がこの条項を採択した際、その目的は、アドバイザーが自身の顧客に「不快な問題」を投げ捨てるのを減らすことであることを明らかにした（Schenker, 1940）。ブローカーは、証券取引所法においてそのような制限には直面しなかった。

証券について顧客にアドバイスすることが多いブローカーは、2つの条件が満たされた場合に限り、投資顧問業法の適用外とされることになった。最初の条件は、ブローカーのアドバイスは「単にブローカー業務に付随する」ものでなければならない（「単に偶発的事象」という言葉への定義はない）、そして2番目の条件は、ブローカーは「特別な報酬」を受け取ってはならないというものである（Advisers Act, 1940: §202（a）（11）（C））。同法の立法履歴によれば、「特別な報酬」という用語は、手数料によらない報酬の略語であった（S. Rep. 76-1775, 1940: 22）。したがって、ブローカーがこれらの2つの条件を満たす限り、すなわち、ブローカーは、投資顧問業法に基づく規制に関わることなく、「付随的」なアドバイスを提供し、手数料のみを徴求している限り、投資アドバイスを提供することができる。

数十年もの間、ブローカーと投資アドバイザーの分離は、規制当局側、またそれを受ける側において十分な機能を果たしており、ブローカーは、手数料を徴求することで、アドバイザーとの差別化を図っている。彼らは証券取引所法に基づき、SECとNASDによって施行された「適合性」原則の対象であった。それとは対照的に、投資アドバイザーは、アドバイザーによってまちまちであり、その顧客およびその口座内の資産残高に応じて課され、通常は資産残高に100ベーシス・ポイント、または125

ベーシス・ポイントといった報酬率をかけて算出した報酬を徴求している。投資アドバイザーは、投資顧問業法に基づき、SECが実施するより厳格なフィデューシャリー・デューティに従うことになり、ブローカーや投資アドバイザーは、問題となる口座の種類によっては、法律がどのようなものを求めているかを理解しているようであり、法律は公平かつ効率的に機能している。

　こういった問題がないような状況は、1970年代から1980年代にかけて、確立されたブローカーのビジネスモデルが大きな変革を迫られ、崩壊することとなった。1975年の固定手数料の規制緩和により、ディスカウント・ブローカーが登場し、従来型のフル・サービスに対する手数料支払いを望まない顧客には、取引執行の安価な選択肢を提供することになったため、多くの従来型ブローカーの利益を圧迫することとなった。また、ファイナンシャル・プランニングの専門家が、アドバイスを希望する顧客に対して、証券投資だけでなく、遺言書の作成、保険の購入、住宅への投資、退職年金口座や大学入学用の貯蓄口座の開設など、金融分野における包括的なファイナンシャル・プランニング・サービスを行うようになったのである（Roper, 2011a）。図13.1で示されているように、証券ディーラーの収益性は1975年から低下が始まり、その後30年間低下をし続けている。

　ブローカー（証券業者）達は、収益性の圧迫にいくつかの方法で対応した。1980年代には、自身の顧客に対してファイナンシャル・プランニング・サービスを提供し始め、1990年代になると、多くのブローカーが公然とアドバイザーとして売り込み始めるようになり、ついには自らをファイナンシャル・コンサルタントやファイナンシャル・アドバイザーとさえ名乗るようになった（Roper, 2011a）。これらのブローカー（証券業者）は、特定の商品の販売や取引の実行、カストディ、取引記録管理、抵当権設定といった、従来型のブローカー・サービスとは対照的に、信頼のおけるアドバイスに基づいたサービスの提供を行うようになった。また、1990年代には、ディスカウント・ブローカーを競合に見据えて、フル・サービスを提供する証券会社と、取引の実行サービスのみを扱う証券会社の2大サービス体制が出現した（Gordon, 1999）。

　最終的には、多くのブローカーが手数料を徴求することから、資産

図13.1 1975年から2005年までのブローカー・ディーラーの利益率（％）

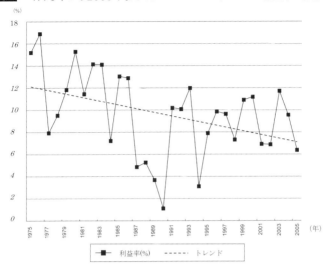

注：利益率は、当期純利益を売上高で除した収益性比率。
出所：SEC（1968～2006年）（表13.1参照）。

ベースの報酬に移行し始めた（White and Ramsey, 1999）。この動きは、Merrill Lynch & Co.社の当時の会長兼CEOであったダニエル・P・タリーが委員長を務める、タリー委員会の報告書への反応という側面があった。顧客口座から手数料を得るために行われる「過剰買替」の負の側面に対処すべく、任命を受けたタリー委員会は、証券会社は、その報酬の一部については、少なくとも取引の有無にかかわらず、顧客の口座に保有されている資産額に基づくべきであると結論づけた（Tully Report, 1995）。しかしながら、資産額に基づく報酬も、利益相反を引き起こす可能性がある。資産ベースの報酬を徴求する場合、証券会社は顧客にあまり注意を払わず、顧客は証券会社が費やした費用にかかわらず、手数料を支払わなければならない。また、証券会社は、生命保険などの金融商品を購入してもらうために、顧客が口座から資産を引き出すことを勧めないことがある。これは、口座の資産残高を引き下げ、証券会社の報酬を引き下げる結果につながるからである。しかし、「タリー・レ

ポート」の発表後、多くの証券会社が資産額に基づく報酬を徴求するようになったのは、資産額に基づく報酬が、解約リスクを軽減しただけでなく、一定の収益を確保したためである。

　証券取引といった従来型のサービスを提供するブローカーが、アドバイス戦略へと移行したことは、ブローカーが上述した投資顧問業法での法定除外に依拠していることへの疑問を投げかけている。もし、ブローカーがファイナンシャル・アドバイザーとして活動するとしたら、そのブローカーは、自分のアドバイスが依然としてブローカーに付随するものであると主張することができるだろうか？　このような懸念は、資産額ベースの報酬を徴求するブローカー達の間で高まっていった。以上のように、手数料以外の報酬を徴求することは、ブローカーが投資顧問業法の法定除外に依拠することを妨げる可能性がある。さらに、二段階の報酬体系の導入は、規制当局がより高い段階の報酬（2つの報酬の差額）の一部を投資アドバイスに帰属させることができるため、投資顧問業法適用のきっかけとなりうることだろう（SEC, 1999）。アドバイスに起因する報酬は、投資顧問業法においては「特別な報酬」とみなされ、法定除外の適用を妨げる可能性があるのである。

投資顧問業法規則202（a）（11）-1

　1990年代後半までに、ブローカーは、報酬の徴求方法を変更した結果、すでに証券取引所法に基づいて課されている規制に加えて、投資顧問業法の規制の対象になることを懸念するようになった。ブローカーは、追加的な規制を緩和させるようにするために、機能的規制の理念に基づいた政策論議を行った。もし彼らの活動が変わらなければ、特に規制当局自身がブローカーに対し、悪質な過剰売買の濫用に対処できるよう、まさにそのような手数料体系を受け入れるよう推奨した場合、単に投資家に代替案としての手数料体系を提供するという理由だけで、なぜ追加的な規制枠の対象となるのだろうかと反発した（Gottlieb, 2005）。SECは、原則としてこれに同意し、1999年には、ブローカーが手数料に依存しない報酬を徴求し、依然としてブローカーが投資顧問業法からの適用除外を利用できる規則を提案した（SEC, 1999）。

　提案された規則は、「特定の証券ディーラーは、投資アドバイザーで

はないものとみなす」（*Certain Broker-Dealers Deemed Not To Be Investment Adviser.*）と題され、投資アドバイスを行う証券ディーラーは、3つの条件が満たされている限り、ブローカーがどのように報酬を受け取ったかにかかわらず、アドバイザーの定義から除外されることとなった。第一に、このアドバイスは、ブローカレッジ・サービスにのみ付随するものであり、その条件は、上述の法的条件を再確認したものである。そして第二に、アドバイスは非裁量的なものであり、この条件に基づき、SEC委員会は、裁量的なアドバイス・サービスは、もはやブローカーにとって「単に付随的」とは考えられなくなった、と初めて言及した[2]。第三に、ブローカーは、その口座が証券会社の口座であることを顧客に開示しなければならない。この最後の条件は、投資アドバイスを受けているにもかかわらず、提供されるアドバイスがアドバイザーからではなく、ブローカーによって行われたものであり、その結果、投資顧問業法の法的保護下にはないことを、顧客に通達することを意図したものである（SEC, 1999）。

　SEC委員会は、この提案に関する1,700通を超えるコメント文書を受領した。予想されていたように、投資家保護を棄損し、アドバイザーよりもブローカーにマーケティング上の優位性を与え、法律に関して投資家に混乱を招くよう扇動し、機能的規制についての矛盾したメッセージを送っていることに対して、アドバイザーは激しく非難をしているのに対し、ブローカーは概してこの規則を支持している（Thompson, 2000）。アドバイザーは、ブローカーのサービスの性質が、投資顧問業法が最初に制定された1940年以降、急激に変化したこと、およびブローカー業務に付随するものではないアドバイスが、今やブローカーの事業活動の重要な要素であることを、SECは認識していなかったとして訴え出た（Thompson, 2000）。

　SECは数年間、この規則案に基づいた行動をしていなかったが、2004年、パーソナル・ファイナンシャル・プランニングの専門家の会員組織であるFPAは、1999年の提案に対する再審理を申し立てた。1ヵ月後、FPAがさらなる意見を提起したことを受け、SECはこの提案に関する意見調査期間を再開した（SEC, 2004）。2005年1月、SECは、この規則全体の再提案を行ったが、当初の規制からの変更はほとんどなかった

338

（SEC, 2005 a）。そして同年、SECはこの規制を最終的なものとして採択した（SEC, 2005 b）。

　SECがこの規則を採択した際、ブローカー業務の変容から生じる問題の一部を取り扱っていないことを認めた。困難な議論が提起されることを見越して、SEC委員会はそれを公表することを受け入れ、通常、アドバイザーに課されているフィデューシャリー・デューティが、投資アドバイスを行う証券ディーラーにも該当するべきかどうかという問題を含む、詳細な調査の実施を検討するよう同委員会のスタッフに指示したのであった（SEC, 2005 b）。この規則の可決後、FPAは再度、裁判所に再審理の申し立てを行ったところ、裁判所は、2つの請願を統合し、2007年3月に判決を下したのであった。

FPA 対 SEC

　訴訟の中でFPAは、SECが投資顧問業法規則202（a）（11）-1の採択において、法的権限を超えたと主張した（Financial Planning Ass'n v. SEC, 2007: 483）。この規則を採択するにあたり、SECは投資アドバイザーの定義に含まれる免除権限に依拠していた。これにより、SECは、法定定義の「意図しない他の者」を法定から除外することができるようになった。しかし、1940年、連邦議会が投資顧問業法において、その法定定義から除外されようと試みたブローカー集団を特定したことから、FPAはこの定義を拠りどころとするのは誤りであると主張したのである。すなわち、それはブローカーのアドバイスが、単にブローカー業務に付随するものであり、特別な報酬（すなわち、手数料以外の報酬）は受け取っていないとしたためであった。FPAは、SECが全く異なるカテゴリーのアドバイザーを同法規則から除外すべく、この例外条項を埋め込んだと主張している。この規定は、別の項で既に取り上げられている、連邦議会のアドバイザーの範疇を拡大することを意図したものではなかったのであった（Financial Planning Ass'n v. SEC, 2007: 487 y）。

　米国の行政法では、制定法の条項が政府機関の解釈を明確に排除する場合、裁判所はその解釈を拒否しなければならないとしている。しかし、条件があいまいな場合、裁判所は合理的である限り、政府機関の解釈に従わなければならない（Chevron v. NRDC, 1984: 842–4）。ワシントン

D.C.巡回区控訴裁判所は、この例外条項は明確であることから、SECの見解を否定するとしてFPAに合意したのである。ワシントンD.C.巡回区控訴裁判所は、SECが「特別な報酬」を徴求するブローカーを免除したいとするブローカーの範疇は、ブローカーを個人のカテゴリーとして扱っているため、「他の者」ではないと言及したのである。

さらに、同裁判所は、SECが提案する除外は、投資顧問業法の意図と一致しないと判断した。この法律の立法経緯では、同法律の範囲を超えての除外を支持しなかったのである（Financial Planning Ass'n v. SEC, 2007: 488–9）。議会上院の報告書によると、ブローカーは、アドバイスが単に自身の業務に付随するものであり、手数料のみを徴求している限り、アドバイザーの定義からは除外されると記載されている（S. Rep. 76-1775, 1940）。このようにして、SECの規則は、別形態の報酬を徴求したブローカーを除外することによって、法律や立法経緯と対立したのである（Financial Planning Ass'n v. SEC, 2007: 488）。そして、裁判所はFPAの申し立てを認め、SECの規則を撤回した（Financial Planning Ass'n v. SEC, 2007: 493）。

ガーランド判事は、『このような他人』や『この文章において意図する範囲内』といった文言に加え、免除権限の最終章に記載の『SEC委員会が規則によって定める可能性があるため』といった曖昧な表現に対し、強烈な反対意見を投じようとしていた。それは、この文言によって、SECが文章の意図を指定できるように仕向けた可能性があるからだとしている。ガーランド判事は、法律で既に制定されているもの以外でも、SECだけがアドバイザーを除外できるようになっているという点において、大いに反対しているのである（Financial Planning Ass'n v. SEC, 2007: 495）。

反対意見では、「このような他人」を除外する権限が、ブローカー以外の者（FPAの見解）を意味するのか、法律の対象となる特定のブローカー以外の者（SECの見解）を意味するのかは、本事案における真の曖昧さであることを指摘している。ガーランド判事が、例外条項における文言が曖昧であると判断したのと同じ理由で、SECの解釈は妥当であると判断した。「このような他人」という文言は、実際に除外されていない人々を、法定定義そのものに織り込んで解釈することに、なんら不合

理なことはない（Financial Planning Ass'n v. SEC, 2007:498）。その後、ガーランド判事は行政法に基づき、分析の第2段階、すなわち、政府機関の解釈が妥当かどうかを判断する段階に進み、それが妥当であると判断した（Financial Planning Ass'n v. SEC, 2007: 499–501）。

　また、FPAは、提案された規則に関する費用や便益を適切に分析しなかったとして、SECに異議を唱えた（FPA, 2007a）。FPAによれば、SECは便益の算出時に、規則上、投資アドバイザーに関係する規制を免れるブローカーの存在を考慮したものの、費用の算出の際には、規則上、投資顧問業法の恩恵を受けないとされる特定の投資家に対して、費用を課すということを考慮に入れていなかった。言い換えれば、提案された規則の利益が、投資顧問業法において求められる一定の開示作業を省略することで蓄えられる利益の場合、提案された規則への付随費用は、開示を受けていない投資家に課せられる損失となるに違いない。これに対し、SECは、投資家の混乱やこの規則に従う義務の相違などのコストも考慮に入れていると回答した（SEC, 2007）。しかし、FPAは、まだこの問題の究明が不十分だとし、その後の状況説明においても従前からの攻撃を繰り返した（FPA, 2007 b）。

　裁判所は、法的権限の根拠に基づいて判決を下し、SECの費用便益分析については触れなかったものの、2007年以降の新たな展開によって、費用便益分析の検討が注目されるようになり、費用の問題は、SECが再び規制の調和に向けて取り組むかどうかによって原因が究明されるだろう。後述するように、業界参入者と規制当局は、現在、主に追加的な規則制定の費用便益分析に焦点を当てている。

連邦議会の行動

　FPA訴訟の判決は、ブローカーやアドバイザーの規制をめぐる議論を決着させるには至らず、単に別の疑問を提起しただけにすぎなかった。現在、SECの規則は裁判所によって撤回されたため、弁護士やブローカーの顧客は、報酬ベースの証券会社口座の取り扱い方に困惑した。それは、もはや有効な適用除外対象ではなく、投資顧問業法の対象となっていた。もし報酬ベースの証券口座を投資顧問口座として扱う必要があれば、ブローカーは、当該口座に関して、投資顧問業法、および同法に

基づき制定されたSEC規則に従わなければならないことを意味している
のだろうか？　そうであれば、証券ディーラーのビジネスモデル、特に
顧客との自己取引を行う技量には、問題が生じることになるだろう。

　FPAの判決の翌年、RAND民事司法研究所は、不運な結果を招くこと
となった規則の採用に関して、SECがスポンサーとなった研究を発表し
た。RAND報告書が示した重要な事実とは、調査回答者およびフォー
カスグループの調査に参加した人々が、投資アドバイザーと証券ディー
ラーの違いを理解していなかったことである。投資家は、これらの金融
の専門家が名乗る肩書、所属する企業、提供するサービスがどの範疇に
属するものかについて混乱していたのである（RAND Report, 2008）。

　2009年、オバマ政権は金融規制改革に関する白書「金融規制改革、新
たな基盤：金融監督および規制の再構築」（A New Foundation:
Rebuilding Financial Supervision and Regulation）において、ブローカー
とアドバイザーの規制の問題を提起した。オバマ政権は、投資家の観点
からは、アドバイザーとブローカーは、たいていの場合、同一のサービ
スを提供するが、異なる法的枠組みの下で規制されている、と述べてい
る（Treasury, 2009）。RAND報告書に同調する形で、投資家はたいてい、
アドバイザーとブローカーの相違について混同していると財務省は述べ
た。また、ブローカーは顧客に対して、頻繁に投資アドバイスを行い、
顧客はブローカーとの信頼関係に依存していると指摘した。それにもか
かわらず、アドバイザーのフィデューシャリー・デューティは、ブロー
カーに課されておらず、その結果、2009年のオバマ政権の立場は、新
しい法律では、アドバイスを提供する証券ディーラーに、アドバイザー
と同等のフィデューシャリー・デューティを有するよう義務付けるべき
だというものであった。

　この問題に対するオバマ政権の取り組みは、10年前のSECのアプロー
チとは逆のものであった。1999年、SECは証券ディーラーに関する規則
を自由化し、投資顧問業法におけるブローカーの適用除外範囲を拡大し、
それによって、ブローカーは投資アドバイザーに課された規則に縛られ
ることなく、投資助言サービスを行う事が容易になった。これとは対照
的に、オバマ政権は、ブローカー規制の規則を厳しくして、アドバイス
を行うブローカーを投資アドバイザーのように扱うことを目指したので

ある。

　この精神に基づき、上院銀行委員会が作成した法案は、最終法案では見られなかった積極的な立場をとった。草案の文言は、投資顧問業法の証券ディーラーの適用除外規定を完全に打ち消したであろうというものだった（Senate Banking Committee, 2009:913）。このような取り組みの下、アドバイスを行うすべてのブローカーは、上記の自己取引の制限を含む、アドバイザーに課せられたすべての規制の対象となるだろう。証券ディーラーに課されるこのような制限は、ブローカーのビジネスモデルを危うくするだろうというものだった（Laby, 2010）。ブローカーは、自己の口座から顧客に有価証券を売却し、また、特定の証券のマーケット・メーカーとして、またはトレーディング利益を生み出そうとする市場参加者として、顧客から自己の口座のために有価証券を購入する。この売買活動に従事することは、証券取引所法におけるディーラーの定義そのものである（Exchange Act, 1934: 3［a］［5］）。

　自己取引問題の解決は、規制の調和を達成するための道筋をつける上での大きな困難のうちの1つである。一方では、アドバイスを行う証券ディーラーは、自身の顧客における最善の利益のために行動するよう要求されるべきである。他方、証券ディーラーにフィデューシャリー・デューティを課すことは、証券ディーラーの役割と矛盾するか、または完全には一致しない。証券ディーラーの利益は、彼らがフィデューシャリー・デューティを負っている、まさにその本人に損害を与えることで得られるのである。Poser and Fanto（2010）で説明されているように、証券ディーラーとして証券を自己取引で売却する際、その証券会社は、顧客口座でその会社にとって過度に有利な価格で証券を購入したいと考えるかもしれないし、マーケット・メーカーの役割を担う場合には、マーケット・メーカーが処分したいポジションを持っている証券を買うように、顧客に不当な圧力をかけたいと考えるかもしれない（Poser and Fanto, 2010）。おそらく本当の問題は、証券会社がブローカーとディーラーの両方の立場で行動することが許されていることにある。この役割が分担された場合、ブローカーにフィデューシャリー・デューティが課され、彼らは、買い手と売り手の代理人として行動し、アドバイスを与え、証券の売買を容易にすることだろう。しかしそうでない場合は、ア

ドバイスの提供は控えるものの、自身の口座で顧客と取引を行うことが出来るディーラーに、フィデューシャリー・デューティは課されない。

　ほとんど忘れられていたような証券規制の歴史をひもとくと、まさにこの取り組み、すなわち、ブローカーとディーラーの役割を分離することは、議論や論争の末に、大恐慌の悲惨な時代へと放棄されてしまったのであった。連邦議会で証券取引所法が審議された際の当初の法案には、ブローカーがディーラーとして行動することを禁止する規定が含まれていた（H.R. 7852, 1934）。当時の指導的な改革主唱者であり、上院銀行委員会のスタッフであったジョン・T・フリンは、雑誌「The New Republic」においてこの立場を擁護し、「主たる機能がフィデューシャリーである人間、つまり代理人である人間は、他者の代理人として市場取引に参入し、そこで自身のために取引を行うことは、許されるべきではないということは言うまでもない」と提唱した（Flyn, 1936）。しかし、この役割の分離への支持者は、業界の反対意見を覆すことができなかった。連邦議会は、ブローカーがディーラーの役割を担うことを禁止する条項を破棄し、この問題を検討するようSECに指示したのである（S. Rep. No. 73–1455, 1934）。しかしながら、ディーラーが、上手く持ち逃げができるような価格を徴求することは許されておらず、市場価格から大幅に乖離した価格を徴求することは、不合理であり違法行為とみなさたのであった（Duker and Duker, 1939）。

　顧客との自己取引を行うディーラーに対し、どのようにしてフィデューシャリー・デューティを適用すればよいかという難問は、その後約80年間にわたって、議会とSECを悩ませ続けている。1934年の連邦議会の行動と同様の立法措置として、2010年の連邦議会においても、証券ディーラーの排除を除外し、アドバイス・サービスを行う証券ディーラーにフィデューシャリー・デューティを課すという、ドッド・フランク法の条項草案が打ち出された。その代わり、1934年のときのように、連邦議会はSECに対し、ブローカー、ディーラー、投資アドバイザーがアドバイスを行う際の、現行の注意基準の有効性について調査をするよう求めたのである（Dodd-Frank, 2010:§913〔b〕）。

　調査を義務付けることに加えて、連邦議会はSECに対し、アドバイスを行うブローカーにフィデューシャリー・デューティを課すことを認め

たが、義務付けはしなかった。ドッド・フランク法の913条では、連邦議会は2つの規則制定条項を含んでいた。第913（f）条項では、アドバイスを行うブローカー、およびアドバイザーに課される法的基準に「対処」する規則の採用をSECに認めている。SECは、本条項の規則を採用するにあたり、必要な調査に対する結果、結論、提言を検討しなければならない。この規定は非常に一般的で、「対処」という用語は定義されておらず、ほぼ間違いなく現行の連邦証券取引法によって制限される用語であり、証券ディーラーに適用される注意基準を引き上げる権限を、SECに対して明示的に与えるものではない（Dodd-Frank, 2010）。

第913（g）条項に含まれるその他の規定は、より具体的である。第一に、その項の題名は、「ブローカーおよびディーラーに対するフィデューシャリー・デューティを確立する権限」である。第二に、その項では、リテール顧客の証券に対して、個人的な投資アドバイスを行うブローカーや投資アドバイザーの行動基準というものが顧客の最善の利益、すなわち、フィデューシャリー・デューティの基準であればSECが規定を導入できることを表明すべく、証券業法と投資顧問業法の双方を改正している。そしてその項（g）では、行動基準が採択された場合は、投資顧問業法第206条（1）および（2）に基づいて、現在アドバイザーに適用されている基準よりも「厳格」であるとしている。これは、第206条（1）及び（2）に基づいて適用される基準が、フィデューシャリー・デューティに関するものであることが広く認められていることを表している（Laby, 2010）[3]。

規制の調和に関するSECの調査研究

SECスタッフは、2011年1月にドッド・フランク法が求める調査結果を発表した[4]。この調査結果には、2つの主要な推奨事項が含まれていた。1つは統一されたフィデューシャリー・デューティの基準に関するものであり、もう1つは規制の調和に関するものであった。先ず、SECスタッフは、リテール顧客に証券に関する個々人の事情に合わせた投資アドバイスを行う際に、証券ディーラーおよび投資アドバイザーに対し、一律にフィデューシャリー・デューティの基準を適用するための新しい規則の採用検討を推奨する報告を、SEC委員会に対して行った。また、

　ドッド・フランク法913条に従い、SECスタッフは、フィデューシャリー・デューティの基準は、投資顧問業法第206条（1）項および（2）項に基づき、アドバイザーに現在適用されている基準よりも厳格であることを推奨したのである。SECスタッフによれば、証券ディーラー、および投資アドバイザーの行動基準は、証券ディーラー、またはアドバイザーの利益に関係なく、顧客の「最善の利益」のために行動すべきだとしたのである。

　SECスタッフは、SEC自身に対し、フィデューシャリー・デューティの基準の実行上の詳細内容を決めるという厄介な責任を負わせたのであった。例えば、SECは、証券ディーラーが自己取引を行う際に、どのようにしてフィデューシャリー・デューティを果たすべきかについて、最終的な責任をもって取り組まなければならないとしたのである（SEC Staff, 2011b）。しかし、このような実行上の詳細内容はこの問題の核心である。ほとんどのオブザーバーは、アドバイスを提供する証券ディーラーは、顧客に対するフィデューシャリー・デューティを負うべきだという点で意見が一致するだろう。しかし、その変更をどのように実施するかについては、あまり合意が得られていないのである。

　同様に、SECスタッフは、難しい問題である利益相反への対処方法を先送りにした。SECは規則で、競合を禁止したり、競合を緩和するよう企業に要求したり、開示や同意の義務を課すべきなのであろうか（SEC Staff, 2011b）？　連邦議会が本質的な問題に取り組むことを拒否し、SECに決定責任を負わせたように、SECは、調査に取り組むSECスタッフに責任を移し、SECスタッフは、SEC自身に責任を移した。評論家が「ホットポテト」[*2]という言葉を使って、ワシントンの政界における規制の調和がどのように取り組まれたかを説明したとしても不思議ではない（Green, 2011）。

　第2の推奨事項である規制の調和に関して、SECスタッフは、ブローカーとアドバイザーの規制が異なるいくつかの分野について、調和を実現する提案を行った。これらのテーマには、広告、弁護士の利用、監督、免許および登録、ならびに帳簿、および記録の維持管理が含まれていた。

規制の調和の将来

　ブローカーとアドバイザーの規制の調和の将来は、1999年にSECが報酬ベースのブローカー口座に対処するルールを初めて提案した際には見られない、ほとんど予期せぬ選択と妥協を促すことになるだろう。1990年代後半から規制環境は進化し、その後、2000年のインターネット・バブルの崩壊、2001年から2002年のEnron社、World-Com社の不祥事、2002年に成立したサーベンス・オクスリー法、2008年に明らかとなったバーナード・マドフ投資スキャンダル、2008年から2009年の金融危機、そして最近では2010年のドッド・フランク法の成立など、投資家は巨大な企業・経済事件を目の当たりにしてきた。そして、SECの構成も同様に変化してきた。1999年に委員長を務めたアーサー・レヴィットから、現在2009年のメアリー・シャピロに至るまで、SEC委員長は3人が歴任した。1999年当時の委員長は、現在はいない。したがって、規制当局が規制の調和に取り組む前後関係は、SECの規則が最初に提案された頃の前後関係とは大きく異なるのである。

　また、優先順位も異なっており、規制の調和がどのように解決されるかを理解するためには、論争に関係する新たな圧力について検討を行なわなければならない。その結果、今日の規制の調和をめぐる議論を理解するために不可欠な3つの展開について再検討する。これらの問題はいずれも、投資家や市場にとって最善の解決策を模索しようとする規制当局に重きを置いている。それら問題とは、（a）規制当局が新しい規則のコストを定量化し、頑健性の高い計量分析のニーズを満たすことができるかどうか、（b）複数の規制当局が協力して一貫した解決策を見出すことができるかどうか、（c）連邦議会は、FINRAや証券ディーラーのためのSROに類似した、投資アドバイザーのためのSROを承認すべきかどうか、である。

経済的な正当化

　ブローカーとアドバイザーの規制の調和の運命は、SECが費用と便益という点において、このイニシアティブを正当化できるかどうかによって決まるだろう。SECスタッフの研究に関する声明の中で、キャスリーン・L・ケイシー委員とトロイ・A・パレーズ委員は統一的なフィデュー

シャリー・デューティを課すことによる費用と便益の分析が不十分なことに基づいて、この結果を批判した（Casey and Paredes, 2011）。彼らは、この調査では、投資家が他の規制の枠組みではなく、ある規制の枠組みの下で損失があるかどうかが明らかにされなかったため、SECスタッフは、統一されたフィデューシャリー・デューティの基準が投資家の保護を強化すると結論づける根拠が欠けていたと説明した。Casey and Paredes（2011）はまた、ブローカーとアドバイザーを統括する規則を書き直す前に、分析的かつ実証的な基盤資料を必要としたのである。可能な限り、投資家のリターンの分析を行い、ブローカーとアドバイザーの銘柄選択を比較し、投資家の調査を行い、投資家が法的徴求権を提示する能力に関する証拠を検討し、2つの既存の枠組みにおける投資家のリターンを比較分析することを彼らは推奨したのである。ケイシー、パレーズ両委員による声明は、2011年1月の調査と同時に発表された。

2011年4月、経済分析の必要性に関する同両委員の見解は、「ビジネス・ラウンドテーブル訴訟（Business Roundtable v. SEC）」と題する連邦巡回区控訴裁判所の決定によって、事実の裏付けが行われ、その正当性が立証された（Business Roundtable v. SEC, 2011）。この裁判では、証券取引所法規則14a-11が覆され、上場企業に対して、取締役会の候補に指名された株主の投票力について、情報を有する株主を報告するよう義務付けるという、論争を呼び起こすような規則であった。この判決の根拠は、同法律で義務付けられている、効率性、競争、資本形成に対する規則の影響を、SECが十分に考慮しなかったことに落度があったとするものであった。SECがこの規則を採択した際、ケイシー、パレーズの両委員はこれに異議を唱え、実証的データに基づいて行動していなかったとして、SECを非難したのである（Casey, 2010; Paredes, 2010）。

「ビジネス・ラウンドテーブル訴訟」において、同裁判所は、SECに対する容赦ない批判をもって判決文を終わらせた。これに加えてSECは、新たな規則における経済的効果を評価することに「再度」失敗したとして、同じ裁判所が、同様の理由でSEC規則を無効とした過去数年間における他の2つの例を引用している。さらに、SECに対し「一貫性がなく、日和見主義的に」規則の費用と便益を構成し、SEC自身が矛盾し、コメント提出者から提起された問題に対応しなかったと非難したのであった

（Business Roundtable v. SEC, 2011: 7）。また、同裁判所はある点におい
て、ミューチュアルファンドの規定の行使に関するSECの議論は、
ミューチュアルファンドの規則を適用するための「言葉にし難い程の無
分別な言い訳」だとも述べたのである（Business Roundtable v. SEC,
2011: 21）。

　プロクシー・アクセス*3に関するケイシー、パレーズ両委員の声明は、
「ビジネス・ラウンドテーブル訴訟」に関する裁判所の決定と結びつい
ており、現在の規制の調和のイニシアティブが描かれつつある背景を示
したものとなっている。SECの規制の調和化調査に関する、両委員によ
る2011年1月の声明は、「ビジネス・ラウンドテーブル訴訟」の決定以前
のものであったが、決定が下されると、裁判所の調査に耐えうる新たな
SEC規則に必要な経済分析について、両委員の見解はいずれも権威を持
つものとなった。ある連邦議会議員が、「ビジネス・ラウンドテーブル
訴訟」とSECの規制の調和イニシアティブを結びつけるのに、時間はか
からなかった。連邦議会の公聴会では、ブローカーやディーラーに対す
る規制監督を審査する声明の中で、スコット・ギャレット下院議員金融
サービス小委員会委員長（資本市場、および政府支援企業に関する金融
サービス小委員会委員長）は、プロクシー・アクセス・ルールにおける
SECの権限喪失について言及した。そして、データに裏付けされた、統
一的なフィデューシャリー・デューティの基準が必要であるという理由
をSECが提示するまでは、規則制定を検討中とすべきではないと述べた
（Garrett, 2011）。

　SECは耳を傾けているようだったが、スコット・ギャレット下院議員
への書簡の中で、SECのシャピロ議長は、ブローカーとアドバイザーに
適用予定となる、新たな規則に関連する有効なデータと証拠を把握する
ために、SECスタッフが行った措置について説明した（Schapiro, 2012）。
シャピロ議長は、追加データの収集と実証分析の重要性を認めた。同氏
は、SECのスタッフのエコノミストは、個人向けのファイナンシャル・
アドバイス市場や規制の代替案に関するデータを取得すべく、情報提供
を求める公式の要請を準備していると記している。

　提案された規則における経済分析の必要性と、それに対する実行能力
をめぐる論争は、それ自体が政治化しつつあった。統一されたフィ

デューシャリー・デューティの支持者は、今後先へ進む前に、広範な経済的分析による正当化の要求に惑わされないよう、連邦議会議員に促した。2011年5月、統一されたフィデューシャリー基準を長年支持してきた米国消費者連盟は、下院の主要議員に対し、現状維持に余念のない少数の業界メンバーが、中間所得層の投資家に必要な保護を行うというプロセスから脱線させることがないよう要請した（Roper, 2011b）。しかし、これらの声明にもかかわらず、少なくとも、コストを正当化する優位性や、決定を下す際の関連データが有効でないなど、十分な経済分析や実証データが無ければ、最近の展開、特に「ビジネス・ラウンドテーブル訴訟」の判決に基づいて、SECが、ブローカーやアドバイザーの規制の調和において、規則を提案する可能性が低いということに疑いの余地はない。

退職年金プランアドバイザー

フィデューシャリー・デューティの基準の採択前に、さらなる頑健な実証データと経済分析を求める声に加えて、SEC規則に影響を与える可能性があるとみられるもう一つの動きは、米国労働省がERISAにおける「フィデューシャリー」という用語を再定義する動向である（EBSA, 2010）。ERISAでは、民間企業の事業主がスポンサーとなっている年金プラン制度に関して、金融サービスの専門家が、従業員給付制度や加入者、および受給者にアドバイスを行うことを規制しているという理由から、米国労働省はSECと重複する管轄権を有している。SECの規制の調和イニシアティブをめぐる議論は、米国労働省が退職年金口座に関するフィデューシャリー・デューティを同じように再定義しようとしていることをめぐる活発な議論と並行して進行していた。ドッド・フランク法913条の主な目的は、個別化された投資アドバイスの提供者に対する統一した基準を提示することであるため、別の機関である米国労働省が、SEC規制の対象となる多くの個人や企業を含めてERISAのフィデューシャリー・デューティの基準が適用される個人・会社の範疇を拡大することを提案したことは皮肉なことであった。

ERISAにおいて、現在の規則で定義されるフィデューシャリー・デューティは1975年に採用され、ERISAの適格プランにアドバイスを行

うサービス・プロバイダーが「フィデューシャリー」となる場合は、5
段階テストを実施するという規則を定めた。裁量権のないアドバイザー
における5段階テストには、以下の要素が含まれる；サービス・プロバ
イダーは（a）アドバイスを提供するものであり、（b）それは定期的に
行われ、（c）相互の合意に基づき、（d）プラン資産の投資決定における、
主たる根拠としてアドバイスを行い、（e）プランにおける特定のニーズ
に従って、個別に対応されるものである（DOL, 2012）。米国労働省の
提案は、現在のマーケットの状況に5段階のテストを適合させることを
意図している。

　提案された新しい定義に基づき、プラン資産におけるサービスの対価
として、それが直接的または間接的とに限らず、投資アドバイスを提供
し、4つの追加基準のいずれかを満たす場合は、通常、サービス・プロ
バイダーはフィデューシャリー・デューティを負うというものである
（EBSA, 2010）。この新しい規則では、「アドバイス」という用語は、年
金プランの受給者または加入者だけでなく、年金プランに対するアドバ
イスも対象とすることが明確にされた（EBSA, 2010）。提案が改正され
た結果、この定義は、IRAを保有する顧客にアドバイスを行う多くのブ
ローカー、およびアドバイザーに適用される可能性が高く、他の点にお
いても、現在の規則よりもより広範なものとなっている。これは、定期
的にアドバイスを提供することも、アドバイスがプランの投資決定の主
たる根拠となるという両当事者間の合意を得ることも要求しておらず、
この2つの基準は現在の定義をより狭いものにしていたのである
（EBSA, 2010）。

　業界関係者は、SECと米国労働省に続く相違点を懸念している。一つ
の懸念は実用性に関するものである。米国労働省におけるアドバイザー
の定義は、投資顧問業法の定義よりも広範で、投資顧問業法で対象とさ
れていない証券、およびその他の財産価値に関する評価、または公正な
意見を提供する者を含んでる（EBSA, 2010）。さらに、規制の調和を規
定するSEC規則は、自己取引、報酬、有標商品の販売といった、ERISA
の「フィデューシャリー」によって提供されるサービスにも影響を与え
る（Financial Services Roundtable, 2011）。

　もう一つの懸念事項は構造的なものである。SECと米国労働省はフィ

デューシャリー・デューティの規範に対し、それぞれ異なる視点からアプローチを行っている。SECは、利益相反への対応は、たいていは情報開示で十分であるとする一方、米国最高裁は、投資顧問業法が、アドバイザーによる利益相反を排除する「または少なくとも情報開示する」という連邦議会の認識を反映していると記してきた（SEC v. Capital Gains Research Bureau, Inc., 1963: 191）。対照的に、米国労働省はフィデューシャリー・デューティの定義を拡大し、特定の報酬的慣行を禁止すると思われる（Financial Services Roundtable, 2011）。当局間の合意がなければ、情報開示された場合、SECは、米国労働省によって禁止された行為を許可する可能性もある。このアプローチの違いは、両局間における合意、または調整の必要性を示していると異議を唱える者もいる（Financial Services Roundtable, 2011）。

　米国労働省が提案した規則への不満は、米国銀行協会、金融サービス円卓会議、投資信託協会といった主要業界団体を刺激することとなり、連邦議会議員らに対し、米国労働省がこの規則を再提出し、それを新たなSECのフィデューシャリー・デューティの基準と照らし合わせ、どのように実施するかを説明するよう求めた（American Bankers Association, 2011）[5]。この要請が出された直後、米国労働省は、この規則を撤回し再提案すると発表し、コメントレター、ヒアリング、個別ミーティングによって、かなりの情報を入手していたものの、追加的な見解からも多くを得る可能性があると述べた（EBSA, 2011）。米国労働省イニシアティブの支持者は、米国労働省がこのイニシアティブを衰えさせることなく、壮大な新ルールを提案、採択すると予測している（Toonkel and Barlyn, 2012）。

　広範に及ぶ米国労働省の規則に反対する人々は、SEC規則に関して提起された懸念と同様に、費用に関する検討事項を提起する。53名の連邦議会議員が、ソリス米国労働省長官に宛てた書簡では、この規則案を撤回したことに感謝し、「適格なサービス・プロバイダーと投資商品の選択肢を狭める可能性のある、犠牲の大きい新たな規制を回避する」よう求めていた（Biggert, 2011）。同様に、米国生命保険ファイナンシャル・アドバイザー協会の会長は、「米国労働省は、『何百万もの中間層における年金退職金貯蓄者に係る運用コストを引き上げ、アドバイスの利

用機会を減少させるような、予期せぬ結果を伴う過度に厳格なフィデューシャリー・デューティを課すことは、警戒すべきである』」と述べた（Miller, 2011）。米国労働省は、費用に関する検討事項に対処すべく、新たなフィデューシャリー・デューティの基準の影響を受ける企業に対してデータを要求した。しかし、業界団体は、機密保持の懸念から、特定のデータを提供することができず、またこれには費用を要し、要請される領域が広すぎると回答し、そのデータはいずれの場合にも有用ではないと彼らは述べた（Bleier et al., 2012）。米国消費者連盟のバーバ・ローパーは、業界の反対派はイデオロギー的であり事実に基づいていないと主張し、議論を白熱化させたのであった（Schoeff, 2012）。

　米国労働省のEBSAの副局長フィリス・ボルジは、労働者と退職者を保護すべく、法律は更新されるべきであり、新たなフィデューシャリー・デューティの基準は、401（k）プランのようなDCプランを対象としなければならないと述べている（Postal, 2012）。従って、米国労働省は、「フィデューシャリー」を再定義すべく、新たな規則を追求すると同時に、SECのイニシアティブを十分に認識しているように思われる。規制当局は、情報の共有と協力の重要性を十分認識しているものの、それぞれの規制当局が異なる立ち位置を取る場合、規制の対象となる企業は、一貫性のないガイドラインの間で間違いなく板挟みとなり、その場合はたいてい、救済や別の支援を求めて再び規制当局へと戻ってくることから、規制の対象企業と同様、規制当局者側もまた、苛立たしさを感じていることだろう。このようなことから、両機関の協力は、双方のイニシアティブの勢いを減速するかもしれないが、米国労働省やSECの規則が最終合意に達するまでは、両者の協力というものが、重要なテーマとなるであろう。

投資アドバイザー向けSRO

　SECと米国労働省に加えて、投資アドバイスの専門家の規制を担当するもう1つの組織は、証券ディーラー向けSROのFINRAであるが、FINRAは投資アドバイザーを規制していない。既に述べたように、1938年、マローニー法は証券取引所法を改正し、ブローカーのためのSROを認可したが、そのちょうど2年後に可決された投資顧問業法には、

アドバイザーのためのSROを承認する、同様の規定は含まれていなかった。アドバイスを行うブローカーにフィデューシャリー・デューティを課すかどうかという問題は、投資アドバイザーのためにSROを創設するかどうかをめぐる継続中の議論と密接に結びついている。SRO問題は、50年近くSECを悩ませてきた問題であったが、連邦議会は再びドッド・フランク法で問題を提起した。

1963年、SECの「証券市場に関する特別調査報告」は、アドバイザーのためのSROを勧告した（SEC, 1963）。この調査で、SROは「基準を策定し、倫理面でより高いレベルをもって業界を教育する」ことが可能であり、その点において「非常に望ましい」と結論付けた。この調査結果からの推奨事項は、ブローカー以外の登録アドバイザーを公式なSROに編成し、実質的な規則を採用し履行するか、あるいは、SECがアドバイザーの直接規制を強化すべきであると結論づけていた（SEC, 1963）。

1989年にSECは、アドバイザー人口の増加を受け、議会がSROの設立を規定することを再度提案した（Tittsworth, 2009）。2008年に財務省は、金融規制改革計画において、アドバイザーによる自己規制は投資家保護を強化し、SECによる監督よりも効率的であると述べ、アドバイザーは証券ディーラーと同様の自主規制スキームの対象とするよう勧告した（Treasury, 2008）。しかし、これらの勧告のいずれも、新たな法律の制定にはつながっておらず、規制方式は変更されていない。ブローカーは、主にNASD（現在はFINRA）およびSECによって規制、監督され、アドバイザーは、SECによってのみ規制されているのである[6]。

アドバイザーの数が増え続けていることから、SECが査察や検査といった、アドバイザー規制の任務を果たしているかどうかを疑問視する向きもある（Karmel, 2011）。SECに登録されているアドバイザーは約1万1,000人であるが、投資家の資産は上位1%の投資顧問会社に集中している（Tittsworth, 2009）[7]。SECの検査官に与えられている検査資源が比較的少ないことを考えると、こういった多数のアドバイザーが審査を受けることは、めったにないことを意味している。2011年にSECの審査を受けた登録者はわずか9%で、SECに登録されたアドバイザーが審査を受けるのは、平均して11年に1度なのである。このような状況は受け入れがたいとされ、ドッド・フランク法は、2011年1月に完了した調査に

おいて、アドバイザーのためのSROに対処するよう、SECに求めたのである[8]。

　調査報告著者は、調査資源の観点からこの問題に取り組み、次の3つの選択肢を提案した。(a) SECが登録アドバイザーの審査を行う際、SEC登録アドバイザーから使用料を徴求する権限を承認する、(b) 1つ以上のSROにSEC登録アドバイザーを審査させる権限を承認する、または、(c) 投資顧問業法の遵守について、FINRAに対し二重登録者を審査する権限を与えるというものである（SEC Staff, 2011a）。おそらく、いずれの選択肢にも立法化が必要であろう。第2の代替案と一致した形で、金融サービス委員会のスペンサー・バッカス下院委員長は、1つ以上のグループがアドバイザーのためのSROとして行動できる法案を作成した。

　アドバイザーのためのSROの設置については、大きな意見の相違がある。設置支持者は、審査と監督におけるさらなる資源、ブローカーとアドバイザーの規制の一貫性、ブローカーとアドバイザーを監督する2つの規制機関（FINRAとSEC）が存在することによる冗長性の排除、特に同一組織に設置されたブローカーとアドバイザーの管理監督、そして、FINRAとブローカー業界との間に敵対的関係が少ないことから、査察や調査といった慎重を要する任務を行うSROの能力について、疑問を指摘している（Ketchum, 2009; Karmel, 2011）。設置反対派は、官僚主義とコスト増加、業界の資金調達と影響力を背景とする利益相反、SROの透明性や説明責任、および監視のクオリティに関する疑問、ブローカレッジやアドバイザリー企業における歴史的な経緯の相違、指揮統制型のSROモデルとは異なる戦略を備えた、多種多様なアドバイザー・コミュニティの適合性の欠如などを指摘している（Tittsworth, 2009）。

　アドバイザーのためのSROがあるとすれば、FINRAはその業務をめぐって競合している。FINRAは、アドバイザーのための強力な監視プログラムを構築することが「独自の役割」だと主張している（Ketchum, 2009）。支持者は、88％のアドバイザーはFINRAがすでに監督している証券ディーラーと提携しているため、FINRAがSROとして機能することは効率的だと主張する一方、アドバイザー・コミュニティは、FINRA

自身が、そのSROであるべきであるという点に、強く反対している。最近の調査では、アドバイザーの80％が、FINRA型のSROよりも、SECによる規制を選好し、SECによる監督コストがFINRAによるものを上回った場合でも、この選好は依然として強かったと報告している（Boston Consulting Group, 2011）。投資アドバイザーは、FINRA自身の声明に基づき、FINRAは投資アドバイザーの実務やこれまでの文化を無視して、ブローカーを管理する規制構造を、投資アドバイザー界に単に適用させようとするリスクがあると主張している（Tittsworth, 2009）。

　コストが主要な懸念事項である場合、最良の解決策はSROではない可能性がある。SROに反対するグループが支援した最近の研究によれば、SROモデルのコスト（年間5億5,000万~6億1,000万ドル）は、強硬なSEC審査プログラムを賄うコスト（年間2億4,000万〜2億7,000万ドル）の2倍にもなると結論づけていた。新しく生まれた非FINRAのSROでは、年間6億1,000万〜6億7,000万ドルという、より高額な運営になるだろうという（Boston Consulting Group, 2011）。こういったコストがあるにもかかわらず、SRO問題の解決は、規制の調和の議論にとって重要である。特にSROがFINRAになる場合、長年NASDを通じて証券ディーラーを規制してきたが、アドバイザーを規制する経験はほとんどないか、全くないのである。

結論

　証券ディーラーや投資アドバイザーは、投資対象の株式、債券、ミューチュアルファンドについて、ほとんど知識がない投資家に、定期的にアドバイスや投資推奨を提供している。投資家は、これらの証券投資の専門家に何兆ドルもの資産を委託しており、その未来は、たいていの場合、顧客のニーズを満たす投資専門家の能力に依存している。ファイナンシャル・アドバイザーを重視しているにもかかわらず、大方の一般投資家は、我々の最善の利益のために行動する義務があるのか？、投資が適切かどうかを単に判断する義務があるのか？、自身の口座から証券を売っているのか？、市場の他のトレーダーの注文にペアリング*4しているのか？といった違いについて、ほとんど知らないのである。

　1930年代以降、ブローカーとアドバイザーは、報酬獲得の方法に

表13.1 ブローカー・ディーラーの財務情報（1969-2005）〔N〕

年		税引前利益（百万ドル）	総収入（百万ドル）	利益率（%）
2005	[A]	21,184.10	332,501.10	6.4
2004	[A]	23,188.90	242,929.60	9.5
2003	[A]	25,655.40	218,956.00	11.7
2002	[A]	15,262.00	221,811.00	6.9
2001	[A]	19,396.90	280,095.80	6.9
2000	[B]	39,103.30	349,493.30	11.2
1999	[B]	29,116.30	266,809.40	10.9
1998	[B]	17,184.20	234,964.40	7.3
1997	[B]	19,964.00	207,244.70	9.6
1996	[B]	16,978.50	172,411.50	9.8
1995	[C]	11,325.10	143,414.00	7.9
1994	[C]	3,492.20	112,758.10	3.1
1993	[C]	13,038.60	108,843.70	12.0
1992	[C]	9,116.60	90,584.00	10.1
1991	[D]	8,655.90	84,889.60	10.2
1990	[D]	790.10	71,356.20	1.1
1989	[D]	2,822.90	76,864.00	3.7
1988	[D]	3,477.30	66,100.40	5.3
1987	[E]	3,209.90	66,104.40	4.9
1986	[E]	8,301.20	64,423.80	12.9
1985	[E]	6,502.40	49,844.30	13.0
1984	[E]	2,856.60	39,607.10	7.2
1983	[F]	5,206.80	36,904.10	14.1
1982	[G]	4,073.00	28,801.00	14.1
1981	[H]	2,789.00	24,372.00	11.4
1980	[I]	3,053.00	19,984.00	15.3
1979	[J]	1,652.00	13,957.00	11.8
1978	[K]	1,072.00	11,273.00	9.5
1977	[L]	682.00	8,602.00	7.9
1976	[M]	1,505.00	8,915.00	16.9
1975	[M]	1,120.00	7,373.00	15.2

注：
[A]－[E] 1989年から2011年まで、SEC年次報告書の税引前利益と総収益は、過去数年間一貫して記録されていた。しかし、すべての年次報告書では、直近の年（場合によっては複数年）は暫定的な予測値であった。したがって、1984年から2005年までのデータはすべて、暫定的な予測値として記載されていない翌年のSEC年次報告書から得られたものである。
[E]－[M] 1975年から1984年の間、報告されたデータは暫定的な予測や改訂のため、該当年の年次報告書とは異なっていた。したがって、当データは、注記された年のデータを報告した最新のSEC年次報告書から得られたものである。
[N] 「1968年6月28日に開催されたSEC委員会は、証券取引法に基づき、規則17a-10を採択した。これは、取引所の会員、およびブローカー・ディーラーに対し、年次収益および費用報告書をSEC、または登録された自主規制機関に提出し、自主規制機関は、同委員会に報告書を送付することを義務付けている。この規則は1969年1月1日に発効し、最初の報告書は1970年に発行される予定で、1969年の暦年を対象とする。」（34 SEC Annual Report 14-15 [1968]）を参照。

出所：

［A］Selected SEC and Market Data: Fiscal 2006, Table 7: Unconsolidated Financial Information for Broker-Dealers, at 22（available at http://sec.gov/about/secstats2006.pdf)
［B］SEC Annual Report: 2001, Table 5: Unconsolidated Financial Information for BrokerDealers, at 159 (available at http://sec.gov/pdf/annrep01/ar01full.pdf)
［C］SEC Annual Report: 1997, Table 12: Unconsolidated Financial Information for BrokerDealers, at 192 (available at http://sec.gov/about/annual_report/1997.pdf)
［D］SEC Annual Report: 1993, Table 12: Unconsolidated Financial Information for BrokerDealers, at 134 (available at http://sec.gov/about/annual_report/1993.pdf)
［E］SEC Annual Report: 1989, Table 1: Unconsolidated Financial Information for BrokerDealers, at 121 (available at http://sec.gov/about/annual_report/1989.pdf)
［F］SEC Annual Report: 1988, Table 1: Unconsolidated Financial Information for BrokerDealers, at 131 (available at http://sec.gov/about/annual_report/1988.pdf)
［G］SEC Annual Report: 1987, Table 1: Unconsolidated Financial Information for BrokerDealers, at 104 (available at http://sec.gov/about/annual_report/1987.pdf)
［H］SEC Annual Report: 1986, Table 1: Unconsolidated Financial Information for BrokerDealers, at 107 (available at http://www.sec.gov/about/annual_report/1986.pdf)
［I］SEC Annual Report: 1985, Table 1: Unconsolidated Financial Information for BrokerDealers, at 92 (available at http://www.sec.gov/about/annual_report/1985.pdf)
［J］SEC Annual Report: 1984, Table 1: Unconsolidated Financial Information for BrokerDealers, at 84 (available at http://www.sec.gov/about/annual_report/1984.pdf)
［K］SEC Annual Report: 1983, Table 1: Unconsolidated Financial Information for BrokerDealers, at 72 (available at http://www.sec.gov/about/annual_report/1983.pdf)
［L］SEC Annual Report: 1982, Table 1: Unconsolidated Financial Information for BrokerDealers, at 74 (available at http://www.sec.gov/about/annual_report/1982.pdf)
［M］SEC Annual Report: 1981, Table 1: Financial Information for Broker-Dealers, at 98（available at http://www.sec.gov/about/annual_report/1981.pdf)

よって、互いに大きく差別化してきた。しかし、この相違は、ブローカーが資産に基づく報酬を徴求し始めるにつれて不明確になり、多くのブローカーは現在、アドバイザーとしての役割と責任について、さらなる混乱を招いている。その結果、規制当局は、ブローカーとアドバイザーの規制を調和させ、両方に統一され、標準化された監督を行うという提案に取り組んでいる。統一された基準が原則として良いアイデアであるということに反対する人はほとんどいないが、同時に、規制当局は、市場の流動性を妨げるような、新たな義務や責任の負担を強要することも避けなければならない。

　規制の調和をめぐる議論は、1990年代後半、SECが提案した規則の中で、最初にこの問題に取り組むようになって以来、進化を遂げてきた。SECのアプローチは、規制緩和の哲学から始まり、投資顧問業法におけるブローカーの排除を拡大することを提案したが、この最初の提案は裁判所によって取り消された。連邦議会は、ドッド・フランク法においてさらなる調査を要求し、その調査におけるSECの立場は、ブローカーに

358

高い義務を課すような、より規制的な見方に進化したようである。規制
の調和をめぐる議論は、他にも3つの展開によって変化した。提案され
た規則を作成する際、SECはこのイニシアティブを支援すべく、現在で
は、実証研究に基づく費用便益分析の要求の増加に対し、敏感に対応し
なければならなくなった。また、SECは、自局独自の新たなフィデュー
シャリー・デューティの基準を形成しようとする米国労働省との緊密な
協力が求められ、米国労働省の規則は、SECが規制する多くの企業に適
用される可能性が高い。最後に、SECは投資アドバイザーに対するSRO
の要請に留意しなければならない。FINRAや新しいSROは、ブロー
カーに対するFINRAと同様に、アドバイザーにとって第一の規制機関
となるからである。これら3つの動きは、今後の数か月、あるいは数年
の間、規制の調和をめぐる議論の内容と政治を形作ることになるだろう。
　著者はブライアン・バルツ、ダナ・M・ミュア、ジョン・ターナーか
ら有益なコメントを受けた。また、デイビッド・クラークとデイビッ
ト・フォークの優れた研究支援に感謝する。

▶第13章 章末注
1　一部の企業は、証券ディーラー、および投資アドバイザーとして二重に登録さ
れており、特定の個人は、証券ディーラーの証券外務員、および投資アドバイ
ザーの外務員として登録されているため、数字が重複している場合がある。
2　投資における裁量は、委任状の下で付与される権限と同様に、事前に顧客の承
認を得ることなく、顧客に代わって取引を行う法的権限を意味する（Cox et al.,
2009）。
3　第913条（g）（1）は、証券取引所法を改正し、証券ディーラーが投資顧問業法
第211条に基づき、アドバイザーに課される標準的な注意義務を遵守すべく規定
した規則の採択をSECが認めている。さらに、第913条（g）（2）は、投資顧問業
法第211条を改正し、証券ディーラー、およびアドバイザーに対する標準的な注
意義務が、顧客の「最善の利益」のために行動することを、SECに要求する権限
を与えている。また、第913条（g）（2）は、新しい行動基準は、投資顧問業法第
206条（1）、および（2）に基づき、アドバイザーに適用される基準よりも厳格で
あることを規定し、新しい規則を指示するよう、投資顧問業法第211条を改正す
る。
4　この法律は、SECが調査研究を行うことを求めていたが、2011年1月の調査研究
報告は、SEC自身ではなく、SECスタッフによって執筆されたものであり、本調
査には、SECが分析、所見、結論に関して見解を表明していないとする免責条項
が含まれている。
5　その他の署名者は、the Association for Advanced Life Underwriting、the Financial
Services Institute、the National Association for Fixed Annuities、the National
Association of Insurance and Financial Advisors、the Securities Industry and Financial

Markets Association、the Insured Retirement Instituteである。

6　州は、いくつかの点において、ブローカーとアドバイザーの両方を規制する権限を保持している。州の規制範囲は、本章の範囲を超えている。

7　2008年時点で、アドバイザーが運用する約40兆ドルの投資一任型資産の半分以上を占めるのは、アドバイザリー企業の1%未満であった（Tittsworth, 2009）。

8　ドッド・フランク法第914条に基づいて発行された本調査を、本法第913条に基づいて発行されたブローカーに対するフィデューシャリー・デューティの問題に関する調査と混同してはならない。

▶ **第13章 参考文献**

American Bankers Association, American Bankers Association, American Council of Life Insurers, Association for Advanced Life Underwriting, Financial Services Institute, Investment Company Institute, National Association for Fixed Annuities, National Association of Insurance and Financial Advisors, Securities Industry and Financial Markets Association, The Financial Services Roundtable, and The Insured Retirement Institute (2011). Letter from the American Bankers Association et al., to Phil Roe, Chairman of the Health, Labor, and Pensions Subcommittee. http://www.sifma.org/workarea/downloadasset.aspx?id=8589935364（翻訳時点で該当ページ無し）

Biggert, J., et al. (2011). Letter from 53 Representatives to Hilda Solis, Secretary, US Department of Labor. http://www.naifablog.com/2011/12/53-members-ofcongress.html（翻訳時点で該当ページ無し）

Bleier, L. J., B. Tate, and C. Weatherford (2012). Letter to Joseph S. Piacentini, Director, The Office of Policy Research, Employee Benefits Security Administration, US Department of Labor. http://www.sifma.org/issues/item.aspx? id=8589937616

Boston Consulting Group (BCG Study) (2011). *Investment Adviser Oversight, Economic Analysis of Options.* Bethesda, MD: Boston Consulting Group. http://www.aicpa.org/interestareas/personalfinancialplanning/newsandpublications/insideinformation/downloadabledocuments/bcg%20ia%20oversight%20economic%20analysis_final15dec2011.pdf（翻訳時点で該当ページ無し）

Business Roundtable v. SEC (2011). 647 F.3d 1144 (D.C. Cir.).

Casey, K. L. (2010). 'Statement at Open Meeting to Adopt Amendments Regarding Facilitating Shareholder Director Nominations' (Speech by SEC Commissioner). http://www.sec.gov/news/speech/2010/spch082510klc.htm

—— T. A. Paredes (2011). 'Statement Regarding Study on Investment Advisers and Broker-Dealers' (Statement by SEC Commissioners). http://www.sec.gov/news/speech/2011/spch012211klctap.htm（翻訳時点で該当ページ無し）

Chevron, U.S.A., Inc. v. Natural Resources Defense Council, Inc. (Chevron v. NRDC) (1984). 467 U.S. 837, 842–844.

Cox, J. D., R. W. Hillman, and D. C. Langevoort (2009). *Securities Regulation: Cases and Materials.* New York, NY: Aspen Publishers.

Department of Labor (DOL) (2012). Definition of 'Fiduciary,' 29 C.F.R. § 2510.3–21.

Department of Labor, Employee Benefits Security Administration (EBSA) (2010). Proposed Rule: Definition of the Term 'Fiduciary,' 75 Fed. Reg. 65,253, 65,277.

—— (2011). 'Press Release: US Labor Department's EBSA to Re-propose Rule on Definition of a Fiduciary,' Washington, DC: September 19. http://www.dol.gov/opa/media/press/ebsa/EBSA20111382.htm（翻訳時点で該当ページ無し）

Department of the Treasury (Treasury) (2008). *Blueprint for a Modernized Regulatory*

Structure. Washington, DC: Department of Treasury. http://www.treasury.gov/ press-center/press-releases/Documents/Blueprint.pdf

——（2009）. *Financial Regulatory Reform a New Foundation: Rebuilding Financial Supervision and Regulation*. Washington, DC: Department of Treasury. http://www.treasury.gov/initiatives/Documents/FinalReport_web.pdf（翻訳時点で該当ページ無し）

Dodd-Frank Wall Street Reform and Consumer Protection Act（Dodd-Frank）（2010）. 12 U.S.C. § 5301 et seq.

Donovan v. Bierwirth（1982）. 680 F.2d 263, 272 n.8（2d Cir.）.

Duker and Duker（1939）. Exchange Act Release No. 2350, 6 SEC 386, 389.

Employee Retirement Income Security Act of 1974（ERISA）（1974）. 29 U.S.C § 1001 et seq.

Financial Industry Regulatory Authority（FINRA）（2012）. Rule 2111. Suitability.

Financial Planning Association（FPA）（2007a）. Opening Brief for the Petitioner, *Financial Planning Ass'n v. SEC*, 482 F.3d 481（D.C. Cir. 2007）（Nos. 04-1242, 05–1145）.

——（2007b）. Reply Brief for the Petitioner, at 28. *Financial Planning Ass'n v. S.E.C.*, 482 F.3d 481（D.C. Cir. 2007）.（Nos. 04-1242, 05-1145.）

Financial Planning Ass'n v. SEC（2007）. 482 F.3d 481（D.C. Cir.）.

Financial Services Roundtable（2011）. *Ensuring Appropriate Regulatory Oversight of Broker-Dealers and Legislative Proposals to Improve Investment Adviser Oversight: Hearing Before the Capital Markets and Government Sponsored Enterprises Subcommittee of Committee on Financial Services*, 112th Congress（statement of the Financial Services Roundtable）.

Flynn, J. T.（1936）. 'Other People's Money,' *The New Republic*, January 8: 253.

Garrett, S.（2011）. 'Press Release: Garrett Chairs Hearing to Examine Oversight of Broker Dealers and Investment Advisors,' Washington, DC: September 13. http://garrett.house.gov/pressrelease/garrett-chairs-hearing-examine-oversight-broker-dealers-and-investment-advisors（翻訳時点で該当ページ無し）

Gordon, J. S.（1999）. 'Manager's Journal: Merrill Lynch Once Led Wall Street. Now It's Catching Up,' *Wall Street Journal*, June 14.

Gottlieb, P. S.（2005）. Letter from First Vice President and Assistant General Counsel, Private Client Counsel, Office of General Counsel, Merrill Lynch, Pierce, Fenner & Smith Inc., to Jonathan G. Katz, Secretary, Securities and Exchange Commission. http://www.sec.gov/rules/proposed/s72599/mlpfs020705.pdf

Green, J. J.（2011）. 'SEC's Blass at IAA: Fiduciary Standard Will Only Be Toughened,' *AdvisorOne*. March 11（quoting comments of attorney Michael Koffler）.

Hazen, T. L.（2009）. *The Law of Securities Regulation*. St. Paul, MN: Thomson Reuters. H. R. 4441（1990）. 101st Cong., 2d Sess. H. R. 7852（1934）. 73d Cong. § 10.

Hung, A., and J. Yoong（2013）. 'Asking for Help: Survey and Experimental Evidence on Financial Advice and Behavior Change,' in O. S. Mitchell and K. Smetters, eds., *The Market for Retirement Financial Advice*. Oxford, UK: Oxford University Press, pp. 182–212.

—— N. Clancy, J. Dominitz, E. Talley, C. Berrebi, and F. Suvankulov（RAND Report）（2008）. *Investor and Industry Perspectives on Investment Advisers and BrokerDealers*. Washington, DC: RAND Institute for Civil Justice. http://www.sec.gov/ news/press/2008/2008 1_randiabdreport.pdf

Investment Advisers Act（Advisers Act）（1940）. 15 U.S.C. § 80b-1 et seq.（1940）.

Karmel, R. S.（2011）. 'Should There Be an SRO for Investment Advisers?' *New York Law*

Journal, June 16: 3.

Ketchum, R. G. (2009). *Enhancing Investor Protection and the Regulation of the Securities Markets—Part II: Hearing Before the Committee on Banking, Housing, and Urban Affairs, United States Senate*, 111th Congress (statement of Chairman and Chief Executive Officer, Financial Industry Regulatory Authority).

Laby, A. B. (2010). 'Reforming the Regulation of Broker-Dealers and Investment Advisers,' *The Business Lawyer*, 65 (2): 395–440.

Maloney Act (1938). 15 U.S.C. § 78o-3.

Miller, R. (2011). '55 Members of Congress Tell DOL to Preserve Investors' Access to Financial Products and Services,' Blog post. December 5. http://www.naifablog. com/2011/12/53-members-of-congress.html（翻訳時点で該当ページ無し）

Paredes, T. A. (2010). 'Statement at Open Meeting to Adopt the Final Rule Regarding Facilitating Shareholder Director Nominations' (Speech by SEC Commissioner). http://www.sec.gov/news/speech/2010/spch082510tap.htm

Parrish, M. E. (1970). *Securities Regulation and the New Deal*. New Haven, CT: Yale University Press.

Poser, N. S., and J. A. Fanto (2010). *Broker Dealer Law and Regulation*. New York, NY: Aspen Publishers.

Postal, A. D. (2012). 'DOL Faces Bi-Partisan Pushback Against Proposed Fiduciary Standard,' National Underwriter Life & Health Magazine. March. http://www. lifehealthpro.com/2012/03/07/dol-faces-bi-partisan-pushback-against-proposed-fi （翻訳時点で該当ページ無し）

Roper, B. (2011a). *Ensuring Appropriate Regulatory Oversight of Broker-Dealers and Legislative Proposals to Improve Investment Adviser Oversight: Hearing Before the Capital Markets and Government Sponsored Enterprises Subcommittee of Committee on Financial Services*, 112th Congress (statement of Director of Investor Protection of the Consumer Federation of America).

Roper, B. (2011b). Letter from Barbara Roper, Director of Investor Protection of the Consumer Federation of America, to The Honorable Spencer Bachus, Chairman of the Financial Services Committee, et al. http://www.consumerfed.org/ pdfs/CFA-fiduciary-consequences-letter-5-9-2011.pdf（翻訳時点で該当ページ無し）

S. Rep. No. 73-1455 (1934). 29–30.

S. Rep. No. 76-1775 (1940). 22.

Schapiro, M. L. (2009). 'Statement on the Release of the Executive Summary of the Inspector General's Report Regarding the Bernard Madoff Fraud' (Statement by SEC Chairman). http://www.sec.gov/news/speech/2009/spch090209mls-2.htm

—— (2012). Letter from SEC Chairman, to Scott Garrett, Chairman of the House Capital Markets Subcommittee. http://www.mfdf.org/images/uploads/blog_ files/ Garrett_1-10-12.pdf（翻訳時点で該当ページ無し）

Schenker, D. (1940). Investment Trusts and Investment Companies: Hearings on S. 3580 Before the Subcomm. of the S. Comm. on Banking and Currency, 76th Cong. 322 (1940) (statement of Chief Counsel, Securities and Exchange Commission). http:// www.sechistorical.org/museum/papers/1940

Schoeff, M. (2012). 'Industry Stiffs DOL on Request for IRA Data in Fiduciary Analysis,' *InvestmentNews*. March 4.

Securities Exchange Act (Exchange Act) (1934). 15 U.S.C. § 78a et seq.

Securities and Exchange Commission (SEC) (1963). *Report of Special Study of Securities*

Markets, H.R. Doc. No. 88-95, Pt. 1. Washington, DC: SEC.

—— (1968). *34th Annual Report of the Securities and Exchange Commission.* Washington, DC: SEC. http://www.sec.gov/about/annual_report/1968.pdf

—— (1981). *47th Annual Report of the Securities and Exchange Commission.* Washington, DC: SEC. http://www.sec.gov/about/annual_report/1981.pdf

—— (1982). *48th Annual Report of the Securities and Exchange Commission.* Washington, DC: SEC. http://www.sec.gov/about/annual_report/1982.pdf

—— (1983). *49th Annual Report, U.S. Securities and Exchange Commission.* Washington, DC: SEC. http://www.sec.gov/about/annual_report/1983.pdf

—— (1984). *50th Annual Report, Securities and Exchange Commission, 1984.* Washington, DC: SEC. http://www.sec.gov/about/annual_report/1984.pdf

—— (1985). *51st Annual Report, U.S. Securities and Exchange Commission.* Washington, DC: SEC. http://www.sec.gov/about/annual_report/1985.pdf

—— (1986). *Fifty-Second Annual Report.* http://www.sec.gov/about/annual_report/ 1986. pdf

—— (1987). *Fifty-Third Annual Report.* Washington, DC: SEC. http://www.sec.gov/ about/annual_report/1987.pdf

—— (1988). *Fifty-Fourth Annual Report.* Washington, DC: SEC. http://www.sec.gov/ about/annual_report/1988.pdf

—— (1989). *Fifty-Fifth Annual Report.* Washington, DC: SEC. http://www.sec.gov/ about/annual_report/1989.pdf

—— (1993). *1993 Annual Report.* Washington, DC: SEC. http://sec.gov/about/ annual_report/1993.pdf

—— (1997). *1997 Annual Report.* Washington, DC: SEC. http://sec.gov/about/ annual_report/1997.pdf

—— (1999). Proposed Rule: Certain Broker-Dealers Deemed Not to Be Investment Advisers, Investment Advisers Act Release No. 1845. 64 Fed. Reg. 61,226.

—— (2001). *Annual Report.* Washington, DC: SEC. http://sec.gov/pdf/annrep01/ ar01full.pdf（翻訳時点で該当ページ無し）

—— (2004). Proposed Rule: Certain Broker-Dealers Deemed Not to Be Investment Advisers, Investment Advisers Act Release No. 2278. 69 Fed. Reg. 51,620.

—— (2005a). Proposed Rule: Certain Broker-Dealers Deemed Not to Be Investment Advisers, Investment Advisers Act Release No. 2340. 70 Fed. Reg. 2716.

—— (2005b). Final Rule: Certain Broker-Dealers Deemed Not to be Investment Advisers, Investment Advisers Act Release No. 2376. 70 Fed. Reg. 20,424.

—— (2006). *Selected SEC and Market Data, Fiscal 2006.* Washington, DC: SEC. http:// sec.gov/about/secstats2006.pdf

—— (2007). Brief for the Respondent. *Financial Planning Ass'n v. S.E.C.,* 482 F.3d 481 (D.C. Cir. 2007) (Nos. 04-1242, 05-1145).

Securities and Exchange Commission Staff (SEC Staff) (2011a). *Study on Enhancing Investment Adviser Examinations.* Washington, DC: SEC. http://www.sec.gov/ news/ studies/2011/914studyfinal.pdf（翻訳時点で該当ページ無し）

—— (2011b). *Study on Investment Advisers and Broker-Dealers.* Washington, DC: SEC. http://www.sec.gov/news/studies/2011/913studyfinal.pdf

SEC v. Capital Gains Research Bureau, Inc. (1963). 375 U.S. 180.

SEC v. Tambone (2008). 550 F.3d 106 (1st Cir.), affirmed in part and reversed in part, *SEC v. Tambone* (2010). 597 F.3d 436 (1st Cir.).

Seligman, J.（2003）. *The Transformation of Wall Street: A History of the Securities and Exchange Commission and Modern Corporate Finance.* New York, NY: Aspen Publishers.

Senate Committee on Banking, Housing and Urban Affairs（Senate Banking Committee）（2009）.

Restoring American Financial Stability Act: Chairman's Mark Text. http://banking.senate. gov/public/_files/111609FullBillTextofTheRestoringAmericanFinancialStabilityAct of2009.pdf（翻訳時点で該当ページ無し）

Thompson, D. R.（2000）. Letter from Duane Thompson, Director of Governmental Relations for the Financial Planning Association, to Jonathan G. Katz, Secretary of the Securities and Exchange Commission. http://www.sec.gov/rules/proposed/s72599/ thompso1.htm（翻訳時点で該当ページ無し）

Tittsworth, D. G.（2009）. *Enhancing Investor Protection and the Regulation of the Securities Markets—Part II: Hearing Before the Committee on Banking, Housing, and Urban Affairs, United States Senate*, 111th Congress（statement of Executive Director and Executive Vice President of the Investment Adviser Association）.

—（2011）. *Ensuring Appropriate Regulatory Oversight of Broker-Dealers and Legislative Proposals to Improve Investment Adviser Oversight: Hearing Before the Capital Markets and Government Sponsored Enterprises Subcommittee of Committee on Financial Services*, 112th Congress（statement of David G. Tittsworth, Executive Director and Executive Vice President of the Investment Adviser Association）.

Toonkel, J., and S. Barlyn（2012）. 'Exclusive: Debate over Labor Fiduciary Plan Likely to Drag,' *Reuters*. January 5. http://www.reuters.com/article/2012/01/ 05/us-fiduciary- plan-idUSTRE80428N20120105（翻訳時点で該当ページ無し）

Tully, D. P., T. E. O'Hara, W. E. Buffet, R. A. Mason, and S. L. Hayes III（Tully Report）（1995）. *Report of the Committee on Compensation Practices*. Washington, DC: Committee on Compensation Practices. http://www.sec.gov/news/studies/bkrcomp. txt

White, J., and D. Ramsey（1999）. 'A Belle Epoque for Wall Street?— Investing Will Benefit from Turn-of-the-Century Gains in Technology,' *Barrons*. October 18.

▶第13章 訳者注

＊1

ポンジー・スキームとは、先に出資してくれた人に、後で出資した人のお金を回すことで表面上は儲けが出ているように見せて、さらなる出資者を集める詐欺の一種のこと。この方法では無限に出資者を呼び込んでいかなければ、必ず破綻する。有名な詐欺師の名前を取ってPonzi Schemeと呼ばれるようになった。

＊2

ホットポテトとは、厄介な問題の例えのことである。

＊3

Proxy Access Rule：改正前のSEC規則 14a-8（j）（8）は、会社に対して、取締役候補者、または取締役候補者の提案もしくは選任手続に関する株主提案を会社の委任状勧誘書類に掲載しないことを認めている。

会社は、適用される州法および会社の諸規則において株主の提案する取締役候補者を会社の委任状勧誘書類に記載することが禁止されていない限り、株主はSEC規則 14a-11に従い、会社の委任状勧誘書額に取締役候補者の記載を、会社に求めることができる。また、会社の諸原則が会社の委任状勧誘書類に取締役続候補者の記載を認めていないときは、株主は、株主提案によりその規則の改正を求めることができる、

というものである。

つまり、ドッド・フランク法によってSEC規則に14a-11を設けて株主のProxy Access を認めるというものであった。以上は、佐藤勤（2011）「アメリカにおけるコーポ レート・ガバナンス改革: 委任状勧誘にかかる規制改革」『南山法学』34（3-4), 31- 86.による。

*4

ペアトレードはよく似た動きをする2つの銘柄の売りと買いを、ワンセットで行う 取引手法のこと。

第**14**章

ファイナンシャル・プランナーに対する規制：現行システムの評価と代替的手法[1]

ジェームス・ブロムバーグ、
アリシア P. キャックリー

　消費者らは、広範囲なサービスを求め、ファイナンシャル・プランナーと呼ばれる専門家にますます頼る傾向にある（Turner and Muir, 2013）。ファイナンシャル・プランニングに対する法的、あるいは固有の定義は存在しないものの、個人投資家が金融上の目標を設定し、達成するために用いる体系的なプロセスとして広く定義されている。一般的に、ファイナンシャル・プランニングには、顧客の家計状態や目標に沿ったファイナンシャル・プランの準備や、顧客に必要と思われる具体的事項の推奨といった様々なサービスが含まれる。多くの場合、ファイナンシャル・プランナーは、このような推奨事項を実施すべく、例えば、保険商品、有価証券、あるいは他の投資商品の提供、投資ポートフォリオにおける株式と債券の最適な投資比率の選択、保険商品の選定、さらには不動産や課税に関する対策の提供も行う。ファイナンシャル・プランニング組織の中には、ファイナンシャル・プランニング・サービスを提供する企業に適用される法律は一つもなく、このような状況が「規制の隙間」と称されていることを疑問視する団体もある（Financial Planning Coalition, 2009）。また、ファイナンシャル・プランナーが、販売によって利益を得る金融商品の推奨についても、利益相反を伴う可能性への懸念が存在する（GAO, 2010a）。加えて、ファイナンシャル・プランナーが用いる様々な肩書きや呼称によって、消費者が混乱させられていると考える者もいるのである（GAO, 2010a）。

　本章では、まずファイナンシャル・プランナーと彼らの活動に適用される米国連邦法、および州法と規制について概観する。次いで、ファイ

ナンシャル・プランナーに対する規制構造の網羅性と実効性を評価し、消費者保護に関わるいくつかの重要な課題、とりわけ、適用される注意義務や、ファイナンシャル・プランナーが用いる肩書きや呼称に関する消費者の理解について考察する。さらに、ファイナンシャル・プランナーへの規制に向けた4つの代替的手法の利点と問題点を説明し、締めくくることとする。

投資顧問業法の主な規制対象となるファイナンシャル・プランナー

「ファイナンシャル・プランナー」に対する特定、かつ直接的な規制というものが、正確な意味では連邦法や州法レベルで存在していないにもかかわらず、米国におけるファイナンシャル・プランナーの活動は、連邦法、州法による規制に加え、投資アドバイザー、すなわち、証券取引に関する投資アドバイスから報酬を得る個人や企業に課せられる、様々な規制によって制限されている。彼らが行うアドバイザリー・サービスでは、証券取引に関するアドバイスへの報酬を伴うのが一般的であることから、SECは、1940年投資顧問業法を拡大的に解釈し、これを多くのファイナンシャル・プランナーに適用すべく、行政指針を発表した。州レベルにおいては、ファイナンシャル・アドバイザーに対する投資顧問業法の適用には同様のアプローチが用いられ、結果として、ファイナンシャル・プランナーを投資アドバイザーとして登録、監督するのが一般的である。

　投資顧問業法に従い、SECと州の証券取引規制当局は、投資アドバイザーの監督責任を分担している。一般的には、1億ドル、若しくはそれ以上の顧客からの預かり資産の運用を行う投資アドバイザーをSECが監督し、また、運用資産がこれに満たない投資アドバイザーを州政府が監督している。SECが実施する投資アドバイザリー企業への指導には、顧客への情報開示に加え、証券取引法違反に関する取り調べや処分といった調査を通じて、連邦証券取引法の遵守状況の評価を行うことが含まれている。SECスタッフによれば、当局が行ったその調査には、投資アドバイザーによるファイナンシャル・プランニング・サービスを評価する具体的な手順が用いられたという（GAO, 2010a）。例えば、顧客のファイナンシャル・プランのサンプルを調査し、投資アドバイザーによる助

言や投資推奨というものが、顧客の目標、契約内容、情報開示内容と整合性があるかどうかを確認している。しかし、SECが直面する資源制約の問題により、このような調査の実施頻度は異なっている。GAO（2007）は、リスクが低いと評価された投資アドバイザリー企業の場合、仮に調査があるにしても、然るべき時期に定期的な調査を受ける可能性は低いため、問題となる慣行が発見されにくいケースがあると指摘している。近年のSECスタッフ報告書によれば、投資アドバイザリー業界の成長とSECの実行要員の減少によって、当局は「RIAへの効果的な調査を定期的に行うだけの十分な能力を、短期的にも長期的にも持ち合わせていない可能性がある」（SEC, 2011a: 3-4）と指摘している。

州当局による投資アドバイザリー企業の監督は、SECが行う対応と一般的には類似し、ファイナンシャル・プランニング・サービスを提供する企業の調査を行う上での具体的な手順が含まれている。通常、州当局は投資アドバイザリー企業だけでなく、投資アドバイスを行う個人、州政府、または連邦政府のRIAに所属する営業員の登録も行っている。

ブローカー・ディーラー規制、保険業法、マーケティング、開示規則の対象となるファイナンシャル・プランナー

ファイナンシャル・プランの策定といったアドバイス・サービスの提供に加え、ファイナンシャル・プランナーは、概して、個別の推奨事項の提案や、有価証券、保険商品、あるいはその他の投資商品の販売を通して、顧客のプラン実行を支援している。2010年10月のSECのデータによれば、ファイナンシャル・プランニング・サービスを提供する投資アドバイザーのうち、19％で証券取引サービスを提供し、27％で保険商品を提供しているという（GAO,2010b）。

ブローカー・ディーラー規制

株式、債券、およびミューチュアルファンドの売買といった、証券売買サービスを提供するファイナンシャル・プランナーは、連邦政府、および州政府レベルにおいて、ブローカー・ディーラー規制の対象となる。連邦政府レベルにおいては、SECが米国の証券ディーラーを監督し、SECの監督は、FINRAを含むSROによって補完されている。また、州

政府の証券取引規制当局では、証券会社を規制すべく、SEC、および FINRAとの連携を通じて業務を遂行している。証券ディーラーとして従事する営業員は、資格試験を含め、州政府が定める規制の対象となっている。SECとSROは、2009年に証券ディーラーの約半数に調査を実施しており、それらのデータの最新版は、容易に入手することが可能である。

保険代理業者

　ほとんどの場合、州当局は保険事業の規制監督において責任を負う。生命保険や年金保険といった金融商品を販売するファイナンシャル・プランナーは、このような商品を販売する資格免許を州当局から取得し、州当局の保険規制の対象となる。変額生命保険や変額年金のような、変額型の保険を販売するファイナンシャル・プランナーは、これらの商品が、証券と保険商品の両方の特徴を持つと判断されていることから、州当局の保険規制とブローカー・ディーラー規制双方の対象となる。しかし、保険業者の販売実務や行動に関する調査といった市場行動規制への効果は、互恵性や均質性の欠如によってその効力には限界があり、これが、全州政府における消費者保護の観点で、不均衡を招く恐れがあると GAO（2009）は指摘している。これはつまり、州当局が他の州の規制措置を受け入れる可能性はさまざまであり、全ての州政府が同一、または、実質的に類似する規制基準、あるいは規制手続を実行しているわけではないのである。

マーケティングと情報開示

　SECとFINRAは、投資アドバイザリー企業や証券ディーラーが、自社のファイナンシャル・プランニング・サービスを販売する際の営業戦略に適用される、営業活動におけるマーケティングや行為規範に関する規制を設けている。加えて、SECと州の証券取引規制当局は、投資アドバイザーが顧客に開示すべき情報についても規制を行っている。フォームADVとして知られる投資アドバイザー登録の申請書において、規制当局は投資アドバイザリー企業に対し、彼らの新規または見込客に、投資顧問料率、サービスの種類（ファイナンシャル・プランニング・サー

ビス等）、その他の関連する補足情報の提供を義務づけている。

現在の規制はファイナンシャル・プランニング・サービスの大部分に適用される

　米国において、ファイナンシャル・プランナーを監督する独立の規制機関が一つもないということにもかかわらず、ファイナンシャル・プランナーに対する規制は、彼らが関与する活動を概ね網羅する構造となっている。上記で解説し、図14.1で要約しているように、ファイナンシャル・プランナーの主たる活動は、投資アドバイザー、証券ディーラー、保険代理業者に関する法令によって、連邦、あるいは州政府レベルにおける規制の対象となる。2010年に行われたGAOのインタビューで、

図14.1 ファイナンシャル・プランナーに適用される主要な法規則の概要

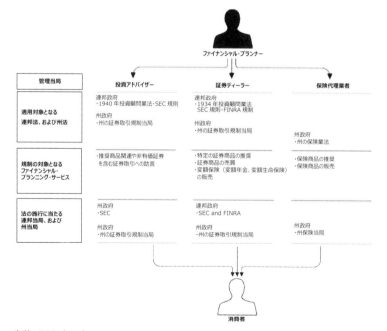

出所：GAO（2011）

SECスタッフ、FINRA、証券取引規制当局、金融業界の代表、消費者グループ、学術研究者、そして当分野における専門家らは、ファイナンシャル・プランナーに関する規制構造は、概して網羅的であるとの認識を表明している。これは、前出の通り、ファイナンシャル・プランナーの活動は、証券投資に関するアドバイスに従事するのが常であり、このような行為は投資顧問業法の対象となっているためである。投資アドバイスの提供や投資する証券を検討することなくして、ファイナンシャル・プランニング・サービスを行うのは困難であり、証券投資に関する様々な検討、例えば、ポートフォリオの構成に株式をどの程度組み入れるか、といった話し合いを行うには、投資アドバイザーとしての登録が必要となる。論理的には、ファイナンシャル・プランナーが、現在の規制制度に抵触しないサービス（家計の予算管理等）のみを提供することはあり得るが、そのようなことは実際には稀であり、そのようなビジネス・モデルが存続することはないであろう。さらに、ファイナンシャル・プランナーがこのような規制の範囲内でサービスを行う限りにおいては、CFPBが当該サービスを監督しうることとなるであろう[2]。

　ファイナンシャル・プランナーへの規制というものが、本来望まれる通り、包括的であるとする考え方には反論もある。The Financial Planning Coalition（2009）は、国民に対する広範なファイナンシャル・アドバイスの提供を規制する法律が一つも存在しないということが、規制の隙間を生じさせる原因だと強く主張している。この全国組織は、投資銘柄の選定や管理、所得税、大学向け学資貯蓄、住宅購入、退職資金、保険、遺産相続といった事案を含む、統合的なファイナンシャル・アドバイスは規制されていないと結論付けている。それところか、同組織は、ファイナンシャル・プランニングの助言に対する規制は、まるで寄せ集め状態だと意義を唱えており、2つの法体系、すなわち投資アドバイスの提供を規制する法律と、金融商品販売を規制する法律が併存することには問題があるとしている。さらに、特定の職種（弁護士、公認会計士、証券ブローカーや教員を含む）によって提供されるファイナンシャル・アドバイスは、提供者の他の業務活動から「偶発的に派生したもの」である場合、投資顧問業法の適用除外となるのである。SECスタッフの解釈によれば、この適用除外措置は、ファイナンシャル・プランニング・

サービスの提供を公にしている個人には適用されず、稀に、独立した非定期的なサービスの提供を行う個人のみがその対象となっている。また、銀行、および銀行員も投資顧問業法の適用を受けず、これとは異なる銀行業規制の対象となっている。

　ファイナンシャル・プランナーに対する規制構造が多くの人々に網羅的と見なされる一方、現在の法規制の施行については様々であった。前出の通り、SEC監督下の投資アドバイザーに対する調査が頻繁に行われることはなく、保険業者に対する市場規範規制には一貫性がない。業界の代表者の中には、ファイナンシャル・プランナーへの追加的な規制に対する次善の代替策は、特に詐欺や不公正取引に関する現在の法規制を、より一層強化することであるといった意見も存在している（GAO, 2010a）。

図14.2 ファイナンシャル・プランナーに要求される注意義務の相違

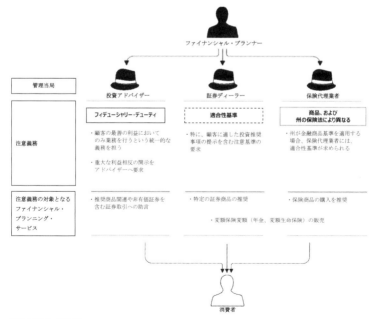

出所：GAO（2011）

ファイナンシャル・プランナーによる金融商品の販売に絡む 利益相反の可能性を消費者は理解しているか？

　図14.2に示す通り、ファイナンシャル・プランナーは、投資アドバイザー、証券ディーラー、保険代理業者としての能力に応じて、それぞれの注意義務基準の対象となる。以下でこれらについて順に解説する。

注意義務についてのフィデューシャリー・デューティ

　投資アドバイザーは、注意義務におけるフィデューシャリー・デューティの対象となる。すなわち、彼らは顧客の最善の利益のために行動し、顧客に適した投資を推奨し、重大な利益相反については顧客に開示しなければならない。投資アドバイザーが証券投資と組み合わせて、保険商品のような証券以外の金融商品に関する助言や推奨を行う場合であっても、このようなフィデューシャリー・デューティは適用されるのである。

証券投資商品を推奨する場合の適合性基準と注意義務

　FINRAの規制では、証券ディーラーが投資推奨を行う場合に適合性基準に従うことを義務付けている。このため、証券ディーラーは、顧客に適していると合理的に判断できる投資証券のみを推奨しなくてはならない。フィデューシャリー・デューティとは異なり、適合性基準は、顧客に対する最善の利益の提供を必ずしも義務づけるものではない。利益相反を引き起こす可能性のある証券ディーラーの営業活動や業務関係において、前もって一般的な開示を行う必要はない。但し、証券ディーラーは、FINRAの様々な規制対象となっており、たとえ、これらの規制が利益相反に関するあらゆる可能性を網羅していなくとも、また、矛盾したアドバイスがすでに行われた後であっても、特定の状況に関する利益相反の開示が求められるのである。

保険商品を推奨する場合の適合性基準と注意義務

　保険商品の販売と推奨に関わる注意義務は、金融商品や州によって異なっている。例えば、NAICの年金型保険の取引における適合性基準の規制モデル（NAIC, 2010）は、採用する州とそうでない州が併存するが、当該保険に対する需要と顧客の経済的な目的に関して検討を行うこ

とを義務づけている。生命保険に対する同様の規制モデル（NAIC, 2005）には、本来、適合性基準は含まれていない。

　利益相反は、金融取引業者が、顧客に販売した商品から手数料を得る際に発生する可能性がある。投資アドバイザーに適用されるフィデューシャリー・デューティの下では、ファイナンシャル・プランナーは利益相反の可能性を軽減し、また、それに関するいかなる可能性をも開示する義務がある。しかし、証券ディーラーに適用される適合性基準の下では、利益相反が存在しうるとしても、概して事前の開示は必要とされない。例えば、証券ディーラーとして活動するファイナンシャル・プランナーは、販売商品が顧客に適切であり、かつ証券ディーラーとして他の条件も満たす限りにおいて、他の商品に比べてより高い手数料を得られる商品を推奨することができるのである。ファイナンシャル・プランニング・サービスを提供する同一の個人や企業は、顧客に様々なサービスを提供できる。それは時に「帽子の交換」問題（第1章参照）と呼ばれる。このようなサービスは、別の注意義務基準の対象ともなり得るのである。これは、特定の取引中に、金融取引業者に適用される注意義務基準がどの基準の対象となるかについて、消費者がそれを十分に理解していないのではないかという懸念を引き起こしている。

　ファイナンシャル・プランニング・サービスを提供する金融取引業者は、顧客に対して、彼らの営業員が担う異なった役割や注意義務基準に関する十分な情報提供を行っていると主張している。さらに、同一の顧客に対する助言と取引サービスの双方を提供する場合は、それぞれのサービス、すなわち、ファイナンシャル・プランニング、証券取引、あるいは保険商品の販売といったものは、各々個別の契約や合意を伴うものとしている。これらの中には、営業員は自身の役割に応じて、それぞれの顧客に見合った任務を全うするということが開示されている。そして、ファイナンシャル・プランが提出されると、顧客に対して当該企業とのファイナンシャル・プランニングに関する業務関係は終了したと記載される契約書への署名を求める企業もあるのである。加えて、SECとFINRAは、消費者が投資アドバイザーの整合性を評価できるよう、金融取引業者の利益相反、その企業への報酬、業務状況、および懲戒などに関する情報開示を義務付けている。

　それにもかかわらず、SEC（2011b）は、多くの投資家は、注意義務基準は分かりにくく、投資アドバイザーと証券ディーラーの相違や、彼らに適用される注意義務基準について理解できていないとしている。同様に、FPAは、アドバイザーがフィデューシャリー（受託者）として活動する場合と、そうでない場合の違いを個人投資家が識別することの困難さを指摘している。消費者は、適合性基準についての注意義務とフィデューシャリー（受託者）としての注意義務基準との区別ができておらず、金融業務に携わる関係者が、自己の利益よりも顧客の利益を優先させるべきなのは、どのような場合なのかについても理解していないということについて、他の研究者も同様の認識をもっている（Hung et al., 2008, Infogroup, 2010, Hung and Yoong, 2013）。SECスタッフ報告書（2011b）では、統一的なフィデューシャリー・デューティとしての注意義務基準の適用を推奨し、証券会社、証券ディーラー、投資アドバイザーの全てが、証券投資に関わる投資アドバイスを個人投資家に提供する場合は、自己の経済的、あるいはそれ以外の利害関係の有無にかかわらず、顧客の最善の利益のために行動することを義務づけるべきだと主張している。

　消費者における注意義務基準への混乱は、ある保険商品販売に関する懸念に端を発していると思われる。2010年全米投資家調査によれば、60％の投資家が、保険販売業者は顧客に対するフィデューシャリー・デューティを負うという誤った認識をしていると報告している（Infogroup, 2010）。年金型保険のような保険商品は、複雑で理解が難しく、長年にわたり、年金型保険の販売業務には消費者からの苦情が寄せられ、州の証券取引規制当局のみならず、SEC、およびFINRAによる様々な規制の対象にもなっていた（CRS, 2010）。保険外交員は、その年金商品が顧客に適している場合のみ販売を行うものと定める州がある一方、そのような規制を設けない州も存在する。消費者団体とその関係者らは、変額年金を含む特定の保険商品の販売を行った際の高額な販売手数料は、保険外交員に相当額のインセンティブ報酬を与えるものの、それらは、消費者の最善の利益に適っている場合もあれば、そうでない場合もあると指摘している。

消費者を混乱させるファイナンシャル・プランナーの肩書きや呼称

　ファイナンシャル・プランニング・サービスを提供する個人は、公の場で自身を売り込む際に様々な肩書きを用いており、ファイナンシャル・プランナー、ファイナンシャル・コンサルタント、ファイナンシャル・アドバイザーなどはそのごく一部である。FINRAによれば、このような職業上の呼称は100以上確認されており、そのうちの5つについては、「ファイナンシャル・プランナー」という文言が用いられ、また、そのうちの24については、「ファイナンシャル・コンサルタント」、あるいは「ファイナンシャル・カウンセラー」といった類似する文言が含まれるとしている。ファイナンシャル・プランナーに関する膨大な呼称が存在することで、消費者にはその識別は困難であり、また、経験豊富な投資家でさえも、証券ディーラー、ファイナンシャル・プランナー、ファイナンシャル・アドバイザーといった呼称を含む、投資アドバイザーが用いる肩書きに惑わされているという（Hung et al., 2008:, Hung and Yoong 2013）。SECが主催する消費者フォーカス・グループの会合においても、参加者のほとんどが、証券ディーラー、投資アドバイザー、そしてファイナンシャル・プランナーを含む、これらの肩書きの相違についてよく理解できなかったという（Siegel & Gale LLC and Gelb Consulting Group, 2005）。さらに、金融取引業者の中には、実際は商品販売のみを行う場合であっても、ファイナンシャル・プランニング・サービスの提供をそれとなく伝えるために、マーケティングツールとして様々な肩書きを利用しているという懸念が長年にわたって存在しているのである。The Financial Coalition（2009）によれば、最低研修期間、あるいは倫理要件を満たさないままに、ファイナンシャル・プランナーを名乗っていた事例もあったという。

　一般的に、ファイナンシャル・プランナーにおける職業上の呼称は、職業団体、あるいは業界団体により与えられるもので、これらは、認定ファイナンシャル・プランナー、チャータード・ファイナンシャル・コンサルタント、あるいは個人金融スペシャリストといったもので、ファイナンシャル・プランナーが資格試験に合格し、特定の教育上の要件を満たし、さらには関連する職務経験を有していることを示すものである[*1]。また、これらの資格の中には、集中研修や試験に合格することを

要件とし、違反した場合には、その職業資格を剝奪するという権限を伴った、倫理規範への遵守義務が含まれている場合がある（Turner and Muir, 2013）。州の証券取引規制当局は、特定の呼称については、投資アドバイザリー企業の営業員として登録上の要件を満たすか、あるいはそれを超越して満たすものと認識し、これらの職業上の呼称については、将来の投資アドバイザー営業員として、必要な適性要件を満たすものであるとして認めている。とはいえ、金融取引業者に職務上の呼称を与える場合、団体によって用いられる基準が大きく異なるのも事実である。非公式に与えられる呼称には、厳格な基本適正基準、実務、倫理規範、そして実行力を伴うものから、ほとんど努力することもなく、継続的な評価も行われないまま獲得できるものまで存在する。金融取引業者が、高齢の投資家に対する特別な専門知識を有していると不当にほのめかし、「高齢者特定資格」という呼称を使って高齢者を営業の標的にしているということから、州の規制当局は最近この点を特に警戒し（SEC et al., 2007）、現在では「高齢者特定資格」の使用を制限する州もある。

　SECにおけるRIAは、宣伝広告に係るSECの規制に従う義務があり、虚偽、あるいは誤解を招くような広告宣伝を用いた情報の提供を禁止している。このような規制は、投資アドバイザーが行うファイナンシャル・プランニング・サービスの訴求活動にも適用される。一般顧客とのコミュニケーション基準に関するFINRAの規制も同様に、証券ディーラーによる虚偽、誇張、不義、または誤解を招くような記述や主張を禁じており、また、証券ディーラーによる宣伝行為は、追加的な承認、公的文書の提出、記録保持の義務、および手続きの見直しの対象となる。加えて、多くの州当局は、「ファイナンシャル・プランナー」という肩書きの使用に関する規制を設けており、州の証券取引規制法、および保険営業法ではこのような肩書きや、それに関連する呼称の不正使用においても、規則の対象としている。また、州規制当局の多くは、保険代理業者が、年金保険、あるいは生命保険の販売において、実際、その業務に誠心誠意従事していたとしても、自身をファイナンシャル・プランナーと称することがないよう、不正取引防止法を適用することができる。しかし、保険販売市場での規制の効力は州により異なり、GAO（2010c）は、生命保険の売買に関する州の規制には矛盾があり、ファイ

ナンシャル・プランナーが関わるハイリスクな取引の危険性を内包していることを指摘している。

ファイナンシャル・プランナー規制への代替的手法を推奨する
利害関係者の動き

　ここ数年の間、消費者団体、FINRA、ファイナンシャル・プランナーや証券会社、保険会社を代表する業界団体といった多くの利害関係者が、ファイナンシャル・プランナーの規制に対する異なったアプローチを提案してきた。その中において以下は、最も際立つ4つの手法であり、潜在的な長所と短所を伴ったものでもある。

ファイナンシャル・プランナー監督委員会の創設

　2009年、The Financial Planning Coalitionは、ファイナンシャル・プランナー資格認定委員会（CFP Board）、FPA、米国個人金融資産運用アドバイザー協会（NAPFA）から成る連立団体で、アメリカ連邦議会に対し、ファイナンシャル・プランナーに対する専門的な基準設定の監督委員会を設置するよう提案した（Financial Planning Coalition,2009[*2]）。同団体は、SECがファイナンシャル・プランナー監視委員会となるのを承認することで、ファイナンシャル・プランナーに関する連邦規制の成立を求める法案を提出した。このことは、ファイナンシャル・プランニングを行う企業でなくても、職業倫理規範を確立し、ファイナンシャル・プランナー個人の活動を監視することとなるだろう。つまり、このような監視委員会は、教育、試験、および社会人教育の分野において、基本となる行動特性基準を確立する権限を有し、不正な行為や取引を防止すべく、倫理規範を設けることが求められるということである。さらに、この監視委員会には、ファイナンシャル・プランナーの登録やライセンスの付与、そして調査や懲戒処分の権限も有することとなるという。The Financial Planning Coalitionは、このアプローチにおける潜在的な強みは、ファイナンシャル・プランニングというものを、明確にプロの専門職として扱い、投資、税務、教育、退職計画、遺産相続、保険、家計予算の策定といった、ファイナンシャル・プランナーのあらゆる活動領域を監督規制できる点にあると強く主張している。ファイナンシャル・

プランニング監視委員会は、行動特性、専門的な営業活動、そして行動
規範における共通の基準を設けることによって、すべてのファイナン
シャル・プランナーが、高い規範や一貫性のある規則を確固たるものと
なるよう支援を行うことだろう。
　しかしながら、多くの証券取引規制当局と金融サービスの業界団体は、
この手の監視委員会は、ある意味、実際のところは、現在の州規制や連
邦規制と重複しており、それらはすでに、ファイナンシャル・プラン
ナーが提供するあらゆる金融商品を網羅しているのも同然であると考え
ている（GAO, 2010a）。また、同監視委員会は、政府と規制対象者に対
して不要な追加的な負担をもたらすのだというのである。さらに、この
アプローチに対する反対者は、「ファイナンシャル・プランニング」が
独自の規制構造を必要とするような、明確なプロの専門職として捉えら
れるべきかという疑問を呈し、ファイナンシャル・プランニングが明瞭
な定義に馴染まず、会計、保険、投資アドバイス、あるいは法律といっ
た複数の職業領域に拡大し得ることを指摘している。

SROによる投資アドバイザーへの監視強化

　SECが行っている投資アドバイザー監督を、FINRA、あるいは新た
に設立されたSROにおいてその補完的役割を果たしてもらうべく、何
年もの年月を経ていくつかの提案が検討されてきた。これらの提案は、
すべてのRIAがSROへの所属を義務付けられた1963年にまで遡る。1986
年、FINRAの前身であるNASDは、投資アドバイザーとしても登録され
ている企業会員らに対して、投資アドバイス活動に関する調査の実現性
について模索していた。1993年、米国下院は、投資アドバイザーに対
して「監督調査業務のみ」を行うSROの設立を承認するよう投資顧問業
法の修正法案を可決したが、結局、この法案は成立しなかった。2011
年、SEC（2011b）はスタッフ報告書において、下院議会は、投資アド
バイザーの調査に係るSECの実行要員不足を解消すべく、新たな手法の
検討を推奨するとした内容を公表した。これらの手法の中には、一つあ
るいは複数のSROが、SECにおけるRIAの調査を行うことや、FINRAに
対して、投資顧問業法を遵守すべく、証券ディーラーとして二重登録を
している投資アドバイザリー企業の調査を行う権限を付与するという内

容も含まれている。

　FINRAによれば、SROと共に投資アドバイザーの監視を強化する基本的な利点は、州政府やSECの人的資源が限られているという状況下において、そのようにすることで、より頻繁に調査を行うことができるようになるということである。独立系証券ディーラーと独立系ファイナンシャル・アドバイザーの支援団体であるFinancial Services Instituteは、業界からの資金援助に支えられ、すべての投資アドバイザーに対する適正な監督や調査を遂行しうるSROであれば、証券ディーラーと投資アドバイザーにおける「規制の隙間」を縮小させることができるだろうと述べている（GAO, 2010a）。それでも、州証券規制当局の中には、投資アドバイザーの規制は政府的機能であり、政府規制当局が有する客観性、独立性、専門性、そして政府規制当局者としての経験に乏しい民間の第三者機関に委託するべきではないとの信念から、SROの関与に反対する者も存在する。また、SROは、一般投資家が情報を入手できる公開記録法の対象ではないことから、政府当局者よりも透明性が低くなる。さらに、SROに資金提供を行い、その規制を遵守することは、企業に追加的なコスト負担を課す可能性があるのである。

最善なるフィデューシャリー・デューティに関する対象範囲の拡大

　これまで述べた通り、SECはすべての証券ディーラーと投資アドバイザーに対し、フィデューシャリー・デューティにおける注意義務の範囲を拡大することを推奨してきた（SEC, 2011b）。消費者団体、ファイナンシャル・プランニング業界団体、そして州政府規制当局からなるフィデューシャリー・デューティにおける注意義務の範囲の拡大適用を支持するこれらのグループは、消費者は、金融取引業者が顧客の最善の利益のために行動することを期待すべきであるとの主張を崩していない（GAO, 2011a）。フィデューシャリー・デューティは、その提供商品が顧客にとっての最善の利益となることではなく、ただ単に顧客に適していることを義務づける適合性基準よりも、消費者の最善の利益を守るものであるとされ、さらに、フィデューシャリー・デューティにおける注意義務の範囲の拡大適用によって、（投資アドバイスの提供といった）ある一定の許容範囲はフィデューシャリー・デューティの対象となるも

のの、（投資商品の販売のような）それ以外の場合は適用を除外される、といったことから生じる消費者の困惑をいくらか減らすことができるであろう。

とは言え、保険業界や証券ディーラー業界は、いまだにフィデューシャリー・デューティにおける注意義務は曖昧で不明瞭だとして異議を唱えている（GAO、2010a）。このような主張に基づけば、適合性基準はより明瞭に定義され強制することも容易であるが、これと対局にあるフィデューシャリー・デューティによりこれを置き換えることは、消費者保護を実際には弱体化させる可能性があることとなる。そして、反対意見の中には、フィデューシャリー・デューティの遵守は、コンプライアンス・コストを増加させ、そのコストは消費者に転嫁されるか、あるいは消費者の選択が狭められる結果を招くことに繋がると主張している（GAO, 2010a）。

ファイナンシャル・プランナーの資格証明と行動規範の明確化

いくつかの金融系資格を授与する非営利教育機関のアメリカン・カレッジは、ファイナンシャル・プランナーを含む、金融取引業者の行動規範と資格証明を明確化することを提唱しており[*3]（GAO, 2010a）、特に、金融取引業者のための自発的な資格認定基準の樹立に向けた、現在の学術関係者や実務者からなるワーキング・グループの創設を示唆している。金融取引業者の資格証明や行動規範が明確になれば、特定の呼称の使用禁止、あるいは必要最低限の教育研修、試験、もしくは呼称の取得に求められる職務経験を定めるといった方向に、事態が進展していくことが期待される。アメリカン・カレッジの提言によれば、このような資格証明や行動規範における監視の強化を行い「認定証書」を与え、ファイナンシャル・プランナーといった金融取引業者の能力や競争力を向上させることができれば、消費者は数多の資格証明の中から自らの力で識別し、より信頼度の高い金融取引業者を厳選できるようになるだろう。

とはいえ、このような手法の究極的な有効性は明確ではない。というのも、ファイナンシャル・プランナーを選抜して、プランニングに取り組もうとする段階で、消費者はどの程度までこのような呼称を考慮する

かは不明であるのに加え、誤解を招くような呼称によって生じる被害の程度も定かではないのである。さらに、ファイナンシャル・プランナーの資格証明と行動規範に関するモニタリングの実施と継続は容易でないことが予想される。さらに言えば、不明確な呼称に関する問題は、すでにある程度解決されている。例えば、前述した通り、高齢者特定資格の使用を制限する州もあれば、特定の職務上の呼称を将来の投資アドバイザー営業員の適性要件を満たすものとして定める州も存在するのである。そして、州の証券取引規制当局もまた、現在の不正防止権限を行使し、誤解を与えかねない肩書きの利用に関する追跡を行っている。

結論

　本章では、現在の法規制が、すべてではないにせよ、米国におけるファイナンシャル・プランニング・サービスを概ね捕捉し、個々のファイナンシャル・プランナーは、その活動内容に応じて、単一あるいは複数の規制の適用を受けることについて述べた。ファイナンシャル・プランナーが関わる広範な活動を統制する法制が一つも存在しないこととともに、現時点では、ファイナンシャル・プランナーに特化した付加的な規制領域も保証されてはいない。また同時に、現在の法規制をより安定的に施行することによって、監視への取り組みも強化されるのである。

　消費者がファイナンシャル・プロバイダーと金融商品の仕組みを理解し、その中からどのように選択すべきかを理解した時こそ、金融市場が最も効率的に機能するのである。しかし、とりわけ同一の個人や企業が、注意義務の異なった複数の金融サービスを提供すると、消費者は、職業上の呼称に適用される注意義務をよく理解できない場合があるかもしれない。すなわち、消費者は、ファイナンシャル・プランナーが、最善の利益において行動すべき状況であるか否かを必ずしも知ることはできないのである。さらに、SECの管轄外となる保険商品に対する助言や販売に関する注意義務は、消費者を混乱させる懸案事項として、今も存在し続けているのである。われわれは、ファイナンシャル・プランナーが、様々な肩書きや呼称を用いて、別の職業であることをそれとなく示唆する行為を目の当たりにしてきた。その一方で、消費者はこれらの違いを識別することが出来ず、ファイナンシャル・プランナーの資質や専門性

382

を、適切に評価できない可能性があるということについて本章は検証し
てきた。ここ数年の間、SECやFINRA、および州規制当局はこの問題
への対処を試みているが、その成果を見るには今後の展開を待つ（しか
ない）のみである。

▶ 第14章 章末注
1 本章は、ファイナンシャル・プランナーの規制について、GAOにおける研究
（GAO、2011）を重視して記述している。
2 2010年のドッド・フランク法によって創設されたCFPBは、連邦消費者金融保護
法の下で、消費者向け金融商品、金融サービスの提案、および提供を規制監督す
る。同法で定義される金融商品、および金融サービスは、消費者個々の金融事案
に対するファイナンシャル・アドバイス・サービスを含むが、SECと州の証券取
引規制当局によって規制監督される証券取引へのアドバイザリー・サービスは除
外されている。

▶ 第14章 参考文献
Congressional Research Service（CRS）（2010）. *Securities and Exchange Commission Rule
151A and Annuities: Issues and Legislation*, CRS Report for Congress 7-7500.
Washington, DC: CRS.
Financial Planning Coalition（2009）. *Coalition Case Statement 2009-04.* Washington, DC:
Financial Planning Coalition. www.cfp.net/downloads/Coalition_Case_
Statement_2009-04.pdf（翻訳時点で該当ページ無し）
Hung, A. A., and J. K. Yoong（2013）. 'Asking for Help: Survey and Experimental
Evidence on Financial Advice and Behavior Change,' in O. S. Mitchell and K.
Smetters, eds., *The Market for Retirement Financial Advice.* Oxford, UK: Oxford
University Press.
—— N. Clancy, J. Dominitz, E. Talley, C. Berrebi, and F. Suvankulov（2008）. *Investor and
Industry Perspectives on Investment Advisers and Broker-Dealers.* Santa Monica, CA:
RAND Institute for Civil Justice.
Infogroup（2010）.U.S. *Investors & the Fiduciary Standard: A National Opinion Survey.*
Papillion, NE: Infogroup. http://www.cfp.net/downloads/US_Investors_Opinion_
Survey_2010-09-16.pdf（翻訳時点で該当ページ無し）
National Association of Insurance Commissioners（NAIC）（2005）. *Life Insurance
Disclosure Model Regulation*, MDL-580. Kansas City, MO: NAIC.
——（2010）. *Suitability in Annuity Transactions Model Regulation*, MDL-275. Kansas City,
MO: NAIC.
Securities and Exchange Commission（SEC）（2011a）. *Study on Enhancing Investment
Adviser Examinations.* Washington, DC: SEC, pp. 3–4.
——（2011b）. *Study on Investment Advisers and Broker-Dealers.* Washington, DC: SEC.
Securities and Exchange Commission（SEC）, North American Securities Administrators
Association, and Financial Industry Regulatory Authority（2007）. *Protecting Senior
Investors: Report of Examinations of Securities Firms Providing 'Free Lunch' Sales Seminars.*
Washington, DC: SEC.
Siegel & Gale LLC and Gelb Consulting Group（2005）. *Results of Investor Focus Group
Interviews About Proposed Brokerage Account Disclosures. Report to the Securities and*

Exchange Commission. Washington, DC: SEC.

Turner, J. A., and D. M. Muir (2013). 'The Market for Financial Advisers,' in O. S. Mitchell and K. Smetters, eds., *The Market for Retirement Financial Advice.* Oxford, UK: Oxford University Press.

United States Government Accountability Office (GAO) (2007). *Securities and Exchange Commission: Steps Being Taken to Make Examination Program More RiskBased and Transparent.* GAO-07-1053. Washington, DC: GAO.

—— (2009). *Insurance Reciprocity and Uniformity: NAIC and State Regulators Have Made Progress in Producer Licensing, Product Approval and Market Conduct Regulation, but Challenges Remain.* GAO-09-372. Washington, DC: GAO.

—— (2010a). Interviews by GAO staff and private communications with more than 30 organizations representing financial planners, the financial services industry, and consumer interests, and with federal and state financial regulatory agencies.

—— (2010b). Analysis of data provided at GAO's request by the Financial Industry Regulatory Authority from its Investment Adviser Registration Depository, which is maintained on behalf of the Securities and Exchange Commission. Personal communication.

—— (2010c). *Life Insurance Settlements: Regulatory Inconsistencies May Pose a Number of Challenges.* GAO-10-775. Washington, DC: GAO.

—— (2011). *Consumer Finance: Regulatory Coverage Generally Exists for Financial Planners, but Consumer Protection Issues Remain.* GAO-11-235. Washington, DC: GAO

▶ **第14章** 訳者注

*1
ファイナンシャル・プランナーの資格、あるいは類似する資格についての詳細は、本書第2章を参照。

*2
ファイナンシャル・プランナーが関係する米国の業界団体の詳細とその直近の状況については、本書第2章と巻末に掲載したWEBサイトのリストから各団体のHPを参照。

*3
The American Collegeは、チャータード・ファイナンシャル・コンサルタント（ChFC）や、認定生命保険士（CLU）などの教育研修と資格認定を行っている。本書第2章と巻末に掲載したWEBサイトのリストからHPを参照。

巻末補記

The Pension Research Council

The Pension Research Council of the Wharton School at the University of Pennsylvaniaは、退職年金や従業員の福利厚生に影響を与える重要な政策課題について議論を誘起することを使命とした組織である。同組織は、米国、および世界各国における私的、あるいは社会的退職後保障、および年金関連制度に関する学際的研究を後援し、経済的、社会的、法的、保険数理的、および財務基盤に関する基礎研究を通じて、これらの複雑なシステムへの理解を深めることを目指している。同校の学部長によって任命された、同組織の諮問委員会のメンバーは、従業員福利厚生研究分野のリーダーでもあり、経済的保障に対する民間部門のアプローチを強化したいという願望を共有し、社会保障や公共部門における収入維持プログラムとしての本質的な役割を認識している。

（詳細は、https://pensionresearchcouncil.wharton.upenn.edu/を参照）

The Boettner Center for Pensions and Retirement Security

The Boettner Center for Pensions and Retirement Securityは、世界的な高齢化、退職、公的および私的年金に関する学術研究、教育、地域社会奉仕活動の支援を目的としてWharton Schoolに設立され、ジョゼフ. E. ベットナーにちなんで名付けられた。University of Pennsylvaniaへの資金拠出は、ベットナー家の寛大なる高配によるものであり、高齢化が人々の経済的な安定や生活満足度にどのように影響するかという研究を通じて、高齢者における金融的なウェル・ビーイング（幸福な生活環境）の促進を目的としている。同センターでは、世界的な高齢化、退職に関連する課題や有益な条件、退職後の収入、若年層や高齢者の貯蓄や投資行動、心身の健康、そして、自身が思い描く退職後の生活というものを、どのようにより現実へと近づけて行くかということに関する、研究の普及や検証を行っている。

（詳細は、https://pensionresearchcouncil.wharton.upenn.edu/boettner/を

参照）

Executive Director
オリヴィア・S・ミッチェル

International Foundation of Employee Benefit Plans Professor, Department of Business Economics and Public Policy, The Wharton School, University of Pennsylvania

略 語 全 集

本書に登場する専門用語とその略語は、次の通り。

Administradoras de Fondos de Pensiones (AFP)	チリ確定拠出型年金AFP制度
Advanced Life Differed Annuity (ALDA)	据置型終身年金
Affordable Health Care Act (ACA)	患者保護並びに医療費担適正化法 (オバマケア)
American Association of Retired Person (AARP)	全米退職者協会
American Bankers Association (ABA)	米国銀行協会
American College	アメリカン・カレッジ (米国高度保険金融サービス専門職養成機関)
American Institute of Certified Public Accountants (AICPA)	全米公認会士協会
Anchoring Effect	アンカリング効果
Assets Under Management (AUM)	運用資産
Average Indexed Monthly Earnings (AIME)	平均標準報酬月額
Average Wage Index (AWI)	社会保障平均賃金指数
Behavioral Finance	行動ファイナンス理論
Best Linear Predictors (BLP)	最良線形予測量
Bureau of Labor Statistics (BLS)	米国労働統計局
Certified Financial Planner (CFP)	認定ファイナンシャル・プランナー
Certified Fund Specialist (CFS)	認定ファンドスペシャリスト
Certified Investment Management Analyst (CIMA)	公認投資運用アナリスト
Certified Public Accountants (CPA)	米国公認会計士
Chartered Financial Analyst (CFA)	米国公認証券アナリスト
Chartered Financial Consultant (ChFC)	チャータード・ファイナンシャル・コンサルタント
Chartered Investment Counselor (CIC)	チャータード・インベストメント・カウンセラー

Chartered Life Underwriter（CLU）	認定生命保険士
Coefficient of Relative Risk Aversion（CRRA）	相対的リスク回避度
Consumer Financial Protection Bureau（CFPB）	米国消費者金融保護局
DC Circuit Court	ワシントンD.C.巡回区控訴裁判所
Defined Benefit（DB pensions）	確定給付型年金（DBプラン、DB型年金）
Defined Contribution（DC plan）	確定拠出型年金（DCプラン）
Dodd-Frank Wall Street Reform and Consumer Protection Act	ドッド＝フランク・ウォール街改革・消費者保護法
Dynamic Programming（DP）	動的計画法
Employee Benefit Security Administration（EBSA）	米国従業員福祉保障局
Employee Retirement Income Security Act（ERISA）	従業員退職所得保障法
Employee Stock Ownership Plan（ESOP）	従業員持株制度
Federal Reserve Board（FRB）	米国連邦準備制度理事会
Fellow of the Society of Actuaries（FSA）	米国アクチャリー会正会員
Financial Accounting Standards Board（FASB）	米国財務会計基準審議会
Financial Conduct Authority（FCA）	金融行動監視機構
Financial Industry Regulatory Authority（FINRA）	米国金融業規制機構
Financial Planning Association（FPA）	ファイナンシャル・プランナーズ協会
Financial Services Authority（FSA）	英国金融サービス機構
Framing Effect	フレーミング効果
Government Accountability Office（GAO）	米国会計検査院
Guaranteed Minimum Income Benefit（GMIB）	最低年金受取総額保証特約
Guaranteed Minimum Withdrawal Benefit（GMWB）	最低引出総額保証特約
Health and Retirement Study（HRS）	健康と退職に関するパネル調査（米国ミシガン大学社会調査研究所）
Individual Retirement Account（IRA）	個人退職年金

Institute of Social Research at The University of Michigan (ISR)	米国ミシガン大学社会調査研究所
Intent-to-Treat (ITT)	治療企図解析
Internal Revenue Code (IRC)	内国歳入法
Internal Revenue Service (IRS)	米国国税庁
Investment Advisers Act of 1940 (Advisers Act)	1940年投資顧問業法
Investment Advisor Association (IAA)	米国投資顧問業協会
Investment Company Institute (ICI)	米国投資信託協会
Linear Probability Model (LP model)	線形確率モデル
Medicare Program	老齢者医療保障制度 (メディケア)
Monte Carlo Analysis	モンテカルロ分析
National Association of Insurance Commissioners (NAIC)	全米保険監督官協会
National Association of Personal Financial Advisors (NAPFA)	米国個人金融資産運用アドバイザー協会
National Association of Securities Dealers (NASD)	全米証券業者協会
National Institute on Aging (NIA)	米国国立老化研究所
National Longitudinal Survey of Youth 79 (NLSY79)	米国縦断調査プロジェクト
Open Market Option (OMO)	公開市場オプション
Ordinary Least Squares (OLS)	最小二乗法
Pension Protection Act (PPA)	米国年金保護法
Pensions Advisory Service (TPAS)	英国年金アドバイザリー・サービス
Pension Protection Act (PPA)	米国年金保護法
Personal Financial Specialist (PFS)	個人金融スペシャリスト
Prospect Theory	プロスペクト理論
Qualified Default Investment Alternatives (QDIA)	適格デフォルト投資選択肢
RAND American Life Panel (ALP)	RAND社 American Life Panel調査データ
Randomized Field Experiment (RFE)	ランダム化比較実験
Registered Investment Advisors (RIA)	登録投資顧問会社

Required Minimum Distributions（RMD）	必要最低引出額
Securities and Exchange Commission（SEC）	米国証券取引委員会
Self-Regulatory Organizations（SRO）	自主規制機関
Social Security Administration（SSA）	米国社会保障局
Survey of Consumer Finances（SCF）	2007年全国家計資産・負債状況調査
Uniform Application for Securities Industry Registration or Transfer	フォームU4
Uniform Investment Adviser Law Examination（Series 65）	投資相談員資格試験
Uniform Securities Act	米国統一証券法
United States Court of Appeals（CAFC）	米連邦巡回区控訴裁判所
US Department of Labor（DOL）	米国労働省
US President's Advisory Council on Financial Literacy	金融リテラシーに関する大統領諮問委員会

参考URL

本書に関連する参考URLとして以下を紹介する。

the Financial Industry Regulatory Authority :FINRA	https://www.finra.org
U.S. Department of Labor／Employee Benefits Security Administration	https://www.dol.gov/agencies/ebsa
Certified Financial Planner：CFP	https://www.cfp.net/
Chartered Financial Analyst：CFA	https://www.cfainstitute.org/
Chartered Investment Counselor：CIC	https://www.investmentadviser.org/home
Personal Financial Specialist：PFS	https://www.aicpa.org/
Chartered Financial Consultant：ChFC	https://www.theamericancollege.edu/
Chartered Life Underwriter：CLU	https://www.theamericancollege.edu/
Chartered Employee Benefit Specialist：CEBS	https://www.ifebp.org/Pages/default.aspx
Hueler Investment Services Income Solutions®	https://incomesolutions.com/
National Institute on Aging、NIA	https://www.nia.nih.gov/
Social Security Administration：ISR	https://www.ssa.gov/
Institute of Social Research at The University of Michigan	https://isr.umich.edu/
Health and Retirement Study：HRS	https://hrs.isr.umich.edu/about
National Association of Insurance Commissioners、NAIC	https://content.naic.org/
Certified Financial Planner Board of Standards：CFP Board	https://www.cfp.net/
The Financial Planning Association：FPA	https://www.financialplanningassociation.org/
The National Association of Personal Financial Advisors：NAPFA	https://www.napfa.org/
National Association of Securities Dealers	https://www.nasdaq.com/
Investment Company Institute: ICI	https://www.ici.org/
金融庁「NISAのポイント」	https://www.fsa.go.jp/policy/nisa2/about/nisa/point/index.html

おわりに

　わが国における個人向け資産運用サービスの今後を考える上で、先行する米国等を中心に、その発展の源を探り、これに伴う課題を把握すべく本書を出版する運びとなった。通例では、業界の視点からこのような課題に取り組むのかもしれないが、アカデミアを中心とした研究者の客観的かつ批判的な分析から成る原著の翻訳を通じ、係る課題にアプローチする事で、資産運用サービスの社会的意義やその影響をより浮彫にする事が可能となり、多数の読者に有意な書となる事を期待し、本書を公にすることとする。

　欧米、特に米国における今日の資産運用サービスの成長は、DCプラン型年金の急速な拡大抜きには語れない。本書の冒頭に示す通り、米国世帯における退職後の資産運用は、その大半が、本邦における公募投信に該当するミューチュアルファンドを通じて行われ、運用商品の選択や資金拠出計画は、個人の主体的判断に委ねられる。そして、これらを支援する投資アドバイス・ビジネスも比類のない成長を遂げている。これまでのDB型年金では、企業が運用計画を立案し実行するのに対し、DCプラン型年金では、個人の関与や個人向け投資アドバイス・サービスの利用がさらに拡大し、結果として、DCプラン型年金資産の退職前後、あるいは相続等で発生するこれ以外の資産も含め、投資アドバイスを主軸とした個人向け資産運用サービスの需要が、ますます高まりを見せることとなった。

　投資アドバイスを包含した個人資産運用サービスの成長は、従来型サービスの単なる踏襲として受容されている訳ではない。米国では、年金運用の中核的存在であるERISAの精神を引き継ぎ、投資アドバイスには、効率的かつ実用的である事が強く求められている。欧米では、長期に顧客資産の運用や保全を行う、いわゆる、富裕層向け資産管理型サービスが存在し、老舗金融機関を中心に、投資アドバイスと取引執行を融合させた業務形態が古くから営まれている。従来型の取引業者が、販売手数料を廃止し、残高比例ベースで報酬を徴求するラップ口座の提供を

試みることは、資産管理型サービスにおいては先端的な事例と言える。しかし、今日の規制やビジネスの潮流は、このような資産管理型ビジネスが、これまでのスタイルに止まり続ける事を許さない。なぜならば、従来型の業務では先端的なサービスであったとしても、運用効率やサービス内容における透明性の向上といった、より高度な業務改善が常に求められているからである。米国における上場投資信託の急成長は、サービスのコストパフォーマンスや、透明性の向上を求める対面型アドバイザー、特に、独立系アドバイザーの支持によって齎（もたら）されたものと言っても過言ではない。独立系アドバイザーは、このような良好なコストパフォーマンスを武器に、これまでの資産管理型ビジネス領域における一大勢力としての地位を占めるに至っている。また、団塊世代をターゲットとするオンライン・アドバイス・サービスといった新勢力も急成長を遂げ、米国を中心に、競合的かつ成長性に富んだ個人資産運用ビジネスが展開されている。

　本書では、このようなニュー・フェーズを迎えた個人向け資産運用サービスにおける今後の発展を鑑み、これに係る課題を検討し、関連する規制や制度、そして投資アドバイスの内容とその効果を中心としたさまざまな実証分析を駆使し、可能な限り客観性を保ちつつ、問題の所在を検証している。このうち、規制や制度に関する議論は、フィデューシャリー・デューティが真に強制力を発する領域における問題や課題を詳解するものであり、本邦との比較においては、その背景の違いに十分な留意が必要である。ただし、彼我の差は小さくないとはいえ、ここでの分析は、本邦の実務上においても意識検討されるべき豊富な示唆を有していると考える。取引執行サービスと資産運用サービスの何れの立場で業務を行うか、また、その違いは顧客に十分に理解されているかという「帽子の交換」（視点操作）問題などは、本邦の現状においても、販売と運用サービスを同時に行う場合には、意識されるべき課題である。また、今後の拡大が見込まれるファイナンシャル・プランニング業務の位置付けにおいても、ファイナンシャル・プランナーが法的な位置付けを持たず、プランニング業務に対する明確な法律も存在しないとする昨今の米国の状況は、本邦とも極めて類似しており、われわれにとっても、今後、重要性を高める問題となる事を予感させる。投資アドバイスの内

容とその効果に関する分析からは、環境の違いを考慮したとしても、その指摘はインパクトに富むものであり、一般世帯の見地に立った、現状のアドバイス・サービスに伴う有意義な課題への指摘が数多く認められる。そして、それらは、より多くの人々に求められ、単なる運用計画には留まらず、運用資金を捻出する日常に合わせて策定されるべきであるという事を改めて認識させられる。それが故に、実践に結び付く有効な投資アドバイザーの存在が重要であることもよく理解できる。

　以上を含め、成長を遂げる米国の個人向け資産運用サービスの進化と、それに係る課題に対する原著の洞察を的確に伝えられるよう翻訳を行った結果、その内容が読者に十分に理解頂けることを祈念すると共に、至らない部分は専ら翻訳に携わった当社の責任に帰されるものである事を断らせて頂く。

　本書は、監訳者である高崎経済大学の森祐司教授、ならびに中央大学の奥山英司教授の高い見識と献身的な努力無しには存在しえなかった。森教授による、本書出版に関わる熱意に満ちた提案に始まり、両教授の翻訳作業に対する指導や、翻訳原稿の作成に向けられた精力的な関与を経て、短期間内に無事本書を上梓する事ができた。また、一般社団法人ファイナンシャル・アドバイザー協会の中桐啓貴理事長、ならびに福田猛同協会理事からは、国内外の投資アドバイス・サービスの違いや課題において、多々有効な示唆と、多大な激励を頂いた。翻訳原稿の校正には、原著の魅力がより伝わるよう上田デルフィーヌ氏にご尽力を賜るとともに、エッセンス株式会社の山敷久詞氏には、コーディネーターとしてお力添えを頂いた。出版社である株式会社幻冬舎メディアコンサルティングの安田様、前田様からは、ご多用の中、的確迅速に対応頂き、期待を遥かに上回る早期の出版が可能となった。末筆ながら、これら関係者の皆様、および本出版作業に関わった弊社スタッフに、感謝の辞を申し述べたい。

楽天投信投資顧問株式会社

代表取締役社長

東　眞之

監訳者

森　祐司　（高崎経済大学経済学部教授）

1968年生まれ。筑波大学第三学群国際関係学類卒業。早稲田大学大学院経済学研究科博士後期課程修了。博士（経済学）（早稲田大学）。（株）大和総研主任研究員、ペンシルベニア大学ウォートン校客員研究員、年金シニアプラン総合研究機構主任研究員、青山学院大学大学院国際マネジメント研究科講師等を経る。主な著書に、『地域銀行の経営行動』（早稲田大学出版、2014年）、『テキスト金融論第2版』（共著、新世社、2021年）がある。

奥山 英司　（中央大学商学部教授）

1973年生まれ。神戸大学経済学部卒業。神戸大学大学院経済学研究科博士後期課程修了。博士（経済学）（神戸大学）。第一勧業銀行、北星学園大学経済学部専任講師等を経て、2016年から現職。著書に、『世界金融危機と欧米主要中央銀行―リアルタイム・データと公表文書による分析』（共著、晃洋書房、2012年）がある。

翻訳者

楽天投信FA研究会

楽天投信投資顧問株式会社において、我が国におけるIFA（Independent Financial Advisors）ビジネスの拡大、展望を研究すべく立ち上げた社内若手スタッフ有志による勉強会。運用、営業、オペレーション、リーガル、リスク等各部門の担当者が集まり、個々人の担当領域の視点からIFAビジネスへの洞察を深めると共に、異なる領域や外部の専門家との交流を深めるきっかけともなっている。本書の翻訳出版をきっかけに、研究会での活動の成果を社内外に継続発信していく予定。

原著者

オリヴィア・S・ミッチェル

Executive Director, Pension Research Council Director,
Boettner Center for Pensions and Retirement Research
The Wharton School, University of Pennsylvania

アドバイスが変える資産運用ビジネス

2023年4月13日　第1刷発行

監訳者　　森祐司　奥山英司
訳　者　　楽天投信投資顧問株式会社
発行人　　久保田貴幸

発行元　　株式会社 幻冬舎メディアコンサルティング
　　　　　〒151-0051　東京都渋谷区千駄ヶ谷4-9-7
　　　　　電話　03-5411-6440(編集)

発売元　　株式会社 幻冬舎
　　　　　〒151-0051　東京都渋谷区千駄ヶ谷4-9-7
　　　　　電話　03-5411-6222(営業)

印刷・製本　中央精版印刷株式会社

装　丁　　江草英貴